Les femmes cathares

ANNE BRENON

Les femmes cathares

PERRIN
12, avenue d'Italie
PARIS

ISBN : 2.262.00733.0

A Suzanne Nelli,
qui en est un peu l'inspiratrice,
ce livre, dans l'amitié.

A Marguerite aussi,

et à Jordane.

SOMMAIRE

OUVERTURE

La forêt des symboles

L'homme médiéval se meut dans un univers de signes. Sa religiosité concrète lui fait voir en ce monde, centre de la création et noyau stable d'un ballet d'astres et d'étoiles, un champ d'intervention divine (1).

Il a placé des croix, marque de son Dieu, à la limite de son champ et sur la pierre levée des anciens païens qui dérange la lande. Ainsi le diable se gardera-t-il bien d'y poser l'empreinte de son sabot fourchu.

Il prie son Dieu à deux genoux, les yeux tournés vers l'autel consacré par le seigneur évêque, au beau milieu du chœur de la petite église de pierre, qui indique la direction de l'Orient et de la Terre Sainte.

Si sa récolte est bonne, c'est que Dieu lui sourit et que les processions de rogations dans les chemins creux lui ont été agréables. C'est que tout le village vit dans la paix des mœurs et du labeur.

La maladie du corps est signe d'une corruption de l'âme. L'intercession des saints, l'eau bénite et les cierges, les prières promettant repentance, obtiendront peut-être de Dieu grâce et rémission, guérison.

Dieu, qui se penche indéfiniment sur sa création, distribue à ses créatures messages, punitions, avertissements. Son bon

---

(1) Voir la magistrale introduction de Jacques LE GOFF à l'ouvrage collectif *l'Homme médiéval* (Le Seuil, 1989).

vouloir s'exprime par les miracles, ses avis par l'ordalie, le « jugement de Dieu ».

L'homme sait que Dieu dessine des signes dans le ciel : les comètes présagent des épreuves hors du commun, une guerre, une famine. Un jour les signes se feront plus dramatiques comme l'annoncent les saintes prophéties : ce sera la fin des temps.

Pour l'heure, l'homme chemine, entre la grêle de la colère divine et la hantise du Salut, sous l'angoisse de la damnation éternelle. Dans la forêt des symboles, des images et des chiffres qui lui sont repères du sacré sur cette terre, il s'avance en comptant ses pas. Il se dirige vers l'église de son village, encore et toujours, songe qu'au bout des mains du prêtre le pain de l'Eucharistie se fera corps divin, que dans le tabernacle, présent, rassurant, menaçant, son Dieu veille. L'homme médieval, le chevalier, le laboureur, la veuve de l'artisan, la bergère ou le chanoine, vit dans les mains et sous le regard de Dieu.

Sauf le chrétien cathare.

Le voici. Il sourit, ironique un peu, des superstitions des croyants et des clercs de l'Eglise romaine et répond que Dieu n'a point à se préoccuper des inconséquences de ce bas monde dont Satan est le prince. Pour lui, Dieu est ailleurs, dans son éternité, dans la lumière immobile du Bien et de l'Amour.

La Bonne Chrétienne Arnaude de Lamothe jamais ne fixa sa ferveur sur un crucifix de bois ni un autel de pierre ; jamais elle ne se signa en écoutant rouler le tonnerre, ni ne pria la Vierge de guérir sa sœur Peironne. Il ne peut y avoir de version cathare de l'histoire du « miracle de la poutre » par saint Dominique (1). En plein cœur du XIIe siècle, en pays occitan, toute une population médievale d'hommes et de femmes tendait à récuser le modèle chrétien dominant...

---

(1) Les polémistes cathares et catholiques, à Montréal, ne parvenant pas à se départager, auraient soumis leur débat au jugement de Dieu. Le libelle de saint Dominique serait alors, bien entendu, sorti indemne du feu de l'ordalie, alors que les propositions « hérétiques », condamnées par Dieu, auraient été consumées. Cette légende fait partie de l'hagiographie de saint Dominique. Il est évident que les docteurs cathares en présence auraient bien ri si Dominique ou un autre polémiste catholique leur avait proposé de recourir au jugement de Dieu.

PREMIÈRE PARTIE

PETITE CHRONIQUE DU CATHARISME ORDINAIRE

1

Peironne et Arnaude au temps de la croisade

1208. Dans le château, c'est à dire la petite ville forte de Montauban, et au sein de la bonne société.

Peironne pouvait avoir dix ans, sa petite sœur Arnaude sept ou huit, lorsque pour la première fois leur mère, dame Austorgue de Lamothe, leur permit de voir les Bonnes Chrétiennes qui étaient venues en visite au logis. Elles étaient deux bien sûr, en sombre vêture, parlant hautement de Dieu et de son Eglise dans la salle, pour les femmes de la maison.

A la fin du prêche et des conversations, les deux fillettes, qui étaient restées immobiles, juchées sur leur banc, virent encore leur mère, ainsi que leur tante Lombarde, plier le genou et s'incliner trois fois profondément devant les inconnues en leur disant, l'une après l'autre :

– Dame, bénissez-moi, et priez Dieu pour moi, qu'il fasse de moi une Bonne Chrétienne et me conduise à une bonne fin.

A quoi il leur fut répondu, à double voix :

– Nous prions Dieu pour vous, qu'il fasse de vous une Bonne Chrétienne et vous conduise à une bonne fin.

Il était vrai que les deux fillettes n'avaient encore jamais, jusque-là, rencontré ces Bonnes Dames, et que leur visage leur était inconnu. Mais qui elles étaient, elles le savaient bien. Leur mère Austorgue, de sa voix grave, leur avait souvent parlé de l'Eglise de Dieu et de ces Bons Chrétiens, hommes ou femmes, qui mieux que les clercs de l'Eglise de Rome, l'évêque de Cahors ou les chanoines de Montauban, avaient pouvoir de sauver les âmes. Austorgue ajoutait invariablement qu'il n'était nulle meilleure vie à souhaiter que de suivre soi-même la voie de Justice et de Vérité des Bons Hommes, et qu'il n'était jamais trop tôt pour cela. Elle soupirait alors en regardant ses deux aînées, tandis que les cadettes, Maraude et Dulcie, esquissaient des gestes de dénégation et pouffaient de rire. Mais ce souvenir-là, Arnaude ne se sentait pas tenue de l'exposer à l'inquisiteur.

Trente-six ans plus tard, en effet, un jour du mois d'août 1244, Arnaude de Lamothe, relapse et convertie, commençait devant Frère Ferrier le long récit de sa vie d'errances et d'erreurs et concluait l'épisode de 1208 de façon un peu mécanique :

> « Puis les deux femmes hérétiques quittèrent la maison et reprirent leur chemin... Ni ma sœur Peironne ni moi, nous n'avons adoré ces hérétiques... »

Les Bonnes Dames, les Bonnes Chrétiennes de son enfance et de toute sa vie, Arnaude se devait désormais, puisqu'elle avait choisi de survivre, de ne les désigner plus que du terme d'*hérétiques*. En trente six années, le clair ordonnancement du monde avait basculé, le bien n'était plus le bien, le mal n'était plus le mal, l'Eglise de Dieu était dispersée, pourchassée, le comte de Toulouse devenu le jouet du pape et du roi de France; et Arnaude se retrouvait seule devant le tribunal religieux chargé de l'Inquisition de la dépravation hérétique. Frère Ferrier, le dominicain et son appareil de scribes et de témoins, représentaient l'ultime instance, réunie pour scruter sa vie jusqu'aux racines, son cœur jusqu'au non dit.

Dix ans après la mort de sa sœur Peironne et après plus de vingt années d'errance et de clandestinité, Arnaude, capturée par les soldats de l'Inquisition au fond d'un bois du Lantarès, achevait son dernier chemin dans la honte, le chagrin et l'angoisse des aveux. Elle avait abjuré. Elle reniait, pour survivre, ce qui l'avait fait vivre, ce qui avait donné sens à tous ses chemins à travers bois, à travers pluie et grêle, sous la morsure du soleil et du gel, dans les granges et les paillers, à la lueur des foyers de fortune et parmi l'amitié de visages fidèles, dans la fuite permanente et le secret quotidien. Relapse au regard de l'Eglise de Rome, à ses propres yeux rénégate deux fois, Arnaude de Lamothe, maigre femme d'une quarantaine d'années, usée de jeûnes et de fatigue, scrutait sa mémoire et parlait. Se reniait. Dénonçait. Sauvait sa vie (1).

En 1208 donc, peu de temps après cette visite des Parfaites dans la maison de leur mère à Montauban, Peironne et Arnaude avaient vu arriver un cousin de feu leur père, le Bon Homme Bernard de Lamothe et son compagnon Raimon Méric, diacre de l'Eglise pour Villemur. A leur tour, ils prêchèrent dans la grande salle et citèrent maintes fois les Evangiles ; puis les fillettes virent à nouveau leur mère Austorgue se prosterner trois fois, rituellement, devant les deux religieux.

Mais cette fois, ils étaient venus dans un but bien précis, et non pour simplement parler de Dieu : ils étaient venus chercher les deux petites filles, ainsi que cela avait été convenu quelques jours auparavant entre leur mère et les deux Bonnes Dames vêtues de sombre. Peironne et Arnaude partirent donc avec les Bons Hommes pour Villemur, à deux journées de marche de Montauban, au bord de la rivière du Tarn. Austorgue, qui réalisait ainsi un peu son propre vœu, les y accompagna avec leur plus jeune frère, Armand. A Villemur, on les conduisit à la maison de la Parfaite Poncia et de ses compagnes où, après quelques heures et des paroles douces et fermes, leur mère leur fit à son tour ses adieux avec le petit Armand.

Et là, au fil des jours, Peironne et Arnaude apprirent peu à peu à suivre les rites de l'Eglise de Dieu avant même de les bien

---

(1) La vie d'Arnaude de Lamothe, ainsi qu'indirectement celles de sa sœur et de sa mère, nous est connue par ses deux dépositions, respectivement devant les inquisiteurs Ferrier en 1244 (Manuscrit Paris, B.N. Doat 23, f° 1-49b) puis Bernard de Caux en 1245 (Ms Toulouse, B.M. 609, f° 201b-203b). Je me borne ici à rétablir la chronologie des événements de cette vie extrêmement significative sur le plan du vécu du catharisme féminin, et à les replacer de manière très générale dans leur contexte historique. Michel ROQUEBERT travaille actuellement à une étude beaucoup plus approfondie des informations contenues dans ces deux dépositions, étude dont les conclusions infirmeront peut être certains de mes recoupements trop rapides – mais sans rien changer bien sûr quoi que ce soit aux incertitudes qui seront toujours les nôtres quant au contenu réel de l'engagement vital d'Arnaude...

comprendre, ne mangèrent plus d'autre pain que celui que les Bonnes Chrétiennes bénissaient chaque jour à leur table, se plièrent à l'habitude de les saluer de trois génuflexions comme elles l'avaient déjà vu faire à leur mère et à leur tante, assistèrent sans faillir au prêche régulier du diacre Raimon Méric. Dans la maison de Poncia, un certain nombre de bons croyants de Villemur, nobles, bourgeois et artisans entraînés là par leur femme ou par leur mère, avaient coutume de se rassembler derrière la petite communauté les jours où venait prêcher le diacre. Peironne et Arnaude, du fond de la monotonie paisible de leur quotidien, regardaient avec curiosité tous ces visages inconnus, tous ces personnages à la vie simple et ordinaire dont chaque jour elles s'éloignaient un peu plus en s'intégrant à la vie religieuse de leur nouvelle maison.

Un jour, Poncia et sa compagne rituelle les emmenèrent, par les rues de Villemur, jusqu'à la maison des Parfaits où les reçut gravement Raimon Méric en personne. Peironne et Arnaude savaient qu'elles étaient désormais prêtes pour le baptême, cette imposition des mains des Bons Hommes qui ferait d'elles de Bonnes Chrétiennes. Ce baptême, elles l'avaient appris, était celui qui sauvait les âmes, et Jésus-Christ l'avait transmis lui même à ses apôtres pour libérer du mal le peuple de Dieu, le Père saint. Ce baptême était l'accomplissement auquel devait tendre toute vie humaine et les fillettes, vouées à la vie religieuse par leur mère veuve, se persuadaient que c'était pour elles une grâce que d'ainsi montrer la voie.

Dans la salle de la maison des Parfaits de Villemur, Bons Hommes et Bonnes Dames s'étaient rassemblés pour assister à l'ordination des deux fillettes. Un peu détachés de l'assistance, le diacre Raimon Méric et son compagnon se tenaient immobiles auprès d'une petite table couverte d'une nappe blanche. Y était posé le livre des Evangiles. Poncia prit Peironne et Arnaude par la main et les conduisit devant eux.

Aux questions rituelles des deux Parfaits, les fillettes répondirent qu'elles avaient effectivement la volonté de se rendre à Dieu et à l'Evangile, promirent qu'elles ne mangeraient plus aucune nourriture d'origine animale, viande, œufs ou laitage, firent vœu de chasteté et de vérité, s'engagèrent à ne plus jamais jurer, ni renier l'Eglise des Bons Chrétiens par crainte de l'eau, du feu ou de la mort sous quelque forme qu'elle puisse se présenter. Désormais, elles vivraient en communauté, récitant les prières et suivant la Règle.

Les Bons Hommes imposèrent alors les mains au-dessus de leur tête, avec le livre ouvert, et dirent avec elles trois fois et à voix bien claire la prière du Pater, par laquelle le chrétien salue le Père saint, sanctifie son nom, appelle son règne, se soumet à sa volonté, lui demande de lui dispenser le pain de sa Parole et, surtout, de le libérer du mal.

Peironne et Arnaude, toutes jeunettes, toutes fluettes, étaient désormais Bonnes Chrétiennes. Le diacre et son compagnon les saluèrent de la façon rituelle et leur transmirent, par l'intermédiaire du livre, le baiser de paix de l'Eglise. De Parfait à Parfait, de Parfaite à Parfaite, la paix de Dieu se propagea à travers toute l'assistance.

Rentrées dans la maison des Parfaites, les deux fillettes partagèrent désormais totalement la vie de leurs compagnes. Cependant elles sortaient moins souvent que les Bonnes Dames d'âge plus mûr, qui formaient l'essentiel de la communauté et souvent se rendaient au chevet de quelque malade ou chez l'épouse, bonne croyante, de quelque chevalier des environs. Des jeunes filles, Arnaude et Peironne étaient bien les plus jeunes et, comme elles, ne posaient la quenouille que pour accomplir les gestes rituels ou écouter le prêche sur les Evangiles. Durant plus d'une année, elles vécurent en Bonnes Chrétiennes, mangeant, priant, bénissant le pain selon la Règle, se soumettant au rite de *l'apparelhament*, la pénitence collective devant le diacre, et accomplissant leur *melhorament*, le triple Salut, devant tout Chrétien baptisé. C'est alors que les croisés firent irruption dans le pays.

L'on sut très vite – dès le massacre de Béziers de 1209 –, qu'il s'agissait d'une guerre totale, et que l'Eglise des Bons Chrétiens était la cible absolue des armées catholiques. A Minerve, en 1210, comme déjà l'année précédente à Casseneuil en Quercy, les soldats tirèrent des maisons de l'Eglise toutes les Parfaites et tous les Parfaits, pour les entasser et les brûler tout vifs sur de grands bûchers collectifs. L'Eglise devait disparaître, spirituellement et physiquement. La guerre menaçait désormais l'Albigeois, aux portes de Villemur.

Raimon Méric, le diacre, prit alors la décision qui s'imposait et fit quitter la ville à tous les Bons Chrétiens, pour des raisons de sécurité. Parfaits et Parfaites se mirent en route, évitant soigneusement la vallée du Tarn, et gagnèrent en première étape le bourg fortifié de Roquemaure, qui était à une journée de marche. Peironne, Arnaude et leurs compagnes dormirent cette nuit là dans la maison des Parfaites du lieu. Le lendemain, l'on fit une seconde journée de marche jusqu'au château de Giroussens qui dominait de bien haut la vallée de l'Agout, et l'on dormit à nouveau dans la maison des Parfaites. La femme de l'un des coseigneurs, Ferran de Giroussens, s'empressa de venir visiter les nouvelles venues et de leur demander leur bénédiction.

Du haut des murailles de Giroussens, l'on put contempler en contrebas la plaine de Lavaur; puis l'on redescendit des hautes terres; la troisième étape conduisit les Bonnes Dames fugitives, au rythme du pas des plus âgées d'entre elles, jusqu'aux basses plaines de l'Agout, et à Lavaur même où elles s'établirent dans la maison que tenait la Parfaite Azalais. Elles y restèrent une année pleine, jusqu'à ce qu'à nouveau l'approche des croisés les contraignît à fuir.

La prise de Lavaur, au mois de mai 1211, fut atroce. Dame Géralda jetée et lapidée au fond d'un puits, Aimery de Montréal et ses soixante chevaliers pendus et égorgés. Et les bûchers, tout près : quatre cents Chrétiens brûlés à Lavaur, soixante aux Cassès. Pendant ce temps, Peironne et Arnaude étaient au refuge, chez les Bonnes Dames de la ville de Rabastens, dans la vallée du Tarn, à deux journées de marche vers le nord.

A Rabastens, elles demeurèrent encore près d'un an, en relative sécurité, dans la maison de la Parfaite Orbria Guitard, où se perpétuaient les rites de l'Eglise. Le diacre Guiraud Abit venait régulièrement y *apparelher* (1) les Bonnes Chrétiennes, et les bons croyants de Rabastens les y visiter ou écouter le prêche, autour de Bernard et Gautier, les frères de dame Orbria, de ses neveux Pierre et Hugues et de ses sœurs Aude et Martine.

---

(1) Apparelher : administrer *l'apparelhament*, ou *servici*, sorte de pénitence collective rituelle d'une communauté de Parfaits ou de Parfaites devant un diacre. Le *melhorament*, ou *melhorier*, était le salut rituel aux ordonnés.

Septembre 1213. La désastreuse bataille de Muret rendit désormais bien incertaine la protection du comte de Toulouse, vaincu et contraint à soumission. Les croisés montaient vers le Quercy. A Montauban, dame Austorgue de Lamothe s'inquiétait pour ses deux grandes filles, adolescentes de douze et quinze ans contraintes à la fuite permanente à l'approche des armées catholiques, tendres et faciles proies pour le bûcher. Dès le lendemain de la défaite de Muret, elle envoya les chercher à Rabastens et, dès leur retour à Montauban, négocia leur réconciliation avec l'Eglise catholique auprès de l'évêque de Cahors.

Peironne et Arnaude étaient désormais en règle. Elles avaient publiquement renoncé à leurs vœux de Bonnes Chrétiennes, elles juraient, mentaient, mangeaient de la viande : elles pouvaient donc désormais vivre au grand jour, sans se cacher. Elles demeurèrent chez elles, à Montauban, avec leur mère, leurs frères et leurs sœurs, mimant du bout des lèvres les rites catholiques, gardant au fond du cœur la foi des Bons Chrétiens. Parfois toute la famille, ou du moins ses composantes féminines : Austorgue, Maraude, Dulcie, Peironne et Arnaude, se rendait chez une voisine lorsque leur parent, le Bon Homme Bernard de Lamothe venait secrètement y prêcher sur les Evangiles. Elles y retrouvaient leurs amies, Azalaïs André avec sa fille, ou Arnaude Moissac ; et toutes demandaient au Bon Homme la bénédiction de Dieu et celle de l'Eglise. L'on espérait, sans trop y croire, un retournement des événements en faveur des amis des Bons Chrétiens, le vieux Raimon de Toulouse et son fils le jeune comte, dépossédés. Que les Français et les soldats bénis du pape quitteraient le pays. Que l'Eglise de Dieu pourrait à nouveau prêcher au grand jour.

Maraude et Dulcie, cependant, songeaient à se marier.

2

Dialogue en Lantarès

– Pourquoi Arnaude ? Je comprends très bien que tu veuilles ouvrir ce livre par une confrontation directe, et même brutale, de ton lecteur avec la vie d'une femme réelle...

– ... Que d'emblée il soit clair que ce sont des êtres de chair et de sang qui sont en cause ici, et qui eurent des visages, des sentiments et ressentiments, des odeurs de vie.

– Mais pourquoi Arnaude, et maintenant le Lantarès ? Tu aurais pu choisir de commencer par tant d'autres femmes, qui auraient donné au catharisme un visage symbolique tellement plus clair et tellement plus sympathique. Arnaude est un peu grise, pour ne pas dire tristounette... Tu risques de décourager proprement le lecteur !

– C'est vrai. Il y avait de grands destins : Blanche de Laurac et ses quatre filles : Navarre de Servian, Esclarmonde de Niort, Géralda de Lavaur et la petite parfaite Mabilia. Et toutes ces grandes dames, Garsende du Mas-Saintes-Puelles et Esclarmonde de Foix. Ou Corba de Péreille à Montségur, pour ne pas parler de sa fille Esclarmonde, que tout le monde attend. Ou encore Guillelme Maury, de Montaillou, que personne n'attend, tellement moins médiatique que Béatrice de Planissoles et tellement plus cathare. Et tant d'autres... Guillelme, je la garde pour la fin. C'est, je crois, ma préférée. Mais Arnaude, justement, a pour elle de n'avoir rien d'extraordinaire ni de symbolique.

– Ne crains-tu pas que la première impression ne soit vraiment une vague de déception et de mélancolie? Pourquoi mettre ainsi en avant cette histoire de vocation un peu forcée et mal assumée, alors qu'en son temps le catharisme suscita tant de ferveurs, de dévouements purs, tant d'actes de volonté et de courage?

– Tu as parfaitement raison. Mais l'on ne définit pas un mouvement historique par ses seuls héros et héroïnes, même si statistiquement ils ont été nombreux. Arnaude de Lamothe a le mérite, justement, de n'être qu'une femme ordinaire, qui subit plus qu'elle ne choisit. Par elle, nous discernons le geste cathare « machinal »...

Et puis, il y a encore une autre raison, et qui est la raison principale, tu le sais aussi bien que moi : c'est qu'Arnaude de Lamothe est la femme cathare du XIIIe siècle que nous connaissons le mieux, et de loin. Elle est « incontournable », comme l'on dit dans le jargon d'aujourd'hui. Ce n'est qu'avec le cas d'Arnaude que nous pouvons parvenir à reconstituer l'itinéraire d'existence presque complet d'une Parfaite. A la différence de Blanche de Laurac ou de Corba de Péreille, elle a laissé un témoignage direct pour l'Histoire, et un témoignage extrêmement détaillé, deux copieuses dépositions devant l'Inquisition. Le détail de sa vie depuis son enfance, elle l'a raconté, récité à l'inquisiteur Ferrier, a rajouté quelques détails devant l'inquisiteur Bernard de Caux, et les scribes ont minutieusement consigné tout cela dans le gros registre des dépositions. Une vie de première main dans l'ordre chronologique ou à peu près, et non schématiquement reconstituée à partir du recoupement approximatif de témoignages indirects, c'est tout à fait exceptionnel! Et une vie qui traverse toute l'« Epopée cathare », depuis les premières années du XIIIe siècle jusqu'au temps du bûcher de Montségur. Pour Corba de Péreille ou Blanche de Laurac, j'aurais pu donner au maximum une page. Pour Dias de Saint-Germier ou Raimonde Jougla, peut-être deux ou trois pages. Et un point de vue beaucoup plus limité. Tu vois que finalement je n'avais guère le choix...

– C'est vrai. A part peut-être pour ce qui est des huit années de son retour au monde à Montauban au plus fort de la croisade, entre 1213 et 1221, l'on pourrait presque écrire le roman au jour le jour d'Arnaude de Lamothe, suivre ses déplacements, ses va-et-vient d'une cachette à l'autre, sur la carte Toulouse-Albi, et même sur cette petite série rouge au 1/50 000 du Lantarés...

Ici, à l'endroit même où nous sommes aujourd'hui, s'étendait peut être au Moyen Age un bois vaste et fourni, autour d'un lieu habité, cultivé, humanisé qui portait déjà le nom de la Garrigue. Etait-ce un *mas*, un regroupement de maisons – nous dirions aujourd'hui un hameau, ou une *borie*, une *borde*, une simple ferme? Quoi qu'il en soit, ici peut-être Arnaude de Lamothe, avec l'une ou l'autre de ses compagnes rituelles, porta-t-elle ses pas, huma-t-elle la tiédeur de l'air. Mais en quoi ce lieu, point défini par des paramètres géographiques, est-il resté le même? La survivance du nom suffit-elle à maintenir l'identité du lieu? Au simple regard, à quoi pourrait-on précisément le reconnaître, ce lieu? Au profil de la colline? Mais la molle ondulation du terroir elle-même a pu être aménagée, comblée, rectifiée, assagie, asservie. Changée... Et les odeurs? et les couleurs? Nous nous persuadons qu'il devait y avoir plus de vert dans le paysage, plus de bois. Pour preuve, les clandestins et clandestines pouvaient s'y cacher. Un grand bois bien entretenu autour d'un hameau à cultures, parce que les populations médiévales tiraient des bois une bonne partie de leurs moyens d'existence.

– Et les maisons? A quoi pouvaient bien ressembler les maisons, au XIIIe siècle?

– Pas très différentes de ce qu'elles sont encore, sans doute. A Montaillou, dans la montagne, on sait que la plupart avaient un étage en bois, un solier (1). Dans les villes aussi, comme à Ax-les-Thermes. Mais ici, elles devaient déjà être basses comme aujourd'hui, coulées sur le sol, simples rez-de-chaussée allongés, accrochant la pièce à vivre, le foyer des hommes, à l'étable

(1) On le sait grâce aux précisions que contiennent les dépositions faites devant l'inquisiteur Jacques Fournier entre 1318 et 1325. Jean DUVERNOY a édité puis traduit en trois volumes ce copieux registre, *le Registre d'Inquisition de Jacques Fournier*, Mouton, Paris – La Haye, 1978 et Emmanuel LE ROY LADURIE en a tiré la substance de son étude socio-ethnologique *Montaillou, village occitan* (Paris, Gallimard, 1975) où l'on peut trouver une description précise, détaillée et fondée de l'habitat paysan de montagne.

des animaux. Et en brique forcément, dans ce pays sans pierres. Ou peut-être simplement en torchis, en pisé sur clayonnage ou colombage de bois. Terre séchée ou terre cuite?

– Sur fond de paysage, dans un cadre de formes et de couleurs, on distingue mieux les silhouettes d'autrefois... Du moins on s'en persuade.

L'on comprend mieux, en tout cas, le sens de l'échange, de la relation entre les êtres. On éprouve l'élasticité du sol, le profil des pentes, et l'on évalue le cheminement quotidien de tous ces pas de jadis. Et l'on reconnaît l'espace logique, signifiant, qui sépare les lieux de vie. On mesure la portée des regards de toujours. De La Garde de Lanta, on voit Sainte-Foy-d'Aigrefeuille; De Préserville, on voit Odars. Et c'est avec un petit sourire d'émotion que l'on constate que, justement, de Villemur à Roquemaure, de Roquemaure à Giroussens, de Giroussens à Lavaur, il y avait et il y a toujours, pour le pas fatigué de vieilles femmes et de gamines, une journée de marche.

3

Le retour à l'Église

L'on avait eu raison d'espérer. Le comte et son fils étaient rentrés dans Toulouse et, Simon de Montfort éliminé dès 1218, avaient entrepris la reconquête méthodique de leurs domaines. En 1224, fatigué, vaincu, découragé, Amaury de Montfort quitterait du reste le Languedoc pour abandonner au roi de France tous les droits qu'il tenait de feu son père Simon sur les terres de Toulouse, de Carcassonne, d'Albi et de Béziers. Dans le pays libéré des occupants étrangers et des soldats de la foi, l'Eglise de Dieu, avec plus de ferveur encore qu'avant la croisade, reprenait de plus en plus ouvertement son culte et son prêche, grandie par la constance de ses martyrs, témoins du Christ dans la flamme des bûchers.

A Montauban, dès 1221, Maraude et Dulcie s'étaient mariées; elles avaient épousé des fils de familles bonnes croyantes, possessionnées en pays Vaurais. Peironne et Arnaude, quant à elles, se sentaient toujours moralement liées par les vœux qu'elles avaient autrefois prononcés, puis abjurés. Il faut dire que leur mère avait toujours refusé d'aborder la question de leur éventuel mariage. Elle attendait son heure.

La paix à peu près revenue, dame Austorgue de Lamothe s'avoua enfin qu'elle pouvait désormais suivre son vœu profond. Tous ses enfants étaient maintenant adultes et sortis d'affaire, elle pouvait songer à son propre Salut. Peu après le mariage de ses deux cadettes, elle mit à profit une visite que lui fit le cousin de son mari, Bernard de Lamothe, alors qu'elle était malade assez gravement, pour évoquer clairement la question devant ses deux aînées. Elle déclara qu'elle souhaitait désormais ne plus consacrer qu'à Dieu, à son Salut et au service de l'Eglise, les jours que compterait encore son existence terrestre.

Le Bon Homme Bernard sourit. Durant le temps de la guerre et des persécutions, il n'avait jamais cessé de porter aux croyants prédication et consolation, au mépris des périls. Il répondit calmement à sa parente que, si Dieu voulait, l'heure était aujourd'hui venue pour elle d'entendre la voix du Bien, et pour Peironne et Arnaude, demoiselles en âge de raison, de retourner librement à la vie de Bonnes Chrétiennes qui avait été la leur. Peironne et Arnaude, front incliné devant l'homme de Dieu, murmurèrent que telle était effectivement leur volonté, que seules les difficultés du temps les avaient contraintes à dissimulation, qu'elles n'avaient nulle intention de se marier et que, si Dieu voulait, elles se rendraient à nouveau à Lui et à l'Evangile.

L'on réfléchit ensemble à ce qui serait le meilleur moyen à suivre. Bernard de Lamothe était parfaitement au courant de la situation : dans l'Eglise de Toulousain qui se reconstituait, il avait été élu Fils Majeur du nouvel évêque, Guilhabert de Castres (1). Plus de quinze cents Parfaits et Parfaites avaient disparu sur les bûchers collectifs de la croisade. Même sur les territoires maintenant libérés depuis peu par les comtes, il n'était guère de maisons de Parfaites qui aient pu se reconstituer; et le danger était toujours là, menaçant sourdement. Il conseilla donc à ses parentes de s'adresser au prieuré de Linars, dans le tout proche Quercy. La prieure et ses religieuses étaient en fait de Bonne Dames, qui avaient réussi à traverser le temps des persécutions en menant religieuse vie sous l'habit des moniales – qu'elles portaient encore. La plupart d'entre elles du reste, à commencer par la supérieure, avaient été religieuses dans l'ordre de Fontevrault avant de recevoir le baptême de l'Eglise des Bons Chrétiens. Pour l'heure leur maison, laissée intacte par la croisade, était la seule parfaitement à

---

(1) Les Fils, Fils Majeur et Fils Mineur, étaient situés – dans la hiérarchie de l'Eglise cathare comme dans celle de l'Eglise primitive – immédiatement en dessous de l'évêque, auquel ils étaient appelés à succéder à son décès.

même de prendre en charge des postulantes et de les guider spirituellement jusqu'à l'ordination (1).

Austorgue, rétablie et ayant recouvré toute son énergie, ne perdit pas de temps et adressa un messager à la prieure de Linars. Celle-ci répondit aussitôt et, quelques jours plus tard, se présenta au logis des dames de Lamothe avec sa *socia*, sa compagne rituelle (2). Austorgue, Peironne et Arnaude les saluèrent trois fois, profondément :

– Bonnes Chrétiennes, la bénédiction de Dieu et la vôtre...

– Et priez Dieu pour nous, qu'il fasse de nous de Bonnes Chrétiennes et nous conduise à une bonne fin...

La paix de Dieu échangée entre les cinq femmes par double baiser de leur bouche, la plus âgée des Bonnes Dames déclara qu'il n'était d'autre voie de Salut que de suivre l'Evangile, et l'on se prépara au départ. Dame Austorgue de Lamothe et ses deux filles aînées, Peironne et Arnaude, prenaient congé de toute leur famille, enfants et petits-enfants, frères et sœurs, neveux et nièces, pour prendre l'habit de moniales à Linars et mener désormais religieuse vie au sein de l'Eglise des Bons Chrétiens.

1222 ou 1223. La guerre semblait s'éloigner définitivement, l'Eglise ne se cachait pratiquement plus. Dans la maison de

---

(1) Arnaude cite nommément ce « prieuré de Linars » et indique que les Parfaites y vivaient « sous l'habit de moniales », ce qui contredit l'interprétation que donnent de ce passage les historiens américains R. ABELS et H. HARRISON, *The Participation of Women in Languedocian Catharism* (Mediaeval Studies, Toronto, 1979) : selon eux, certaines maisons cathares – comme Linars, auraient eu rang de véritable monastère où les Parfaites vivaient sous l'autorité d'une supérieure et portaient un habit religieux. La déposition d'Arnaude laisse bien entendre qu'il ne s'agissait en l'occurence que de simulations et déguisements nécessités par les périls du moment. L'on ne connaît aucun autre exemple de ce type.

(2) L'Eglise cathare peut être assimilée à un ordre monastique vivant dans le siècle. Chrétiens et Chrétiennes, lors de leur consolament d'ordination, ont prononcé des vœux d'essence monastique, notamment celui de vivre en communauté selon une Règle. C'est la raison pour laquelle Parfaits et Parfaites cathares ne vivent et ne se déplacent jamais qu'en compagnie d'au moins un autre ordonné : le *socius* ou la *socia* en latin, *soci* en occitan. Pour plus de détails, se reporter au chap. 8, « *Un Ordre singulier* ».

Linars, les dames de Lamothe vivaient en paix, au rythme des pratiques religieuses auxquelles elles se réaccoutumaient, avec le sentiment de s'approcher du Bien. La petite communauté de quinze ou seize Chrétiennes recevait régulièrement la visite pastorale du diacre Guiraud Abit et de son compagnon. La prédication avait repris sa voix, le rite ses résonnances : apparelhament, melhorament, bénédiction du pain, récitation des pières. Arnaude avait vingt ans et partageait sa vie entre le travail de ses mains, qui cousaient, filaient, pétrissaient le pain, et une méditation sur les préceptes de l'Evangile, que lui expliquaient inlassablement les Bonnes Dames et le diacre. Il lui semblait qu'elle n'avait jamais rompu ses vœux, elle retrouvait l'écho précis de ses souvenirs enfantins, mais alourdi d'une signification nouvelle. Elle attendait avec une sorte de jubilation intérieure de recevoir à nouveau – et cette fois en toute conscience et discernement – l'imposition des mains des Bons Hommes.

Un jour enfin, Bernard de Lamothe envoya à Linars le Bon Homme Raimon du Mas et son compagnon, pour qu'il conduisît Austorgue et ses deux filles à Lavaur, où lui-même les attendait. Ce fut là que, dans la maison du bon croyant Pierre Melle et devant une petite assemblée de religieux, il procéda, avec son compagnon, à leur triple ordination.

Austorgue, Peironne et Arnaude vécurent désormais entre elles, petite communauté de trois Chrétiennes revêtues, dans le respect des vœux qu'elles avaient prononcés. Premières Parfaites à se réinstaller publiquement en pays Vaurais après l'horreur du bûcher de mai 1211, elles restèrent à Lavaur une année entière, constituant au logis de Pierre Melle une petite cellule de l'Eglise. Elles y mangeaient le même pain que Pierre, sa femme Florence et son beau-frère Guilhem; mais ce pain, au début de chaque repas et dans le recueillement, elles le bénissaient en mémoire de la sainte Cène de Jésus Christ, le rompaient et le distribuaient entre tous les convives pour suivre sa Parole. Pour le reste, elles se gardaient bien de partager les repas de leurs hôtes, et limitaient leur propre nourriture à ce que la Règle leur autorisait. Elles avaient promis de ne plus consommer aucun produit d'origine animale : viande, œufs ou laitages, à l'exception de la chair du poisson. Elles évitaient même d'utiliser les ustensiles de cuisine qui auraient pu conserver trace de l'usage qu'en faisait la famille Melle, quelque relent de graisse animale...

Dans la belle maison de Pierre Melle, bourgeois aisé de Lavaur, elles disposaient d'une chambre à leur seul usage, où elles pouvaient dormir, veiller la quenouille à la main, réciter le Pater ou les Adoremus aux heures rituelles. Mais, lorsque des parents ou des amis de leurs hôtes venaient les visiter, c'est dans la grande salle de la maison qu'elles leur apportaient la bénédiction de Dieu et les exhortaient au Bien. Et tous s'inclinaient devant elles trois fois, profondément, saluant en elles l'Eglise de Dieu. Venaient ainsi les voir et les entendre, à côté des jeunes enfants de Pierre et Florence Melle, qui se prénommaient Jordane, Guilhem et Pierre, leur fille aînée Guillelme, avec son mari et son jeune fils qui portaient tous les deux le prénom de Guilhem; des notables de la ville comme Pons de Teulat, Pons de Messal ou le riche marchand Pierre Amiel; et surtout les dames: Alphanie, du lieu de Lavaur, et Gilande, femme de Raimon de Castlar avec sa belle-sœur Guillelme, et cette autre Guillelme qui était femme de Pierre Déodat, et cette Marie dont le fils s'appelait Pierre, et les deux Ermengarde, mère et sœur du Bon Homme Guilhem de Souty, et d'autres encore...

Jeunes et fraîches sous le voile qui serrait leurs cheveux, Peironne et Arnaude percevaient l'admiration dont elles faisaient l'objet, derrière le pieux empressement de toutes ces femmes. Bonnes Chrétiennes, représentantes de l'Eglise des martyrs d'hier, elles montraient la voie du Salut, le chemin de la vie accomplie. L'on savait qu'elles avaient renoncé au monde mauvais, que le royaume de Dieu leur était déjà perceptible et qu'elles avaient le pouvoir de sauver les âmes.

– Bonnes Chrétiennes, la bénédiction de Dieu et la vôtre...

Elles bénissaient gravement, et leur mère, la Bonne Dame Austorgue, souriait avec une émotion mal contenue devant tous ces visages d'anciennes connaissances, d'anciennes amies, de lointaines parentes, qui cherchaient en elles trois le regard de l'Eglise de Dieu.

L'année suivante, en 1224 probablement, l'année de la déconfiture d'Amaury de Montfort, elles quittèrent leur semirefuge de la ville de Lavaur, après avoir passé deux jours dans la maison de Bernard et Raimonde de Conches, et prirent la route pour visiter, durant quelques semaines, les mas du pays Vaurais. Toujours étaient là les mêmes fidèles, Pierre Melle, Pons de Teulat, Raimon Calvet, pour les escorter en chemin, pour les fournir en victuailles. Elles se trouvaient pour un mois chez Raimon Calvet lui-même lorsque le diacre Guiraud de Gourdon et son compagnon vinrent procéder à leur apparelhament et leur donner des nouvelles de l'Eglise, qui étaient bonnes. Un peu partout, les communautés de Parfaites se reconstituaient et, si elles le voulaient, elles pourraient reprendre sans plus tarder leur vie régulière dans une maison religieuse.

Elles se rendirent encore dans le mas de Jean et Ermengarde du Claret, pour une semaine où vint les retrouver Maraude avec son fils premier-né, le petit Thoset qui leur fit fête; puis, l'un des fils de Pierre Melle, le jeune Guilhem, vint les chercher pour les conduire en Lantarès, chez Guilhem de Castlar, tout près du mas où Bernard de Lamothe leur cousin tenait maison avec ses compagnons. La paix de Dieu échangée entre Bons Hommes et Bonnes Dames par l'intermédiaire du Livre et les salutations rituelles effectuées, Bernard apparelha lui même les nouvelles venues, qu'il recevait dans la joie. Puis l'on échangea des nouvelles, et Bernard de Lamothe à son tour confirma que, décidément, l'heure était à la paix et au rétablissement des maisons de l'Eglise. Si Dieu voulait, le pays de Lantarès offrait des villages propices en familles bonnes croyantes, qui réclamaient la voix des Evangiles. Fils Majeur de Toulousain, il avait envoyé un diacre, Bernard Bonnafous, visiter les bourgades et les mas. Il savait précisément où l'Eglise pouvait à nouveau s'implanter. Austorgue, Peironne et Arnaude de Lamothe pourraient donc ouvrir publiquement maison de Chrétiennes à Tarabel.

Quelques jours plus tard, elles partirent toutes trois avec le Bon Homme Pons de Sagornac et son compagnon pour le domaine d'Arnaud de Bunag, sous les murs de Tarabel. Ils y établirent le noyau d'une maison de Parfaits et de Parfaites, dans les dépendances du logis propre de la famille de Bunag, et peu à peu d'autres Bonnes Dames, d'autres Bons Chrétiens vinrent se joindre à eux. Bernard de Lamothe lui même veilla à faire construire, des deniers de l'Eglise, une maison propre pour l'usage des Parfaites : ainsi, doucement, le rite de l'Eglise reprit-il son rythme serein, et la prédication des Evangiles sa régularité et son écho sur le chemins des bourgs. Austorgue et ses compagnes priaient, travaillaient, accueillaient les itinérants, assuraient les bases et le soutien actif du ministère des pasteurs et tenaient maison ouverte à tous les quémandeurs de pain ou de parole. Le contact de leur petite communauté avec l'Eglise était assuré par le diacre de Lantarès qui les visitait régulièrement, les apparelhait et leur indiquait où porter elles-mêmes leurs paroles et leurs pas.

> – Si ce bas monde, dont nous savons que le prince est inique, était le royaume du Christ et de Dieu, jamais il ne serait voué à telle corruption... Nous croyons que ce monde est le royaume dont le Christ a dit, par l'Evangile de Jean : Mon royaume n'est pas de ce monde (1).

La famille de Bunag, qui avait donné ses maisons à l'Eglise, était la plus assidue au prêche et les Bonnes Dames recevaient fréquemment la visite de messire Arnaud, avec sa femme Guillelme et sa sœur Poncia. L'on voyait aussi régulièrement tout le clan des Estève, coseigneurs de Tarabel : les trois frères Arnaud, Gaillard et Raimon Estève, avec leurs cousins et homonymes, avec leur oncle Gaillard et leur vieille mère, dame Longa, qu'accompagnait toujours sa demoiselle, Garsen. L'on voyait des chevaliers parmi les plus nobles : Guilhem de Deime ou Raimon Hunaud de Lanta; l'on voyait de simples artisans, comme les frères Garin qui suivaient là leur mère, ou Raimon Jean, le barbier de Tarabel. Longa Estève, chaque fois, s'entretenait longuement avec sa vieille amie la Bonne Dame Austorgue, lui confiait inlassablement son espoir de se rendre bientôt, elle aussi, à Dieu et à l'Evangile et de se retirer dans la maison de Bunag.

L'on était en 1225. Guidée par son évêque Guilhabert de Castres, son Fils Majeur Bernard de Lamothe et, à travers tout le pays par ses diacres, l'Eglise de Toulousain, comme l'Eglise de Carcassès et celle d'Albigeois, avait renoué les liens rompus par la croisade, retrouvé la ferveur et le soutien des familles

---

(1) Traité cathare anonyme, provenant du Languedoc et datant du début du XIIIe siècle. Trad. René NELLI, *Ecritures cathares* (Paris, Planète, 1968) p.186-187.

bonnes croyantes. Et parmi les bons croyants, eux mêmes un peu vieillis et burinés par quinze années de guerre, elle recommençait à essaimer : un peu partout, comme à Tarabel, de nouvelles maisons s'ouvraient. Mais le répit ne dura qu'un an.

4

Dialogue en Lantarès (fin)

Pour tenter de connaître les femmes qui, voici six ou sept siècles en pays occitan vécurent, subirent, choisirent, défendirent, renièrent ou confessèrent jusqu'à la mort le christianisme cathare, il n'est que deux moyens d'approche, l'un rationnel et l'autre moins, mais l'un et l'autre semblablement essentiels.

Le premier est bien sûr l'étude des documents écrits, des archives médiévales qui ont consigné le souvenir de leur nom et de certains de leurs gestes, c'est-à-dire – si l'on excepte quelques chartes de droit privé et quelques paragraphes dans les chroniques de l'époque – presque exclusivement les registres de l'Inquisition. Le contenu des documents, base de ce travail, fournira le matériau brut de l'événementiel à rendre à l'Histoire, de l'existence fossilisée, parcheminée, de toutes ces femmes... L'apport de la littérature religieuse cathare elle-même pourra heureusement contribuer à donner un sens aux gestes et aux paroles, aux choix et aux refus. Dans le discours que j'espère multiple de ce livre, où j'essayerai de faire alterner récits, analyses historiques et réflexions ouvertes, l'étude textuelle fera entendre d'un bout à l'autre sa petite voix sèche, hésitante autant que têtue, parfois incompréhensible, souvent irritante, mais réclamant toujours le dernier mot.

Le second instrument d'approche, infiniment plus délicat à manier, c'est l'aventure au cœur des paysages, aux sources du vécu, derrière l'opacité du temps. Rien, ou pratiquement rien de bâti n'a subsisté du temps des cathares. Pas même le mur de la maison de Blanche de Laurac. Pas même une tour du château d'Aimery de Montréal. Pas même le donjon de Montségur. Encore moins les anciennes maisons d'Odars et de Montaillou, ou la grande demeure de Montgradail. Mais la couleur et l'odeur de la terre et de ses plantes – si l'on prend soin de rendre maïs ou tournesol à leur modernité –, l'agencement des vieux chemins – si l'on sait les reconnaître –, le repère des points d'eau – quand les sources ne se sont pas perdues –, l'écho des lieux-dits, la disposition et la structure même des paysages – honni soit le remembrement! – sont autant de petits signes simples et familiers qui peuvent tisser quelque vêture de vie aux silhouettes diaphanes que l'on évoque.

Telle est bien la raison pour laquelle nous sommes aujourd'hui en Lantarés – aux portes de Toulouse en fait –, à la recherche d'une trace des pas d'Arnaude de Lamothe, comme nous nous sommes déjà rendus et nous rendrons encore en Lauragais, en Albigeois, à Montségur, en pays d'Aillou ou en Cabardès, pour essayer de couler un regard vivant dans la perspective du regard de Blanche, d'Aiceline, de Corba, d'Alpaïs, de Guillelme, d'Esclarmonde ou d'Orbria, de mesurer le rythme de leur passage.

– Mais pourquoi, finalement, Arnaude en première page? simplement parce que tu n'avais pas le choix?

– J'ai essayé de te l'expliquer déjà... Parce qu'elle est à la fois la femme cathare la mieux connue et la plus ordinaire. Que, ce catharisme après quoi nous courons, elle ne l'a pas choisi mais subi et vécu comme norme de son temps, de son milieu, de sa famille. Qu'Arnaude est véritablement une femme ordinaire, pour qui le catharisme fut ordinaire, l'engagement plus mécanique que voulu. Arnaude de Lamothe, de Montauban : petite chronique du catharisme ordinaire, du tragique quotidien devenu servitude...

– N'a-t-elle pas, dès le départ, été quelque peu écrasée par la personnalité de sa mère Austorgue, voire même de sa sœur Peironne?

– C'est bien possible, mais bien sûr on n'en sait rien, parce qu'elle n'en dit rien. Des deux sœurs, seule Arnaude a suffisamment survécu pour livrer à la postérité une déposition devant l'inquisiteur. De leur histoire à toutes deux, ou même à toutes trois, l'on ne connaît que la version d'Arnaude. L'on a donc pris l'habitude de privilégier le personnage d'Arnaude par rapport à celui d'Austorgue, et surtout celui de Peironne, qui aurait suivi finalement en éternelle seconde : « Arnaude et Peironne de Lamothe », c'est carrément devenu un leitmotiv. J'ai bien envie de prendre le contre-pied : Peironne, morte la première, a pu être l'aînée et, des deux sœurs, celle dont l'engagement religieux entraîna celui de l'autre, celui de la petite Arnaude....

– Durant pas mal de temps du reste, tu te souviens? – puisque nous évoquons la légende d'Arnaude de Lamothe, il fleurissait, dans notre « petit cercle des amis des cathares disparus », l'image idéale d'une Arnaude pure et dure, sans doute belle, marchant au bûcher la tête haute au terme de vingt années d'errance, et brisant définitivement par sa mort le cœur de tous ceux qui l'avaient aidée et aimée... Il fallait avoir envie de lire et d'assimiler le petit mot *conversa*, convertie, placé en tête de sa déposition devant Ferrier...

– Tu sais, je me demande maintenant si ce n'est pas en fait une véritable panique qui s'est emparée de tous les amis d'Arnaude, de tous ces braves gens qui s'étaient compromis avec elle. Quand un Parfait se faisait prendre, le danger était terrible pour ses fidèles, même s'il n'abjurait pas, car du fait de son vœu de vérité absolue, il était tenu de dire la vérité... même aux inquisiteurs! Bien sûr, quand il abjurait, cela devenait tragique pour ses anciens amis. Dans le cas d'Arnaude, je ne sais pas si la rumeur de son abjuration a pu filtrer assez tôt, mais en tout cas il est bien possible que sa capture ait incité l'un ou l'autre à prendre des dispositions d'urgence, voire, comme Guilhem Garnier, à vite gagner le refuge de Montségur...

– Consternation pour nous aussi, quand nous avons fini par admettre qu'Arnaude de Lamothe avait abjuré. Notre amie Arnaude avait sauvé sa vie pour quelques mois, pour quelques années peut-être... Quelques mois de vie de plus, pour elle aujourd'hui immobilisée dans la mort depuis de si longs siècles. Qui dira jamais le prix de quelques instants de vie? Et pour sauver quelques instants de vie, elle avait renié sa foi; pour garantir la sincérité de sa conversion aux yeux de l'inquisiteur, qui exigeait des preuves, elle avait donné des noms, dénoncé des amis, des fidèles, ces croyants dévoués qui l'avaient protégée, nourrie, cachée, vénérée, aimée peut-être...

– Comme Jacques d'Odars, qui par elle dénoncé mourut sur le bûcher. Comme les frères Ribèire, devenus Parfaits à leur tour... Tu sais, je ne comprends pas bien, et je suis presque sûre qu'Arnaude elle-même n'a pas bien compris, pourquoi trente années de sa vie, sur les quarante et quelques que put compter son existence, se passèrent en marge du monde. Hérétique un peu par hasard, Arnaude de Lamothe, fille noble de Montauban, laissa filer entre ses doigts, un jour de l'été 1244, toutes les raisons qu'en son enfance on lui avait données d'exister...

– Je pense au beau nom d'hérétique : « celui qui choisit » – son interprétation des Ecritures, ou son propre itinéraire spirituel en l'occurence. L'existence d'Arnaude, calée et coincée entre deux systèmes de normes : celles de la bonne societé occitane du début du XIIIe siècle qui confie ses filles sans dot aux maisons cathares, et celles de l'Eglise du désert qui confine la vie des croyants et des Parfaits en cachettes, cérémonies nocturnes et chuchotements, est le type même de l'existence que l'on n'aurait pas voulu choisir.

– C'est vrai qu'en bonne logique étymologique l'on ne peut être hérétique par hasard !

– Peut-être Arnaude n'a-t-elle agi de son propre mouvement qu'une seule fois, la dernière, lorsqu'elle choisit de sauver sa vie, qu'elle préféra sa vie à la mort chrétienne sur le bûcher....

Nous connaissons l'odeur de l'herbe du Lantarès. Que savons-nous de plus d'Arnaude, de Peironne, de leurs fidèles, de leurs amis ? Dans la chaleur piquante de juin, déjà se laisse discerner un pétillement de la sécheresse de l'été. La tête des femmes était protégée par un voile, un fichu, couvrant les cheveux, drapé autour du cou et des épaules. Puis l'on imagine une vague cotte de mauvais tissu, un peu rèche, ceinturée de cuir à la taille, s'effilochant au bas des mollets au rythme des marches quotidiennes, inlassables, rapides, furtives...

– Ou au contraire lentes et sûres, progression de professionnels de la marche, comme aujourd'hui encore celle des paysans au long des champs ou des montagnards en leurs domaines!

– De toutes façons, malgré fichu et couvert des bois, Arnaude devait avoir le visage bruni par les intempéries, buriné, plissé, comme une femme des champs? Mais peut-être ne sortait-elle que la nuit de ses cachettes? Il faudrait alors imaginer son visage émacié par les jeûnes et pâli par l'ombre de sa vie couverte... Et l'hiver, la neige et le brouillard, même en ce climat doux et humide. Comment se procurait-elle ses vêtements? Parfaite cathare, elle était astreinte au travail manuel. Elle n'en dit rien, mais elle devait s'occuper à coudre, rapetasser. Non pas tisser, car cela implique la stabilité d'un métier de bois incompatible avec l'errance. Mais au moins filer à la quenouille. Elle pouvait ainsi vendre, échanger sa production pour s'assurer le nécessaire, par-delà la sollicitude de ses croyants, et même leur rendre de menus services...

– Et tu l'imagines, au moment de fuir vers une nouvelle cachette sous la conduite de Bernard Sudre ou de Guilhem Garnier, ramassant ses quelques hardes dans un baluchon qu'elle se jetait sur l'épaule...

– Arnaude a connu assez longtemps la protection de familles nobles et aisées, qui l'ont notablement aidée sur le plan matériel. Par exemple, chez les de Roaix, dans cette grande bouverie de la campagne où elle était venue mourir en paix, dame Esclarmonde d'En Assalit leur donna, à Peironne et à elle, un peu d'argent sonnant et trébuchant, une bourse, une tunique, une ceinture et que sais-je encore?... Un sous maravédis!

Aurons nous le temps encore de reconnaître ce lieu-dit Sudre, derrière Tarabel, l'étonnant et baroque Tarabel? Ce lieu peut-être de l'humble famille bonne croyante des Sudre, de Bernard et de Pierre, cousins de Guilhem Garnier et qui, à en croire Arnaude elle même, « furent par la suite hérétiques ». Et brûlés? Par-dessus ces paysages à la fois paisibles et linéaires, les gestes d'Arnaude. Le melhorier, la bénédiction du pain, la prière, le prêche. Indéfiniment répétés devant des cercles de témoins qui se recoupent indéfiniment, les chevaliers et les paysans, les épouses, les filles et les fils, les nourrices, les servantes, les hommes de main, les grand'mères et les cousins. Les

Sudre et les Garnier, les de Roaix et les du Bousquet, les Cot et les Auriol... Vie d'Arnaude de Lamothe, vie répétitive, petite vie plaintive, petite voix plaintive, chuchotement empressé, pour survivre. Effort presque physique de la mémoire, qui creuse le front.

– Vie répétitive? l'on est, en fait, prisonnier du cadre de l'interrogatoire inquisitorial, qui seul structure la vie racontée d'Arnaude. Ce sont les questions de l'inquisiteur qui se montrent en fait répétitives. Dans la douleur. Ce qui préoccupait le juge religieux, c'était ce qu'Arnaude pouvait dénoncer de suspects virtuels, pouvait ouvrir de pistes nouvelles ou confirmer de soupçons déjà lourds. Pour déraciner l'hérésie. Pour cisailler son maillage, démanteler ses réseaux. Pour purger tout le pays et le ramener à la foi de Rome...

Lorsqu'elle accepte et choisit de témoigner devant l'inquisiteur, Arnaude n'est plus Parfaite. Elle a rompu ses vœux. Elle a eu peur de la mort qu'elle s'était engagée à ne plus craindre. Elle est donc à nouveau au pouvoir du mal. Tout le chemin est à nouveau à parcourir. Que peut-elle encore espérer?

L'Eglise de Dieu (1) ne jugeait pas les hommes. Elle professait que toutes les âmes sont bonnes et égales entre elles; que forcément un jour la plus endormie, la plus endurcie, serait sauvée à son tour.

Depuis la hauteur d'Odars, en pleine banlieue toulousaine déjà, nous scrutons l'horizon vers Préserville. D'Arnaude, nous ne connaissons qu'une mécanique de gestes, que les noms de ceux qui l'ont de leurs yeux vue, qui l'ont tenue pour sainte femme, qui l'ont peut-être aimée. Sous la couleur de ce ciel.

---

(1) C'est le nom que se donnait à elle-même l'Eglise cathare : sainte Eglise (*sancta Gleisa*), Eglise de Dieu (*Gleisa de Dio*), ou Eglise du Christ. Ainsi, dans le Rituel de Dublin, etc.

DEUXIÈME PARTIE

FEMMES MÉDIÉVALES

5

Le désert d'Arnaude

« Quand le roi de France vint en Avignon »... Se souvint à voix haute Arnaude.

Quand s'annonça la croisade royale, l'expédition militaire de Louis VIII, roi de France, qui à nouveau descendait vers le sud, à nouveau l'on se prépara à la guerre. Alors que les maisons de l'Eglise s'étaient réorganisées dans la paix, que les Parfaits et les Parfaites, sortis de la clandestinité, avaient reconstitué leur réseau pastoral, leurs ateliers et leurs écoles, à nouveau le danger était là. Plus implacable que jamais, car cette fois le parti de l'Eglise de Rome était porté par le souverain le plus puissant et le plus prestigieux de tout l'Occident. Le roi de France. Le printemps de l'année 1226 fut celui de toutes les peurs (1).

Toute la noblesse du Toulousain quitta alors précipitamment ses demeures campagnardes pour regagner ses hôtels dans la ville, à l'intérieur des murailles de brique du comte Raimon. Ainsi fit Arnaud de Bunag et sa famille, qui emmenèrent à l'abri de leur maison toulousaine les trois Bonnes Dames qui avaient ouvert maison chrétienne à Tarabel.

Austorgue, Peironne et Arnaude de Lamothe demeurèrent près de trois années à Toulouse, chez les de Bunag tout d'abord, puis à diverses reprises et en temps variable chez les du Bousquet, les Saquet, ou les de Roaix, toutes bonnes familles de la noblesse ou de l'oligarchie consulaire qui avaient

(1) Voir Michel ROQUEBERT, *l'Epopée cathare*, t. 3 (Toulouse, Privat, 1986) p.297-314.

constitué, quelque douze années plus tôt, les piliers du parti toulousain contre l'invasion française. Et voilà que tout recommençait.

D'une demeure à l'autre, les mêmes familles, amies et alliées entre elles, se retrouvaient autour des Bonnes Dames réfugiées et des Parfaits de passage, comme leur parent le Fils Bernard de Lamothe qui les visitait régulièrement. Ainsi l'on échangeait les nouvelles et les informations, l'on se confortait dans la foi et l'on parlait de politique. Les dames venaient se recueillir dans la voix du Bien. La vieille Longa arrivait de Tarabel, avec sa damoiselle, avec ses fils Arnaud et Gaillard Estève, avec leurs cousins de Sainte-Foy... A nouveau elle soupirait en direction de dame Austorgue, lui confiait ses désirs et ses craintes.

A l'avancée de l'armée du roi Louis, le pays s'était effondré. Puis l'on avait repris espoir : il ne s'agissait apparemment que d'une croisade au sens le plus strict. Au terme de ses quarante jours, l'host avait regagné la France et, bien plus, le roi Louis lui-même, sur le chemin du retour, avait été emporté par une maladie soudaine. Puis – allez savoir pourquoi – la guerre avait repris, plus dure, plus insensée que jamais, et aux portes mêmes de Toulouse. Un jour de 1227, Bernard de Lamothe était arrivé avec un visage sombre. Les nouvelles qu'il apportait étaient terribles : la ville de Labécède, sur les premières hauteurs dominant le Lauragais, avait été reprise par le sénéchal du roi, toute sa population massacrée par l'épée ou le pal, tous les Chrétiens et toutes les Chrétiennes livrés aux flammes. Et parmi eux le propre frère de Bernard, le diacre Géraud de Lamothe. Arnaude ne retint pas ses larmes. Les hommes grondaient.

Ce jour-là, chez Guilhabert du Bousquet, étaient réunis les frères Estève, les frères Saquet, Pons et Géraud, ainsi qu'Alaman de Roaix. Tous étaient chevaliers du comte de Toulouse. Tous avaient pris les armes avec lui. Pourquoi avaient-ils laissé martyriser Labécède ? Au fond de la salle, les femmes priaient pour toutes ces pauvres âmes qui avaient quitté leur corps dans la souffrance et dans la peur. Autour des trois Bonnes Dames, toutes ces mères, femmes et filles de chevaliers, toutes ces bonnes croyantes qui cherchaient en elles le visage de leur espoir : la vieille Longa Estève, avec sa suivante et sa cousine

Matheudis, Guillelme de Bunag avec sa damoiselle Arsendis, Lombarde de Roaix, Esclarmonde, veuve d'En Assalit, et Gensers Saquet, fille de Guilhabert du Bousquet, avec sa servante Raimonde et ses sœurs Gentils et Aiceline, et Marquésia, la veuve de Raimon Hunaud de Lanta dit Barbavaira... Austorgue connaissait les plus âgées depuis leur jeunesse à toutes. Que de sang et de larmes versées depuis lors. Et que de tribulations pour l'Eglise de Dieu!

Raimon de Toulouse écrasa les Français à Castelsarrasin dès l'année suivante, mais le sénéchal de France inventa de faire la guerre aux champs, aux vignes et aux étables. Il ravagea la campagne et poussa dans la ville des cohortes de paysans affamés... A nouveau Toulouse se préparait à être assiégée, et même les anciens partisans de l'évêque et de sa confrèrie blanche, les anciens adversaires des comtes et des capitouls, faisaient maintenant bloc avec eux contre les Français. Et pourtant, le comte choisit de capituler et en France, au printemps de 1229, capitula sans mesure alors qu'il n'était pas même vaincu (1). L'Eglise de Dieu était définitivement hors la loi : Raimon de Toulouse promettant d'être lui-même désormais son plus sévère ennemi.

Partout où ils se trouvaient, Bons Hommes et Bonnes Dames choisirent de disparaître. Ils s'enfuirent et gagnèrent la clandestinité avec la complicité de leurs fidèles. C'était désormais clandestinité définitive, plus jamais leur Eglise ne pourrait se réunir au grand jour. Toulouse se vida.

Dans leur désarroi, Peironne et Arnaude suivirent le conseil de Guillelme de Bunag et, laissant chez Pons et Gensers Saquet leur mère de plus en plus fatiguée et désormais presque impotente, osèrent franchir le seuil d'Aimeric de Châteauneuf en personne. L'ancien chef du parti catholique durant la croisade s'était, il est vrai, rallié au comte contre le roi et déplorait aujourd'hui publiquement l'humiliation de Toulouse. Sa femme Mabilia vénérait secrètement les Bons Chrétiens. Peironne et Arnaude demandèrent à la voir, l'entretinrent de leurs craintes et difficultés. Dame Mabilia les salua rituellement et

---

(1) Il s'agit du traité de Meaux-Paris, par lequel Raimon VII de Toulouse se soumit complètement aux volontés de la régente Blanche de Castille, mère de Louis IX, et du saint-Siège.

demanda leur bénédiction, mais elle ne put leur donner qu'un peu d'argent avec le conseil de quitter Toulouse au plus vite. Même son mari, qui avait pourtant donné les gages les plus sûrs au pouvoir catholique, ne pourrait les protéger si elles refusaient d'abandonner leur foi. Pour l'heure, Toulouse était la ville de tous les dangers.

Peironne, Arnaude et la vieille Austorgue se laissèrent donc à leur tour guider secrètement hors des murs de la ville par les chevaliers Alaman de Roaix et Pons Saquet, qui les emmenèrent en Lantarès, dans le lieu discret où l'Eglise de Toulousain opérait son repli. Près du mas de Guilhem Cousta, dans la maison que tenait encore la Bonne Dame Guillelme et ses compagnes, les attendait Guilhabert de Castres lui-même, l'évêque au sourire las. Tous se prosternèrent devant lui et lui demandèrent sa bénédiction, chevaliers et Bonnes Dames. L'homme de Dieu confia les trois Chrétiennes à deux Bons Hommes, Guilhem de Souty et son compagnon, pour qu'ils les conduisent en sûreté au mas de Pechagut où un nombre important de Parfaits et de Parfaites s'étaient regroupés en clandestine communauté.

Austorgue, Peironne et Arnaude demeurèrent avec eux une semaine, puis gagnèrent encore un autre mas, celui des Ermengaud. Leurs amis toulousains reprirent alors contact avec elles. La plupart avaient décidé de quitter Toulouse à leur tour pour leurs domaines de la campagne. Pons Saquet envoya son homme de main, Bernard Fissa, chercher les trois Bonnes Dames, à qui il offrit une nouvelle hospitalité dans sa propriété du Lantarès, à l'abri des agents trop zélés du comte et de l'Eglise de Rome.

L'on était en 1230. L'Eglise de Rome préparait une grande offensive contre les Bons Chrétiens. Peironne et Arnaude demeurèrent trois années auprès de la famille Saquet, jusqu'à ce que de nouveaux périls les contraignissent à nouveau à fuir. C'est encore dans la belle maison de campagne de ses amis toulousains que dame Austorgue de Lamothe rendit à Dieu son âme de chrétienne, heureuse d'échapper à ce monde de souffrance et de violence, avant d'avoir été contrainte à la dernière fuite, avant même d'avoir pu entendre parler de l'institution nouvelle que mettait au point l'Eglise de Rome : l'Inquisition.

Peironne et Arnaude, demeurées seules, désormais ne se quitteraient plus, jusqu'à la mort de l'une ou de l'autre. A elles deux, elles étaient désormais l'Eglise, elles formaient la communauté chrétienne dans laquelle elles s'étaient engagées à vivre lors de leur ordination. Un peu partout, elles le savaient, par petits groupes de deux ou de trois, d'autres Parfaites, d'autres Bons Hommes portaient comme elles le faisaient la vie de l'Eglise, la pérénité du rite à travers le pays. Un peu partout, dans les bourgs et les hameaux, les familles des bons croyants se réunissaient le soir, secrètement, avec ferveur, dans la maison connue et amie qui recevait deux Bons Hommes de passage, qui hébergeait deux Parfaites isolées. Autour de Peironne et d'Arnaude se pressaient les alliés et les amis des Saquet, qui demandaient leur bénédiction, pour qui elles partageaient, à chaque repas, le pain de la sainte Oraison.

Pons et Genser Saquet mangeaient chaque jour à leur table avec leurs gens : Maria, la nourrice, qui était de Gascogne, et la servante Raimonde, et le messager Bernard Fissa. Tous faisaient montre de la même dévotion à l'égard des deux réfugiées. La maison était constamment emplie de visites : les frères de Pons Saquet, Géraud et Arnaud, s'y montraient régulièrement, avec leur cousin Gasc Saquet de Caraman, dont la femme Esclarmonde voulait toujours voir les Bonnes Dames. Les parents de Gensers Saquet, Guilhabert et Guillelme du Bousquet, faisaient eux aussi de fréquents séjours chez leur fille aînée avec Gentils et Aiceline, ses deux cadettes et parfois leurs maris. Car venaient aussi les chevaliers, pour parler affaires et politique avec les frères Saquet, avant de se prosterner devant les deux Parfaites : ainsi Alaman de Roaix, Raimon Azéma ou Guilhem de Deime.

Peu après la mort de dame Austorgue, passa Bernard, le frère aîné d'Arnaude et de Peironne, avec son ami Pons Faure de Rabastens (1). Il s'offrait pour ramener ses deux sœurs à Mon-

(1) Dans sa première déposition (1244), Arnaude semble indiquer que le prénom de ce frère est Bernard. Dans la seconde déposition (1245), le scribe emploie l'initiale R. que l'on peut transcrire Raimon. L'on ne saura jamais si l'erreur est du scribe ou d'Arnaude elle-même, ni quel est le véritable prénom du frère – ou des frères – qui vinrent la visiter chez Pons Saquet, ce qui est, en fait, de peu d'importance. C'est peut-être le même frère qui revint faire auprès de ses sœurs une ultime tentative chez les Roaix un an plus tard. Peut être aussi Arnaude confond elle ses souvenirs... Voir chap. 18, « Les amis d'Arnaude ».

tauban, si elles voulaient bien quitter leur état religieux et revenir au monde pour échapper aux persécutions; mais elles ne le voulurent point, et il s'inclina devant elles pour demander leur bénédiction et celle de Dieu.

A la fin de l'année 1231, vint le diacre Bernard Bonnafous et son compagnon. Plusieurs fois déjà, les deux Bons Hommes avaient rendu visite aux deux Parfaites dans la maison Saquet, pour les apparelher et leur donner des nouvelles de l'Eglise. Cette fois, plus que jamais, les nouvelles étaient graves. La « paix du roi et de l'Eglise » livrait Toulouse en proie aux maîtres dominicains de l'Université, qui rameutaient les violences en prêchant contre l'Eglise de Dieu. Ils n'hésitaient pas à profaner les sépultures pour jeter les cadavres des Bons Chrétiens sur le bûcher. A Béziers, un nouveau concile romain organisait et aiguisait la répression. Le danger était lourd, et l'Eglise pressentait que des jours plus sombres encore se préparaient, en ce monde mauvais, contre les témoins du Christ et de ses Apôtres. Le diacre et son compagnon demeurèrent ainsi une année entière au refuge de la maison de Pons Saquet.

Ils en sortaient parfois pour parcourir le plat pays, aller prêcher, porter la consolation, s'entretenir avec l'évêque Guilhabert de Castres. Au retour, ils donnaient encore des nouvelles. Bernard de Lamothe, le vieux parent de Peironne et d'Arnaude, le Fils Majeur de Toulousain, avait à son tour rendu son âme à Dieu, après une courte maladie. L'évêque Guilhabert réorganisait son Eglise à partir du village fortifié de Montségur, qui appartenait au bon croyant Raimon de Péreille et dans lequel s'étaient déjà établies depuis trente ans des maisons de Bonnes Dames. A Montségur si Dieu voulait, dans la sécurité des montagnes, aux confins des terres de Foix et des terres de Toulouse, l'Eglise des Bons Chrétiens de Toulousain, de Razès et d'Agenais pourrait demeurer organisée jusqu'à ce que s'épuisent les persécutions. A chacune de leurs sorties, les chevaliers Arnaud et Géraud Saquet ou Guilhem de Deime escortaient les hommes de Dieu pour leur protection. L'on se dit que pour l'heure il fallait redoubler de vigilance, et peut-être gagner des cachettes plus sûres.

A la fin de l'année 1232, Bernard Bonnafous et son compagnon repartirent définitivement. Ils allaient rejoindre la hiérarchie de l'Eglise de Toulousain qui se regroupait à Montségur autour de l'évêque et de son nouveau Fils Majeur, Jean Cambiaire. Le Bon Homme Pons de Sagornac et son compagnon furent alors chargés de conduire Peironne et Arnaude dans un nouveau refuge, la résidence campagnarde de leurs amis toulousains les Roaix, une métairie où ils élevaient des bœufs magnifiques, et où elles purent demeurer encore quelque temps. Toute la famille s'était regroupée là, autour de Joanna, la seconde femme d'Alaman de Roaix, de ses filles Austorgue et Blanche, de ses servantes et ses suivantes, Dulcie, Joanna, Marquésia et de son amie Dias de Deime, l'épouse du chevalier Guilhem. Quant aux hommes, Alaman de Roaix lui-même, ses deux fils Bec et Alaman, son compagnon Guilhem de Deime, toujours en mouvement entre Toulouse et le Lantarès, entre le Lantarès et le Lauragais, ils passaient régulièrement, s'arrêtaient, donnaient des nouvelles, et venaient à leur tour demander la bénédiction des deux Parfaites auprès de qui la maisonnée s'empressait. Pons et Gensers Saquet vinrent aussi les voir avec la jeune Gentils; Raimon Estève avec sa femme dame Matheudis; mais déjà les événements graves étaient là. Raimon de Lamothe, le plus jeune frère de Peironne et d'Arnaude, fit encore une tentative auprès de ses sœurs, comme l'avait déjà fait probablement son aîné Bernard un an et demi plus tôt.

A nouveau, les deux Parfaites refusèrent de suivre leur frère, et leur frère se prosterna devant elles pour demander leur bénédiction et celle de Dieu. Puis il repartit. Peironne et Arnaude devaient-elles jamais revoir un membre de leur famille? Sœurs elles demeuraient entre elles, mais sœurs dans l'Eglise plus que par le sang. Elles savaient que le hasard des corps et des liens charnels ne reflétait que les caprices du diable, et que la seule réalité était d'ordre spirituel. Mais désormais, pour garder sa foi, pour préserver sa vie et continuer à prêcher l'Evangile, il fallait fuir.

La protection des grandes familles de l'ancien parti toulousain, du temps de la guerre du comte, était désormais illusoire, puisqu'elles seraient la première cible désignée des délateurs et des agents de la répression. Au printemps 1233, le pape Grégoire IX confiait aux Frères Prêcheurs la poursuite des hérétiques : désormais, les dominicains de Toulouse auraient beau jeu et carte blanche : l'Inquisition était née et ils l'avaient en mains. Raimon VII lui-même, au même moment, était contraint à se faire le plus ferme soutien des moines inquisiteurs, et promulgait un édit répressif qui organisait et codifiait la police religieuse sur toutes les terres de Toulouse. Il fallait plonger dans la clandestinité absolue. Ce fut un bouvier de Lantarès, Guilhem Garnier, avec son cousin Bernard Sudre, qui vinrent une nuit prendre en charge Peironne et Arnaude de Lamothe pour les conduire en sécurité.

Ils les emmenèrent tout d'abord dans un bois, à l'abri d'une cabane où elles demeurèrent plus de deux semaines. Chaque jour, les deux hommes leur apportaient à manger puis se prosternaient devant elles pour demander leur bénédiction et celle de Dieu. Alaman de Roaix envoya une fois ou deux un homme à lui pour demander de leurs nouvelles, puis ce fut tout. Un jour passa une femme de La Garde sous Lanta, que Guilhem Garnier avait mise au courant et qui était très pieuse. Elle s'appelait Arnaude, et devait un peu plus tard se faire elle aussi Bonne Chrétienne et enfin mourir sur le bûcher. L'on était en 1234. Peironne avait maintenant plus de quarante ans. Une grande fatigue l'avait envahie.

Guilhem Garnier, croyant très dévoué et qui connaissait les anciens amis de Peironne et d'Arnaude pour avoir à plusieurs reprises travaillé pour eux en qualité de bouvier, donnait des nouvelles aux deux fugitives, et leur disait d'espérer. Dame Marquésia, la veuve de Raimon Hunaud de Lanta dit Barbavaira, s'était faite elle-même Bonne Chrétienne, et avait gagné le refuge de Montségur – qui appartenait du reste à son gendre Raimon de Péreille, l'époux de sa fille Corba. Il fallait attendre encore. Arnaude souriait sans répondre. Peironne passait ses journées assise, à prier.

Brusquement, Alaman de Roaix vint les chercher. L'on avait besoin d'elles. Dans la grande métairie qu'il possédait près de Lanta, dame Esclarmonde d'En Assalit était mourante et réclamait la présence des Amies de Dieu. Quels que fussent les dangers, le chevalier toulousain ne pouvait refuser ce dernier secours à la veuve de son vieil ami. Peironne plus lasse que jamais et Arnaude silencieuse et noire prodiguèrent, plusieurs semaines durant, tous leurs soins à la malade, que leur présence apaisait. A mots chuchotés, elles lui parlaient de la bonté de Dieu, qui gardait réservée dans son Royaume une place lumineuse pour toutes les âmes, ses filles.

Quand le moment fut venu, Alaman de Roaix fit escorter le diacre Bernard Bonnafous et le Bon Homme Pons de Sagornac jusqu'au chevet de la mourante, à qui ils conférèrent le consolament d'extrême-onction en présence des deux Parfaites épuisées par les veilles. Dame Esclarmonde leur fit don d'une pièce de lin, pour en faire des draps, d'une courtepointe et d'un manteau qu'ils emportèrent, pour l'Eglise, vers Montségur. Puis elle donna à Peironne et Arnaude une tunique neuve, une ceinture, une bourse, un maravédis et deux deniers sterlings qu'il lui restait, et encore vingt deniers toulousains, puis elle ne se préoccupa plus que de sa mort toute proche. Ses derniers jours, elle les vécut en Bonne Chrétienne en compagnie des deux Parfaites qui lui parlaient d'espoir, disaient avec elle le Pater aux heures rituelles et partageaient avec elle le pain bénit et l'eau fraîche du jeûne que la Règle impose aux nouveaux Chrétiens (1). C'est ainsi que dame Esclarmonde d'En Assalit fit une bonne fin.

– Père saint, accueille ta servante dans ta justice, et mets ta grâce et ton Esprit saint sur elle (2)...

Dame Esclarmonde ensevelie, Guilhem Garnier et Bernard Sudre reprirent en charge les deux Parfaites et les emmenèrent une nouvelle fois dans un bois, qui appartenait à un bon croyant du nom de Pierre Belloc. Là était creusée, dans le grès, une sorte de petite maison souterraine avec deux ou trois pièces et un vestibule, où l'on pouvait presque se tenir debout. L'entrée en était dissimulée derrière des buissons. C'est là que les deux sœurs durent pénétrer, en se courbant, et demeurer un mois entier, toujours ravitaillées en cachette par leurs deux protecteurs, sous le regard compatissant de la famille Belloc. Mais dans ce réduit souterrain, éclairé par une mauvaise chandelle de suif, un soir Peironne mourut. Arnaude de Lamothe considéra le visage clos de la dernière tendresse charnelle qui la rattachait à ce monde.

---

(1) Cette pratique rituelle, mal comprise cinquante ans plus tard, fut à l'origine de la légende de *l'endura* cathare (« suicide rituel » par grève de la faim...), dont nous parlerons au chap. 23, « La mort obsessionnelle ».

(2) Rituel cathare occitan. Trad. René NELLI, *Ecritures cathares*, *op.cit.* p.225.

Il fallut enterrer Peironne. Guilhem Garnier et Bernard Sudre s'en chargèrent, avec Pierre, l'un des frères de Bernard, qui par la suite devait lui aussi se faire Bon Chrétien, avec deux Bons Hommes alertés pour la circonstance, Pons de Remeg et son compagnon, et avec Arnaude, droite et maigre. Pour recouvrir un corps, nulle terre qui soit bénie ou spécialement sacrée. L'âme qui a reconnu le Bien sait toujours s'échapper vers Dieu. Ils l'enterrèrent en plein bois, au pied d'une touffe de noisetiers. Arnaude salua ensuite rituellement les deux Bons Hommes, qui avant de reprendre leur chemin prièrent Guilhem Garnier de tâcher de lui trouver le plus rapidement possible une nouvelle compagne, selon la Règle des Bons Chrétiens.

Arnaude ne demeura pas longtemps seule avec la chandelle de suif dans la petite maison souterraine du bois des Belloc. Quelques jours seulement après l'enterrement de Peironne, Guilhem Garnier revint avec Jordane, une jeune fille originaire du mas du Noguié, d'une famille de paysans aisés et bons croyants. Elle serait désormais, si Dieu voulait, sa compagne rituelle.

Arnaude prit en mains son livre des Evangiles et le plaça entre elles deux. Puis elle demanda à Jordane si elle voulait se rendre à Dieu et à son Eglise, et si elle se sentait capable de tenir dans son cœur et dans ses actes, sans faillir, les préceptes de Jésus Christ. Jordane répondit que oui et, sans attendre, Arnaude, dans la solitude de leur cachette, lui transmit l'oraison dominicale puis lui conféra le sacrement du consolament, qui appelle l'Esprit par l'imposition des mains des Bons Hommes ou des Bonnes Dames, et fait de celui qui le reçoit un Bon Chrétien. Jordane demeura un moment la tête inclinée, et Arnaude lui transmit le baiser de paix de l'Eglise de Dieu.

Les deux Parfaites quittèrent aussitôt le bois des Belloc pour se rendre au Noguié ou Ferran, le frère de Jordane, les hébergea plus de deux mois dans sa maison (1).

Arnaude entreprit aussitôt d'enseigner Jordane qui, croyante dévouée et habituée au prêche des Bons Hommes, se révéla

(1) Dans la seconde déposition d'Arnaude, le scribe a noté le nom de Terran ou Terren. Là encore, bien sûr, c'est arbitrairement que je choisis de trancher pour Ferran.

une catéchumène exemplaire (1). Et Jordane s'accoutuma au rite, bénissant avec Arnaude le pain de la maisonnée et la tête inclinée de tous ses parents. Ferran du Noguié, avec son épouse Vilana, son serviteur Guilhem, ses cousins Pons et Arnaud du Noguié et leurs épouses Peironne et Dulcie, chaque jour les saluaient rituellement.

Ce fut un court répit. Et pourtant, de loin en loin, la famille de Jordane allait continuer à veiller sur les deux femmes, à leur envoyer des vivres, à les faire escorter en lieu plus sûr lorsque le danger se rapprochait d'elles. A pied, de nuit, derrière leurs guides, elles parcoururent ainsi le Lantarès en tous sens. Il y eut les bois, le bois des Belloc à nouveau, puis le bois Blanc, ou encore le bois de Salabosc, où Guilhem Garnier, Bernard Sudre et Ferran du Noguié leur construisaient des cabanes pour quelques jours, quelques semaines. Quand la tension se relâchait, elles gagnaient des maisons amies, la maison de Bernard Sudre lui-même à Lanta, ou celle de la noble dame Assaut, veuve de Raimon Hunaud de Lanta, cousin du Barbavaira. Elles retrouvèrent même, durant quelques jours et avec bonheur, la demeure familière de Pons Saquet, la borie de la Guiraude.

Que ce fût sous le couvert des bois ou sous le toit de maisons amies, la même angoisse les tenaillait, l'angoisse devenue habitude : ne pas être aperçues. D'un enfant qui emmenait les porcs à la glandée et demeurait brusquement immobile, les yeux fixés sur la cabane silencieuse. D'une voisine trop bavarde, poussant un peu trop vite la porte de la demeure et risquant d'entrevoir deux silhouettes sombres au seuil d'une chambre. La délation avait été érigée en système par l'Eglise de Rome. Les vieux comptes à régler entre les familles, en querelles et en procès, trouvaient ainsi des solutions faciles et définitives; d'autant qu'une part des biens confisqués au dénoncé allait

(1) Arnaude ne dit rien de l'enseignement qu'elle prodiga à sa compagne. Simplement, comme il est tout à fait étonnant de constater qu'elle a pu lui conférer l'ordination sans le noviciat préalable requis – qui était en général d'un an – il faut bien imaginer que d'une part Jordane devait être déjà une habituée du prêche des Bons Hommes, et que d'autre part Arnaude dut parachever très vite son instruction religieuse. Cette ordination précipitée de Jordane par Arnaude s'explique sans doute par le caractère d'urgence de la situation : Arnaude ne pouvait suivre la Règle sans au moins une *socia*.

grossir le patrimoine du délateur, ce qui apaisait bien des consciences. Puis le suspect, pour se justifier, pour éviter la prison à vie ou le bûcher pour relapse, brisé par la terreur, affolé, dénonçait à son tour. Arnaude et Jordane, comme tous les proscrits, toutes les proscrites, ne savaient plus parler qu'en chuchotant.

Jamais elles ne perdirent le contact avec l'Eglise. Régulièrement, quelle que fût leur cachette, des Bons Hommes venaient les rejoindre, le diacre et son compagnon les apparelher, leur donner des nouvelles, les confier à de nouveaux fidèles. Régulièrement, elles se voyaient épaulées par des Parfaits condamnés comme elles à l'errance, qui leur construisaient de nouvelles cabanes ou agrandissaient et amélioraient celle qu'elles habitaient alors, et avec eux elles échangeaient la paix. Le Bon Homme Guilhem Roger et son compagnon les installèrent pour deux mois au bois de la Garrigue, près de Préserville. Le Parfait Guilhem du Noguié, cousin de Jordane, les emmena rejoindre, au cœur d'un autre bois, tout un groupe de Bons Chrétiens dont elles partagèrent la cachette durant plus d'un mois. Dans le bois de l'Avelanet, elles demeurèrent une année entière.

Elles savaient ainsi que l'Eglise, persécutée puisqu'elle était l'Eglise du Christ en ce monde mauvais, ne disparaîtrait point et maintiendrait jusqu'à la fin du monde le baptême de Salut ; que depuis le village fort de Montségur l'évêque et ses Fils réorganisaient et relançaient la prédication, que malgré les présents périls il fallait tenir bon. Et les croyants se pressaient autour d'elles avec leur ferveur, les humbles comme Guilhem Garnier, ses frères et ses cousins, comme la famille Dorbert du lieu d'Aurin, ou les Cot du mas d'Agassol, les aristocrates ruinés par la guerre, les chevaliers de Balaguier de Préserville, Bernard de Goderville et sa sœur dame Esclarmonde, Jacques d'Odars avec sa femme Sibilia et toute sa large famille. On leur portait des provisions, elles rendaient de menus services, filant et cousant, car leurs mains ne demeuraient jamais inactives. Elles citaient l'Evangile, transmettaient le baiser de paix et partageaient le pain qu'on leur avait apporté et qu'elles avaient béni.

Seules toutes deux, ou en compagnie d'autres Chrétiens, elles observaient scrupuleusement, inlassablement, la Règle de justice et de vérité et les préceptes des Evangiles. Les jeûnes rituels, les trois carêmes qu'elles suivaient chaque année, épuisaient leurs forces physiques. Déjà, Arnaude avait près de quarante ans. Parfois elle avait faim, et des vertiges ralentissaient sa marche.

Elles étaient cachées sur le pailler, dans une grange, quant Raimon de Lamothe vint parler à sa sœur pour la dernière fois. Il arrivait de Montauban avec son ami Raimon Tisseyre. Guilhem Garin les avait guidés. L'on était en 1239. Les temps étaient plus troubles que jamais. Raimon de Lamothe n'osa pas dire aux deux Parfaites tout le fond de sa pensée : les inquisiteurs, dominicains et franciscains, n'hésitaient pas à s'en prendre aux familles les plus fières, le pays était mis en coupe. Guillaume Arnaud le Prêcheur et Etienne de Saint-Thibéry le Mineur avaient même jugé et condamné – par contumace évidemment – Alaman de Roaix comme croyant et protecteur d'hérétique. Il n'y avait rien de bon à attendre de cet ordinaire des sentences, des emprisonnements à perpétuité, des bûchers et des délations. Rien à espérer. Mais il ne le dit pas, et insista à peine pour ramener sa sœur, émaciée, jaunie, à peine reconnaissable, vers quelque double vie à Montauban.

> « Quiconque se présentera spontanément devant le très saint tribunal de l'Inquisition de la dépravation hérétique pour avouer, aura la vie sauve, quels qu'aient été ses crimes d'hérésie ou de vaudoisie, et sera traité avec la plus grande clémence et miséricorde »...

Et pourtant, dès l'année suivante, Raimon Trencavel chevauchait à la tête de l'armée enthousiaste des faydits, soulevait les terres de ses ancêtres et assiégeait Carcassonne tenue par le sénéchal du roi. Arnaude et Jordane avaient gagné le couvert de maisons modestes des bourgs, sous la protection des artisans, des boutiquiers, des petits chevaliers ruinés ; elles demeurèrent à Préserville chez Arnaud Benoît, au faubourg de Lanta chez Guilhem del Tort, à Odars le plus souvent, chez Arnaud Calvet, chez Jean Delpech, chez Pons Ribeire, chez Pierre de Rivals. Elles revinrent à Lanta chez Hugues de Canelles ou chez le chevalier Raimon Azéma, au mas d'Aurin chez dame Assaut...

Et toujours étaient là, à les escorter, à les visiter, Guilhem Garnier le fidèle, et Jacques d'Odars avec sa femme Sibilia, et toute la famille des Auriol qui servaient les de Roaix, et Ferran du Noguié, le frère de Jordane, avec sa femme Vilana, et les Sudre de Tarabel et d'Odars. Chez Pons Ribèire, elles demeurèrent neuf mois et rencontrèrent tous les bons croyants d'Odars : Arnaud de Rivals, Arnaud Calvet avec sa femme Dias et son fils Jacques, puis Sibilia, Jacques et Arnaud d'Odars, et Pons d'Odars le charpentier avec sa femme Raimonde, et encore les trois frères Lagleize, Pierre, Bernard et Guilhem avec leur cousin Pierre et sa vieille mère Vilana... L'année suivante, alors qu'elles cheminaient de Préserville à Odars, escortées par les chevaliers Raimon et Arnaud de Balaguier, elles rencontrèrent dans un pré Arnaud Calvet et Bernard Ribèire qui les attendaient et, une nouvelle fois, les conduisirent chez Pons Ribèire, pour deux mois encore.

Lorsqu'une nuit Gaillard, l'écuyer de feu Raimon Hunaud de Lanta, les conduisit à Aurin chez dame Assaut, sa veuve, elles y trouvèrent comme aux beaux jours toutes ces dames : dame Assaut, sa mère dame Escarravinha, ses quatre filles Orbria, Condors, Philippa et Alpaïs, et leur vieille amie dame Dias de Deime, qui toutes se prosternèrent devant elles, demandèrent leur bénédiction et la paix de l'Eglise de Dieu. Elles demeurèrent plusieurs jours dans la vaste demeure, y revinrent plusieurs fois, y revirent leurs anciennes connaissances Pons et Arnaud Saquet, Arnaud Estève chevalier de Lanta et son cousin de Tarabel... Elles bénirent aussi Pons de Roqueville et sa femme Guiraude, et Raimon de Caussade, et Hugues de la Roque, et Jacques d'Odars, Adalaïs femme du chevalier Guilhem le Rouge, Alpaïs femme d'Arnaud Estève et, aux côtés de Dias de Deime, Pelegrina demoiselle de la dame Assaut et sa nourrice Aienta. Autour des coseigneurs de Lanta, toute la noblesse de Lantarès continuait en secret à vivre sa foi en l'Eglise des Amis de Dieu.

Gardait-elle, reprenait-elle espoir, cette noblesse marginalisée par l'intervention française et la soumission du comte? Certes, le soulèvement de Raimon Trencavel avait été un feu de paille, mais il avait tout de même failli réussir; il avait montré en tout cas que quelque chose pouvait toujours survenir, pour briser la fatalité. Et l'on savait bien que le comte de Toulouse, le patient, l'habile, ne se résignait pas et attendait son heure.

Le désert d'Arnaude

Un jour de 1241, le Bon Homme Jean Sudre et son compagnon conduisirent à nouveau Arnaude et Jordane au faubourg de Lanta, chez Guilhem del Tort, où les attendaient la Parfaite Guillelme Cayrol avec deux de ses compagnes. Les cinq Bonnes Dames se regroupèrent avec le sentiment très fort d'être ensemble l'Eglise, et firent rayonner la paix du rite dans la petite maison où se pressaient les croyants, toute la famille del Tort, Guilhem, ses deux fils, Raimon et Guilhem, ses deux belles filles Azalaïs et Bruna, sa fille Sebelia – nous dirions Sibylle – de Canelle, toute la famille Faure, Arnaud, Pierre, Guillelme, Bernard et Fabrissa... Bernard de Goderville était là aussi, avec sa sœur dame Esclarmonde qui allait bientôt à son tour se faire Parfaite. Quelques jours plus tard, la petite communauté se sépara. Arnaude de Lamothe reprit sa route avec désormais pour compagne Guillelme Cayrol. Jordane partait de son côté avec les deux autres Parfaites.

Quelque temps plus tard, Arnaude et Guillelme quittaient la maison d'Hugues de Canelles, lorsqu'elles rejoignirent le Bon Homme Guilhem du Noguié et son compagnon, qui les attendaient en dehors de la ville de Lanta avec Bernard Guilhabert et Pierre Faure. Et les Bons Hommes les conduisirent pour quelques jours aux confins du Lantarès, dans le mas de Laval qui était déjà en Lauragais. Auprès de Guilhem de Laval et de sa femme se tenait encore leur fille, qui aspirait à devenir Parfaite et que ses deux frères considéraient avec un mélange d'inquiétude et de fierté. Guillelme et Arnaude s'entretinrent longtemps avec la jeune fille et promirent qu'elles lui enverraient des Bons Hommes. Un peu plus tard arriva Guilhem Garnier avec son frère Arnaud et sa belle-sœur Raimonde. Ce furent eux qui reconduisirent les deux fugitives en Lantarès, jusqu'au mas de la Serre où Guilhem travaillait comme bouvier.

Et l'errance reprit en Lantarès. Sous la conduite d'un Bon Homme sans visage et de Guilhem Garnier, elles retrouvèrent le bois de la Garrigue. L'ancienne cabane d'Arnaude et de Jordane, agrandie et embellie, était alors occupée par un groupe de cinq ou six Parfaites. Arnaude et Guillelme n'y demeurèrent guère : elles purent gagner à nouveau Odars où, chez le charpentier Pons et sa femme Raimonde, elles demeurèrent un bon mois. Le diacre Raimon Gros et son compagnon vinrent les y rejoindre pour les apparelher. Elles lui recommandèrent de prendre en charge la fille de Guilhem de Laval...

Toujours la crainte d'être aperçues. Toujours, dans le cœur et le ventre des fidèles, l'angoisse de la dénonciation...

> « Nous sommes venues devant Dieu, et devant vous, et devant l'Ordre de la Sainte Eglise, pour recevoir service et pardon et pénitence de tous nos péchés (1)... »

En mai 1242, lorsque l'expédition punitive des chevaliers de Montségur, à la demande du comte Raimon, fit justice à Avignonet des inquisiteurs Guillaume Arnaud et Etienne de Saint-Thibéry et déchirèrent leurs registres, Arnaude et Guillelme se trouvaient encore à Odars, chez Jean Delpech et sa femme Rixende. Elles gagnèrent alors le mas de Bernard Durand, dans le plat pays, puis revinrent chez Pons, le charpentier d'Odars. Le comte de Toulouse s'était enfin soulevé ouvertement et il avait noué une vaste alliance internationale contre le roi de France. Puis, très vite, le roi d'Angleterre fit une paix séparée, et à nouveau Raimon VII fut contraint à revenir à l'obéissance. Il promit une nouvelle fois au pape et au roi de détruire l'hérésie, mais le pape et le roi ne comptèrent pas sur lui et firent lever une grande armée de croisés pour encercler, prendre et détruire Montségur.

L'on était au plus fort de l'été 1243. Arnaude et Guillelme avaient passé trois semaines dans un bois près d'Odars, où Pons le charpentier et Arnaud Calvet, les fidèles, leur avaient monté une tente. Tous leurs amis de l'endroit s'y étaient rendus pour leur apporter des vivres, pour recevoir leur bénédiction : Pons Ribèire, Arnaud et Pierre de Rivals avec sa femme Raimonde, Jacques d'Odars avec son fils Arnaud, Raimon Durand et son frère, et Pons encore avec sa femme Raimonde, et Bernard Reg qui apportait pour Arnaude une fougasse, et Arnaud Guiraud qui apportait du pain, de l'huile et des poireaux de son jardin. Guilhem Garnier était parti pour s'engager comme sergent d'armes dans la petite garnison de Montségur, pour défendre l'Eglise.

Eté 1243. Une nuit, les Bons Hommes Guilhem Rogier, Guilhem Pauc et Pons de Balaguier, avec deux de leurs compagnons, conduisirent Arnaude et Guillelme retrouver deux autres Parfaites fugitives dans un bois qui appartenait à Raimon

(1) Il s'agit des premiers mots du rituel de l'apparelhament, ou service. Voir René NELLI, *Ecritures cathares, op. cit.*, p.212.

Estève, tout près de Sainte-Foy-d'Aigrefeuille. Pour les y abriter, ils leurs montèrent à nouveau une tente. A l'abri du bois et de la tente, elles demeurèrent trois semaines à peine. C'est là qu'elles furent prises par les soldats de l'Inquisition, qui les emmenèrent à Toulouse.

Arnaude macéra une année entière dans la prison de l'Inquisition, puis comparut longuement devant Frère Ferrier qui venait d'en terminer avec les survivants de Montségur. Par le menu, elle lui raconta sa vie errante, fouilla sa mémoire pour citer les noms de tous ceux qui l'avaient aidée, cachée, considérée comme une Bonne Chrétienne, qui tenait une bonne foi, par laquelle on pouvait être sauvé; les noms de tous ceux qui avaient demandé sa bénédiction...

> – Bonne Chrétienne, la bénédiction de Dieu et la vôtre... Et priez Dieu pour moi, qu'il fasse de moi un Bon Chrétien et me conduise à une bonne fin...

Arnaude de Lamothe ne ferait pas une bonne fin. Elle avait abjuré, confessé avoir tenu une foi hérétique deux ans avant l'arrivée des croisés en Languedoc, puis avoir durant huit ans quitté la secte pour l'avoir à nouveau réintégrée jusqu'à ce qu'elle fût prise. L'année suivante, en 1245, elle était toujours vivante, après une année supplémentaire de cachot, et, pour un peu de pain et d'élargissement, déposait à nouveau, devant le nouvel inquisiteur, Bernard de Caux. Mais cette dernière confession était beaucoup plus brève. Qu'avait-elle à rajouter à ce qu'elle avait déjà livré? Et, déjà, ses souvenirs devenaient indistincts, confus, brouillés. La prison l'avait hébétée, avait fait retomber en torpeur très grise sa grande lassitude physique de femme traquée. Guillelme Cayrol était demeurée fidèle en sa foi, comme Arnaude de La Garde sous Lanta, comme la toute jeune fille de Guilhem de Laval qui avait voulu devenir Chrétienne à l'heure de tous les dangers. Elles avaient été brûlées. Elles avaient fait une bonne fin, celle qui sauve l'âme. Comme dame Austorgue, comme Peironne, comme Géraud et Bernard de Lamothe. Comme Guilhem Garnier aussi, et dame Marquésia Hunaud de Lanta veuve de Barbavaira et tous ceux de Montségur. Une bonne fin, celle qui sauve l'âme...

Arnaude, quant à elle, demeurait – définitivement – seule. Croyait-elle encore que le mal un jour aurait une fin, viendrait mourir dans l'éternité et que toutes les âmes, filles de Dieu, seraient sauvées?

6

Dieu, la chair et l'ordre

Il est temps de cerner d'un peu plus près le propos. Pourquoi un livre consacré tout spécialement aux femmes cathares ? Au nom de quoi délimiter, dans les femmes, une catégorie spécifique d'adeptes de cette religion qui, on le sait, connut en Languedoc entre les XIIe et XIIIe siècles un domaine d'implantation privilégié ? N'est-ce pas, en fait, toute la société cathare qui interroge, qui détonne ? cette société médiévale bien ordinaire, bien occidentale – entre Narbonne et Toulouse – qui peu à peu se laissa basculer dans un ordre différent, dans un ordonnancement du monde où l'on pouvait se croire meilleur chrétien que le pape de Rome, se moquer des statues des saints dans les chapelles comme d'autant d'idoles de pierre ou de bois, ou lancer de mauvaises plaisanteries concernant la présence réelle du Christ, corps et sang, dans l'Eucharistie...

TARDIVE PRÉFACE

Il faut dire que la question n'est pas neuve, et que toute une tradition déjà, d'historiens et d'écrivains tentés par le catharisme, ont souligné le rôle important, la place prééminente que les femmes auraient joué et occupé dans ses rangs (1) ou, inversement, pour contrer à armes courtoises les premiers dans un tournoi universitaire comme il s'en déroule tant, ont affirmé que le catharisme, pas plus que tout christianisme moyen,

---

(1) A partir de G. KOCH, *Frauenfrage und Ketzertum* / La Question féminine et l'hérésie (Berlin, 1962).

n'offrait à la femme de réelle échappatoire dans la société ni de véritable échappée vers le spirituel (1)...

Il est vrai que le catharisme ne suscita nulle égérie, nulle amazone, ne laissa place à nulle diaconesse. Mais il est vrai aussi qu'à la source du choix de telle ou telle famille de l'oligarchie rurale pour le christianisme cathare de préférence au christianisme romain, l'on trouve l'engagement personnel d'une femme, d'une aïeule, d'une « matriarche » (2), qui orientait ainsi l'option religieuse de ses enfants et petits enfants, élevés par ses soins dans sa foi.

Que ten la lenga ten la clau... écrivait Mistral, en un véritable manifeste (« Aux Catalans »). L'on pourrait paraphraser : qui tient la femme tient la clef. La clef des cœurs, des engagements, des choix intimes et profonds. Si une société a basculé, c'est que ses femmes, pour le moins, y ont consenti. Le catharisme fut un choix qui conduisit à la guerre, à la dépossession des lignages, qui conduisit à la ruine, à la prison, à la mort et qui, le plus souvent, fut assumé jusqu'au bout comme tel. Un tel choix et une telle constance impliquent forcément un courage au quotidien qui est l'apanage habituel et le mode d'expression des femmes en temps de crise, derrière les hauts faits et les héroïsmes chevaleresques et virils.

Une société ne peut résister que si ses femmes sont convaincues de le faire....

Les querelles à propos des chiffres, du pourcentage de la participation des femmes, à divers titres, dans l'aventure du catharisme languedocien, sont vains débats sur faux problème. Si vous le voulez bien, nous ne nous en préoccuperons guère ici tant, en la matière, le qualitatif prime sur le quantitatif. Tant aussi l'état réel des sources documentaires médiévales rend hasardeux tout chiffre avancé. Nous ne chercherons donc ni à démontrer que les femmes ont joué le rôle essentiel dans la diffusion et la défense de l'hérésie, ni que ce rôle a été outrageusement monté en épingle par des auteurs hasardeux. Pour moi, je

(1) A partir de R. ABEL et H.HARRISON, The Participation of women in Languedocian Catharism, *op. cit.* (Toronto, *Mediaeval Studies*, 1979).

(2) L'expression, particulièrement heureuse, est de Michel ROQUEBERT.

ne démontrerai rien, parce que je n'ai rien à démontrer; j'essaierai simplement d'ouvrir une fenêtre.

Nous nous bornerons donc ensemble – mais ce n'est pas le plus facile –, à décrire, à montrer au quotidien ce que nous pouvons savoir de ces femmes qui ont vécu le catharisme, chacune à sa manière. Les unes, comme Arnaude de Lamothe, le recevant dans la conformité aux bons usages de leur milieu; les autres s'interrogeant avec leur bon sens populaire à propos des Bons Hommes; d'autres encore ouvrant leur grange et leur huche à pain aux errants clandestins; ou bien ordonnant toute leur vie dans l'étroit chemin du perfectionnement moral et du choix de Dieu; d'autres aussi n'hésitant pas à porter l'ultime preuve de leur engagement religieux jusque sur le bûcher.

Dessiner la silhouette de toutes ces femmes cathares, sur le filigrane de la féminine et humaine condition en ces lointains siècles médiévaux, ce sera asurément se donner les moyens de mieux connaître, de l'intérieur et dans ses rouages intimes, la société occitane qui reçut le catharisme; mais se donner les moyens aussi de mieux comprendre à quelles si fondamentales interrogations le christianisme des Bons Hommes portait si évidente réponse qu'elle convainquit jusqu'aux femmes...

Si l'on peut observer en passant que les Bons Chrétiens avaient des réponses particulières à apporter aux problèmes particuliers que pouvaient ou peuvent encore se poser les femmes, ce sera tant mieux. Mais ce n'est pas gagné d'avance, et moi-même qui écris en ce moment ce livre, parmi l'amas des documents que j'ai rassemblés et malgré une déjà vieille familiarité des textes cathares eux-mêmes comme des registres de cette Inquisition qui chercha à percer le secret des engagements, j'avoue que je ne le sais pas bien. Je ne peux, comme vous, porter réponse qu'à des questionnements de notre siècle à nous.

Ces femmes, je commence à bien connaître certaines d'entre elles, je connais le nom de leur mari, le prénom de leurs enfants, la silhouette et la couleur du ciel de leur village dans le vieux pays, je peux essayer de vous les présenter comme je me les représente à moi-même. Mais je ne serai jamais très sûre d'avoir réellement compris leurs motivations profondes, de savoir, depuis mon XXe siècle, discerner ce qu'elles ont pu vivre, à leur avantage ou à leur désavantage, d'essentiel ou de secondaire.

C'est là bien sûr la malédiction du voyageur en histoire, le butoir ultime qu'il importe de se remémorer régulièrement avec humilité, sous peine et risque de dérapage incontrôlé, d'absurde échafaudage d'une Vérité (avec hélas un grand V) aveugle de plus...

Ce qui n'interdit pas de tenter, prudemment et modestement, le voyage. Ni décidément de secouer, pour l'ouvrir, une fenêtre orientée en pleine lumière sur la société chrétienne médiévale.

MÉPRIS DU MONDE ET CHAIR DE FEMME

Puisque bien sûr, première évidence à poser, la société occidentale médiévale est religieuse, est chrétienne. La libre pensée est inconcevable au temps des cathédrales et du blanc manteau d'églises. L'athéisme rarissime pour ne pas dire inexistant. Le rationalisme lui même d'ordre divin. Cette société est chrétienne jusque dans ses abus, dans ses manques, sa justice et ses injustices. L'autorité à partir de quoi tout s'ordonne, c'est le Livre et ses Canons. « Les autorités », ce sont les saintes Ecritures. L'on ne peut imaginer valeur qui soit argumentée ailleurs que dans les préceptes de l'Evangile – ou de ses interprétations officielles par la voie du vicaire du Christ sur cette terre, le pape de Rome et toute la hiérarchie de la sacro-sainte Eglise.

Traditionnellement, depuis les Pères de l'Eglise et notamment les Orientaux, cette Eglise se voue au mépris du monde et de la chair, prône pour ses clercs et ses élites spirituelles un idéal d'ascèse et de pureté absolue. Seul le détachement du désir sexuel, et la virginité bien mieux que la simple chasteté, peuvent assurer en perfection morale le chemin vers Dieu. Après Jérôme, après Augustin, après Scot Erigène et les évêques carolingiens, à la fin du Xe siècle un Abbon, abbé de Fleury sur Loire, peut argumenter ses traités de morale religieuse sur l'image d'une échelle de perfection, au plus haut grade de laquelle il installe les moines, vierges, au-dessus des simples prêtres et clercs séculiers qui ne sont voués, eux, qu'à chasteté. Bien plus bas encore, évidemment, les hommes mariés, juste avant les débauchés ordinaires et extraordinaires.

Selon la même tradition, la femme est considérée comme l'agent de la faute pour l'homme. Depuis Eve notre mère à toutes, elle est la tentatrice libidineuse, au service du Malin qui cherche à détourner l'homme de son chemin vers Dieu. Saint Paul déjà, dès les tout premiers jours du christianisme, lui permettait d'assister aux réunions pieuses, mais la tête voilée et en se gardant bien d'y prendre la parole. Le chef de tout homme, c'est le Christ, précise-t-il; le chef de la femme, c'est l'homme.

Parmi les Pères de l'Eglise, saint Ambroise est plus net encore : c'est par la faute, donc par la femme, qu'a débuté le mal, qu'a commencé le mensonge. C'est la femme qui a été pour l'homme l'agent de la faute, et non l'homme pour la femme. Saint Augustin explique même que la femme doit être gouvernée et dominée par l'homme, de la même manière que l'âme doit régir le corps et que la raison virile doit dominer la partie animale de l'être...

C'est qu'en effet, dans cette tradition chrétienne sans âge, la femme est une créature un peu moins parfaite que l'homme : ne lit-on pas, par exemple, dans la Genèse, que l'homme a été créé à l'image de Dieu, mais la femme seulement à sa ressemblance? De par sa nature, la femme est un être faible, inconsistant, inconstant; elle est obsédée de luxure et de désir charnel. Isidore de Séville, en ses *Etymologies* qui ramassent de manière imagée les conceptions idéologiques des quatre premiers siècles chrétiens, fait dériver le mot *vir* – l'homme en latin –, du mot *vis* – la force; il raccroche par contre le mot *mulier* –la femme –, à toute la famille sémantique de *mollis/mollitia* – la mollesse (1). Faible,

(1) Se reporter à l'excellente contribution de Marie Thérèse d'ALVERNY, « Comment les théologiens voient la femme », dans l'ouvrage collectif *la Femme dans les civilisations des X-XIIIe siècles*, Centre d'Etudes Sup. de civilisation médiévale de Poitiers, 1977.

indolente, portée aux plaisirs des sens, la femme représente un danger pour l'homme qui veut faire son Salut. La sculpture romane encore exhibera, aux chapiteaux des cloîtres masculins, la grotesque et obsédante représentation de la nudité féminine, agent de la tentation diabolique.

De Contemptu Mundi... Le mépris du monde, le mépris de la chair selon la théologie catholique la plus élevée, c'est le mépris de la chair de femme.

L'ORDRE MATRIMONIAL

Les délibérations du concile de Nicée hésitant, au IVe siècle, à accorder une âme à la femme sont probablement une légende. Il n'en demeure pas moins que la société chrétienne médiévale a hérité de l'époque des Pères de l'Eglise une conception bien irrationnelle de la nature de la femme, créature de seconde main pour ainsi dire.

Pour maintenir la faible, inconstante et dangereuse créature dans les bornes et dans les normes, il n'était bien sûr que de la recommander à la sollicitude de l'autorité masculine. Le processus d'élaboration du mariage chrétien, du mariage-sacrement, mènera de pair des perspectives de régulation de la sexualité et de la société. Ce processus se déroula principalement en deux temps : premier acte, réellement socio-politique, à l'époque et sous la houlette des grands Carolingiens; deuxième étape au moment de la Réforme grégorienne et sous la direction des canonistes, grands prélats et juristes de l'Eglise, qui donnèrent définitivement à l'institution profane et sociale du mariage son caractère sacré, ainsi qu'à l'Eglise les moyens de l'imposer...

Tout en insistant bien sur le fait que le mariage ne représente jamais pour l'homme qu'un pis-aller, qu'il lui serait toujours bien préférable, pour se rapprocher de Dieu, de vivre chastement ou mieux encore de se garder vierge et exempt de toute souillure charnelle, les canonistes de la fin du XIe siècle, Bourchard de Worms, Yves de Chartres, comme au XIIe siècle Gratien et son fameux *Décret* – pierre angulaire du droit canon médiéval –, fondent un mariage en chrétienne perspective :

indissoluble, béni par le prêtre et consacré par Dieu, sur la base de la soumission de l'épouse à l'époux, de la femme à l'homme (1).

Certes les canonistes, qui installent dans le mariage-sacrement un instrument de contrôle sur la societé laïque, et notamment sur les pratiques pluri-conjugales des grands princes à peu près libertins, fondent l'union chrétienne sur le principe du consentement réciproque; en cela l'Eglise se fait la protectrice de la jeune fille, trop généralement mariée contre son gré par sa famille, et dans de stricts objectifs d'intérêt foncier, lignagier voire politique – dans la bonne société du moins. L'indissolubilité du mariage, devenu sacrement, peut être également considérée comme une garantie, pour l'épouse, contre la tendance des mâles de cette bonne société aux divorces successifs, que le roi de France Philippe 1er illustre en modèle du genre. Mais demeurons au niveau du commun des mortels, des peu, mal, ou pas du tout nantis.

« L'ingérence de l'Eglise dans les procédures matrimoniales » – selon l'heureuse expression de Georges Duby –, se présente avant tout comme un catalogue de règlements, d'obligations, d'interdits. Collections canoniques et Pénitenciels de la fin du XIe siècle, du XIIe, du XIIIe siècle encore, sont infiniment explicites; l'on sait que, du fait de son infériorité biblique, la femme doit soumission et obéissance à son mari; en contrepartie de quoi celui-ci lui concède son devoir conjugal, unilatéral puisqu'il est bien connu que la femme, seule, est dévorée d'appétits charnels. Le mari est donc tenu, par le mariage, de répondre à la demande de son épouse : mais dans un strict but de procréation, le plaisir étant considéré comme un péché; dans le cadre étroit des jours autorisés encore. Il est en effet tenu pour sacrilège de s'unir charnellement à son épouse durant le Carême, l'Avent, l'ensemble des fêtes religieuses, et tout autant déconseillé de le faire lorsqu'elle a ses règles, qu'elle est enceinte ou qu'elle allaite.

---

(1) A propos du mariage au Moyen Age, se reporter à l'ouvrage de Georges DUBY, *le Chevalier, la Femme et le Prêtre* (Hachette, Pluriel 1981) qui fait parfaitement le tour de la question. L'on appréciera aussi la contribution de Christiane KLAPISCH-ZUBER, « les Femmes et la famille », dans *l'Homme médiéval, op. cit.*, ouvrage collectif dont il a déja été et sera encore amplement fait mention ici, ainsi qu'un excellent article de Martin AURELL, le Triomphe du mariage chrétien, dans la revue *l'Histoire*, n° 144, mai 1991, p.18-23.

Pour distraire l'épouse chrétienne de l'obsession de la chair que l'on considère comme inhérente à sa féminine nature, comme pour la détourner des bavardages, propos oiseux, multiples et menues futilités de son sexe, il est bon de la tenir tout le jour occupée, les mains à la quenouille, ou brodant, cousant, rapetassant, même dans la très bonne société qui n'a pas besoin du travail féminin pour prospérer. Et je ne parle pas de l'effroyable interdit qui est jeté sur les potions et pratiques contraceptives, voire abortives. En ce domaine la main du diable est visible aux yeux éclairés des canonistes. Le mariage n'a pas pour fondement la concupiscence charnelle, mais le simple devoir de procréation. Saint Jérôme disait déjà que trop aimer sa femme était un péché aussi grave que l'adultère...

La sacralisation du mariage, telle qu'elle est opérée par la Réforme grégorienne au tournant des XI et XIIe siècles, sera tout naturellement combattue par des forces de résistance, par ceux qui avaient intérêt à voir se perpétuer un relatif laxisme des mœurs conjugales. Les nobles tout d'abord, les princes et les seigneurs grands ou petits pour qui le mariage représentait avant tout une opération économique ou politique ; une certaine et large frange du clergé séculier également, qui pratiquait jusqu'alors fréquemment un véritable concubinat apostolique, un mariage par la main gauche à peu près institutionnalisé. L'on ignore trop souvent que le sacrement de mariage, comme le célibat des prêtres, ne remontent qu'au début du XIIe siècle...

Serait-ce à dire déjà que certaines catégories cultivées de la société chrétienne avaient pu être, parfois, portées à prêter une oreille complaisante à des prédications religieuses ne plaçant pas le mariage à l'honorable rang des sacrements institués par Jésus Christ ? N'allons pas trop vite en besogne peut-être, et gardons nous des généralisations abusives. Mais il est bien vrai, par contre, que la réfutation par le haut, par l'argument spirituel, de la sacralisation chrétienne du mariage, ouvre tout grand la porte à l'hérésie essentielle.

L'AMOUR ET L'HÉRÉSIE

Dès le tout début du XIe siècle en effet, les premiers mouvements hérétiques signalés en Occident par les chroniqueurs se posent en héritiers directs de la vieille tradition paléochrétienne d'ascèse et d'angélisme. Le paysan Leutard, qui se convertit par brutale illumination, brise les croix de son église et part prêcher à ses voisins « vers la fin de l'an Mil » selon Raoul Glaber, commence par renvoyer sa femme pour suivre, croit-il, l'Evangile (1). Ce qui apparaît en tous cas à travers le miroir déformant et réducteur des chroniques ecclésiastiques, et de manière particulièrement nette dans le cas des chanoines brûlés à Orléans en 1022, c'est cette répugnance du mariage et du sexe, qui empêchent la créature humaine de s'élever vers la lumière divine.

Créature humaine en général avons-nous dit, et non spécifiquement être masculin, bien distinct d'un être féminin qui serait imparfait et tentateur. Les hérésies du XIe siècle, tout comme le catharisme qui sera mieux défini au siècle suivant, ont en effet le propre de ne pas rejeter la femme dans le mépris, mais bien au contraire de l'accueillir dans un rêve commun d'abolir toute sexualité, toute différenciation, en retrouvant la pureté des êtres célestes, les relations d'amour divin des « purs esprits ». Les pulsions évangéliques, situées aux confins de l'hérésie et de l'orthodoxie, et qui jettent sur les chemins de l'Occident des foules en oripeaux, en quête de Dieu derrière un ermite prédicateur au verbe haut, mêlent hommes et femmes dans une promiscuité qui, bien sûr, sera assimilée par les commentateurs catholiques de l'époque à d'hypocrites débauches. C'était pourtant l'égale, la sœur, que recherchait en la femme le fou de Dieu du XIe siècle.

L'un de ces fous de Dieu parmi tant d'autres, au lendemain de la Réforme grégorienne, fut un saint, béatifié par l'Eglise romaine : Robert d'Arbrissel, fils d'un petit curé breton, et qui fonda l'ordre de Fontevrault ; ordre pas comme les autres, avec ses établissements doubles, couvent de femmes et couvent d'hommes placés sous l'autorité d'une abbesse, d'une femme. Déjà, nous aurons l'occasion d'en parler un peu plus à loisir, nous sommes à la racine de l'Amour courtois. Mais la plupart

---

(1) Pour plus de détails sur les mouvements évangéliques dissidents du XIe siècle, se reporter aux premiers chapitres de mon livre *le Vrai Visage du Catharisme* (Loubatières, 1988 et 1990) et surtout à la somme de Jean DUVERNOY, *l'Histoire des cathares* (Privat, 1979).

des fous de Dieu furent rejetés par la grande Eglise dans l'hérésie.

Au lendemain de la Réforme grégorienne, les hérétiques ou prétendus tels refusèrent le mariage-sacrement : ils s'élevèrent contre ce sacrilège qu'il y avait, selon eux, à revêtir d'une apparence de religion l'acte purement charnel et profane de l'union matrimoniale. Ils clamèrent bien haut que mariage, adultère, inceste même, n'étaient qu'un seul et même péché; que la sacralisation du mariage était un leurre et que les clercs n'avaient point à bénir l'union des corps, qui est inmanquablement souillure. Les cathares s'inscriront très précisément dans cette tradition (1).

Il est impossible de ne pas relever le fait qu'à peu près dans les mêmes temps et dans les mêmes lieux, se proclamait un vouloir d'égalité spirituelle entre hommes et femmes appelé *hérésie* par l'Eglise romaine, et d'autre part naissait au jour une neuve conception de la relation amoureuse, connue sous le nom d'*Amour courtois*. Dans les Marches de l'Ouest, autour de Fontevrault et des premières pénitentes de Robert d'Arbrissel, sous la plume occitane du premier troubadour, Guilhem IX d'Aquitaine, mais aussi celle, latine, d'un saint aussi austère que Bernard de Clairvaux, jaillit ce printemps de la poésie et du sentiment qui plaça la joie d'aimer au-dessus du plaisir d'être aimé et proclama, à son tour, l'égalité de l'homme et de la femme devant l'Amour.

Jeu de clercs ou jeu de chevaliers, l'Amour courtois ne représentait guère qu'une sorte de mode littéraire de la bonne société, et sa fonction principale fut certes de tenter l'éducation mondaine et l'affinement des mœurs des porteurs d'épée. Un peu plus loin dans ce livre, nous prendrons l'occasion de reconnaître au passage son expression purement occitane, celle aussi qui s'éleva le plus haut et le plus clair, je veux dire la *Fine Amour* des troubadours. Pour l'instant, il importait seulement de bien relever cette assonnance : l'égalité de la Dame et de l'Amant, dans une relation amoureuse qui ne peut se développer qu'hors mariage, et dont le but n'est pas l'assouvissement du désir mais l'éclosion de la joie et le perfectionnement

(1) Voir Georges DUBY, *le Chevalier, la Femme et le Prêtre, op. cit.*

des vertus mondaines, apparaît comme l'écho profane de cette aspiration spirituelle hérétique qui voyait l'homme et la femme, unis comme frère et sœur dans un amour désincarné, chercher ensemble le chemin de la lumière divine.

De part et d'autre de la Réforme grégorienne, en ce grand tournant du Moyen Age où tout se normalise et se règlemente, alors que l'Eglise romaine partout s'ingère et partout impose son ordre, alors que l'institution matrimoniale, d'acte de la vie sociale se cadenasse en sacrement au regard de Dieu et du monde, la femme, reléguée en éternelle mineure soumise à l'homme par le droit canon, décrite par la théologie catholique comme une mauvaise copie de son compagnon, la femme trouve le moyen de faire entendre sa voix; ainsi ce grand tournant du Moyen Age, où naît Amour dans le vent de l'hérésie, a aussi quelque chose d'un printemps.

Et ce neuf vouloir féminin qui se fait entendre réclame le droit à l'aventure spirituelle autant qu'à celle de l'échange des cœurs.

LA RÉPONSE DE L'ÉGLISE

Les juristes et théologiens qui élaborent en ces temps-là le droit canon dans lequel le sacrement de mariage prend sa place, ne sont en fait misogynes que dans la mesure où la mentalité chrétienne baigne dans une misogynie pour ainsi dire naturelle : eux-mêmes ont la claire conscience de se pencher avec charité vers le « sexe faible », lui assurant les garanties d'une union stable et fondée sur le consentement mutuel, de lui offrir par là les moyens d'accéder à l'accomplissement idéal de sa vie chrétienne, c'est-à-dire de remplir au mieux son rôle d'épouse et de mère. L'épouse chrétienne, travailleuse, chaste et discrète, rachète par ses vertus la tentatrice libidineuse.

Dans la même logique, le culte de la Vierge Marie qui se répand alors, contribue à sanctifier le rôle de l'épouse et de la mère chrétienne, tout en relançant l'appel vers la virginité féminine. Marie vient effacer partiellement la faute d'Eve, cette pécheresse des origines, celle par qui le mal a commencé, Eve qui avait longtemps fait figure de prototype même de la femme tentatrice et sexuée. L'être féminin Marie, enfin, n'a plus rien à envier, sur le plan de la pureté angélique, à l'idéal des ascètes mâles qui, depuis des siècles, fuyaient dans leurs déserts les tentations de la chair sous le regard du ciel.

L'une des plus vives intelligences du siècle, le philosophe et théologien Pierre Abélard, souligne particulièrement cette quasi-rédemption des femmes par la Vierge. Il est vrai que son amie et épouse malheureuse, la très sage/très savante Héloïse, avait été la première à se faire l'écho de l'idéologie dominante, lui représentant à quel point l'état de mariage n'était propre qu'à contrarier la vocation du saint homme pour les études et la recherche de Dieu. Il considéra pourtant toujours Héloïse comme une exception, même quand les circonstances que l'on sait les obligèrent définitivement à se retirer, l'un et l'autre et chacun de son côté, dans les ordres. Héloïse, abbesse de ce couvent du Paraclet fondé pour elle par Abélard, et depuis sa cellule correspondant d'égale à égale en hauteur spirituelle, en culture théologique et en intelligence cordiale avec son ami : nous sommes bien, en ce milieu du XIIe siècle, dans la claire perspective des Dames de Fontevrault et d'Amour courtois naissant.

Après les premières assoiffées de Dieu qui avaient suivi Robert d'Arbrissel et qui auraient pu se retrouver hérétiques si leur saint ermite n'avait eu la prudence de savoir demeurer en bonne grâce romaine, les grandes dames elles aussi avaient gagné Fontevrault : Pétronille de Chemillé, la première abbesse, mais aussi Bertrade de Montfort qui avait été la maîtresse du roi de France, Ermengarde d'Anjou qui se trouvait veuve du duc de Bretagne, la duchesse d'Aquitaine Philippa de Toulouse, ou la belle-fille du roi d'Angleterre, Mathilde d'Anjou. Ermengarde de Bretagne se laissa même attirer dans l'orbite cistercienne par une correspondance semi-amoureuse échangée avec saint Bernard...

Vierges ou veuves consacrées à Dieu, les moniales, au sein de l'Eglise catholique, tenaient au XIIe siècle une place relativement réduite mais brillante. Quelques-unes, comme Héloïse, comme Herrade de Landsberg ou Hildegarde de Bingen, se haussèrent même au rang d'intellectuelles de renom et de femmes de Dieu, écrivant traités et ouvrages religieux. Lorsqu'elle parle des femmes pourtant, Hildegarde, comme l'avait fait Héloïse, reprend les poncifs masculins du temps, ne revendique rien : elle fait, bien sûr, l'éloge du mariage chrétien, mais surtout s'oppose à toute idée de sacerdoce des femmes; les femmes, exprime-t-elle, n'en sont pas dignes car « habitacles de faiblesse et d'impuissance ». Elles sont faites pour mettre au monde et élever des enfants, pas pour dire la messe (1)!

Le plus haut terme dans l'aventure spirituelle que l'Eglise romaine permette en son sein à la femme, c'est la vie de moniale dans le silence des cloîtres. Encore faut-il bien remarquer que seules y ont accés, en règle générale, les jeunes filles et les veuves de la bonne société et qu'il faudra attendre le XIIIe siècle et la fondation des Clarisses pour que se discerne une première et très relative « démocratisation » du monachisme féminin.

Dans le midi de la France actuelle, tout particulièrement, la fondation de l'ordre de Fontevrault sera phénomène d'importance, car une véritable pénurie de couvents féminins s'y manifeste (2). Vers 1100, l'on ne compte en effet que sept petites abbayes de femmes sur le territoire des quatre grandes provinces ecclésiastiques du Sud-Ouest, de Maguelone (Montpellier) à Bordeaux. En Toulousain, Fontevrault essaimera trois prieurés : à Lespinasse, Longages et Sainte-Croix-Volvestre; Cîteaux encore, au XIIe siècle, fondera une abbaye de femmes prés de Muret, à l'Oraison Dieu, et une autre en Carcassès, à Rieunette. Mais, significativement, les régions occitanes qui, à partir du milieu du XIIe siècle, verront se développer dans le profond de leur société la forme de vie religieuse des Chrétiens cathares, n'offraient aux femmes presque aucune possibilité de se consacrer à Dieu selon le rite romain.

Depuis le début du XIe siècle, et indépendamment de toute vélléité hérétique, s'y relèvent des pratiques de vie religieuse féminine assez originales : à côté de quelques très rares et très grandes dames installées comme abbesses dans une fondation

---

(1) Cité par Marie Thérèse d'ALVERNY, « Comment les théologiens voient la femme », dans *la Femme dans les civilisations des X-XIIIe siècles, op. cit.*

(2) Très clair et complet sur ce point, l'ouvrage collectif « La Femme dans la vie religieuse du Languedoc, XIIIe-XIVe siècles », *Cahier de Fanjeaux* n° 23, 1988, et notamment la contribution d'Elisabeth MAGNOU-NORTIER.

religieuse de leur famille, l'on voit en effet de hautes veuves se consacrer à Dieu et probablement prendre l'habit monastique à titre individuel, dans la périphérie d'un grand établissement d'hommes; plus curieusement encore, d'autres de ces « vouées à Dieu » se retirent pour mener une vie consacrée dans leur propre maison, sous la vêture religieuse et dans l'observance des vœux de continence et d'abstinence. Cent ans plus tard, les maisons cathares s'inscriront très précisément dans cette tradition méridionale.

7

La femme et le droit à Toulouse

DROIT DE COUTUME

Etre imparfait selon la théologie catholique qui lui interdit l'accès au sacerdoce, personne mineure selon le droit canonique qui la soumet à l'autorité et à la protection masculines, la femme médiévale reprend existence indépendante en droit coutumier, c'est-à-dire au sein et au regard de la société laïque et civile, où sa capacité juridique se révèle à peu près pleine et entière, et la laisse agir et parler – exister – à côté des hommes.

Du moins et surtout à Toulouse, ainsi que dans l'ensemble du Languedoc. Ailleurs, des nuances plus ou moins subtiles diversifient cette description flatteuse. A Toulouse, la Coutume, émanant d'un vieux droit coutumier d'origine romaine par tradition orale et quelque peu folklorisé, ne fut rédigée officiellement qu'en 1286, alors que la redécouverte du vrai droit romain avait recoloré et réactualisé les pratiques. Cette Coutume, telle qu'elle nous est donc parvenue en sa version tardive, n'en est pas moins représentative des habitudes juridiques non écrites des périodes précédentes, fixées depuis au moins le milieu du XIIe siècle, et qui ne diffèrent guère de celles par exemple de Montpellier ou de Carcassonne (1).

(1) Pour plus de détails, se reporter à deux excellents articles : Henri GILLES, « Le statut de la femme en droit toulousain » dans *Cahier de Fanjeaux* n° 23 ; et John H.MUNDY, « Le mariage et les femmes à Toulouse au temps des cathares » dans *Annales* E.S.C., 1, 1987.

En comparant le texte de cette Coutume à ce que nous apprennent un certain nombre de documents en série de la pratique des XIIe et XIIIe siècles, testaments ou contrats de mariage, l'on peut se faire une bonne idée du concret de la vie juridique de la femme occitane d'alors. En effet, si la théologie catholique et le droit canon valent bien entendu de manière uniforme et incontestée à travers tout le domaine de la chrétienté médiévale occidentale, les Coutumes du droit laïc sont quant à elles aussi diverses que les sociétés, les cultures et les pouvoirs temporels dont elles émanent. Dans le cadre de ce livre, nous resterons donc à Toulouse et en Languedoc, et nous nous garderons bien de généraliser....

DROIT DE DOT AU PAYS DES JURISTES

A Toulouse donc, au pays des juristes, la femme subit encore un relatif état de subordination par rapport à l'homme : elle est en général moins instruite que lui; au mariage, elle prend le nom de son époux : rien en fait qui nous surprenne beaucoup, ni qui nous soit très étranger. De la même manière, le droit public ne la connaît pas : selon la vieille tradition du droit romain, elle est exclue de toutes les charges publiques, qui sont « viriles » : pas plus de femmes fonctionnaires au Moyen Age que dans les cadres de l'Empire romain. Mais selon le droit privé, elle est indépendante et peut – sauf exceptions –, disposer d'elle même.

Majeure à douze ans, alors que son frère ne l'est qu'à quatorze, elle se marie relativement tôt, en moyenne vers dix-huit ans; son époux est en général bien plus âgé qu'elle : au moment des noces, il est couramment un homme de trente ans; cette différence d'âge explique en grande partie le nombre élevé de veuves que l'on rencontre dans les actes et dans les textes de l'époque bien que, du fait des couches à peu prés annuelles et toujours à risque, la mortalité féminine soit à travers tout le Moyen Age supérieure à la mortalité masculine, sauf exceptions en temps de guerre (1).

(1) L'on n'en est en fait pas très sûr. Les textes ne nous montrent guère de cas de femmes effectivement mortes en couches; ce qui abonde, par contre, ce sont les morts d'enfants, à la naissance ou en bas âge.

Jeune fille, la sœur hérite à la mort du père au même titre que ses frères; par contre, si elle est déjà mariée, l'on considère généralement qu'elle n'a plus à prétendre au patrimoine familial et que la dot qu'elle a reçue au moment de son mariage lui tient lieu de part. Si elle est majeure au moment où elle hérite, elle peut être propriétaire aussi bien qu'un homme, que ce soit en pleine proprieté à la romaine, ou en charge de fief selon le droit féodal. Elle peut alors disposer de ses biens par testament, commercer, vendre, emprunter, s'obliger, se porter caution, prêter, ester en justice comme être poursuivie, faire des saisies immobilières et même exercer la contrainte par corps comme n'importe quel créancier mâle à Toulouse. Elle a également le droit de pratiquer toute une série de métiers dans le commerce et l'artisanat.

Notons ici en passant, mais nous y reviendrons, que ce droit coutumier d'origine romaine, appliqué à la société féodale occitane, y causera d'étranges avatars : non seulement les filles sont souvent admises à succession, mais le droit d'aînesse, pilier et fondement du droit féodal proprement dit, est ici à peu prés inconnu : à la mort du seigneur de fief, terres et droits se retrouvent donc bien souvent partagés entre tous ses enfants – filles comprises selon ce que veut la coutume familiale –, ce qui aboutit en quelques générations à un émiettement total de la proprieté et du pouvoir qui y est attaché, et se trouve à l'origine de l'institution des coseigneurs et coseigneuresses multiples, bien caractéristique de la société occitane d'avant la conquête française.

Ces biens qui lui sont propres et lui viennent de sa famille, la femme, après son mariage, les administre personnellement, sans contrôle de son mari, qui ne peut même dilapider sa dot sans son accord exprès. Veuve, elle y adjoindra son douaire, qui groupe la dot qui lui vient de son père ou de ses frères, et la donation au mariage que lui font son époux et sa belle-famille. La dot figure, en fait, comme la grande affaire des contrats de mariage des XIIe-XIIIe siècles. Equivalent effectif d'une part d'héritage pour les filles de la maison, cette dot représente une charge à la fois lourde et prégnante , en fait toujours prioritaire pour le chef de famille : les testaments paternels impliquent systématiquement, pour les fils héritiers, l'obligation de doter leurs sœurs : la pratique montre souvent que les filles aînées sont avantagées par rapport aux cadettes; elle montre aussi des frères attendre une ou deux décennies pour doter une de leurs sœurs, et parfois même ne s'en acquitter qu'au moyen de leur propre testament.

Les forces de résistance sont vives, et aussi bien à Toulouse qu'à Carcassonne et même à Montaillou, prototype du villlage occitan profond, l'on voit des mâles se plaindre de cette obligation coutumière de la dot, qui démembre le patrimoine familial, qui ruine la famille – nantie ou modeste. Mais la dot protège la femme, telle est sa fonction. A la mort de son mari, la veuve récupère le montant de sa dot prioritairement aux autres créanciers de son défunt, ainsi généralement qu'un augment de dot qui est part de la communauté; ainsi le plus souvent que les effets et cadeaux qu'il a pu lui offrir de son vivant. Cela lui assure en gros les moyens d'une chiche existence, mais scelle l'implication de la famille dans l'acte de mariage : la dotation est signe que le contrat de mariage est une affaire traitée entre deux maisons, même si le droit canon définit le sacrement qui suivra le contrat comme fondé sur un consentement mutuel. Pour ne pas renoncer à sa dot, la jeune fille devra bien, en fait, consentir au choix de sa famille. La dot peut du reste être considérée comme une « bonne affaire » pour la famille du fiancé elle aussi car, contrairement au droit romain lettré, la Coutume prévoit qu'en cas de décès de l'épouse, cette dot restera dans les biens de son veuf.

Des sanctions civiles peuvent pourtant priver la femme de sa sacro-sainte dot, et ce bien sûr en punition du manquement le plus grave qu'elle puisse commettre au droit tant civil que religieux : l'adultère. L'infidélité est considérée, on le sait, comme péché capital au yeux de l'Eglise, et les Pénitenciels égrennent à l'envie le catalogue des peines requises pour la supposée repentante. La Coutume civile toulousaine se montre en fait, pour la femme adultère, presque aussi cruellement sévère que toutes les lois de l'école germanique : au pénal, la malheureuse doit subir tonsure, fouet et réclusion en monastère, au bon vouloir du mari vexé. Il importe de noter au passage que la notion de fidélité conjugale est infiniment plus souple en ce qui concerne l'époux que l'épouse : il n'est quant à lui punissable ni en cas de relation simple avec une autre femme, mariée ou non, ni en cas d'adultère en son propre logis, sous le toit conjugal, ni même s'il est pris en flagrant délit...

On cite communément le droit qui est laissé au mari médiéval de battre sa femme jusqu'au sang inclu – mais pas de la tuer sans motif. En droit toulousain, le mari a même perdu le droit de tuer sa femme surprise en flagrant délit d'adultère. Il bénéficie toutefois d'une excuse absolutoire si les deux complices font mine de résister...

Si tout se passe sans effusion de sang, et accomplies les purgations du pénal, il demeure qu'au civil tombe la sanction finale : la privation de sa dot pour l'infidèle...

HÉRITAGE ET MATRONYMES

Si les Pénitenciels canoniques et la codification de la Coutume sont diserts à propos de l'adultère et de ses corollaires, les actes de la vie pratique n'en font guère état au réel. En règle commune, aprés une période plus ou moins longue de conjugalité normale, à la mort du mari, l'épouse se voit fréquemment désignée comme chef de famille et maîtresse de la maison, jusqu'à la majorité de ses enfants. Mais ce sont les enfants qui ensuite hériteront et, pis, si ces mêmes enfants disparaissent avant elle, elle sera écartée de leur propre succession ; la coutume fera choisir le plus proche parent de leur feu père : un frère, voire un cousin, comme héritier. Le système de protection de la femme survivante est constitué à peu prés exclusivement de la dot et ce système, avec ses garanties, fonctionne bon an mal an. Chez les petites gens, parmi les boutiquiers et artisans pauvres de Toulouse comme les paysans de Montaillou, la veuve vit mal de ce que lui rapporte sa dot : le plus souvent, elle doit travailler pour vivre, ou chercher à se remarier. Mais le vieux système dotal romain, malgré ses insuffisances, constitue assurément pour la femme méridionale ce qu'on appelle alors une « bonne coutume », même si elle se montre dissuasive à l'encontre des mariages par coup de foudre.

Le système protège en théorie la femme jusque au regard du droit inquisitorial : l'on verra, dans la seconde moitié du XIIIe siècle, le viguier comtal ou l'officier royal restituer à la veuve son bien dotal, prélevé sur les biens confisqués au mari condamné – emprisonné à vie ou exécuté –, pour hérésie...

Indépendamment des codifications de Coutumes, certains témoignages de la pratique, actes de droit privé ou dépositions devant l'Inquisition, nous montrent des frères, fils de familles nanties, opter l'un pour l'héritage et le nom paternels, et l'autre pour l'héritage (au moins « spirituel ») et le nom de leur mère : ainsi Raimon de Péreille, qui à l'extrême fin du XIIe siècle hérite des biens et du nom de sa mère Fournière de Péreille (encore vivante, mais retirée en religion cathare), alors que son frère Arnaud Roger choisit ou reçoit la part et le nom de leur défunt père, coseigneur de Mirepoix; ainsi Arnaud Sicre, d'Ax-les-Thermes, qui récuse toute la tradition cathare de sa mère Sibylle Baille, brûlée pour hérésie, alors que son frère, qui comme elle vivra puis mourra en Parfait, choisit de se faire connaître sous le nom maternel de Pons Baille. Les exemples de ce type ne manquent pas – option religieuse en moins –, dans les chartes de la société féodale occitane de la seconde moitié du XIIe siècle déjà.

En dehors du strict ressort de Toulouse en fait, où la patronymie semble de stricte rigueur, les « matronymes » sont courants, ainsi en comté de Foix, en Albigeois, en Lauragais, en Carcassès... L'on rencontre de nombreux Bernard, Raimon ou Guilhem désignés du nom de leur mère : de Na Rica, de Na Flandina, etc. Signature d'une femme seule? D'une héritière particulièrement avantagée? D'une forte femme? C'est ainsi qu'en dehors du domaine occitan, mais significativement, un poète prénommé Alphonse portera le nom « de Lamartine » en Mâconnais en plein XIXe siècle...

« Dans la maison de ma mère », dit Arnaude de Lamothe, lorsqu'elle relate la venue des deux prédicatrices cathares de son enfance. Il est de fait que jamais, dans toute sa longue première déposition, n'apparaît le nom ni le souvenir de son père. Une seule mention rapide, dans la seconde déposition, lorsqu'elle résume le cours de sa vie : elle indique être rentrée, après sa première abjuration, à Montauban, « dans la maison de ses père et mère ». Qu'est-ce à dire? Sans doute Austorgue de Lamothe était-elle de ces hautes veuves munies d'une nombreuse famille (on ne connait pas le nombre exact de ses enfants, mais Arnaude cite mains prénoms de ses frères et sœurs et l'Inquisition en connaîtra neuf) et désignée comme chef de la maisonnée par le testament de son mari, jusqu'à la majorité de leurs enfants. La décision de confier deux des fillettes à l'Eglise cathare est donc bien et strictement un choix maternel, un choix féminin.

Peut-être Austorgue se sépara-t-elle d'Arnaude et de Peironne pour de simples raisons économiques. L'on ignore quel était l'état de son mari, ni la source de ses revenus, bien que tout laisse à pense que la famille était noble. La veuve jugea peut-être raisonnable de « caser » ainsi deux bouches à nourrir, les deux premières filles à doter. Peut-être aussi faut-il voir, dans ce vouloir maternel et féminin, un reflet de l'attrait que la vie religieuse cathare exerçait sur Austorgue elle-même...

– Telle est bien, en tout cas, l'interprétation que tu choisis toi même de privilégier...

– Mais on voit bien que je fais tout ce que je peux pour soumettre mes choix à la discussion ! Donner un sens vraisemblable aux gestes, tenter de deviner les motivations, quel redoutable et inévitable piège... Oser entrouvrir la porte à l'imagination, mais juste un peu, et presque subrepticement...

– En prenant bien garde qu'une tempête ne vienne pas l'arracher de ses gonds !

De fait, Austorgue se fit elle-même Bonne Chrétienne dès que l'ensemble de ses enfants eurent atteint leur majorité et que ses deux autres filles, Maraude et Dulcie, peut-être les aînées, traditionnellement mieux dotées, ou plutôt, je pense, les deux cadettes, trop petites pour gagner le séminaire cathare du temps de la paix, furent mariées ; dès aussi qu'elle cessa *de facto* d'être le chef de la famille et l'exécuteur testamentaire de son mari : n'ayant plus alors que sa dot pour vivre, elle se joignit à la cohorte de ces femmes veuves qui, à la semi-pauvreté ou aux joies douteuses du remariage, préférèrent la vie en religion.

En cela aussi l'Eglise du « catharisme ordinaire », puisque nous y sommes revenus, fonctionna comme sa cousine l'Eglise romaine.

8

Un ordre singulier

Le paradoxe du catharisme, nous l'avons déjà pressenti, c'est qu'en plein cœur de la chrétienté médiévale et à partir des sources d'inspiration mêmes de la culture chrétienne médiévale, il suscita des modèles de chrétiens différents, des types d'hommes et de femmes n'obéissant plus tout à fait aux mêmes normes, aux mêmes impératifs, aux mêmes logiques; mais pourtant parfaitement chrétiens et parfaitement médiévaux. Cette dialectique n'aurait peut-être pas déplu à Jean de Lugio, docteur scolasticien et cathare, auteur du *Livre des Deux Principes* vers 1240, et pour la postérité grand pourfendeur des « grammairiens », ces tenants butés de la Lettre contre l'Esprit (1)...

Chrétiens, les cathares ne reconnaissent d'autre autorité que les Ecritures saintes du Nouveau Testament. Leur propos de vie est totalement évangélique. Leur rite, leur prêche, leur règle et leur habit font d'eux des religieux réguliers vivant dans le siècle.

Bien à leur place et parfaitement à l'aise dans l'Histoire au XIIe et XIIIe siècles, les clercs cathares savent répondre aux demandes et aux angoisses du peuple chrétien médiéval : leurs fidèles ne songent qu'à leur Salut; leurs théologiens s'inscrivent dans le grand débat intellectuel du temps.

---

(1) Quelques paragraphes particulièrement représentatifs de son style dans ce registre, dans la traduction de René NELLI, *Ecritures cathares, op. cit.* p.118-119 (« Des signes universels »).

Et pourtant, bien que réactualisée et renouvelée par le débat intellectuel du temps, la très ancienne tradition d'interprétation des Ecritures, dont ils sont porteurs encore en plein cœur du Moyen Age, leur confère un regard différent sur le monde, sur l'être humain, sur les perspectives du Salut.

Ils se définissent eux-mêmes comme l'Eglise des vrais chrétiens, la seule Eglise qui soit directement et authentiquement dépositaire du message et de la tradition du Christ et de ses Apôtres. Ils prétendent que Dieu, le Dieu d'Amour annoncé par le Christ et sa Bonne Nouvelle, n'a jamais pu vouloir ni utiliser le mal; qu'il n'est nulle souffrance, non plus que nulle violence, qui puisse trouver sa justification au regard du Père saint. Que le mal, que la mort, sont toujours un scandale.

Contre la logique des guerres saintes – qu'elles soient islamiques ou catholiques –, contre l'éthique de la résignation aux souffrances purificatrices et aux épreuves envoyées par Dieu, ils proposent, en plein Moyen Age, la voie de Justice et de Vérité des Apôtres et systématisent, pour l'appliquer à la lettre, le message des Evangiles.

Le système cohérent et logique qu'ils tirent des Ecritures et qui règle leur vie, ignore à peu près tout – en principe –, de l'inégalité des sexes. Il donne à la femme capacité à la vocation religieuse et accès au Salut de manière plus large et plus essentielle que son cousin catholique. Et les femmes, semble-t-il, le lui rendent en ferveur (1).

LES LUMIÈRES DE L'AN MIL

De part et d'autre de l'an 1100 et autour de Robert d'Arbrissel, nous avons déjà rencontré les femmes, dames nobles et pauvresses, sur les chemins errants qui frôlaient l'hérésie mais les emmenèrent à Fontevrault. De fait, la plupart des mouvements évangéliques qui sillonnèrent les XIe et XIIe siècles aux

(1) Je ne traiterai ici du catharisme que par le biais de l'histoire féminine. Pour plus de détails – et sur le catharisme lui-même, et sur les mouvements hérétiques des XIe-XIIe siècles –, le plus simple est de se reporter à mon livre *Le vrai Visage du Catharisme* (Loubatières, 1988 et 1990), et mieux encore à la véritable somme que Jean DUVERNOY leur a consacrée : *Le Catharisme*, t.1 *la Religion*, t.2. *l'Histoire* (Privat, 1976 et 1979).

marches de l'orthodoxie, derrière des ermites prédicateurs, des moines défroqués, des hérésiarques barbus ou des saints aux pieds nus – et parmi lesquels le catharisme s'inscrivait sans crier gare –, emportaient avec eux les femmes, compagnes spirituelles et utopiques, vers la communion du Salut.

Depuis que ce véritable printemps médiéval que représente la période de l'an Mil avait enfin donné loisir au peuple chrétien – en Occident du moins –, de se préoccuper de l'essentiel, c'est-à-dire de Dieu et des moyens du Salut, de la Flandre à l'Italie du Nord se manifestait un appétit de la Parole, une soif de l'Evangile, auxquels répondaient de manière insuffisante et parcimonieuse les professionnels du clergé catholique.

Il est vrai qu'au temps de l'an Mil – foin des ténèbres et des « Terreurs » à peu près inventées par l'historiographie romantique –, l'on vit enfin en paix, les Vikings benoîtement installés en Normandie, en bonne voie d'assimilation ou partis bien plus loin pour de nouvelles aventures en Méditerranée; les Hongrois repoussés, calmés, bientôt christianisés. Certes, l'ordre féodal qui se met alors en place sera ordre prédateur; mais les récoltes sont bonnes, le climat est doux (1), moines bénédictins en tête, l'on défriche des forêts pour y établir des villages dans leur terroir agricole; la campagne européenne se structure et prend son visage bocager que vous et moi connûmes encore naguère.

Paix et bonnes récoltes : et tout ce monde rural, qui enfin commence à manger à sa faim, prend le temps de perfectionner ses techniques agricoles : la charrue remplace l'araire gaulois, le collier d'attelage vient décupler la force du cheval de trait, le moulin à eau dispenser plus généreusement huiles et farines. L'habitat lui-même, qui était resté flottant et imprécis à travers le paysage de la grande propriété foncière romaine et carolingienne, s'organise en vrais villages, reliés par des chemins et signalés par leur clocher. L'an Mil répond décidément à merveille à la définition qu'en fournit un de ses contemporains, le chroniqueur clunisien Raoul Glaber, décrivant la

---

(1) Grâce à des carottages dans les glaces sub-polaires, l'on sait en effet aujourd'hui que l'Occident connut alors une période climatique heureuse, due notamment à des pluies tièdes fertilisantes.

période comme celle qui voit l'Occident se couvrir d'un « blanc manteau d'églises ».

L'apaisement des angoisses quant à la sécurité et à la subsistance ouvre tout naturellement les chemins à l'aventure spirituelle. Alors que les clercs de l'Eglise de Rome s'obstinent dans un latin que le peuple chrétien ne comprend plus et enferment leur brillante culture théologique entre les murs et dans les *scriptoria* de leurs prestigieuses abbayes, de Cluny à Saint-Benoît sur Loire, de Jumièges au Mont Cassin; alors que les grands prélats dans leur ville épiscopale, de Milan à Auxerre, incarnent avec faste un pouvoir on ne peut plus temporel (1), des moines vagants en rupture de clotûre, de pieux laïcs illuminés, des fous de Dieu et de l'Evangile parcourent les chemins de ville en village, rappellent que bienheureux sont les pauvres pour le Royaume du ciel, revendiquent pour eux-mêmes comme pour tout fidèle le droit de prêcher la Parole de Dieu (2).

PERMANENCE DES FEMMES

L'aventure commence à l'an Mil, s'approfondit et se structure aprés la Réforme grégorienne, aboutit dans la seconde moitié du XIIe siècle à deux ou trois grands courants qui drainent les ferveurs populaires, appellent plus ou moins directement la grande Eglise à se réformer, prêchent un retour à la pureté de l'idéal évangélique et de l'Eglise primitive. L'on réclame essentiellement une prédication vivante et claire, dans une langue comprise par tous, plus de rigueur et d'exemplarité dans les mœurs du clergé et une pastorale mieux adaptée. La création par l'Eglise romaine de l'ordre des Cisterciens ne suffira pas à contenir la houle, car elle s'inscrira de manière limitative dans une volonté réformatrice intérieure au monde des

---

(1) On leur reproche surtout de se montrer « nicolaïtes et simoniaques », c'est-à-dire de se livrer au trafic de charges ecclésiastiques et de vivre en concubinage notoire. Durant un temps, la vigoureuse critique populaire des patarins contre le haut clergé débauché et prévaricateur en Italie du Nord, appuiera de fait l'entreprise pontificale de Réforme grégorienne; même si, un siècle plus tard, le mot patarin s'y trouve synonyme d'hérétique...

(2) Pour la période de l'an Mil en général, se reporter à l'excellent ouvrage collectif: *La France de l'an Mil*, publié sous la direction de Robert DELORT (le Seuil, 1990, Coll. Points Histoire).

clercs, sans retentissement sur la vie du troupeau. Après 1150, les jeux sont faits. Certains des mouvements évangéliques populaires sont rejetés définitivement dans l'hérésie par l'Eglise officielle : ainsi des vaudois, qui se caractérisent peu à peu dans cette période; d'autres sont plus ou moins récupérés dans le giron de l'orthodoxie : ainsi les patarins à Milan, les Humiliés ou les arnoldistes. Ainsi le seront bientôt les disciples de François d'Assise et ceux de frère Dominique. Les cathares, quant à eux, se refusaient à toute compromission avec l'Eglise de Rome.

Hétérodoxes ou orthodoxes, ces mouvements évangéliques entraînent les femmes, s'appuient sur les femmes, et cette présence des femmes, partageant les assemblées et la ferveur, sera constamment critiquée par les chroniqueurs catholiques qui nous rapportent le peu que nous savons aujourd'hui de la plupart d'entre eux. Inmanquablement, du fait de la présence des femmes dans leurs rangs, hérétiques et dissidents sont accusés de débauche sexuelle, alors même que l'essence de leur divergence d'avec Rome n'est qu'idéal d'ascétisme et de pureté.

Le paysan Leutard, qu'une brusque illumination poussa à prêcher l'Evangile en Champagne aux alentours de l'an Mil, avait commencé par renvoyer sa femme, nous l'avons vu. Mais les dix chanoines d'Orléans que le roi Robert le Pieux, illustrant ainsi son surnom, fit brûler en 1022 sur le premier bûcher de l'Eglise d'Occident, parce qu'« ils avaient l'air plus religieux que les autres et furent prouvés être manichéens » (1) – c'est-à-dire hérétiques –, étaient savants clercs de la cité épiscopale, frayant avec la bonne société des deux sexes. L'un d'entre eux était même le propre confesseur de la reine Constance, l'épouse du (trop?) pieux roi. Mais le groupe d'hérétiques qui fut brûlé à Milan vers 1030 mêlait hommes et femmes, derrière leur hérésiarque Gérard et la comtesse du lieu de Monteforte, où ils s'étaient établis et où ils furent pris.

Les renseignements dont nous disposons sont trop ténus pour que l'on puisse décider si ces mouvements du XIe siècle étaient déjà le catharisme, ou lesquels l'étaient : le groupe de Monteforte sans doute, celui d'Orléans peut-être, comme ceux

---

(1) Chronique d'Adhémar de Chabannes.

d'Arras ou de Vézelay, mais il est difficile d'affirmer quoi que ce soit. Au XIIe siècle par contre, alors que les documents sont plus explicites et les mouvements mieux caractérisés, l'on constate qu'à travers l'Europe les groupes cathares, comme les autres groupes évangéliques et dissidents, mêlent hommes et femmes, Chrétiens et Chrétiennes, Parfaits et Parfaites pour employer la terminologie des polémistes catholiques (1). Hommes et femmes suivent les prédicateurs populaires de Bretagne et d'Aquitaine, Pierre de Bruis, Eudes de l'Etoile ou le Moine Henri ; parmi les Pauvres de Lyon qui descendent la vallée du Rhône vers la Provence ou remontent la vallée de la Saône vers la Bourgogne, les femmes, des Vaudoises, prêchent l'Evangile, la repentance et la pauvreté avec leurs frères et compagnons.

Les cathares proprement dits, au XIIe siècle, se présentent sous la forme de petites communautés de Chrétiens et de Chrétiennes, appartenant à une seule et même Eglise, prêchant et observant un rite qui leur est propre, et disséminés à travers à peu près toute l'Europe. Dans l'Empire byzantin, où on les connaît sous le nom de bogomiles, la fille de l'empereur Alexis, Anne Comnène, s'offusque dans ses mémoires, au tout début du XIIe siècle, de les voir admettre des femmes parmi eux. Trente ou quarante ans plus tard, dans l'évêché de Liège, les premiers grands bûchers de cathares réunissent une dernière fois, dans les flammes, les Chrétiennes aux Chrétiens des communautés condamnées.

Nouveau bûcher à Cologne en 1163 : une jeune fille est parmi les cinq suppliciés. En 1180, près de Reims, en Champagne, un jeune clerc d'origine anglaise, Gervais de Tilbury, soupçonna d'hérésie la petite bergère anormalement chaste qui venait de résister à ses avances : elle était effectivement cathare et

---

(1) Presque toute la terminologie aujourd'hui consacrée concernant les cathares, leurs rites et leur Eglise, est celle utilisée à l'époque par leurs adversaires catholiques, lesquels l'avaient directement empruntée aux traités antihérétiques des premiers siècles chrétiens. Ce qui ne manque pas d'induire de fallacieux rapprochements entre ces mêmes cathares et, par exemple, les anciens Ariens et surtout les Manichéens. De la part des polémistes catholiques, il ne s'agissait pourtant que de références d'érudition, devant illustrer leur bonne culture théologique. Ainsi des termes *Parfaits* et *Parfaites*, et même du mot *cathare*, pour lesquels les intéressés n'avaient d'autre équivalent que « chrétien » tout simplement.

n'échappa point au bûcher; quelques années plus tard, furent brûlés à Troyes, toujours en Champagne, cinq hommes et trois femmes, dont « deux très méprisables vieilles », selon les termes du chroniqueur catholique qui relate les faits (1).

Devant le bûcher au moins, la femme cathare était l'égale de l'homme aux yeux du monde. La permanence de sa présence parmi les rangs des dissidents renforçait encore l'horreur catholique de l'hérésie au sens large. Admettant des femmes parmi eux, les hérétiques étaient doublement méprisables, et les femmes qui les suivaient ne pouvaient être que viles. L'étonnement du chroniqueur découvrant, à l'occasion du premier bûcher de la croisade contre les Albigeois, « mainte belle hérétique » – c'est-à-dire belle dame et non souillon –, au rang des condamnés que l'on jetait dans le feu, cet étonnement n'est pas feint (2).

L'ÉGLISE DES BONS CHRÉTIENS

Sur la toile de fond des multiples et bouillonnants mouvements évangéliques des XIe et XIIe siècles, parmi lesquels il s'inscrit harmonieusement, et sans lesquels on ne saurait le comprendre, le catharisme se distingue pourtant très clairement.

Il n'est pas pur et simple mouvement spontané de pieux laïcs illuminés par l'Evangile; il n'est pas davantage le fruit de la réflexion théologique d'un clerc génial et peu soucieux de braver Rome. Les prédicateurs cathares sont des religieux, des professionnels de la pastorale; le catharisme n'a été inventé par aucun hérésiarque de la chrétienté médiévale. Les cathares n'ont d'autres fondateurs, à ce qu'ils prétendent, que Jésus-Christ lui-même; et, de fait, tel qu'il se présente dans les documents, d'un bout à l'autre de l'Europe, autour de l'an Mil, leur mouvement apparaît comme une véritable Eglise, unie malgré le désordre apparent des noms sous lesquels ici ou là on la désigne, autour de son rite paléochrétien de baptême par impo-

(1) Il s'agit d'Aubry de Trois-Fontaines.

(2) Il s'agit ici de Guillaume de Tudèle, l'auteur de la première partie de la *Chanson de la Croisade*, et du bûcher de Casseneuil-en-Quercy de 1209.

sition des mains, et de sa tradition non moins vénérable d'interprétation dualiste des Evangiles.

Cette Eglise, issue visiblement des premiers siècles chrétiens (1) et ressurgie dans l'Histoire, avec une partie de son bagage, à la période de l'an Mil, revendique ainsi la filiation apostolique, et se définit comme la seule détentrice du message et du sacrement du Christ. C'est la raison pour laquelle les cathares refusent tout crédit à l'Eglise romaine, qui est pour eux fausse Eglise, falsificatrice, corrompue et mauvaise par nature, et ne cherchent en rien à l'améliorer ou à la réformer comme le réclament les autres mouvements évangéliques du temps. A la limite, leur seule ambition à son égard était de chercher à limiter au maximum son influence et tout bonnement de la remplacer.

Chrétiens, les cathares le sont parfaitement, même si leur tradition n'est pas celle de l'Eglise de Rome. Leurs doctrines et leurs rites, dans leur totalité, sont tirés des Ecritures et de la culture chrétienne, sans aucune autre source d'inspiration. Leurs divergences d'avec la grande Eglise ne sont d'ordre qu'évangélique : l'interprétation qui est la leur du Nouveau Testament apparaît comme littérale, privilégiant la forme d'organisation ecclésiale et sacramentelle du temps des Apôtres ainsi que, sur le plan théorique, tout ce qui tend à innocenter du mal et de ses manifestations terrestres le Dieu d'Amour annoncé par le Christ. Leur Eglise n'a d'autre raison d'être que d'annoncer aux hommes la Bonne Nouvelle, l'Evangile ; d'autre vocation que de répandre la préoccupation et le geste du Salut éternel.

Cette indéniable Eglise chrétienne, éclatée en communautés plus ou moins nombreuses et influentes, mais qui restent en contact les unes avec les autres d'un bout à l'autre de l'Europe, apparaît à ses contemporains catholiques ou orthodoxes comme dangereuse secte hérétique. En Orient, à Byzance, en Bulgarie, ces hérétiques sont connus sous le nom de bogomiles, ce qui est certainement une appellation d'origine, car elle signifie « Amis de Dieu », terme appartenant au vocabulaire

---

(1) Le caractère archéo-chrétien du catharisme tient dans son rituel du baptême, dans sa tradition d'exégèse scripturaire, et dans son organisation ecclésiale.

des intéressés. Un peu plus loin vers l'est, dans l'actuelle Asie Mineure, les chroniqueurs signalent l'existence de communautés tout à fait analogues, qu'ils désignent du nom de phoundagiagites ou phoundaïtes, et dont ils tournent en dérision l'excessive dévotion extérieure.

Trop pieux pour être honnêtes, reprochait-on déjà aux chanoines que le roi fit brûler à Orléans... En Rhénanie, et sur tout le territoire de l'archevêché de Liège, les groupes repérés sont connus sous le terme latin de *cati*, en Français d'oïl *catiers* (adorateurs du chat = sorciers? telle est l'interprétation parfaitement vraisemblable que propose Jean Duvernoy) et dont le chanoine Eckbert de Schönau, imbu de sa culture patristique, fit nos *cathares*. La célèbre étymologie « du Grec *catharos*, c'est-à-dire *purs* », ne tient pas, et nous pouvons encore noter qu'en Occident les hérétiques furent dits publicains en Champagne et en Bourgogne, patarins dans certaines régions italiennes n'ayant pas connu les vrais patarins, piphles dans les Flandres, *chrétiens* tout simplement en Bosnie et, en Occitanie toulousaine, *hérétiques albigeois*...

Les documents nous apprennent que dans l'Empire byzantin, en Bosnie, en Italie du Nord et en Occitanie du moins, les groupes étaient organisés en véritables Eglises, autour d'un évêque élu muni de deux coadjuteurs, et de toute une hiérarchie de diacres et d'Anciens, rythmant la pratique des prédications, de l'enseignement et du sacerdoce, et structurant la vie matérielle et économique des communautés. Les Eglises cathares répondaient à proprement parler à la définition paléochrétienne de communautés des chrétiens. Et ces communautés de chrétiens ne se donnaient elles-mêmes aucun autre nom. Leur Eglise était, à leurs yeux et dans leur bouche, l'Eglise des Bons Chrétiens. Ce n'était jamais qu'au titre de Bons Chrétiens ou de Vrais Chrétiens qu'ils allaient prêchant, et leur premier argument lorsqu'ils tentaient de convertir un auditeur, était inmanquablement : voyez, nous sommes les vrais chrétiens, car nous vivons comme Jésus-Christ, dans ses Evangiles, a ordonné que vive celui qui croit en sa Parole...

Le mot *chrétien*, dans leur bouche, revêtait le sens précis et absolu qu'il avait dans l'Eglise primitive : chrétien était celui qui, par le baptême, avait intégré la communauté, le petit troupeau du Christ. Les Chrétiens cathares étaient tous des baptisés. Mais non des baptisés simplement par l'eau qui, dans les pratiques catholiques, oint jusqu'aux tout petits enfants à la mamelle : ne pouvait recevoir le baptême des Bons Chrétiens, comme aux premiers temps du christianisme, qu'un adulte ou du moins un être assez raisonnable pour être capable de l'entendement du bien et du mal. Et ce baptême n'était point d'eau, mais de feu : c'était le baptême par l'Esprit et l'imposition des mains, celui-là même dont, rappelaient les prédicateurs cathares, Jean-Baptiste portait témoignage dans les Evangiles : « Pour moi, je vous baptise dans l'eau, mais un autre viendra après moi, qui est plus puissant que moi ... et lui vous baptisera dans l'Esprit et dans le feu » (Mt.3,11).

Les cathares étaient les chrétiens qui prétendaient transmettre depuis les Apôtres ce baptême d'Esprit et de feu dans lequel ils voyaient le seul sacrement enseigné par le Christ ; des chrétiens qui ne croyaient dans la valeur ni de ce baptême provisoirement improvisé dans l'eau par Jean Baptiste, ni d'aucun autre des sacrements pratiqués par l'Eglise romaine. Le baptême par imposition des mains, parfaitement fondé dans le Nouveau Testament (1), leur tenait lieu de tout et toutes les communautés cathares disséminées à travers l'Europe au Moyen Age pratiquaient ce sacrement unique, selon un Rituel parfaitement fixé et parfaitement analogue, dans toutes les versions en latin, en grec, en occitan ou en vieux slavon qu'on ait pu en conserver.

La meilleure et la plus claire définition que l'on puisse donner du catharisme médiéval pourrait être celle-ci : l'ensemble

---

(1) Les Evangiles montrent fréquemment le Christ imposer la main, pour bénir ou pour guérir. Les Actes des Apôtres par contre, ou les Epîtres catholiques, sont plus explicites et montrent les Apôtres, détenteurs d'un pouvoir que le Christ leur a conféré et revêtus de la grâce de l'Esprit saint depuis la Pentecôte, imposer les mains à leurs néophytes pour leur conférer à leur tour cette grâce, et l'Esprit saint. Ainsi :« On les présenta aux Apôtres, et, après avoir prié, ils leur imposèrent les mains » (Act.6,6) ; ou « Alors Pierre et Jean se mirent à leur imposer les mains et ils recevaient l'Esprit saint » (Act.8,17) ; ou encore, de Paul lui même : « Ne négliges pas le don spirituel qui est en toi, qui t'a été conféré par une intervention prophétique accompagnée de l'imposition des mains du collège des presbytres » (1Tim.4,14) etc. Ce sacrement est du reste reconnu par l'Eglise catholique, qui en a fait celui de l'ordination des diacres (imposition d'une seule main) ou des évêques (imposition des deux mains). C'est le sacrement paléochrétien par excellence.

des Eglises sœurs partiquant, selon un même Rituel, le sacrement paléochrétien du baptême par imposition des mains. Les définitions doctrinales ou métaphysiques sont finalement secondaires.

LA FEMME ET LE SACREMENT

Les cathares se nommaient entre eux les Chrétiens, et les Chrétiens étaient ceux qui avaient reçu ce titre et cette qualité par le baptême. Les communautés de cathares étaient donc communautés religieuses au sens strict, c'est-à-dire formées de clercs et non d'un mélange de clercs et de laïcs; les fidèles ou croyants qui écoutaient leur prédication et attendaient d'un jour recevoir à leur tour le baptême, restaient jusque là extérieurs à l'Eglise; y compris les novices eux-mêmes, en bonne théorie. Ce qui renforce encore cette impression très vive de communautés religieuses que donnent les groupes cathares, c'est la parenté de fait de leur baptême par imposition des mains avec un rite d'ordination, voire de prononciation de vœux monastiques.

Baptême, certes, le sacrement cathare l'est de tout le poids de la tradition chrétienne primitive, c'est-à-dire symbole d'entrée en vie chrétienne; les Bons Chrétiens eux mêmes ne l'appellent jamais autrement que *Baptême spirituel de Jésus Christ* ou, en occitan, *consolament* – ce qui signifie *consolation*, appel ou rappel de l'Esprit *consolateur*, ainsi défini dans le Nouveau Testament (1). Mais fonction d'ordination il remplit incontestablement, en ceci que seuls les baptisés, les Chrétiens, peuvent à leur tour conférer à autrui le sacrement qu'ils ont reçu et sont habilités à prêcher la Parole de Dieu : rôle pastoral et sacerdotal donc. L'Eglise cathare, l'Eglise des Bons Chrétiens, n'a d'autres prêtres que ses Chrétiens, ses baptisés, ses Parfaits et Parfaites, comme les appellent les polémistes catholiques, et qui sont ses clercs.

Hommes et femmes peuvent indistinctement recevoir le baptême d'ordination cathare. Le clergé cathare est formé de Chrétiens et de Chrétiennes qui, les uns comme les autres, ont le

(1) Par exemple : « Les Eglises vivaient en paix ... et elles étaient comblées de la consolation du Saint Esprit » (Act.9,31)

droit de prêcher et de conférer le sacrement. Simplement, les femmes n'apparaissent jamais dans la hiérarchie cathare de diacres, coadjuteurs et évêques, bien qu'aucun de ces titres ne semble avoir été attaché à une qualité particulière de sainteté ou d'ordination, mais à une fonction pratique dans l'organisation de la communauté (1).

Rien de tout cela n'est en fait bien étonnant dans un contexte purement chrétien. Dans l'Eglise primitive déjà, seuls les baptisés dans le nom de Jésus Christ avaient droit au titre de chrétien – ou chrétienne –, et aujourd'hui encore, aux yeux de toutes les Eglises chrétiennes, les femmes aussi bien que les hommes peuvent conférer le baptême – par l'eau – en cas d'urgence mortelle. La chose devait être bien moins aisée à admettre pour les chrétiens du Moyen Age... En fait, le plus extraordinaire aux yeux des chrétiens médiévaux, était trés certainement l'autorité de prêcher que conférait, y compris aux femmes, ce sacrement de consolament : le baptême catholique dans l'eau ne donna jamais ce droit à ses chrétiennes (2).

Sacrement de baptême ou d'ordination, voire d'extrême-onction aux mourants selon un unique Rituel, le consolament cathare s'apparente aussi à une entrée en vie monastique, et l'on ne sait pas très bien où situer le clerc cathare, qu'il soit homme ou femme, entre le clergé séculier et le clergé régulier. De fait, les engagements solennels qui sont les siens au moment de recevoir l'imposition des mains de la communauté, et qui sont les vœux de suivre à la lettre les préceptes de l'Evan-

---

(1) Encore que les évêques semblent avoir reçu un second consolament « d'ordination d'évêque », par imposition des mains d'un évêque déjà en fonction, et ce au stade de coadjuteur (Fils Majeur ou Fils Mineur selon la terminologie cathare médiévale).

(2) Encore qu'il y eut, au moins dans l'Eglise d'Orient, des diaconesses qui avaient reçu l'imposition de la main d'un évêque et qui furent peut-être autorisées à parler de Dieu. Les Parfaites médiévales sont-elles un souvenir vivant de cette antique institution? En tout cas, la fonction de diaconesse n'exista guère dans l'Eglise d'Occident. L'on peut se reporter à ce propos à l'étude d'Hubert LE BOURDELLES, « Les ministères féminins dans le Haut Moyen Age en Occident », publiée dans l'ouvrage collectif *la Femme au Moyen Age* (Maubeuge, Touzot, 1990), p. 11-25.

gile (1), sont aussi les vœux monastiques classiques de continence et d'abstinence, de vie en communauté en récitant les prières aux heures liturgiques. Chrétiens et Chrétiennes cathares sont décidemment plus et mieux que de simples baptisés catholiques : ils sont religieuses personnes, ils sont des clercs réguliers, moines et moniales à la vie consacrée, mais chargés dans le monde de la mission séculière de prêcher l'Evangile et de conférer le sacrement de leur Eglise. La femme religieuse cathare joue donc incontestablement, dans le monde chrétien médiéval, un rôle beaucoup plus large et beaucoup plus important que sa sœur catholique, même si en apparence leur état est de même nature.

---

(1) Il s'agit très explicitement des préceptes du Sermon sur la Montagne : tu ne tueras point, tu ne prêteras pas serment, tu ne jugeras pas, tu ne voleras pas, tu ne commettras pas le péché de chair... Tous préceptes revendiqués par les mouvements évangéliques de l'époque en général, et les vaudois en particulier, qui durant plusieurs siècles se laissèrent reconnaître devant l'Inquisition par leur refus de prêter serment. En cela, les cathares se montrent parfaitement évangéliques.

9

La femme et le sacré

En fait, la vocation du baptême d'Esprit de l'Eglise cathare était, comme celle du baptême d'eau de l'Eglise catholique, d'assurer le Salut de l'âme. Mais elle était aussi beaucoup plus, et nous allons voir que, si le rôle de la femme dans l'une et l'autre Eglise demeure chrétien au sens le plus large, un peu plus étriqué dans la seconde, un peu plus ouvert pour la première, l'arrière-plan métaphysique du catharisme détermine par contre une vision toute autre de la créature féminine et une fonction beaucoup plus essentielle au sacrement qu'elle est habilitée à conférer.

Le baptême de l'Esprit, le consolament, ne se conçoit en effet qu'accompagné des vœux de vie évangélique qui lui donnent tout son sens : suivant à la lettre les préceptes de l'Evangile, le nouveau Chrétien, la nouvelle Chrétienne, ne pécheront désormais plus, ils sont « libérés du mal »; à leur mort, qui est une « bonne fin », ils accéderont au Salut, sans attendre un Jugement quelconque ni l'éventualité d'un enfer éternel....

UN ÉVANGELISME DUALISTE

Il est illusoire de tenter de comprendre quoi que ce soit aux gestes et aux motivations des femmes qui se donnèrent au catharisme, sans aborder, même très rapidement, ce qui faisait alors la différence entre un message de Salut et un autre : la nature dualiste du message chrétien cathare.

La tradition d'exégèse évangélique dont les cathares médiévaux étaient porteurs les avait habitués à lire et à prêcher que ce monde était celui « dont Satan est le prince » (Jo.16,11), et dont le Christ répétait « mon royaume n'est pas de ce monde » (Jo.18,36)... Des Ecritures saintes, et plus précisément du Nouveau Testament dans son entier ainsi que de quelques livres de l'Ancien, et des Ecritures saintes seules, sans recours à aucune autorité extérieure, les cathares avaient tiré un système logique et cohérent, fondant l'innocence totale de Dieu vis-à-vis du mal. La théologie dualiste cathare nous est parfaitement connue, grâce aux textes explicites qui nous en sont parvenus : deux traités, trois rituels et une abondante littérature de polémique bien documentée, sans parler des recueils d'Inquisition. Il n'existe donc aucune raison de placer de fallacieuses espérances dans un prétendu « mystère cathare » – véhiculé et commercialisé par toute une littérature ésotériste de pacotille (1).

Chrétiens et dualistes, les cathares n'imaginaient pas que Dieu, le Dieu d'Amour annoncé par le Christ, ait pu être assez pervers pour infliger à ses créatures les conditions d'une vie présente aussi précaire, aussi douloureuse et de toutes façons vouée au dépérissement et à la mort; ni assez impuissant pour ne pouvoir faire autrement. L'inventeur et le responsable de la souffrance, de la corruption, de la guerre, des famines et épidémies, de l'injustice violente et de la mort, ne peut être ce Dieu d'Amour et de bonté dont l'Evangile a rendu espoir aux « hommes de bonne volonté ».

Par logique et bon sens humain, et par lecture rigoureuse de textes comme la parabole qui enseigne qu'un bon arbre ne peut porter que de bons fruits, et un mauvais arbre de mauvais fruits – « c'est à leurs fruits que vous les reconnaîtrez » (Mt.12,33) –, à laquelle ils ajouteront à la fin du XIIe siècle celle d'Aristote – « les causes des contraires sont des contraires » etc. –, les cathares tiraient la conclusion que le monde visible, proie permanente et tourmentée de la corruption et de la mort, ne pouvait être l'œuvre de Dieu. La création de Dieu, bon fruit du bon arbre, ne pouvait être qu'à son image : bonne et éternelle. Ce bas monde mauvais ressemblait forcément à son créa-

(1) La théologie cathare est exposée en détails dans mon livre *le Vrai Visage du catharisme* et dans les ouvrages de Jean DUVERNOY. Je rappelle que je ne peux tenter ici qu'un très rapide survol de la métaphysique dualiste.

teur, et ce créateur mauvais ne pouvait être que le diable ou, pire, le principe du mal (1).

Dieu, qui est le principe du Bien, de tout Etre et de toute Eternité, n'a rien à faire ni à voir en ce bas monde « qui n'est pas de lui » et « dont Satan est le prince ». Il n'a pas à y intervenir. Ce monde du mal par contre, qui déroule ses affres tout au long du temps et n'a que le temps pour se manifester, ne bénéficie que d'une éternité apparente : il n'a d'existence qu'aussi longtemps qu'une parcelle d'être divin l'anime encore, et cette parcelle d'être et de lumière, ce sont les âmes humaines... Le mauvais créateur est en effet, par nature, incapable de créer chose stable et ferme. Il n'est puissant que dans le mal, puissant négativement pourrait-on dire...

Pierre Clergue, curé de Montaillou et intellectuellement séduit par la logique cathare, ne détestait pas entretenir de théologie sa belle amie, Béatrice de Planissole, l'ancienne châtelaine du lieu. On était dans les toutes dernières années du XIIIe siècle... (2).

> – Dieu n'a fait que les esprits, lui disait-il parfois, et ce qui ne peut se corrompre ni se détruire, car les œuvres de Dieu demeurent pour l'éternité ; mais tous les corps qui peuvent être vus ou sentis, comme le ciel, la terre et tout ce qui s'y trouve, à l'exception des seuls esprits, c'est le diable, prince de ce monde, qui les a faits ; et parce que c'est lui qui les a faits, tout est exposé à corruption, car il n'est pas capable de faire œuvre stable et ferme...
>
> – Il me disait tout cela chez moi, raconta Béatrice, vingt ans plus tard, à son inquisiteur, parfois près d'une fenêtre qui regardait la route, pendant que je lui épouillais la tête, parfois près du feu, parfois quand j'étais au lit... Nous prenions bien garde de ne pas être entendus quand nous abordions ce genre de sujets ; mais je me demande bien si ma servante Sibylle...

L'ÉGALITE NATIVÉ DES ÂMES

Créateur ou pour le moins malhabile ordonnateur de la matière, le mauvais principe, ou Satan, ou encore le diable

---

(1) La meilleure analyse de la métaphysique dualiste est due à René NELLI, *la Philosophie du catharisme* (Payot, 1975, reéd.1985).

(2) Tout ce qui suit est tiré de la déposition de Béatrice de Planissoles, *in* Jean DUVERNOY, *Le Registre d'Inquisition de Jacques Fournier, op. cit.*, t.1, p.269-270.

selon les terminologies employées, ne s'était guère montré capable que de singer grotesquement la belle et bonne création de Dieu, son « autre monde » d'éternelle lumière. Mais pour animer sa laide et corruptible construction, il n'hésita pas à avoir recours à l'un de ces procédés qui ne peuvent être que de sa façon : la ruse, le mensonge, la violence. Les cathares croyaient en effet dans le vieux mythe judéo-chrétien de la chute des anges : par effraction ou par artifice, le Malin était parvenu à s'introduire dans le monde du Bien ; il séduisit ou arracha par force un certain nombre des bons Esprits, créatures de Dieu, et les précipita en son bas monde.

Là, pour mieux les retenir prisonniers, il les enferma dans des « prisons charnelles », ou « tuniques de peau », faites de « terre d'oubli (1) ». Et dans ces corps, sur cette terre d'oubli, les anges déchus, c'est-à-dire les âmes humaines, depuis lors dorment, en oubli de leur patrie céleste. Un instinct de réincarnation mécanique, chaque fois que le corps périssable qui les enclot se défait, les maintient au pouvoir du diable et contribue à conférer par là-même son illusoire durée au monde visible. Et cela aurait pu durer très longtemps, la paisible immobilité du Bien, dans son autre monde, superposant son éternité au temps indéfiniment prolongé, par le cycle des naissances et des morts, de ce bas monde mouvant.

Lié par son corps provisoire et corruptible au monde du mauvais principe, et appartenant au Royaume du Père par son âme divine, éternelle et bonne à l'image de son créateur, l'être humain se trouve donc placé au carrefour des deux créations. Simplement, il l'ignore. Ou plutôt il l'ignorerait encore si Dieu, en son infinie bonté, n'avait eu pitié des âmes, ces anges tombés, ses filles, qu'il voyait endormies dans le sommeil des corps de chair. Dieu décida ainsi, exceptionnellement, d'intervenir en ce bas monde qui ne relevait pas de lui, et d'y envoyer un messager, son Fils Jésus-Christ, comme nous l'enseignent les Saintes Ecritures, afin d'éveiller les dormeuses par sa Parole...

---

(1) L'expression est du Bon Homme Jacques Authié, paraphrasant le Psaume 136 et prêchant pour le berger Pierre Maury sur les chemins de Rieux en Val. Le texte intégral de la prédication en question, à travers le souvenir du bon berger de Montaillou, figure dans le 3e tome de la traduction par Jean DUVERNOY du Registre d'Inquisition de Jacques Fournier, *op.cit.*p. 931 ss.

LE SENS DU CONSOLAMENT

C'est ainsi que le Christ vint sur cette terre pour y apporter, de la part de Dieu le Père, le Salut des âmes; mais non point le Salut d'un péché originel auquel les cathares ne croyaient pas – puisque c'était par intervention du diable, du principe du mal, que le mal avait commencé et se manifestait, et non par « pseudo-libre arbitre » (1) des hommes créés bons par Dieu qui est bon. Il ne vint pas non plus mourir pour nous sur une croix ni expier ou racheter par ses souffrances ledit péché originel, puisque cela n'aurait été d'aucune utilité dans le contexte, et que, surtout, il était proprement impensable, en bonne logique cathare, d'imaginer Dieu comme capable d'employer les moyens du mal – la souffrance, la violence, la mort –, même dans un but d'intérêt général.

Mais le Christ, envoyé de Dieu, vint sur cette terre pour éveiller les âmes endormies, leur rappeler, par sa Bonne Nouvelle (ce qui est précisément le sens du mot *Evangiles*), que le Royaume du Père, c'est-à-dire leur propre royaume, n'était pas de ce monde, pour attiser leur souvenir de la patrie célestielle perdue et à regagner. Tel était, dans l'esprit des Chrétiens cathares, le sens de la mission du Christ et de ses Evangiles. Et le Christ, pour compléter son action salvatrice et sceller cette reconnaissance de Dieu par les âmes éveillées, transmit aux hommes, par l'intermédiaire de ses Apôtres, le geste et le pouvoir salvateur du baptême spirituel, par l'imposition des mains...

Telle était la signification profonde, ultime, du sacrement du consolament. Il consacrait l'éveil de l'âme individuelle, qui reconnaissait qu'elle n'appartenait réellement qu'au monde du Bien, et s'engageait à vivre désormais selon la Règle de l'Evangile . *Libérée du mal,* c'est-à-dire *enfin libre de ne plus faire que le Bien,* rendue à sa vraie nature qui est bonne, cette âme échappait au cycle plus mécanique que proprement infernal des réincarnations et, à la mort du corps qui la retenait, regagnait définitivement le Royaume de Dieu.

---

(1) La nuance et l'expression elle-même sont de Jean de Lugio, l'auteur du meilleur traité cathare de réflexion théologique, c'est-à-dire *le Livre des Deux Principes.*

Ce qui impliquait que tôt ou tard, au fur et à mesure que les bons Esprits tombés entendraient prêcher l'Evangile, se souviendraient qu'ils étaient enfants de Dieu et bons de nature, refuseraient le mal et, les uns aprés les autres, recevraient le baptême spirituel du consolament, ce bas monde peu à peu se viderait d'être divin; que tôt ou tard toutes les âmes seraient sauvées, et que le jour où la dernière âme consolée quitterait le dernier corps pour regagner le paradis perdu, ce bas monde, manifestation du mal, se recroquevillerait sur son propre néant: fin du monde, comme dans toute eschatologie chrétienne, mais pour ainsi dire progressive et non brutale comme dans l'imagerie catholique (l' ange sonne de sa trompette, et le Fils de l'Homme arrive sur ses nuées pour juger les vivants et les morts...)

Et surtout, fin du monde extrêmement optimiste, car excluant toute idée d'un jugement puis d'un enfer éternel; le mal ne disposant que du temps pour manifester ses désordres et ses tourments, et le temps ayant une fin comme tout ce qui est de ce monde illusoire. Pas de damnation éternelle: les âmes, créées bonnes, ne peuvent appartenir au mal pour l'éternité. Les cathares étaient les clercs chrétiens qui pouvaient prêcher que toutes les âmes étaient bonnes et égales entre elles, et que toutes seraient sauvées (1)...

---

(1) Il y aurait quelques nuances à apporter en ce qui concerne les croyances de certains groupes cathares, dits « dualistes mitigés », très minoritaires à partir de la fin du XIIe siècle et pour qui il semblerait que le diable aurait fabriqué de son côté certaines fausses âmes de sa façon, des « esprits du mal » animant un certain nombre de corps humains et bien entendu de prime abord indiscernables des vraies... Mais évidemment, en aucun cas, ces « âmes mécaniques » (selon l'expression de René NELLI), ne sauraient participer du Salut éternel des bons Esprits, et à la fin du monde elles seraient précipitées dans le néant avec l'ensemble de la mauvaise création. L'essentiel étant que, de toutes façons, il a toujours été inimaginable à tout cathare qu'une âme de Dieu puisse subir le châtiment éternel, du fait de l'impuissance ou de la duplicité de son créateur. Au XIVe siècle, les derniers Parfaits occitans prêcheront encore que même les âmes de leurs persécuteurs, des inquisiteurs, finiraient par être sauvées comme les autres... (Cf. chapitre 25). Pour ce qui est des nuances de théologie entre dualisme absolu et mitigé, se reporter aux ouvrages cités en note 1 p. 94. D'autre part, pour plus de détails sur la notion essentielle de libération du mal dans la théologie cathare, voir l'ouvrage fondamental de René Nelli, la *Philosophie du catharisme, op. cit.*

10

Un féminisme ambigu

> J'ai entendu dire à ces hérétiques que les âmes des hommes et des femmes étaient les mêmes et n'avaient aucune différence entre elles, mais que toute la différence entre l'homme et la femme était dans leur chair, œuvre de Satan. Ainsi, quand les âmes des hommes et des femmes avaient abandonné leur corps, elles n'avaient aucune différence entre elles.. (1)

Lecture à haute voix du témoignage de Pierre Maury, celui que nous sommes habitués à appeler – à la suite de Jean Duvernoy? à la suite d'Emmanuel Le Roy Ladurie? le « bon berger de Montaillou ». Devant la transparence grise de diapositives prises en Pays d'Aillou, dans les brouillards de septembre.

– Imprègne toi de ce brouillard. Le chemin monte de la petite église romane dont on distingue, dans le flou, le volume qui n'a pas changé depuis que le curé Pierre Clergue revenait vers le village, sa messe dite, en pensant à son prochain rendez-vous avec Béatrice. Pourquoi n'émerge-t-il pas du brouillard, ce diable de curé, ni catholique ni cathare, petite silhouette noire – puisqu'on sait qu'il était de petite taille, les mains bien au chaud sous sa houppelande? Voici maintenant, derrière ces hautes herbes de montagne, le creux du chemin lui-même, qui montait vers les maisons, vers les terrasses du château : comment la voix de Pierre Maury résonne-t-elle, à travers les brumes de son pays?

---

(1) Déposition de Pierre Maury devant Jacques Fournier, *in* Jean DUVERNOY, *le Registre d'Inquisition...op. cit.* p.999.

La seule différence entre l'homme et la femme est dans leur chair... Petite voix de raison raisonnante en plein Moyen Age. A Montaillou par la pensée. Comme toutes ces notions religieuses et vitales semblent difficiles à « faire passer », comme on dit, par le texte et par l'image, à des attentes d'aujourd'hui.

– Ce que le bon berger de Montaillou, simple croyant des montagnes, et mal enseigné, parvient à expliquer à son inquisiteur, jamais la Bonne Chrétienne Arnaude, qui a vécu au sein de l'Eglise cathare durant vingt années de sa courte vie, qui a bénéficié de la formation des meilleurs clercs de la hiérarchie toulousaine, en un temps où la doctrine s'alimentait de la plus savante prédication, jamais Arnaude n'en souffle le moindre mot à Frère Ferrier ni à Bernard de Caux... C'est pour le moins frustrant!

– Bien sûr, puisque au milieu du XIIIe siècle l'Inquisition ne se préoccupe encore que d'entasser des noms de suspects et d'encourager à la délation.

– L'on est à peu près sûr qu'Arnaude prêchait, mais l'on ne peut qu'imaginer ce qu'elle prêchait, à la lumière des traités cathares de son temps, et des témoignages des prédications de ses lointains successeurs du début du XIVe siècle, comme ceux que cite Pierre Maury...

– Et pourtant, au début du XIVe siècle, il n'existe plus de Parfaite depuis pas mal de temps. Et nulle Chrétienne n'a jamais exprimé les raisons de son engagement religieux, à supposer même qu'elle en ait eu claire conscience et claire analyse... Toujours le même problème ressassé. Faux problème?

L'ÉGALITARISME CATHARE

A nous de tirer jusqu'à la lumière, avec notre bon sens humain – voire féminin – de toujours, les grandes ou petites raisons pratiques, intellectuelles, secrètes, évidentes, exaltantes, rassurantes ou pesantes qu'avaient les femmes, il y a six ou sept siècles, de confier leur vie et leur espérance au catharisme. Toutes raisons qui pouvaient du reste fort bien être partagées par les hommes... Du catharisme, nous connaissons presque parfaitement l'enseignement théorique, la pratique de vie religieuse, l'organisation ecclésiale, le mode d'exégèse évangélique et même la sociologie, du moins en domaine occitan. Mais le lien précis et ténu qui attache au catharisme le vouloir de tous ces êtres apparemment normaux, de toutes ces femmes – et de tous ces hommes, leurs hommes –, que révèle cette même sociologie ? Mais le relief, la déchirure, la fêlure du réel ?

Ce que dit l'enseignement théorique du catharisme, c'est que les âmes des hommes, ces anges tombés du ciel de Dieu et par lui créés, que les âmes des êtres humains sont toutes « bonnes et égales entre elles », et que le diable seul a créé une différence, dans les corps. Les corps seuls portent donc la marque inégalitaire du sexe. Il n'existe pas d'âme spécifiquement masculine, ni d'âme spécifiquement féminine. L'on sait du reste que les prédicateurs cathares ne se privaient pas d'employer l'argument égalitaire du hasard des réincarnations pour se gagner leur public : Guillelme Garsen, d'Ax-les-Thermes, se souvient devant l'inquisiteur Geoffroy d'Ablis que son amie Sibylle Baille, qui fut peut-être Parfaite en un temps ou plus aucune femme n'osait encore l'être, qui fut en tout cas l'agent fidèle et dévouée des derniers Parfaits jusqu'au point d'en être finalement brûlée elle-même, lui disait, pour l'endoctriner, que dans une précédente existence, elle avait peut-être été reine ... ou pauvresse (1).

L'égalitarisme « métaphysique » qu'implique la croyance cathare dans ces réincarnations mécaniques, sans but ni autre signification que l'effet du hasard, et en cela si différentes des cheminements du Karma hindou, cet égalitarisme joue au plan social autant qu'entre les sexes. Une société dont l'ordre idéologique repose encore sur les canevas du monde féodal se pose-t-elle des questions neuves, si l'idée effleure les plus imaginatifs de ses membres que l'état de la naissance dans une caste ou dans une autre n'est finalement que le fruit d'un hasard provisoire et que, en une ultérieure donne, les cartes pourraient bien, par force, être totalement redistribuées ? Si bien que le hautain bourgeois manieur de lettres de change et

(1) Déposition de Guillelme Garsen, *in* Annette PALES GOBILLIARD, *l'Inquisiteur Geoffroy d'Ablis et les cathares du comté de Foix*, 1308-1309 (Paris, C.N.R.S., 1984), p.198-199. Il sera amplement fait mention de Sibylle Baille au chap. 23 (*La Militante*).

pratiquant l'usure se retrouverait peut-être souillon ou bergère, et que telle mendiante assise sous le porche de l'église pourrait bien renaître dans la demeure d'un baron...

Toutes les âmes bonnes et égales entre elles... Certaines, simplement, étaient déjà éveillées, alors que d'autres, la plupart, étaient encore endormies, et, bien entendu, rien ne pouvait apporter la preuve qu'au sein du ménage l'âme du mari avait quelque avance sur celle de son épouse. Quant au chevalier bon croyant d'hérétique, s'il lui arrivait de croiser sur son chemin de Bonnes Chrétiennes, il s'empressait de descendre de son destrier et de s'incliner trois fois profondément devant elles, même si, avant de recevoir le baptême spirituel, elles n'avaient été que de simples villageoises.

LA CROYANTE ET LE MARIAGE

L'appartenance de toute âme à Dieu et au monde du Bien, et de toute chair au diable et au monde du mal, gommait forcément un peu, dans l'esprit du chrétien cathare, l'horreur spécifique de la chair féminine tentatrice, qui fleurissait sur les chapiteaux des cloîtres catholiques en obsessionnel rappel de chasteté pour les moines cherchant Dieu. Aux yeux du catharisme, c'était en effet toute chair, masculine et féminine, qui se trouvait corruptible créature du malin, et qui était naturellement diabolique et mauvaise. Le mépris cathare de la chair, parent de tout mépris chrétien de la chair et du monde, n'était pas mépris spécifique de la chair de femme...

Cependant, dans le contexte médiéval que nous avons défini un peu plus haut, cela ne devait pas, au plan pratique, forcément tout changer. Certes, les clercs cathares n'enseignaient point la création de ce monde selon les mêmes termes que leurs collègues catholiques; certes, c'était le mauvais principe qu'ils voyaient à l'œuvre dans la Genèse, pétrissant sans génie la matière, et ils ne croyaient pas plus au péché originel qu'au libre arbitre de l'être humain/divin; mais comment auraient-ils pu, en même temps, échapper totalement à la culture dominante et générale de leur époque?

C'est ainsi que les maris croyants cathares ne devaient sans doute guère se montrer moins jaloux que leurs voisins catholiques, ni considérer une éventuelle infidélité de leur femme comme moins déshonorante. Même si un certain nombre de séducteurs du temps n'hésitaient pas à employer les arguments de la métaphysique cathare pour convaincre leurs belles de se donner à eux – on le sait par le témoignage desdites belles un peu plus tard devant l'inquisiteur :

> – Pour Dieu le péché est le même, qu'il s'agisse d'une étrangère, d'une sœur ou d'une autre parente, car le péché est aussi grand avec une femme qu'avec une autre, à cela près qu'il est plus grand entre mari et femme, parce que l'on ne s'en confesse pas, mais qu'au contraire on s'unit sans vergogne (1)...

Nous reconnaissons l'argument : il est précisément celui qu'employaient déjà les « hérétiques » du XIe siècle et tous les spiritualistes évangélistes qui s'opposèrent au début du XIIe à l'institution du mariage-sacrement dans le souffle de la Réforme grégorienne. Dans le mariage ou hors mariage, le péché était aussi grave, n'était pas plus grave. L'Eglise cathare, bien entendu, ne sacralisait pas le mariage. Elle reconnaissait sans doute l'institution profane, et les familles des croyants cathares étaient fondées sur la descendance d'un couple comme les autres familles du village ; mais elle refusait avec la dernière vigueur de voir, en cet acte profane, un sacrement. De sacrement, l'Eglise cathare ne reconnaissait du reste qu'un seul, le baptême par imposition des mains, et elle rejetait avec la même force tout l'arsenal des sacrements romains, de l'Eucharistie à la pénitence : le mariage, dernier-né et tard venu des sacrements institués par l'Eglise du pape, comme nous l'avons vu, ne pouvait donc apparaître à ses yeux que comme le moins fondé de tous..

Accord à fondement profane et de caractère social, soit, mais le mariage n'était donc en aucun cas susceptible de représenter un lien sacré dans le monde des Bons Hommes, de leurs croyants et de leurs croyantes. L'acte de chair figurait pour les Bons Chrétiens au rang des péchés interdits par les préceptes de l'Evangile, au même titre que le mensonge, le vol, le serment ou le meurtre. Ils avaient donc fait vœu de s'en abstenir. Pour les simples croyants, non encore libérés du mal, il n'était

---

(1) C'est toujours Pierre Clergue,le curé de Montaillou, qui parle. Déposition de Béatrice de Planissoles, *in* Jean DUVERNOY, *le Registre d'Inquisition ... op. cit.* t.1,p.267-268.

nul interdit absolu. Certes, le péché de chair ne pouvait plaire à Dieu – dans la mesure où Dieu se penchait pour observer en ce bas monde le comportement des humains, car ne il ne relève que des corps, de la partie corruptible et mauvaise de l'être; mais, inversement, le péché pouvait paraître plus grave dans le mariage, par sacralisation abusive d'un acte étranger à Dieu, et peut être aussi parce que plus mécanique, et fondé sur des élans moins clairs qu'un acte d'amour « désintéressé » entre deux simples amoureux. Le mariage normalisait en effet l'acte de chair et l'enchaînait aux intérêts lignagiers et matériels des familles...

Conjugalité tolérée, mariage désacralisé, nivellement de la notion de péché de la chair par dilution de l'adultère et du simple devoir conjugal : le catharisme représentait-il, en fait, une bouffée d'oxygène pour la femme médiévale? Les Bons Hommes, s'ils ne célébraient pas de noces en grande pompe au regard de Dieu et des hommes, « arrangeaient » en tout cas certainement des unions entre bons croyants, et ce dans l'intérêt desdits croyants mais aussi de leur propre Eglise, présidaient au titre de « Bons Hommes » justement, c'est-à-dire aussi de Prud'hommes, hommes sages, témoins, garants, conciliateurs (1), aux unions de leurs fidèles : l'on échangeait devant eux des consentements, libres et purements temporels. Sans aucun doute, la parole sage du « Bon Homme » encourageait-elle, dans une certaine mesure, l'union par inclination personnelle, par attirance cordiale, aux dépens du mariage par intérêt. L'on vit même, durant le bref espace de temps qu'une « société cathare » put s'épanouir à peu près normalement – c'est à dire tout particulièrement et presque exclusivement à Montségur durant la première moitié du XIIIe siècle –, un certain développement de la pratique des unions libres.

A l'inverse, l'aspiration à la spiritualité cathare a pu jouer rôle de fascination pour un certain nombre de femmes, mariées sans joie, ou du moins lassées des joies du mariage. Quelques rumeurs nous sont parvenues ainsi, à travers leurs dépositions devant l'Inquisition, des conversations privées qu'échangeaient entre eux Arnaud de Bonhac et sa femme Raimonde, tous deux au service de Pierre de Rosenges, chevalier

---

(1) Tel est, en effet, le sens le plus courant de l'expression bien médiévale de « Bon Homme ».

de Lanta et de sa femme Austorgue, bons croyants s'il en fût : Jordane, l'une des servantes de la maison, avait en effet confié directement à Raimonde que Finas, suivante de dame Austorgue, lui avait laissé entendre que dame Orbria, la fille de leur maîtresse et l'épouse de Guilhem Sans « aimait tant les hérétiques qu'à écouter leurs sermons elle avait quitté son mari et voulait se faire elle même hérétique » (1)...

LA CROYANTE ET LA CHAIR

Plus incontestablement favorables à la condition féminine médiévale : les conceptions que l'Eglise cathare tendait à promouvoir en matière de procréation et de contraception...

La femme médiévale était accablée de couches ; l'on a même pu estimer, nous l'avons vu, que cette hyperfécondité, que ne venait brider ou tempérer nulle contraception, était à l'origine du très fort taux de mortalité féminine de l'époque. Les conditions sanitaires étaient en effet telles que toute grossesse représentait un véritable risque et tout accouchement une dangereuse épreuve. Mais c'était en fait l'enfant à naître qui souffrait le plus du manque d'hygiène et de soins, et des couches quasi annuelles des femmes à partir de l'âge de dix-huit ans environ, un seul enfant sur quatre survivait en moyenne.

La doctrine catholique en matière de reproduction était le « croissez et multipliez » biblique ; le but du mariage chrétien était en effet de « fonder une famille », et la procréation la seule excuse, la seule motivation de l'acte de chair. Seules, les abstinences recommandées au peuple chrétien en temps de Carême et durant les fêtes religieuses, pouvaient venir accorder quelque repos ou quelque répit à l'épouse et mère catholique. L'Eglise cathare, quant à elle, n'imposait aucune règle en la matière et, surtout, concevait les choses selon une logique toute différente. Certes, elle n'interdisait nullement l'acte de chair à ses croyants, et ne tendait pas davantage à « vouer l'humanité à l'extinction », comme certains mauvais livres le prétendent encore, mais sa doctrine quant à la reproduction animale ou mécanique de ces corps périssables issus du néant

(1) Ms. Toulouse, B.M. 609, f° 200 ab : dépositions d'Arnaud de Bonhac et de sa femme Raimonde.

et du mal, n'empruntait rien à ce fameux « croissez et multipliez » de l'Ancien Testament.

Toute pratique de contraception était bien entendu rigoureusement interdite par l'Eglise de Rome, puisque l'acte de chair n'échappait pour elle au péché que s'il était accompli par deux époux dans un strict but de génération. A plus forte raison toute pratique abortive, assimilée à une mauvaise sorcellerie. Les « Sages Femmes » subirent au long des siècles les plus graves suspicions de la part des autorités religieuses, et la profession de médecin fut rarement tolérée chez les femmes jusqu'à l'époque contemporaine, du fait du phantasme religieux et de l'horreur masculine latente de l'« avorteuse » plus encore que de l'empoisonneuse... Ne réveillons pas de vieux démons – puisque c'est précisément de cela qu'il s'agit et qu'ils ne sont pas encore suffisamment endormis –, et bornons-nous à constater qu'en plein Moyen Age l'Eglise cathare n'avait, quant à elle, nulle raison de vouer à un enfer auquel elle enseignait de ne pas croire, celles de ses croyantes qui cherchaient à interrompre une de leurs trop fréquentes grossesses.

Dans la conscience d'une femme enceinte catholique, l'enfant qu'elle porte apparaît comme une créature de Dieu, âme et corps. Si cette femme enceinte est croyante cathare, on lui a sans doute enseigné que le petit corps en formation qui l'alourdit n'est autre, tout comme son corps à elle, qu'une de ces tuniques de peau que fabrique le diable pour emprisonner les anges de Dieu qu'il a dérobés. Elle imagine qu'au moment de la naissance, une âme, au premier cri vraisemblablement, viendra animer ce petit corps matériel et faire de lui un être humain complet : une âme divine, c'est-à-dire l'une de ces âmes tombées du Royaume du Bien et qui un jour, après d'autres incarnations encore, y retournera... Mais avant la naissance ? l'être en formation n'est encore pour elle que chair venant du néant et vouée au néant. L'on imagine combien cette nuance devait être capable de soulager la conscience chrétienne de la pauvre femme épuisée de couches et placée devant la tentation du possible avortement. Ce qui ne signifie nullement, bien entendu, que jamais un Bon Homme cathare, pour qui tout meurtre, même d'un animal, était un péché, ait pu directement encourager telle ou telle de ses fidèles à interrompre volontairement une grossesse.

LA PARFAITE ET LE BIEN

Les registres de l'Inquisition nous révèlent au contraire combien parfois l'argument du dualisme cathare pouvait détourner la ferveur d'une mère heureuse, ou d'une femme en plénitude maternelle. Tel fut le cas par exemple d'Ermessende Viguier, une bonne croyante de Cambiac, en haut Lauragais : elle était enceinte, et un beau jour, devant tout le monde et au grand amusement des voisines, des Parfaites peu diplomates, ou mauvaises psychologues, ou simplement un peu aigries – sans doute des « bigottes » cathares, cela existe dans toutes les religions –, des Parfaites donc s'avisèrent de lui signaler sans ménagement que ce qu'elle portait en son sein était en fait un démon... Ce qui en soi et intellectuellement s'expliquait fort bien, puisque il est bien connu que pour les cathares Dieu n'a rien à lui dans les corps, et que le fœtus n'est encore que simple corps; mais ce qui, en tout cas, eut la conséquence de choquer Ermessende si profondément qu'elle cessa désormais de croire en ce que prêchaient ces soi-disants Bons Chrétiens et serait sans doute retournée ouvertement aux pratiques romaines si son mari ne s'y était pas fermement opposé, n'hésitant pas – raconta-t-elle à l'inquisiteur –, à la menacer et même à la battre parce qu'elle ne voulait pas être l'amie des Bons Hommes (1)...

Bonnes Chrétiennes et Bons Chrétiens, nous l'avons vu, avaient prononcé des vœux d'essence monastique à l'instant de leur entrée dans l'Eglise, parmi lesquels le vœu de chasteté, à l'instar de tous les religieux et religieuses de la chrétienté. A l'instar également des pratiques catholiques, le conjoint ou la conjointe du postulant, s'il ou elle était encore en état de mariage, le déliait de ses obligations et devoirs conjugaux. Le cas était en fait assez rare – mais théoriquement possible également, dans l'Eglise catholique; il se révéla fréquent dans l'Eglise cathare, où l'on vit même assez souvent des couples âgés, munis de descendance, se donner ensemble à Dieu et à l'Evangile, selon l'expression des rituels, et finir leur vie, l'un en maison de Parfaits et l'autre en communauté de Parfaites.

---

(1) Id. f° 239 b. Nous aurons l'occasion à plusieurs reprises, au long de ces pages, de retrouver Ermessende Viguier.

L'on conserve l'écho de nombreuses vocations de ce type, le souvenir de femmes le plus souvent nobles, dignement retirées dans les maisons de l'Eglise, et que leur mari resté dans le monde venait gravement ou gentiment visiter; ainsi du comte de Foix lui-même, Roger Bernard, qui ne cessa jamais de rendre visite régulièrement à son épouse Philippa, installée Parfaite à Dun, non plus qu'à sa sœur Esclarmonde, qui tenait maison à Pamiers.

Le vœu de chasteté était bien sûr absolu comme tous les vœux du clergé cathare. Il l'était à tel point qu'entre Parfaits des deux sexes, les occasions de tentation devaient être limitées au maximum : de Chrétien à Chrétienne, le baiser de paix ne s'échangeait que par l'intermédiaire du Livre, et non par le double baiser rituel « en travers du visage » – ou plutôt de la bouche, selon la pratique chrétienne primitive, encore utilisée aujourd'hui par l'Eglise orthodoxe. De même, Chrétiens et Chrétiennes, lors de leurs conférences, rencontres ou repas communautaires, évitaient de s'asseoir sur le même banc, pour éviter toute tentation (nous dirions encore aujourd'hui « ne pas tenter le diable »...).

Le vœu de chasteté rituel du clergé cathare n'était pas différent du vœu de chasteté des religieux catholiques : il n'impliquait pas davantage une menace pour la survie de l'espèce humaine, il nous faut bien y revenir, puisque nous trouvons là un « topique », l'un des plus constants arguments que l'historiographie catholique a toujours opposé à la dangereuse hérésie dualiste. Pour ce qui est des femmes en particulier, il est même tout à fait remarquable que bon nombre de Parfaites cathares ne se sont retirées que sur leurs vieux jours dans l'Eglise et la chasteté, c'est-à-dire après avoir été mariées et avoir donné naissance à une descendance fournie; alors que sans doute la proportion de « vierges consacrées » était plus importante au sein du bataillon des religieuses catholiques. L'essentiel en tous cas est de bien remarquer que, pas plus que la chasteté du clergé catholique, la chasteté du clergé cathare ne constituait une réelle menace pour la démographie européenne.

Il convient d'observer également que la cosmogonie cathare, qui voyait en chaque âme humaine un ange de Dieu destiné à regagner un jour la patrie céleste, impliquait la traversée du facteur temps, exigeait l'existence d'un nombre suffisant de réincarnations successives, pour qu'enfin « les temps puissent être accomplis » et toutes les âmes menées au terme du Salut. Ce qui nécessitait par conséquent un nombre suffisant de corps neufs, donc de procréations nouvelles.

DU SEXE DES ANGES

La Chrétienne cathare était l'égale du Chrétien : le baptême spirituel qu'elle avait reçu « par imposition des mains des Bons Hommes » voire, en cas d'urgence, des mains des Bonnes Femmes, avait même valeur. La Chrétienne cathare était libérée du mal, elle appartenait déjà au monde du Bien, qu'elle rejoindrait dès la mort de sa dernière prison charnelle ; dans l'intervalle, il lui appartenait de vivre en suivant la Règle de l'Evangile et en se consacrant à répandre la Parole et le geste des Apôtres. Certes, nous l'avons vu, il n'exista pas plus de femme dans la hiérarchie séculière de l'Eglise cathare que dans celle de l'Eglise romaine. Ni femme évêque, ni diaconesse ; La Parfaite qui tenait maison correspondait tout à fait à la supérieure ou à la prieure d'une communauté catholique. Il n'en demeure pas moins que l'Eglise cathare constitua indiscutablement, pour la femme médiévale et principalement en Occitanie, une porte largement ouverte sur l'aventure spirituelle et sur une vie plus digne.

– C'est le moment de rappeler ce que Bélibaste prêcha un jour, à l'intention une fois de plus de Pierre Maury... Il prétendait que les femmes qui meurent Bonnes Chrétiennes sont changées en hommes juste avant de gagner le Royaume de Dieu... Il voulait dire par là sans doute que les « corps de gloire » immatériels des anges de Dieu, tels qu'ils figuraient dans le ciel avant leur chute, et tels qu'ils s'y retrouveraient après leur Salut individuel et final, devaient porter peu ou prou des attributs masculins...

– Jean Duvernoy y voit un souvenir trés précis d'Origénisme...

– On peut aussi y voir un relent des gnoses chrétiennes, et particulièrement du Marcionisme. Mais ce pauvre Bélibaste était sans doute tout simplement la victime inconsciente de la culture dominante de son temps... Ou bien Origène le fut-il lui même quelques siècles plus tôt. Dans un contexte chrétien quelconque, il existe toujours quelque part un relent de misogynie qui s'attarde (1)...

(1) Il est à noter aussi que Bélibaste prêcha également à peu près le contraire, c'est à dire que le consolament conféré par une Chrétienne était le même et avait la même valeur que celui conféré par un Chrétien. Voir chap. 25 (*Le dernier mot de Bélibaste*).

TROISIÈME PARTIE

FEMMES OCCITANES

11

Du château cathare au castrum occitan

Nous venons de voir que le catharisme était chrétien – et peut être archaïquement chrétien –, au point de parvenir presque à transposer la vieille querelle du sexe des anges en plein Moyen Age latin. Cependant, le visage de la femme cathare que nous recherchons dans ce livre sera bien loin de ne montrer que l'inexpression un peu floue – faute de documents –, du regard de l'épouse chrétienne médiévale, les bras chargés d'enfants, les lèvres marmonnant un Ave Maria. Il s'éclairera des traits un peu mieux marqués de la femme occitane, de cette chrétienne médiévale qui aurait sans doute été à peu près reconnaissable entre ses sœurs, même si le catharisme n'était pas intervenu, avec sa sensibilité si particulière, dans son univers de vie.

L'EUROPE OU L'OCCITANIE

L'une des caractéristiques du mouvement religieux cathare fut pourtant de n'avoir été réellement ignoré d'aucune grande région de l'Europe médiévale : de l'Asie Mineure aux rives de la Manche, les communautés cathares, sous leurs diverses appellations, parlèrent bien des langues, se coulèrent dans bien des sociétés. Mais s'y coulèrent, en fait, avec plus ou moins de bonheur. Le hasard de l'élaboration et de la conservation des documents écrits médiévaux ne permet pas de dessiner avec beaucoup de précision le tableau diversifié de l'implantation sociale du catharisme à travers l'Europe ; l'on peut cependant remarquer que les bogomiles byzantins ou bulgares furent, en majorité, des représentants du sous-prolétariat infiniment exploité des grands domaines fonciers; alors que les cathares rhénans ou les publicains bourguignons, tout au contraire, appartenaient à des franges lettrées du bon clergé catholique (1).

En Europe occidentale, l'Eglise cathare connut une implantation sociale relativement profonde et large dans trois régions bien caractérisées, la Champagne, l'Italie du Nord et le Midi de l'actuelle France. Trois régions, notons-le au passage, qui avaient en commun, pour le moins, une certaine habitude du grand commerce, une réelle pratique de la lettre de change, comme de la fréquentation des Cahourcins et autres Lombards manieurs d'usure, de soieries et d'épices. De Champagne comme de Rhénanie, le catharisme fut pourtant extirpé assez rapidement et très violemment, un peu avant le milieu du XIIIe siècle, par les premières et redoutablement efficaces expéditions pré-inquisitoriales de Conrad de Marbourg et de Robert le Bougre, l'un comme l'autre de sinistre mémoire. En Italie et en Occitanie, il en fut tout autrement.

La Champagne avait ses célèbres foires à proposer à la comparaison avec les brillantes cultures méridionales; Italie et Occitanie, pour leur part, multipliaient entre elles les points communs, et ce n'est certes pas un hasard si le catharisme s'y développa, là comme ici, en terrain privilégié. Ce livre recherchant le catharisme là où il fut réellement vécu, afin que se précise le visage humain des femmes qui le portèrent, nous ne quitterons donc guère le domaine historique et géographique occitan, que pour de brèves incursions italiennes, qui devront nous consoler d'être dans l'incapacité totale – faute de documents –, de connaître ne serait-ce que le prénom d'une seule des femmes cathares de la Champagne, de la Rhénanie, de Byzance ou des Flandres.

---

(1) Peut-être aussi, en fait, les historiens sont ils eux mêmes les prisonniers du type d'interrogation qu'ils posent aux sources et à l'Histoire. Ainsi, il est possible qu'une grille de lecture trop schématiquement marxiste ait conduit les historiens des Pays de l'Est à interpréter un peu trop systématiquement le phénomène hérétique en termes de lutte des classes. Et qu'à l'inverse une culture à caractère trop exclusivement intellectuel ait imposé en Occident une vision exagérément élitiste et doctrinale de la « déviance ».

UNE SOCIABILITÉ MÉRIDIONALE

Déjà, au cours de nos incursions dans le monde chrétien médiéval, nous avons pu relever des éléments, des traits de culture matérielle ou juridique, propres aux régions méridionales de l'actuelle France. Un droit coutumier d'origine romaine posant son empreinte particulière sur une société proprement féodale; ou encore une réelle « pénurie » de couvents féminins, conduisant les femmes qui recherchaient Dieu à des formes de vie consacrée tout à fait originales. En fait, la société occitane de l'époque féodale présentait de très nettes particularités par rapport à une société féodale type, telle qu'on peut l'imaginer en des contrées plus septentrionales. Et, chose intéressante, elle partageait la plupart de ces particularités avec la société italienne qui, justement, partagea avec elle un certain goût du catharisme. Si l'on prend bien soin de de pas confondre ici ce qui est cause et ce qui est conséquence, l'on peut se faire une idée sans doute assez exacte de quelques grands facteurs qui ont pu, en Occitanie comme en Italie, favoriser l'implantation du catharisme au profond d'une société.

Au nombre de ces facteurs, des structures de sociabilité permettant l'échange, le passage des idées et de la parole entre membres de castes différentes; ou encore une culture profane brillante, portant l'Amour en balance entre le jeu mondain et l'aspiration spirituelle; en arrière-plan, un anticléricalisme des classes chevaleresques confinant presque au libertinage et, bien sûr, en contrepoint, pesant et drapé, la montée d'un ordre bourgeois, avec son système de valeurs, sa morale et son assise politique, urbaine, financière.

Sur ce dernier point, l'Italie montre indéniablement une certaine avance. Dès la seconde moitié du XIIe siècle, les cités toscanes, ombriennes ou lombardes avaient acquis franchises et consulats urbains, affichaient une certaine indépendance politique sous la direction de leur oligarchie bourgeoise et nobiliaire, toujours liée au monde des affaires et du commerce. Dans la première moitié du XIIIe siècle, le conflit des Guelfes et des Gibelins – partisans du pape contre partisans de l'empereur, aiguisera encore ce goût des cités italiennes pour les affaires, la politique, et l'indépendance de fait. Dirigées par des municipalités de notables qui le plus souvent élisaient à leur tête un *podestat*, les grandes villes italiennes – avant la remise à l'ordre de la fin du XIIIe siècle par Charles d'Anjou et le pouvoir pontifical –, avaient déjà à peu près échappé au système féodal et inauguraient en plein Moyen Age un ordre consulaire de caractère laïc, émanant de la classe marchande et judiciaire bien plus que des derniers représentants d'une caste chevaleresque ruinée.

C'est dans ces grandes cités gibelines, à Florence, à Ferrare, à Mantoue, à Vérone, et plus précisément au sein de la société de leurs notables et de leur oligarchie bourgeoise, que se développeront en fait les sympathies italiennes pour le catharisme. En Italie, le catharisme aura indéniablement visage urbain et gibelin (1).

En Occitanie par contre, la *révolution consulaire*, comme on a pu parfois l'appeler, est moins avancée. Le pouvoir féodal y résiste mieux à la pression communale et bourgeoise : on l'a vu à Béziers au XIIe siècle, où malgré des révoltes populaires armées par les consuls et débouchant sur l'assassinat pur et simple du vicomte Raimon en 1167, les vicomtes Trencavel réussissent sans trop de difficulté à ménager leur pouvoir seigneurial et féodal sur leurs terres avec les municipalités de leurs villes, Carcassonne, Béziers, Albi ou Limoux. A Toulouse, le patriciat des Capitouls, malgré la traditionnelle lutte d'influence qui, depuis le milieu du XIIe siècle, l'oppose au pouvoir comtal, fera bloc avec la dynastie des Raimon dès l'irruption de la menace et des armées étrangères de la croisade contre les Albigeois, ce qui sauvera un temps et la ville, et le comté de Toulouse, et l'espérance des protecteurs d'hérétiques...

Au début du XIIIe siècle, au moment où la guerre s'apprête à faire basculer peu à peu les grandes principautés féodales occitanes dans l'autorité directe du roi de France, l'évolution bourgeoise, urbaine, consulaire et marchande de leur société suit, avec un certain décalage, celle de l'Italie. Mais aucune cité

---

(1) Pour plus de détails sur la société italienne et les relations entre cathares et gibelins durant le XIIIe siècle, l'on peut se rapporter au chap. « les Eglises cathares italiennes » de l'édition 1990 de mon livre *le Vrai Visage du catharisme* (p.121-133).

occitane ne peut encore rivaliser, politiquement ou économiquement, avec Florence, Milan. Gênes ou Pise. L'Occitanie du XIIIe siècle, bien moins que l'Italie, ne compte de grandes villes; elle est terre de bourgades, où les consulats élus ont toujours à compter avec les droits des seigneurs féodaux. A la différence du catharisme italien, le catharisme occitan ne sera jamais un phénomène urbain. Son domaine d'élection n'y sera jamais vraiment la grande ville. Mais le château. Château cathare? Voire...

Nous verrons qu'à l'inverse, la tradition de culture profane qui sait faire la joie des sociétés méridionales du temps a pris sa source en domaine occitan, et que la civilisation italienne, au début du XIIIe siècle, baigne dans l'influence des troubadours et de leur Fine Amour, s'essaie à rimer dans la langue d'Oc. Et pourtant, la « bourgade » occitane elle-même, sans parler de la vraie ville, est directement d'inspiration italienne....

L'ENCHATELLEMENT

C'est en effet du terme italien *d'Incastellamento* (à peu près intraduisible en français, mais qui sonnerait joliment en occitan : *Encastelament*, si le mot existait), que les médiévistes les plus modernes ont pris l'habitude de désigner un phénomène propre à l'Europe méditerranéenne, et qui semble s'être propagé d'est en ouest à partir du XIe siècle, successivement de l'Italie à la Provence, puis du Languedoc jusqu'à la Gascogne où il aboutit en plein XIVe siècle. Cet *enchâtellement* correspond à un vaste mouvement d'édification de villages groupés, à partir d'un noyau central constitué par la demeure seigneuriale elle-même. Ici, le village paysan ne stagne pas dans les glèbes des bas-fonds, sous l'ombre du château fort isolé qui couronne fièrement la hauteur : ici, c'est le village lui même qui forme le château au sommet de la colline, qui occupe l'intérieur des remparts. Le château occitan, le *castrum* selon l'expression des textes médiévaux eux-mêmes, c'est en fait la bourgade fortifiée, et non le simple château fort des manuels d'histoire, du type Château-Gaillard ou Haut-Kœnigsbourg. Ce *castrum* peut correspondre, selon les cas, à une minuscule enceinte et un très petit village, ou au contraire à un bourg plus ou moins étendu, voire à une véritable petite ville. Arnaude de Lamothe désignait ainsi du terme de *castrum*, de « château », sa ville natale de Montauban.

Le propre de ce *castrum*, qui décline en occitan le phénomène de développement de l'habitat groupé qui accompagne la vague démographique de l'époque féodale, c'est avant tout d'être bâti selon un plan d'urbanisme : en cercles concentriques le plus souvent, autour de la haute demeure des seigneurs, la dernière rangée des maisons adossée au rempart ou constituant elle-même ce rempart ; et comportant en général un espace public, une place au sens moderne du terme. Tel, ce groupement d'habitat fortifié, connu en Italie dés le XIe siècle, se généralise en Languedoc dans la seconde moitié du XIIe. Il sera le cœur battant de la sociabilité occitane, le lieu d'élection du catharisme ordinaire, et aujourd'hui encore laisse sa marque précise dans la silhouette fière et régulière de tant de beaux villages de Provence ou des Corbières, couronnant doucement pechs et collines de leurs visages de pierre.

Certes, la généralisation du *castrum* ne signifie nullement l'inexistence en Occitanie des châteaux forts de type classique. En des sites particulièrement stratégiques comme la crête de Lastours ou celle de Peyrepertuse, de grands féodaux méridionaux établirent des places fortes à usage strictement militaire. Il y eut en Occitanie des citadelles, lieux de garnison, à l'emplacement probable où le roi de France à son tour jugera bon de bâtir, contre le royaume d'Aragon, sa « Ligne Maginot (1) », improprement connue aujourd'hui sous l'appellation de « châteaux cathares ». Mais ces lieux de garnison ne furent jamais lieux de vie, et ce n'est pas sous la protection de leur crénelure qu'il faut chercher le souvenir d'une société cathare. Parfois, comme à Lastours, un village fortifié, un *castrum*, s'édifia sur leurs pentes, avec ses demeures plus ou moins aisées, ses espaces publics, ses potagers, ses boutiques, son marché et ses maisons cathares. Ailleurs, comme à Quéribus, il semble n'avoir jamais existé d'habitat civil groupé à proximité de leurs

---

(1) L'expression est de Michel ROQUEBERT.

murs (1). Mais nous sommes ici dans l'exception. Représentons nous plutôt l'Occitanie médiévale d'avant la conquête française comme émaillée, étoilée, de beaux villages fortifiés à allure de petites villes, campés au sommet de collines arrondies, rayonnants de chemins et de routes.

CHATEAUX CATHARES

Tels furent les véritables « châteaux cathares » : Fanjeaux, Laurac, le Mas-Saintes-Puelles, en Lauragais ; ou Lavaur, Villemur, Lanta, en Toulousain ; ou encore, dans l'Albigeois, Saint-Paul-Cap-de-Joux, Rabastens, Puylaurens ; ou en pays de Carcassès : Aragon, Cavanac, Cornèze ou Conques ; en Cabardès encore, la Tourette, Salsigne ou Villanière, ou même le *castrum* de Rivière, dans l'ombre du donjon de Cabaret... Lieux d'habitat, d'échange, de voisinages, d'amitiés, de querelles, de vie collective et non de solitude armée.

Tel fut le cadre de vie de la plupart des femmes du catharisme que nous parviendrons à reconnaître et à suivre, comme nous l'avions fait pour Arnaude de Lamothe du *château* de Montauban à ceux de Lanta, Tarabel ou Odars.

Cependant, la structure même de sociabilité qui est celle du *castrum*, explique en grande partie pourquoi le catharisme ne fut reçu et adopté qu'en certaines régions, bien déterminées, des franges méridionales qui connurent le phénomène de l'*enchâtellement* : fréquent dans la ville et le *castrum* italiens, le prêche des Bons Hommes est inconnu des villes et *castra* de Provence, de Catalogne, et même de Languedoc oriental. En Occitanie proprement dite, le catharisme est circonscrit très exclusivement dans les limites de trois principautés territoriales, les comtés de Toulouse et de Foix et la vicomté Trencavel de Carcassonne, Albi, Béziers et Razès ; au nord, il vient mourir dans le Quercy, à l'ouest ne dépasse pas la Garonne, ni

(1) Le village déserté et ruiné de Rivière-de-Cabaret, à Lastours (Aude), est actuellement fouillé par Marie-Elise GARDEL dans le cadre du programme CNRS H 18 ; quant au site de Quéribus, il a été fouillé par Michèle et Jean-Bernard GAU de 1985 à 1988. Des comptes-rendus de ces deux chantiers ont été publiés par leurs responsables dans le n° 12 de la revue *Heresis* (juillet 1989). Voir également : Marie-Elise GARDEL, »le Castrum de Rivière de Cabaret« , dans *Historiens et Archéologues*, vol.2 de la collection *Heresis*, 1991.

au sud, sauf exceptions conjoncturelles, la fameuse ligne des forteresses frontalières des Corbières ; à l'est, malgré l'épisode terrible et marquant de Béziers, il se fait rare dès Narbonne. Et pourtant Provence, Roussillon, Basses Cévennes, pour ne pas citer d'autres régions, connaissaient à la fin du XIIe siècle des conditions économiques et politiques, un épanouissement culturel et des structures de société, parfaitement identiques à celles de l'Occitanie « cathare ».

L'explication à ce paradoxe est sans doute plus simple qu'on ne l'imaginerait à première vue : elle tient peut-être essentiellement au fait que l'adoption du christianisme des Bons Hommes fut toujours l'objet d'un choix individuel, personnel, humain ; et que, justement, le facteur humain jouait un rôle prépondérant ici, parmi toutes ces sociétés méridionales ouvertes, bien mieux qu'à travers le cloisonnement des castes du monde féodal « classique ». Dans le *castrum*, autour de la place publique, de porte en porte et d'artisan en petit seigneur, la parole passait. L'opinion aussi. Nous avons vu déjà, à propos du droit, que des coutumes issues d'un vieux droit romain folklorisé donnaient, dans les pays occitans, une coloration souvent bien originale au système féodal, et que, notamment, les habitudes successorales en bien des cas conduisaient à l'émiettement des terres et des droits féodaux entre multiples coseigneurs, frères entre eux à la première génération, puis cousins de plus en plus éloignés. Non seulement les « châteaux cathares » ne culminaient pas au dessus de solitudes altières ; mais encore leurs seigneurs n'étaient-ils plus, bien souvent, que de modestes détenteurs de bribes de droits, de petits chevaliers attachés à un bout de rempart, à demi ruinés, des militaires avec cheval et épée mais obligés de louer une maison dans le bourg ; se moquant haut et clair du clergé catholique pour mieux lui voler ses dîmes, mais honorant et courtisant les dames.

Même si dans le *castrum*, l'ancien siège et noyau de sa seigneurie, la famille noble vit parfois besogneuse et doit de toutes façons composer avec des consuls et représentants de la bourgeoisie, elle a gardé sa fierté et sa culture aristocratique, son parage, *Paratge* en occitan, terme clef du beau poème de la *Chanson de la Croisade* : la caste nobiliaire marque le pas sur le plan politique et économique devant la bourgeoisie montante, mais elle fait encore la mode, et à l'intérieur du *castrum*, où chacun parle avec chacun, où la femme de coseigneur ne dédaigne pas de bavarder avec une épouse de boutiquier, ses choix, intellectuels ou religieux, sont observés et suivis. Ainsi du catharisme. Le catharisme se développa, en Occitanie, dans les châteaux des petits seigneurs qui, par goût intellectuel, par intérêt économique, par anticléricalisme pur, ou par simple mode, dames en tête, l'adoptèrent; et ce à l'intérieur des grandes principautés territoriales dont les comtes et vicomtes ne voulurent – ou ne purent – intervenir auprès de leurs vassaux en matière de foi. La géographie historique du catharisme occitan recouvre en fait le damier des petites seigneuries qui, à un moment où à un autre, entre 1150 et 1200, furent emportées dans la Bonne Croyance par l'adhésion personnelle, le choix humain, d'une personnalité en vue du clan familial noble. Très souvent, nous le savons déjà, une femme.

Bien sûr, ceci n'explique pas tout. Mais il importait de bien montrer combien il était plus facile, pour une mode intellectuelle ou religieuse, de se frayer un passage et de germer à travers toutes les couches d'une société quand il s'agissait, comme en Occitanie, d'une société ouverte, plutôt que dans un monde de castes strictement cloisonnées. Rien d'étonnant à ce que, dans la société féodale bourguignonne par exemple, le catharisme n'ait pu déborder dans la vie sociale au-delà de l'adhésion intellectuelle de quelques clercs. Ici, c'est-à-dire en Occitanie, la société était perméable; à partir d'un certain nombre de choix individuels marquants, elle s'imbiba toute entière.

Pourquoi ces choix individuels furent ici plus nombreux et plus déterminants qu'en Provence ou en Gascogne, les raisons en sont multiples et colorées. Si bien que, de la tolérance de fait des grands princes territoriaux à propos des pratiques religieuses de leurs vassaux, jusqu'à la pénurie de couvents catholiques pour les dames, en passant par l'extrême malveillance des petits féodaux ruinés vis-à-vis de l'Eglise romaine et des établissements religieux dont ils avaient usurpé, pour survivre, les droits et les dîmes, le tableau de ces raisons et éléments divers d'explication serait chamarré certes, mais excessivement complexe et inutilement difficile à établir sans zone d'ombre. Conservons donc, dans le cadre de cette petite étude, l'éclairage privilégié de l'acte de vouloir humain, qui fut souvent acte de vouloir féminin, et ce pour un certain nombre de raisons qui, ici, nous préoccupent bien justement.

12

La maison dans la ville

En Occitanie, les communautés cathares se montrèrent suffisamment nombreuses et influentes pour s'organiser en évêché, dans cinq régions bien déterminées : le Toulousain, l'Albigeois, le Carcassès, l'Agenais et le Razès, qui correspondaient, nous l'avons vu, à de vastes pans du comté de Toulouse et de la vicomté Trencavel de Carcassonne, Béziers, Albi et Limoux. Le comté de Foix néanmoins, dont la famille princière elle-même et une grande partie de la petite noblesse furent gagnés en profondeur à l'Eglise des Bons Chrétiens, n'eut jamais d'évêché cathare propre : la hiérarchie qui opérait en terres comtales de Foix s'organisa, en fait, selon des diaconées de l'évêché de Toulouse. Ce qui signifie peut-être que le comté de Foix, qui se montra au début du XIVe siècle l'un des derniers bastions de résistance d'une certaine société cathare occitane, ne comptait pas encore de très nombreuses communautés au début du XIIIe, c'est-à-dire dans la période d'extension et de dynamisme de l'Eglise, avant la répression. Le catharisme des montagnes, pour des raisons bien évidentes, fut surtout un catharisme de la clandestinité..

La carte d'implantation des sièges de diacres et des simples maisons cathares montre que le phénomène « hérétique » fut particulièrement dense dans le quadrilatère Carcassonne – Albi – Toulouse – Limoux. Les registres d'Inquisition livrent à nos investigations les villes et les bourgs, les *castra*, du Lauragais, du Lantarès, de l'Albigeois, du Bas Razès, du Carcassès, du Cabardès... Dans tous ces pays, les horizons sont vastes, la terre pénétrable ; la vue porte loin, de colline en colline, par-delà le sillon des routes et le dessin des cultures. Au sud, la ligne des Pyrénées, étincelante l'hiver et bleue l'été lorsque la pluie menace, tend bien haut le signal du pic Saint-Barthélemy, comme pour désigner Montségur aux regards qui le cherchent.

SOUS LE REGARD DE MONTSÉGUR

Petit pays, en quelque sorte, que ce pays cathare vrai, ce damier de seigneuries et de villages à l'intérieur desquels le bâton des prédicateurs itinérants connaissait le pavé qu'il frappait, où leur voix savait à qui s'adresser, où les portes s'ouvraient à leur attente familière. Si l'on excepte les marges de l'Agenais, d'un certain Biterrois, du haut Albigeois et du bas Quercy, le pays cathare fut en fait presque en totalité contenu sous le regard de Montségur. Plus à l'est, le Canigou n'observa guère que quelques fugitifs isolés autour de Quéribus; vers l'ouest, les sommets de la Comminge ignorèrent toujours la silhouette des Bons Hommes : ils ne dépassèrent pas le Vicdessos. Ne cherchons pas, bien sûr, dans cette constatation, autre chose qu'un de ces hasards qui font parfois si bien – trop bien? les choses.

L'on connaît précisément la période où les communautés cathares d'Occitanie, en pleine dynamique et expansion, se structurèrent en Eglises : il s'agit des années 1170, autour de la grande assemblée de Saint-Félix-Lauragais (1167 probablement), que vint présider et animer le dignitaire cathare oriental Nicétas. Déjà, le témoignage du chroniqueur Geoffroy d'Auxerre nous avait montré, vers 1145, dans le sillage de la mission de Bernard de Clairvaux en Languedoc, la société nobiliaire de Toulousain et d'Albigeois largement et profondément gagnée par les idées nouvelles qui confortaient leur anticléricalisme essentiel; déjà, les archives catholiques de la conférence contradictoire – la première d'un genre qui devait être promis au succès –, opposant à Lombers, en 1165, des intellectuels des deux bords en présence de la meilleure société de l'Albigeois, étaient le témoin d'une première et effective organisation hiérarchique de l'Eglise « hérétique » : à Saint Félix, ce fut définitivement chose faite. Le cinquième évêché occitan, celui de Razès, sera créé par démembrement de celui de Carcassès en 1226, c'est-à-dire curieusement après dix-sept années de guerre, de ravages et de bûchers collectifs, ce qui tend à prouver simplement que la guerre n'est sans doute pas le meilleur moyen d'enrayer le dynamisme d'un courant religieux, d'une foi implantée.

Vers 1170 donc, d'Agenais en Carcassès, d'Albigeois en Toulousain, les Evêques cathares avec leurs Fils majeur et mineur, organisent la pastorale et la vie de leur Eglise, ordonnée en diaconées, c'est-à-dire en circonscriptions territoriales correspondant à l'activité d'un diacre et regroupant un certain nombre de localités elles-mêmes sièges de communautés. La vie des Chrétiens, sous le regard de la hiérarchie, se partage entre la prédication, l'observance des rites et de la Règle, le sacerdoce du consolament et le travail. Cette vie est très largement itinérante. Sa base sédentaire est constituée par les maisons de l'Eglise.

Innombrables maisons de l'Eglise. Dans les bourgs et localités situés dans la zone d'implantation privilégiée du catharisme occitan, les maisons religieuses des Parfaits et des Parfaites ouvrent sur la vie sociale et quotidienne, sur le pavé des ruelles pourrait-on dire, le rite et la prédication de l'Eglise des Bons Chrétiens. Entre Carcassonne et Toulouse, ils sont nombreux ces Bons Chrétiens. La croisade en brûlera quinze cents sans parvenir à enrayer le dynamisme de leurs communautés. Les habitants des mêmes bourgs, interrogés trente ou quarante ans plus tard par l'Inquisition, se souviendront de leur silhouette, de leur nom, de leur activité. Parmi ces noms, ces silhouettes, la moitié ou presque sont des noms, des personnages féminins (1). Les cellules de base de l'Eglise, les maisons religieuses cathares, sont maisons de Parfaites autant que maisons de Parfaits.

LE RITE DES BONNES DAMES

Près de la moitié des religieux cathares signalés au début du XIIIe siècle dans les interrogatoires de l'Inquisition sont des

(1) J'utilise ici les « statistiques » établies à partir de quelques registres d'Inquisition par R. ABELS et H. HARRISON, et publiées par eux dans leur article – parfois contestable sur le plan de l'analyse – consacré à la participation des femmes dans le catharisme languedocien, dont il est fait mention p. 60.

femmes, des Bonnes Chrétiennes. L'on peut même énoncer le constat que les femmes représentent, à l'intérieur du clergé cathare, le même pourcentage que dans l'ensemble de la société du temps; ce qui est exceptionnellement important. Cependant, lorsqu'on pose aux documents la question de la fréquence de leurs apparitions publiques, le pourcentage descend à 23 pour cent : la grande majorité des rencontres de Chrétiens que l'on fait dans la rue, sur les chemins ou dans les auberges, sont des rencontres de Bons Hommes. Les Bons Hommes, dans les villages et les châteaux, on les voit et les revoit sans cesse. Les Bonnes Dames semblent, quant à elles, mener vie plus sédentaire. Indéniablement – mais nous le savions déjà –, et dans la même logique très généralement chrétienne et médiévale qui les exclut de la hiérarchie de leur Eglise, les Parfaites moins que les Parfaits consacrent leur vie au sacerdoce et à la prédication. Elles demeurent plus systématiquement à l'intérieur de leur communauté, en *maison* cathare.

Les communautés féminines cathares, établissements religieux chrétiens qui viennent en Languedoc pallier heureusement le manque de couvents catholiques, rassemblent sous l'autorité d'une supérieure et de sa compagne rituelle un certain nombre de Parfaites, de Bonne Dames comme on disait. Le responsable d'une maison de Parfaits, de Bons Hommes, était nommé l'Ancien. Le terme Ancienne ne paraît pas avoir été utilisé pour désigner la supérieure d'une maison de femmes. La fonction était pourtant la même. Cette supérieure et sa *socia* étaient responsables de la vie religieuse et matérielle de la maison, et se chargeaient particulièrement d'instruire et d'amener jusqu'à l'ordination les novices qui leur étaient confiées. Ordination à laquelle elles ne procédaient généralement pas elles-mêmes, nous l'avons vu très précisément dans le cas d'Arnaude de Lamothe à Villemur, puis à Lavaur dix ou douze ans plus tard : la supérieure des Parfaites et sa compagne conduisaient elles-mêmes leurs novices, comme le faisait l'Ancien des Bons Hommes, jusqu'au diacre ou au Fils qui procédait à leur consolament, en présence de l'ensemble de la communauté ou même des communautés.

Pas plus que la Bonne Dame, du reste, le Bon Homme de base ne procédait en général à ces baptêmes d'ordination solennels qui consacraient l'entrée dans l'Eglise de néophytes bien enseignés pour devenir à leur tour des prédicateurs de l'Eglise. Ce sacerdoce était réservé aux membres de la hiérarchie. Aux simples Bons Hommes revenait la pratique du consolament aux mourants et de la prédication ordinaire. Quand la clandestinité issue des guerres eut désorganisé le bel ordonnancement de l'Eglise, cette double hiérarchie des clercs et des fonctions s'effaça peu à peu, preuve qu'elle n'était fondée qu'en pratique et non en principe; l'on vit même des consolaments d'ordination conférés par de Bonnes Chrétiennes, en l'absence de tout représentant mâle de l'Eglise. Ainsi d'Arnaude et de Jordane au fond de leur bois du Lantarès.

Du temps du catharisme rayonnant – si l'on me permet de définir de ce terme la période de quelques décennies où l'Eglise se développa librement, avant l'irruption de la guerre et des persécutions –, les Bonnes Dames vivaient donc en paix dans leurs maisons. Régulièrement venaient les y visiter le diacre dont elles dépendaient avec son compagnon. Il procédait alors à leur *apparelhament*, ou *servici*, cette sorte de pénitence collective rituelle et formelle dont les livres de Rituel cathare nous ont conservé la formule et les dépositions devant l'Inquisition le geste et la fréquence. Sans doute également le diacre en profitait-il pour leur communiquer des nouvelles de l'Eglise, discuter éventuellement avec la supérieure de points d'interprétation des Ecritures, de méthodes de prédications; pour arranger, qui sait? l'entrée de telle jeune fille du lieu dans la maison, voire le mariage de tels ou tels enfants de familles bonnes croyantes; pour apporter sans doute aussi la matière première nécessaire au travail des mains de la communauté, ou prévoir l'écoulement des productions.

> – Nous sommes venus devant Dieu et devant vous et devant l'ordre de la sainte Eglise, pour recevoir service et pardon et pénitence de tous nos péchés, que nous avons faits, ou dits, ou pensés, ou opérés depuis notre naissance jusqu'à maintenant, et nous demandons miséricorde à Dieu et à vous mêmes, pour que vous priiez pour nous le Père saint afin qu'il nous pardonne (1)...

La communauté des Parfaites faisait ainsi régulièrement devant le diacre cet acte de soumission à Dieu, qui marquait la

(1) Le texte intégral de *l'apparelhament* tel qu'il apparaît dans le Rituel occitan de Lyon, est traduit par René Nelli dans *Ecritures cathares*, *op. cit.*, p.212-214.

bonne observance, de la part de toutes, des impératifs et interdits de la Règle. Etablissement religieux à part entière, la maison des Bonnes Chrétiennes était celle où l'on vivait de manière littéralement évangélique et proprement monastique. Les heures de la journée y étaient rythmées des prières rituelles –le Pater, que seuls les Chrétiens baptisés avaient le droit et le devoir de réciter avec les multiples et sempiternels *Adoremus* (Adorons le Père, le Fils et le Saint Esprit), ainsi que des pratiques liturgiques : bénédiction et partage du pain par la supérieure à toutes les Bonnes Dames, en souvenir du geste du Christ lors de sa dernière Cène ; salut mutuel d'action de grâce des Chrétiennes l'une à l'autre, matin et soir, et aux Bons Hommes lorsqu'ils se présentaient (1) ; échange du baiser de paix.

LES MAISONS DE BLANCHE

Religieux et religieuses cathares, dans leurs maisons, suivaient de la manière la plus stricte leur Règle évangélique et monastique, dans l'observance des vœux qu'ils avaient prononcés : pauvreté, obéissance, continence et abstinence poussés à l'absolu (chasteté dans chaque geste et végétarisme intégral), travail, vie communautaire, respect des préceptes du Nouveau Testament. Mais ces moines et moniales se livraient en outre au sacerdoce bien séculier de leur baptême de Salut, de leur enseignement théologique et de leur prédication. En fait, les maisons cathares, bien plus que de simples monastères de type catholique, représentaient des centres de rayonnement, des bases de l'Eglise ouvertes dans les villes et les bourgs, où elles jouaient un rôle économique, social et culturel certain.

Ainsi du château de Fanjeaux – dont nous aurons à reparler ici à propos de la Fine Amour, de cette joie d'aimer des troubadours qui fusait, en rires et chants, parmi les petites cours seigneuriales d'à peu prés toute l'Occitanie. Le château, le *cas-*

---

(1) Ce triple salut, nommé *venia* dans les rituels cathares, est celui que les inquisiteurs désignent du terme d'*adoration*, et que les croyants eux mêmes devaient aux Parfaits de rencontre sous le nom de *melhorier*. Quant au baiser de paix, les rituels le nomment *caretas* – (acte de) charité/amour. Par *Adoremus*, nous entendons la formule *Adoremus Patrem et Filium et Spiritum sanctum*, Adorons le Père, le Fils et le Saint-Esprit, qui revenait comme constante liturgique dans le quotidien des communautés cathares.

trum de Fanjeaux, entre les mouvances du comté de Toulouse et de la vicomté de Carcassonne, aux portes du Lauragais, au seuil des hautes terres, était populeuse seigneurie dont les droits se partageaient entre de multiples coseigneurs, vaguement cousins entre eux, et dont les rues retentissaient du bruit des métiers.

Fanjeaux est le symbole même de l'intégration parfaite de l'Eglise cathare à l'intérieur de la bonne société rurale, dont la plupart des bourgs et *castra* du Toulousain, de l'Albigeois et du Carcassès nous montrent l'image. A Fanjeaux, depuis la fin du XIIe siècle, le Fils Majeur de l'évêque de Toulousain, Guilhabert de Castres, a choisi de résider le plus volontiers; deux de ses sœurs y tiennent également maison de Parfaites, alors que son frère Isarn de Castres, diacre cathare de Lauragais, demeure généralement au Mas-Saintes-Puelles. A Fanjeaux, depuis la fin du XIIe siècle, le christianisme des Bons Hommes alimente les conversations intellectuelles de l'aristocratie, en même temps que le labeur rituel des Parfaits et des Parfaites fournit boutiques et marchés en produits artisanaux et fait vivre la frange non agricole du petit peuple.

Maisons de Parfaits et de Parfaites dans la ville représentent en effet autant d'ateliers, de petits centres de production. Astreints au travail manuel, Bons Hommes et Bonnes Dames selon les cas filent, tissent, coupent, cousent, œuvrent le bois ou le métal, la corne, la paille ou la pierre. A Fanjeaux, ils sont très souvent tisserands, et certains témoins interrogés par les inquisiteurs au milieu du XIIIe siècle, se souviennent d'avoir, étant enfant, porté des bobines aux Bons Chrétiens qui en retour leur donnaient des noix, humble friandise, avec de bonnes paroles de Dieu...

Maisons-ateliers, et même quelque peu boutiques – encore que, bien souvent, Bons Hommes et Bonnes Dames voués à la pauvreté individuelle faisaient don à leurs croyants, à leurs amis, aux nécessiteux, des objets, gants, peignes, pourpoints ou chemises qu'ils fabriquaient –, les maisons cathares étaient donc on ne peut plus ouvertes sur la vie. Les communautés des Parfaites, plus ou moins nombreuses selon les maisons, n'étaient du reste pas limitées aux Bonnes Dames elles-mêmes. Y vivaient à leur côté des néophytes, des jeunes filles qui se destinaient à se donner tôt ou tard à l'Eglise, par vocation religieuse, mais aussi d'autres, des filles sans dot par exemple, que leur famille avait placées là par nécessité et qui deviendraient un jour Bonnes Chrétiennes sans l'avoir peut-être réellement choisi, à l'instar des deux sœurs Lamothe. Mais aussi des veuves sans ressource, et même des femmes mal mariées, qui trouvaient dans la maison des Parfaites le moyen de vivre indépendantes, du travail de leurs mains, quitte à prononcer tôt ou tard elles aussi les vœux de l'ordination.

Bons Hommes et Bonnes Dames, dont les communautés actives émaillaient les villages, avaient donc d'autant moins de difficulté d'intégration qu'ils recrutaient pratiquement sur place. Certes, les maisons de l'Eglise étaient parfois ouvertes par des membres de la hiérarchie de l'Eglise, des personnalités marquantes, comme Guilhabert et Isarn, de la famille des seigneurs de Castres et leurs deux sœurs, mais autour du petit noyau de départ, c'étaient les familles du lieu qui fournissaient peu à peu les communautés : de la dame noble et veuve soucieuse de consacrer à Dieu les dernières années de sa vie, à la petite orpheline sans ressource. Les maisons cathares, à tous les sens du terme, étaient maisons dans la ville.

La maison elle-même, la bâtisse, pouvait appartenir à l'Eglise : soit que la hiérarchie ait décidé de la faire construire de toutes pièces, de ses propres deniers (1), soit plus généralement qu'elle ait été donnée ou léguée par un pieux fidèle ; en ce cas, la hiérarchie y envoyait vraisemblablement un noyau de Bons Hommes ou de Bonnes Dames, autour desquels se constituait peu à peu la communauté. Le plus souvent, dans le cas des maisons de Parfaites tout au moins, la maison cathare n'était elle-même que la conséquence de la décision individuelle d'une dame de se rendre à l'Eglise. Ce fut ainsi le cas, dans les toutes premières années du XIIIe siècle, de Garsende, Dame du Mas-Saintes Puelles, ou de Blanche, Dame de Laurac

(1) Les Bons Chrétiens étaient pauvres individuellement et menaient vie évangélique, mais les Eglises cathares possédaient et géraient des fonds, fruits du travail communautaire ou de divers dons et legs. En période de crise, cet argent, « trésor », ou « banque » des Eglises, leur sera très utile pour rétribuer des agents de la clandestinité, des passeurs et même des hommes d'armes protecteurs. Ainsi le « trésor de Montségur », qui ne présente aucun caractère mystérieux...

qui, veuves et à l'automne d'une vie bien remplie, entrèrent en religion mais, ce faisant, ne se retirèrent point du monde puisqu'elles ouvrirent maison cathare chez elles, dans une maison leur appartenant, au cœur du *castrum*... Nous retrouvons là, précisément, cette ancienne tradition méridionale que nous avons déjà évoquée, et qui voyait de hautes veuves se consacrer à Dieu et même revêtir l'habit religieux dans leur propre maison, faute d'établissement féminin à proximité.

Garsende du Mas et Blanche de Laurac entraînèrent toutes deux, dans leur aventure spirituelle, leur plus jeune fille non mariée, Gailharde pour la première, et Mabilia pour la seconde. Peut-être, dans l'un et l'autre cas, mère et fille, Garsende et Gailharde, Blanche et Mabilia, formèrent-elles à elles deux le premier embryon de la communauté. Ce ne sont point ici cas isolés, les exemples de mère et fille(s) se faisant Parfaites d'un même mouvement sont multiples dans les témoignages devant l'Inquisition. Parfois les jeunes filles, ordonnées trop tôt et peu motivées pour la vie religieuse, quittèrent au bout de quelques années la communauté de Parfaites pour se marier et avoir des enfants, mais tout en restant bonne croyante de l'Eglise, ainsi Azalaïs, fille de la Bonne Dame Fournière de Péreille. Parfois, au contraire, assumèrent-elles leur condition religieuse jusqu'au terme le plus absolu, c'est-à-dire le bûcher : ainsi Gailharde du Mas et, très certainement, Mabilia de Laurac.

JEUNES FILLES CATHARES

Dans ces toutes premières années du XIIIe siècle, sorte d'âge d'or – en tout cas âge de paix –, du catharisme occitan, nous rencontrons, grâce à l'intermédiaire des manuscrits, maintes filles et femmes jeunes qui, tentées, font un passage dans les maisons de l'Eglise. Nous les fréquenterons à loisir dans quelques chapitres, mais voici déjà deux d'entre elles.

Audiart Ebrard, vers 1206, reçut le consolament d'ordination des mains du diacre Isarn de Castres et de son compagnon, dans la maison de Parfaites que tenait Bernarde Record à Villeneuve-la-Comtal, en Lauragais, et elle demeura au sein de l'Eglise :

« ... durant une année, priant, jeûnant, adorant les hérétiques, écoutant leur prêche, faisant tout ce que les hérétiques font eux-mêmes et demandent que l'on observe. Puis elle quitta la secte et prit un mari. C'était il y a quarante.ans (1). »

Vers 1236, elle obtint de l'évêque de Toulouse des lettres de rémission pour toutes ces fautes, qu'elle confessa aux feus inquisiteurs Frère Guillaume Arnaud et son compagnon, en échange d'une pénitence relativement légère : le port de croix jaunes sur ses vêtements, signes d'infamie qu'elle reconnut en 1246, devant les Inquisiteurs Bernard de Caux et Jean de Saint-Pierre, avoir dissimulés bien souvent... Audiart Ebrard, l'une parmi toutes ces trop jeunes femmes attirées par le mirage de la maison religieuse, mais sans vocation profonde...

Dulcie, veuve de Pierre Faure ou Fabre, du même village, déposa le même jour de l'été 1246, et raconta aux inquisiteurs une histoire tout à fait comparable : Dulcie, vers 1206, avait quant à elle tout bonnement quitté son mari, pour se réfugier dans la maison cathare que tenaient publiquement, à Villeneuve-la-Comtal, la Parfaite Gailharde et ses compagnes ; les Bonnes Dames l'emmenèrent alors à Castelnaudary, dans la maison que tenait Blanche de Laurac en communauté, où elle demeura une année entière :

« Je mangeais avec elles du pain béni par elles, et les adorai maintes fois genou fléchi, et maintes fois écoutai leur prédication. »

Elle gagna alors – sans doute pour des raisons d'enseignement –, la maison que tenaient à Laurac même la Parfaite Brunissende et ses compagnes, où elle demeura tout d'abord un an simplement en attente, écoutant les prêches et accomplissant les gestes du *melhorier* ; après quoi elle entra en noviciat proprement dit, pour deux années au moins, auprès de la communauté des Bonnes Dames. Mais, ajouta-t-elle :

« Je ne fus pas hérétiquée, parce que, à cause de ma jeunesse, il m'était impossible de faire ce que les hérétiques font eux-mêmes

(1) Déposition d'Audiart Ebrard, de Villeneuve-la-Comtal, dans le Ms 6O9 de la B.M. de Toulouse, registre de Bernard de Caux, f° 184 a. L'inquisiteur Guillaume Arnaud, dominicain, et son confrère Etienne de Saint-Thibéry, un franciscain, devant lesquels la déposante comparut en premier, sont les deux assassinés d'Avignonet de 1242.

ou enseignent d'observer; je les entendis parler des choses visibles ... mais je ne crus pas en ce qu'ils disaient (1). »

Ce témoignage est particulièrement intéressant : non seulement parce qu'il nous montre que Blanche de Laurac, après avoir tenu maison chez elle à Laurac, tenait vers 1206 maison à Castelnaudary même (elle ouvrira également une maison cathare, toujours sur ses terres, à Montréal) ; mais aussi et surtout par les indications qu'il donne sur le *cursus* d'une jeune femme attirée par la vie religieuse et sans doute remarquée par l'Eglise comme digne de recevoir l'enseignement du noviciat. Bien sûr, Dulcie se défend devant les inquisiteurs d'avoir rien cru de ce que les hérétiques enseignaient « à propos des choses visibles » – c'est-à-dire de leur dualisme évangélique –, mais il semble que ce soit seulement à ce stade précis de sa formation au sein des communautés qu'elle ait réellement entendu parler d'enseignement métaphysique, et non alors qu'elle était encore simple auditrice auprès d'elles, durant au moins deux années ; nous y reviendrons. Le plus notable est cependant, peut-être, la réflexion qui lui échappe quant à son refus du consolament : jeune femme mariée, vraisemblablement mal mariée, ayant quitté le domicile conjugal et passé déjà plusieurs années en maison de Parfaites, Dulcie, bien enseignée par son noviciat chez Brunissende à Laurac, n'est pas une petite fille, trop enfant pour avoir « l'entendement du bien et du mal », comme on disait alors, et donc pour être baptisée.

Certes, l'on repère à cette période des petites filles mariées très tôt, comme cette Pictavina, Peitavina en occitan ou Poitevine en français, femme du chevalier Raimon Isarn d'Alborens, qui raconte à l'inquisiteur que, lorsque son premier mari reçut le consolament des mourants, elle n'y assista pas « car elle était toute jeune et n'habitait pas encore avec ce dit mari » (2) ; mais la réalité est ici tout autre. Ce que Dulcie entend manifestement, c'est qu'elle s'était sentie trop jeune, trop pleine encore de l'appétit de vivre, pour suivre la Règle austère et les ascèses des Bonnes Dames, dont la plupart devaient en fait être des femmes âgées, mûries, quelque peu détachées du monde, leur vie derrière elles. Cette indication, trop isolée pour avoir valeur

(1) Déposition de Dulcie Faure, *in ibid.* fol. 184b.
(2) Déposition de Poitevine d'Alborens, de Laurac, *in ibid.* f° 191 a.

de preuve, est en tout cas extrêmement précieuse pour ce qui est de la signification de l'ascèse cathare.

Peut-être aussi, mais elle n'en dit rien, son mari ou quelqu'un de son entourage était-il venu faire pression sur elle pour la ramener dans le monde ou du moins en ménage; comme cela s'était produit, par exemple, dans le cas de Fabrissa, ou Fauressa en occitan, l'une des belles-filles de la Parfaite Garsende du Mas, qui avait quitté elle aussi le domicile conjugal pour entrer en noviciat auprès de sa belle-mère, et que son mari, Guilhem, l'un des coseigneurs du lieu réussit finalement à convaincre et à ramener chez elle... La Parfaite Blanche quant à elle, qui ouvrait des maisons cathares au cœur des villes et châteaux dont elle était la Dame, avait su élever dignement dans sa foi tous ses enfants, qui se montrèrent ferme soutien de l'Eglise à travers la société occitane, du Lauragais au Biterrois et du Toulousain au comté de Foix.

En fait, quand après le déclenchement de la croisade de 1209 l'Histoire eut chaviré, deux de ses filles, Mabilia et Navarre, Dame de Servian, moururent Bonnes Chrétiennes; une autre, Géralda, Dame de Lavaur, finit suppliciée par Simon de Montfort, et la dernière, Esclarmonde, Dame de Niort, se montra forte femme, épouse et mère de faydits déterminés. Son unique fils connu, Aimery, seigneur de Montréal, subit une fin tout aussi tragique que ses sœurs, pendu et étranglé avec ses soixante ou quatre vingts chevaliers à l'issue du siège de Lavaur en 1211. Nous aurons tout loisir de nous pénétrer des réalités de cet engagement, à caractère social et culturel, des femmes de la noblesse mais aussi du commun des bourgs, dans une aventure spirituelle qui déboucha en fait sur l'épreuve majeure.

MATRIARCHES CATHARES

L'expression ici employée est due, une fois de plus, à la plume fertile de Michel Roquebert, qui l'utilisa pour la première fois, si mes souvenirs sont exacts, lors du colloque de Fanjeaux 1984 consacré à *l'Effacement du catharisme*. Le mot est particulièrement heureux et précis, tant par sa signification particulière de pouvoir – ou de connaissance –, transmis par les femmes, que par sa connotation indéniable à un état de mûre sagesse voire de sereine vieillesse. De fait, l'on peut sans doute à juste titre se demander si le catharisme n'était pas propre à représenter de manière privilégiée le choix religieux chrétien des femmes d'un certain âge. Ce qui n'interdit pas, bien entendu, l'existence de nombreux cas de précoce et fervente vocation. Nous aurons l'occasion d'en rencontrer un certain nombre dans les pages qui vont suivre.

Mais il est vrai que la Parfaite type du temps de la paix cathare, c'est-à-dire telle qu'elle apparaît dans les toutes premières années du siècle, avant le grand tournant de l'Histoire, c'est la dame noble, veuve et chargée de famille, comme Blanche de Laurac, Garsende du Mas, Fournière de Péreille, Philippa et Esclarmonde de Foix, Azalaïs de Cucuroux, Braïda de Montserver, Marquésia Hunaud de Lanta, Francesca de Lahille, Aude de Fanjeaux, pour ne citer que quelques-unes parmi les mieux connues. Bien plus que le choix religieux catholique – qui pourtant attirait au même titre veuves retirées du monde et vierges refusant d'y pénétrer –, le choix cathare impliquait ascèse de vie, « détachement du monde » difficilement compatible, en règle générale, avec les élans de la jeunesse. Le végétarisme absolu des Parfaites par exemple, et leurs triples carêmes annuels au pain et à l'eau, étaient beaucoup plus contraignants assurément, pour de jeunes appétits, que les menues restrictions catholiques.

Toutes ces mûres dames nobles donc, ouvrant maison cathare au sein du *castrum* dont leurs fils étaient en général les coseigneurs, offraient ainsi à leur Eglise de petits foyers de prédication publique bien fréquentés, et des lieux de bonne éducation pour les jeunes générations de leur société. La vieille mère Parfaite, souvent accompagnée nous l'avons vu, bon gré mal gré, par sa dernière fille, continuait à recevoir dans sa communauté religieuse la visite de ses autres enfants, ne cessait nullement d'entretenir des relations suivies avec sa large famille, les parents et les alliés de sa caste et, surtout, y gardait parfois auprès d'elle ses petits-enfants, filles ou garçons, qu'elle élevait ainsi dans les bons principes de l'Eglise. Maisons de la bonne société, maisons ateliers, maisons orhelinat et maisons foyers pour femmes isolées, les maisons de Parfaites, qui n'en étaient pas moins établissements religieux à part entière et séminaires d'enseignement théologique, jouaient même le rôle de pensionnat pour enfants privilégiés.

Blanche de Laurac éleva ainsi pratiquement en maison cathare son petit-fils Bernard Oth de Niort, fils de sa fille Esclarmonde; Garsende du Mas ses petits-enfants Jordanet du Mas, fils de son fils Jordan, et Bertrand de Quiders, fils de sa fille Guillelmette; Azalaïs de Cucuroux, dans sa maison de Laurac, s'occupa de sa petite-fille Ermessinde dès qu'elle eut quatre ans, et au moins jusqu'à ce qu'elle atteignît ses dix ans; le phénomène se vérifie même si l'on quitte le milieu strictement nobiliaire: une dite Maurine, veuve de Bernard Bousquet, de Villesiscle prés de Bram, raconta ainsi à l'inquisiteur qu'à l'âge de sept ans, elle fut prise en charge par sa tante Parfaite, Carcassonne Marty, et vécut avec elle en maison religieuse dans le village de Rivière de Cabaret, jusqu'à ce que la croisade survienne.

Il est évident que les liens tissés avec l'Eglise, au cœur des clans familiaux nobiliaires, par l'adhésion personnelle de leurs mères et aïeules, étaient engagements d'autant plus solides et durables que les jeunes générations de ces familles influentes étaient elles-mêmes élevées dans la foi des Bonnes Dames, par les soins tout particuliers d'une grand'mère Parfaite. L'engagement des « matriarches » enracina le catharisme au profond de l'affectivité de toute une société.

Au cœur du *castrum* occitan, la maison, ou plutôt les maisons, de Parfaites, car en certains lieux comme à Villemur ou à Mirepoix elles se comptaient par plusieurs dizaines, jouèrent le rôle essentiel de base d'appui, de centre de rayonnement et de pôle d'attraction de l'Eglise. Nul doute que l'engagement personnel des grandes dames, installant et confortant la position de fait du catharisme comme le christianisme de la bonne société (1), n'ait influé de manière importante sur l'attitude religieuse de l'ensemble des femmes du bourg, n'ait constitué un facteur déterminant dans la diffusion de ce catharisme au cœur des familles. Nul doute que les « belles Dames » n'aient été imitées, copiées, dans leur choix religieux comme elles l'avaient été sans doute un peu plus tôt dans leurs effets vestimentaires. Nul doute que la femme de l'artisan, du boutiquier, du paysan, n'ait été heureuse et fière de prêter l'oreille aux pieuses paroles de la Bonne Dame, la veuve de l'ancien sei-

(1) Autre heureuse formule, due cette fois à Jean DUVERNOY : « le catharisme était une façon particulièrement distinguée de faire son Salut. »

gneur, qui vivait publiquement dans la pauvreté et l'austérité, selon la Règle de l'Evangile.

Les Parfaites, nous l'avons vu, étaient moins visibles extérieurement que les Bons Hommes dans le quotidien des bourgs et des villes. La maison religieuse cathare ignorait pourtant toute clotûre : les visites y étaient nombreuses et les Bonnes Dames elles-mêmes ne manquaient pas d'en sortir assez fréquemment, pour se rendre auprès de leur famille éloignée, ou tout simplement pour prêcher. Maints souvenirs nous sont ainsi parvenus, et nous les rencontreront en quatrième partie de ce livre, de telle vieille parente Parfaite reçue à grand honneur dans la maisonnée, prêchant l'Evangile devant les voisines alertées pour l'occasion, et bénissant le pain pour la table commune. Cette méthode douce de diffusion interne et pour ainsi dire naturelle du catharisme dans le cœur de la société occitane montra, cela n'a rien pour surprendre, la plus grande efficacité.

Les prédicateurs cathares ne furent pas reçus comme des étrangers, d'étonnants hérésiarques d'une secte inconnue. Ce qu'ils prêchaient n'était autre que l'Evangile, transmis dans une langue directe et comprise par tous; mais surtout, ils étaient eux-mêmes des silhouettes familières, et portaient des noms du pays. Parmi eux les femmes, les Bonnes Dames, jouèrent un rôle essentiel, tissant le lien le plus étroit entre leur Eglise et leur monde. A travers la sociabilité ouverte et aisée des *castra*; à partir de ce foyer de rayonnement infiniment répété et multiplié : la maison dans la ville.

13

Fine Amour et entendement du Bien

Comme j'ai le cœur joyeux / en voyant ce temps si doux / et le château de Fanjeaux / qui me semble Paradis / car Amour et Joie y demeurent / et l'on sait y aimer les Dames...

Mon Bel Archer de Laurac / qui est ma joie / m'a blessé du côté de Gaillac / et sa flèche au cœur planté / Pour elle je demeure à Saissac / comme entre frères et cousins...

Pour toujours je quitte l'Albigeois / et me fixe en Carcassès / car les chevaliers y sont courtois / et les Dames du pays / mais Dame Louve m'a à ce point conquis / que si Dieu m'aide et sa foi / au cœur j'ai gardé son sourire...

A Dieu je recommande Montréal / et son château digne de l'empereur / car je m'en retourne chez Sire Barral / le preux...

Mon cors s'alegr.e s'esjau
Per lo gentils tems suau
E pe.l castel de Fanjau
Que.m ressembla Paradis...

Bien sûr, les vers occitans signifient et impliquent tellement plus que la traduction française que j'en ai tentée. Le texte que vous venez de lire est extrait d'une chanson/poème de l'un des meilleurs troubadours, Pèire Vidal, qui vivait, aimait, chantait, courait l'Occitanie et même le monde à l'extrême fin du XIIe siècle, au tout début du XIIIe. Indépendamment de ses qualités littéraires, ce texte présente pour nous d'étranges résonnances.

LE CHATEAU DE FANJEAUX

La petite ville fortifiée de Fanjeaux comptait, vers 1200, un trop grand nombre de familles coseigneuriales pour que l'on puisse les imaginer cohabitant les unes contre les autres, à l'étroit d'une seule demeure noble : le château de Fanjeaux, que Pèire Vidal définit comme un paradis d'amour, c'était manifestement et au sens propre le *castrum*, l'ensemble de l'agglomération, ceinte de remparts et de tours, tendue au-dessus des plaines lauragaises comme un signal pour Montréal tout proche, et dans une lumière, il faut bien le dire, incomparable. Lorsque le temps est doux et limpide, cette lumière transfigure les petits jardins intérieurs que le Fanjeaux d'aujourd'hui encore semble avoir empruntés à une imaginaire Toscane. Par temps d'orage et de giboulée, les jeux de la lumière se précipitent au-dessus du vaste paysage, et emmêlent ciel et terre.

– Tu te souviens ? Avoir vu puis revu Lahille, cette belle maison noble sous le pech de Fanjeaux, le berceau peut-être des Lahille cathares du début du XIIIe siècle....

– Arrêtés, en plein vent, sur le rebord de l'ancien *castrum*, au-dessus de cet immense paysage...

– Et le vent roulait, et les nuages s'allumaient, et les collines s'illuminaient de vert, puis s'obscurcissaient. Un arc-en-ciel violent se fragmentait au ras de Montréal...

– Et il fallait tenter sans cesse de photographier Montréal, toutes les fois qu'un jeu de la lumière le désignait... Et cela nous faisait penser, bien sûr, au « Seignadou » de Frère Dominique. Révérence gardée au saint patron des « lieux saints dominicains », comment ne pas constater qu'il n'est vraiment pas difficile, du haut des remparts de Fanjeaux, d'observer des signaux de lumière... Que cette lumière soit ou non d'intervention divine, c'est là un autre problème (1)...

Dans cette lumière d'orage donc, passa et repassa, vers la fin du XIIe siècle, un troubadour habitué à fréquenter les sociétés les plus courtoises. Pèire Vidal, fils d'un gros marchand pélis-

(1) L'hagiographie de saint Dominique raconte en effet que le fondateur des Prêcheurs, un jour qu'il méditait tristement sur les méfaits de l'hérésie, accoudé aux remparts de la petite ville, aurait été averti, par un rayon de lumière indiquant le lieu de Prouille, au bas de la motte de Fanjeaux, que là était le lieu où il devrait établir sa fondation religieuse. Il y vit, bien sûr, un signe d'intervention divine. Le lieu d'où Dominique aurait eu sa vision porte encore, à Fanjeaux, le nom de « Seignadou » et une statue de saint.

sier de Toulouse, avait fait son chemin au propre et au figuré : réputé comme l'un des meilleurs poètes de son temps, mais aussi comme l'un des plus insensés, il demeurait le plus souvent en Provence, à la cour de Barral des Baux, et y chantait maintes dames ; mais il ne cessa pas non plus de parcourir le monde, traversa l'Italie, séjourna à Rome, voyagea jusqu'en Hongrie, épousa au passage une Chypriote qu'il prétendait être la nièce et l'héritière du dernier empereur de Constantinople, et trouva encore le temps, régulièrement, de venir se ressourcer en Languedoc.

D'où cette fameuse chanson célébrant le paradis d'Amour de Fanjeaux, les belles du Lauragais et du Carcassés. A l'extrême fin du XIIe siècle pourtant, Fanjeaux était l'un des hauts lieux de l'Eglise cathare, le siège du Fils majeur de Toulousain, le prestigieux Guilhabert de Castres, et les maisons des Bons Hommes, des Bonnes Dames, se pressaient dans les ruelles. Les belles dames, c'est-à-dire les épouses, les filles, les sœurs des coseigneurs et de leurs alliés, celles pour qui et de qui chantait le troubadour, celles que, dit-il, on savait finement, à Fanjeaux, courtiser, nous savons très précisément que toutes étaient des fidèles du prêche des Bons Hommes. Au tout début du XIIIe siècle même, en 1204, alors que les chansons du troubadour retentissaient encore dans les cours, les jardins et les mémoires, Guilhabert de Castres, en une très solennelle et non moins mondaine cérémonie, administrait le consolament d'ordination les consacrant *matriarches* cathares, à quatre de ces dames de Fanjeaux : Esclarmonde, sœur du comte de Foix et venue là manifestement pour bénéficier du directeur de conscience et de l'officiant le plus réputé (un peu comme, au XVIIe siècle, les grandes dames de Paris se disputaient le confesseur le plus à la mode) ; Fays de Durfort-Lahille et Aude de Fanjeaux, deux épouses de coseigneurs, et Raimonde de Saint-Germain, d'une noble famille alliée.

La cérémonie solennelle de 1204, en présence d'une assistance aussi brillante que fournie : le comte de Foix en personne, et toutes les grandes familles de la région, dames en tête, n'est à considérer que comme une expression particulièrement choisie du quotidien cathare tranquille de Fanjeaux, qui vivait autour des ruches de ses ateliers de Bons Hommes et de ses maisons de Parfaites. Rien de vraiment exceptionnel. Aude de Fanjeaux par exemple, à la veille d'entrer dans les ordres cathares, était encore l'épouse du seigneur Isarn Bernard de Fanjeaux, dont la propre mère, Guillelme de Tonneins, s'était déja faite Parfaite à la fin du XIIe siècle. Les trois filles du couple le seront à leur tour un peu plus tard : Gaïa et Braïda tiendront très vite maison à Baraigne avec leur mère Aude; la troisième, Aélis ou Hélis, d'abord mariée à Arnaud de Mazerolles, finira elle aussi Parfaite, aprés avoir donné naissance à tout un lignage de bons croyants farouches.

Quant à Fays de Durfort-Lahille, autre noble ordonnée de Guilhabert de Castres, elle était la propre belle-sœur d'Aude de Fanjeaux, car la sœur d'Isarn Bernard. Son mari, Pierre de Durfort, lui aussi coseigneur de Fanjeaux, devait du reste se faire à son tour Parfait un peu plus tard, ainsi que deux de leurs enfants, India et Pierre, qui terminèrent leur vie sur le bûcher de Montségur.

Les autres coseigneurs de Fanjeaux ne montraient pas moins d'empressement dans leur engagement cathare : Guilhem de Durfort, cousin de Pierre et d'Isarn Bernard, était lui-même troubadour; son épouse Raimonde, peu après ses cousines Aude et Fays, se fit elle aussi Parfaite; leur fille Esclarmonde, quant à elle, choisira d'épouser un bon croyant, Bernard de Feste, fils de la Parfaite Orbria qui tint maison avec l'une des sœurs de Guilhabert de Castres. Parmi les coseigneurs de Fanjeaux, ce fut en fait l'unique femme, Na Cavaërs, *la dame chevalier*, qui montra l'attitude la plus ambiguë vis-à-vis de l'Eglise cathare : bien qu'élevée semble-t-il en maison de Parfaites à la demande de sa mère, connue elle aussi sous le nom de Na Cavaërs et elle aussi coseigneur de Fanjeaux, elle essaya de composer avec l'Eglise romaine lorsque la tempête fut venue – mais sans cesser pour autant d'assister aux prêches clandestins des Parfaits. Ne manquons pas, en tout cas, de souligner au passage l'extrême intérêt de voir une femme – et même une lignée directe de trois femmes, grand'mère, mère et fille –, parmi les coseigneurs de l'importante place de Fanjeaux; des trois Na

Cavaërs, l'on ne connaît même de mari qu'à une seule, la seconde (1).

MON BEL ARCHER DE LAURAC

Deux années seulement après la cérémonie de 1204, Dominique, non sans courage, installa à Fanjeaux, qu'il désignait ainsi comme l'épicentre de l'hérésie en Languedoc, un premier embryon de *reconquista* catholique, fondant à Prouilles, sous Fanjeaux, un établissement destiné aux femmes cathares qui se repentiraient – mais n'oseraient sans doute retourner dans leur famille. Quelle sorte de salut pouvaient bien échanger entre eux Frère Dominique et Guilhabert de Castres, quand leurs pas se croisaient dans une rue de Fanjeaux? On sait que les débats publics furent nombreux, en ces premières années du siècle, entre intellectuels de l'un et l'autre camp...

La seconde strophe de la chanson de Pèire Vidal s'ouvre sur le château voisin de Laurac, et sur le souvenir d'une belle que le troubadour désignait du *senhal*, du surnom courtois, de *Mon bel*s *Arquiers*, mon bel archer de Laurac. Nous ne sommes pas très loin – en climat de culture s'entend –, de la Dame Chevalier... Nous ne saurons jamais, bien sûr, quelle dame bien réelle se cachait sous le pseudonyme poétique, mais nous savons au moins une chose, c'est que Laurac, comme Fanjeaux, comme toutes ces villes et châteaux de l'Occitanie centrale, était foyer de vie et de rayonnement de l'Eglise des Bons Chrétiens. Ainsi le signalait, dès le tout début du XIIIe siècle, l'apostolat de la dame même du lieu, la Parfaite Blanche de Laurac. La vaste seigneurie de Laurac Montréal enjambait à la fois celle de Fanjeaux et la frontière entre les mouvances du comté de Toulouse et de la vicomté de Carcassonne. Laurac, qui donna son nom à son pays, le Lauragais, était en outre siège de diacre de l'Eglise cathare.

L'on vit ainsi en 1208, sur la place même du *castrum* de Laurac, le diacre Isarn de Castres débattre publiquement d'exégèse

---

(1) Consulter à ce propos l'étude trés fouillée de Suzanne NELLI, « Na Cavaërs, coseigneur de Fanjeaux, la dame qui jouait le double jeu », dans *Heresis*, 6, juin 1986, p.25-34.

scripturaire avec Bernard Prim, un intellectuel vaudois qui n'allait du reste pas tarder à se convertir au catholicisme...

Doux et pâle Laurac, dont le pech à demi déserté ne porte plus aujourd'hui qu'un lacis de ruelles encore orientées vers le cœur du *castrum*, cette demeure seigneuriale rasée par les vainqueurs et remplacée par une énorme église de *reconquista*... En ces temps là, du temps de la paix cathare, Castelnaudary n'était qu'une bourgade, et les dames de Laurac, comme celles de Fanjeaux, entraînaient leurs amis, leurs fils et leurs filles au prêche des Bons Hommes. Les maisons de Parfaites y étaient nombreuses : on a gardé le souvenir de celles que tenaient Blanche elle-même, Azalaïs de Cucuroux, Francesca de Lahille, ou cette Brunissende qui enseigna Dulcie Faure. Comme Blanche, Azalaïs et Francesca étaient d'origine noble, et mères de lignages gagnés à la cause de l'Eglise : deux enfants de Francesca, Bruna et Guilhem de Lahille, une génération plus tard, mourront sur le bûcher de Montségur. Et l'on sait ce qu'il advint des cinq enfants de Blanche.

LE PALAIS DE MONTRÉAL

Blanche, héritière de Laurac, avait sans doute en son jeune âge épousé un seigneur de Montréal, en Carcassès, car son fils Aimery en porte le titre, et son petit-fils Bernard Oth de Niort, aîné des survivants, réunira à son tour les seigneuries de Laurac et de Montréal. Montréal, sous le regard de Montségur, devait être *castrum* dominé par une bien belle demeure, puisque le troubadour la compare à un palais impérial... Mais peut-être l'entendait-il au sens figuré ? En tout cas Montréal, comme Laurac, comme Fanjeaux, ne porte plus en son sommet, en lieu et place de castel, qu'une trop grande église collégiale, signature de l'Histoire et de ces vainqueurs qui l'écrivent dans la pierre aussi bien que dans les livres et dans la chair des hommes. Aimery de Montréal, pendu et étranglé avec ses chevaliers sous Lavaur en 1211, sur l'ordre de Simon de Montfort, vit sans doute, en sa prime jeunesse, le plus fou et le meilleur des troubadours reçu dans la demeure de son père et de sa mère, Blanche, alors simple bonne croyante de l'Eglise de Dieu.

Peu de temps avant la croisade, Bernard Mir Acezat, chevalier de Saint-Martin-Lalande qui n'était alors, à ce qu'il raconta quarante ans plus tard à l'inquisiteur, que tout jeune écuyer d'Aimery de Montréal, avait l'habitude de se rendre à la suite de son seigneur chez la mère de celui-ci, Blanche de Laurac et chez sa sœur Mabilia, les dames hérétiques, à la table desquelles toute la chevaleresque compagnie était invitée : il y avait là en particulier les frères Bérenger et Pierre Raimon de Latour, et Raimon Pons, et Mir de Camplong, seigneur de Saint-MartinLalande et – précise en 1245 le déposant –, « depuis lors mort hérétique (1)... »

En ce temps-là aussi Montréal, comme Laurac, était siège de diacre cathare. En 1205, ce diacre se nommait Pierre Durand. L'année suivante, il participa aux côtés de Guilhabert de Castres, de Benoît de Termes et du diacre de Cabardès, Arnaud Hot, à Montréal même, à un débat public contre des champions catholiques, Dominique, l'évêque Diègue d'Osma et le légat pontifical Pierre de Castelnau. En ce-temps là, les chansons de Pèire Vidal étaient encore dans les oreilles des belles dames, et nul doute qu'Arnaud Hot, en son Cabardès, n'ait eu maintes fois l'occasion de prêcher devant la dame Louve, Na Loba, cette dame pour qui le troubadour écrivit ses plus belles chansons et qui était, semble-t-il, l'épouse de l'un des coseigneurs de Cabaret (2). Mais il faut dire qu'en ces toutes premières années du siècle, Loba semblait avoir quelque peu oublié Pèire Vidal, et inspirait les chansons d'un autre troubadour, qui la célébrait sous le senhal de *Mais d'Amic*, Plus qu'Ami, le chevalier Raimon de Miraval.

Peire Vidal, quelques années plus tôt, se réjouissait de voir combien, en Carcassès, les chevaliers et les dames – derrière la Louve –, faisaient preuve des belles vertus courtoises. Mais ces chevaliers de Saissac, auprès de qui il se sentait, pour l'amour de son Bel Archer, comme entre frères, l'Histoire nous les montre en fait sous un éclairage un peu différent de celui de la

(1) Ms. 609 de Toulouse, f° 30 a.

(2) Les *Vidas*, biographies médiévales et fantaisistes des troubadours, racontent que Pèire Vidal, pour l'amour de la Louve, se fit loup dans les garrigues du Cabardès : pris en chasse sous sa peau de loup par un paysan et son chien, il fut ramené blessé mais content au château de la dame, qui le soigna, n'en doutons pas, courtoisement.

chanson et de celui de la morale cathare : grands seigneurs libres de leurs gestes et violemment anticléricaux, Bertrand de Saissac, homme de confiance du vicomte de Carcassonne, ses frères et ses cousins se firent remarquer comme détrousseurs de moines et agresseurs d'abbés.

SAVOIR AIMER LES DAMES

L'Occitanie cathare fut réellement au cœur du monde des troubadours. La mode littéraire du *Trobar*, le rite social et mondain de la *Fin'Amors* (la Fine Amour), semblent bien avoir pris naissance un peu plus à l'ouest, dans les marches de l'Aquitaine et du Limousin, et ce aux alentours des années 1100; mais la deuxième génération des troubadours fut incontestablement toulousaine et languedocienne, tout autant que périgourdine ou provençale. La chanson de Pèire Vidal, qui nous a donné le plus sympathique prétexte à une excursion au cœur du Lauragais et du Carcassès cathares, n'a rien de stupéfiant. Même si le phénomène littéraire et culturel des troubadours se répandit dans l'ensemble du domaine de langue occitane – et jusqu'en Italie du Nord –, il est indéniable qu'entre 1180 et le milieu du XIIIe siècle qui vit basculer un monde, dans le quadrilatère Carcassonne – Albi – Toulouse – Limoux, poètes courtois et prédicateurs cathares bénéficièrent de la même clientèle et des mêmes protecteurs, de la cour du comte Raimon VI de Toulouse au château rural de Fanjeaux ou de Laurac, de la cour du vicomte de Carcassonne Raimon Roger Trencavel à la société des tours de Cabaret.

Juste avant la croisade, le plus célèbre troubadour de Languedoc, Raimon de Miraval, dont nous reparlerons, était l'ami personnel du comte de Toulouse, grand protecteur d'hérétiques, et chantait des dames de la meilleure société cathare; à la fin de la croisade, les derniers grands troubadours, Pèire Cardenal, Guilhem Figuèira, Guilhem Montanhagol, rimeront en vers amers, ironiques, désespérés, la mise en coupe de leurs espaces, de leur monde, de leurs valeurs, par les Français et l'Eglise de Rome.

Ce qui ne signifie nullement qu'il soit licite de franchir le pas que certains auteurs contemporains – dont le plus célèbre est Denis de Rougemont –, n'ont pas hésité à franchir allègrement, rattachant les troubadours au catharisme par les liens les plus essentiels et les plus fondamentaux.

Non, les troubadours ne se firent jamais les messagers d'aucun mystère cathare. Non, ils ne cherchèrent jamais à diffuser au moyen d'un code secret, le *Trobar clus*, je ne sais quel enseignement ésotérique, alchimique ou cabalistique cathare. Le *Trobar clus* (poésie fermée) ne fut pas inventé pour les besoins de la clandestinité cathare, au milieu du XIIIe siècle, mais par Arnaud Daniel en Périgord et Raimbaud d'Orange en Provence, en plein XIIe siècle. Au temps de l'Inquisition, personne ne le pratiquait plus. La fonction de ce mode poétique n'était du reste que de conférer au poème une beauté étrange et sombre, mallarméenne avant la lettre, et d'orner d'élégance un message qui n'était que d'Amour et de courtoisie. Les cathares n'eurent jamais d'autre message à diffuser que celui que leur Eglise, de toutes ses forces, s'attachait publiquement à répandre pour le Salut des âmes et l'accomplissement de la Parole des Evangiles. Les troubadours, quant à eux, s'ils « ne se souciaient que d'Amour », selon le mot de Raimon de Miraval, élaboraient et diffusaient une mode littéraire essentiellement profane, destinée tout simplement à affiner quelque peu les mœurs de la société féodale qui, à partir de l'an Mil, avait installé sur l'Occident son ordre brutal et prédateur.

S'ils furent en fait beaucoup plus que cela, c'est qu'ils se révélèrent tout simplement les inventeurs de la poésie et de l'amour au sens moderne du terme. Avant eux, la poésie médiévale était nécessairement religieuse et latine. Ils écrivirent en langue d'Oc, l'une de ces langues romanes, ou vulgaires, ou encore vernaculaires, qui avaient remplacé dans la bouche des populations occidentales le vieux latin que pratiquaient les clercs. Et de cette langue d'origine populaire, ils firent langue de culture, langue littéraire, dotée d'un vocabulaire riche et intense, d'une syntaxe précise et fine. De l'outil de cette langue, ils forgèrent un art poétique étonnant, inventant la rime, réinventant le rythme, jouant des rimes à l'intérieur des rythmes, peuplant les assonances de subtils échos, construisant les étagements du sens et du son. Et les mots, ils ne les lancèrent que portés par l'architecture de musiques à chanter et à vieller. Auteurs, compositeurs et souvent même interprètes – avec le concours de quelques jongleurs professionnels –, les troubadours firent résonner sur le Moyen Age chrétien une poésie lyrique, une mode de chansons d'amour qui sera reprise un peu partout, avec plus ou moins d'art, dans les autres parlers romans ou germaniques.

Car cette poésie lyrique, petite révolution dans la culture médiévale, fut poésie profane, ne chanta pas l'amour de Dieu mais celui de la créature féminine – que la poésie latine de l'Antiquité tardive ne célébrait encore que comme un délicieux objet de consommation. Le plus difficile à imiter dans les cours européennes, ce fut sans doute cet art d'aimer, cette Fine Amour qui était la vraie raison d'être du chant des troubadours, et qu'en même temps les chansons des troubadours élaborèrent peu à peu, affinèrent, et répandirent, dans une dialectique des plus réatives.

Les temps étaient à l'Amour courtois, au sens le plus large, celui dont précisément la caste chevaleresque avait besoin pour apprendre à dialoguer avec la gent féminine de sa race, sous l'œil bienveillant de l'Eglise romaine, qui cherchait justement à amener tous ces nobles indomptés et brutaux à composition, et notamment par sacralisation du verrou social que peut représenter le mariage... L'occitane Fine Amour, qui procède de ce vaste climat d'amour courtois – et de courtoisie en général –, va un peu plus loin, et, seule, tend à transfigurer l'attitude courtoise en geste érotique (1). Fine Amour se hisse au rang d'un art d'aimer, alors qu'Amour courtois, à la cour d'Aliénor d'Aquitaine ou de ses filles, ne resta jamais qu'un divertissement mondain destiné à capter les bonnes grâces d'une dame proche des sphères du Pouvoir politique (2)...

Dans Fine Amour, au contraire, et dans la poésie des troubadours, si la forme reste celle d'un perfectionnement des mœurs dans la classe bien née, il est question de beauté physique, de

(1) Je ne peux donner ici de bibliographie complète des troubadours. Il importe pourtant de signaler, à propos de la Fine Amour, l'œuvre magistrale que lui a consacrée René NELLI : *l'Erotique des troubadours* (Toulouse, Privat, 1963, rééd. 1984) et *Le Roman de Flamenca, un art d'aimer occitanien du XIIIe siècle* (rééd. IEO-CIDO-CNEC, 1989).

(2) Je pense en particulier aux romans de la matière de Bretagne, dus à Chrétien de Troyes, magnifiques sur le plan poétique, mais très artificiels en ce qui concerne leur courtoisie outrepassée (reportez-vous, par exemple, au *Lancelot, le Chevalier à la charrette...*)

désir, et de joie; la joie d'aimer étant du reste placée comme la plus haute des neuves valeurs de ce printemps du sentiment. Inventeurs de l'amour comme ils le furent de la poésie, les troubadours placèrent en la femme –sans les outrances un peu ridicules des romanciers français d'Amour courtois –, la maîtresse du rythme, de la progression et de l'attisement du désir garant de la joie, ne permettant l'accomplissement de l'acte d'amour que lorsque le sentiment cordial était suffisamment prouvé et planté, de manière à éviter tout risque de banalisation de la relation amoureuse. Alors que l'Amour courtois des romans d'Oïl installait en la dame la maîtresse capricieuse et absolue de la personne de son vassal épris, Fine Amour confiait les destinées érotiques de la relation amoureuse aux seules mains féminines, mais sans rien retirer à l'imaginaire masculin.

Dans quelle mesure Fine Amour fut elle réellement vécue, en dehors des simples jeux de la mode littéraire lancée et assurée par les troubadours au sein de la bonne société occitane? on ne pourra jamais le connaître avec précision. Mais les textes, nombreux, riches, sonnants et résonnants, que nous ont conservés les chansonniers d'Oc, peuvent nous suggérer de manière particulièrement imagée quel était le climat culturel dans lequel baignait, et qui animait, toute cette société nobiliaire occitane d'avant la croisade contre les Albigeois. Les dames du pays cathare, du Lauragais, du Carcassès, du Toulousain, partageaient cette culture mondaine et libertine avec leurs voisines du Limousin, de la Provence, qui n'entendirent jamais parler des Bons Hommes. Mais, semble-t-il, ce mélange, dans leur culture intime, d'évangélisme strict et de désir de joie, ne les dérangea pas outre mesure.

L'ESPRIT DE VOTRE JOIE

Quatre ou cinq ans après Pèire Vidal, sur les chemins du Carcassès et du Cabardès, Raimon de Miraval à son tour s'éprit de la dame Louve, qui devait se révéler l'inspiratrice majeure de sa carrière d'écrivain et l'aventure essentielle de sa vie d'homme. Il chanta en elle la plus courtoise et la mieux enseignée des dames de ce pays, celle qui savait ménager l'accueil le plus riant à ses amis sans décevoir celui qui était son ami de cœur; mais il sut aussi à l'occasion se plaindre d'elle, lorsqu'elle se moqua de lui de manière plus ou moins courtoise, et il porta provisoirement ses hommages à d'autres belles. Las! Azalaïs de Boissezon se comporta envers lui bien plus vilainement encore que la Louve, et Miraval se vengea en écrivant de longs poèmes de morale courtoise qui déploraient le dépérissement des belles valeurs mondaines et cordiales en une société désormais vouée à l'appât du gain, la vénalité et les futilités (1). Le troubadour vieillissant pleurait en fait, comme tout un chacun, l'âge d'or de sa jeunesse. Sa dernière chanson, cependant, sera acte d'espoir en l'amour.

Dames cathares. Et qui avaient, certainement, *l'entendement du Bien,* selon l'expression à la fois discrète et précise qui désignait, au XIIIe siècle, les bons croyants de l'Eglise cathare. La dame Louve, Na Loba, était vraisemblablement l'épouse de l'un des coseigneurs de Cabaret, château qui était siège de diacre comme Laurac ou Montréal. Telle, et quel que fût son prénom exact, elle appartenait à l'un de ces larges et vastes lignages occitans gagnés au catharisme. L'on connaît plus précisément la blonde et inconstante Azalaïs de Boissezon : dame du lieu de Lombers en Albigeois, dont, en 1165 déjà, toute la noblesse avait pris fait et cause pour l'Eglise des Bons Hommes et qui, du temps d'Azalaïs, était lieu de résidence de l'évêque cathare de l'Albigeois...

Le troubadour Raimon, petit coseigneur de la pauvre seigneurie montagnarde et forestière de Miraval, en Cabardés, dans les hauteurs surplombant de bien loin les tours de Cabaret, était cependant personnage fort en vue dans le monde : ami personnel du comte de Toulouse Raimon VI, il dédia également des chansons de courtoisie pure à des dames de la haute noblesse, dont il devait fréquenter amicalement les époux : la vicomtesse de Minerve ou celle de Carcassonne. Il était tenu et réputé comme maître en courtoisie, intellectuel de renom dans son milieu aristocratique. Et ce milieu était entièrement gagné au catharisme. Des maisons de Parfaites s'étaient installées dans le *castrum* de Miraval tout aussi bien que dans celui de

---

(1) René NELLI a consacré beaucoup d'attention au troubadour Raimon de Miraval et à son œuvre; à recommander tout particulièrement : *Raimon de Miraval, du jeu subtil à l'amour fou (textes, traductions et commentaires)*, (Verdier, 1979) et *Le Roman de Raimon de Miraval, troubadour*, (Albin Michel, 1986).

Cabaret, et les Parfaites elles-mêmes se signalaient dans la famille seigneuriale, comme cette Blanche de Miraval qui tint maison à Hautpoul.

Raimon de Miraval, comme la plupart des petits seigneurs de son temps – et mieux encore qu'eux peut-être, car de culture plus ouverte –, baignait dans une atmosphère de piété évangélique cathare. Se moque-t-il gentiment d'une certaine *bigoterie* cathare, dans cette chanson où il semble parodier, sur un plan érotique, les rites du consolament?

> « Dame, Merci vous descende / au cœur d'un seul regard.../ et veuillez que sur moi s'étende / de votre Joie l'esprit / pour que ma joie soit accomplie »...

Mais déjà, en d'autres chansons à résonnance grave, le troubadour avait défini jusqu'à la folie la voie d'Amour vrai :

D'Amors es tots mos cossiriers
Per qu'ieu no cossir mas d'Amors...

> « D'Amour est toute ma pensée / je ne me soucie que d'Amour / ils diront, les méchantes gens / qu'un chevalier a mieux à faire / mais moi je dis qu'il n'en est rien / car c'est d'Amour que procède, quoi qu'on dise / tout ce qui a de la valeur, dans la folie comme dans la sagesse / et tout ce que l'on fait par Amour est bien »....

Cette voie d'Amour ouverte vers le bien est l'un des topiques de l'inspiration des troubadours : l'Amour de la meilleure des dames ne peut que rendre meilleur; Miraval se borne à lui donner son interprétation propre, sa formulation personnelle et poétique. Et ce leitmotiv de la Fine Amour, réactualisé par Miraval en pays cathare, nous place en fait dans le seul lieu de convergence qui soit entre l'art d'aimer des troubadours et la foi des Bons Chrétiens. Lien ténu, certes : mais de fait, les belles dames qui se rendaient l'après-midi au prêche de Guilhabert de Castres et le soir même se plaisaient en douces conversations avec Pèire Vidal, Raimon de Miraval ou Guilhem de Durfort, pouvaient sans doute fort bien, d'un même élan, se persuader qu'elles étaient sur la voie du Bien. Il est même plaisant et fort vraisemblable d'imaginer que bien des belles, chantées par l'un ou l'autre troubadour en leur jeune âge, se firent Parfaites leurs vieux jours venus.

Un amour avant tout cordial et qui n'impliquait la chair que dans les limites d'un érotisme discret, un amour désintéressé et détaché des obligations de lignage, d'héritage et de procréation inséparables du mariage : rien encore qui puisse choquer une société empreinte de catharisme. Certes, Fine Amour fit tout aussi bon ménage avec le catholicisme léger des cours de Provence; mais peut être était-elle en plus profond accord avec une sensibilité marquée d'évangélisme et de spiritualisme cathare. L'on ne saurait dire plus.

LA JOIE D'AMOUR QU'ILS ONT PERDUE

La dernière chanson de Raimon de Miraval est datée précisément par son sujet même. La croisade est survenue. Simon de Montfort lui a pris son petit château de Miraval. Carcassonne est défaite. Le troubadour appelle le roi d'Aragon à intervenir, pour appuyer son ami Raimon de Toulouse, reprendre Carcassonne et l'Albigeois, et lui rendre à lui, Raimon, son fief de Miraval.

> « Il sera alors empereur de prouesse, et son écu sera redouté, ici, des Français comme il le fut, naguère, des Mahométans (1) »..

Et alors, quand Pierre d'Aragon aura rendu Beaucaire au comte de Toulouse et Miraval au pauvre troubadour, quand les croisés seront chassés du pays, alors...

Pueys poiran dompnas et druts
Cobrar lo Joy qu'an perdut!

Alors pourront Dames et amants / recouvrer la Joie d'aimer qu'ils ont perdue...

Pathétique espérance de Miraval : sa chanson d'appel date de 1213. En septembre de la même année, le roi Pierre d'Aragon vint en effet prêter main forte au comte Raimon de Toulouse. La bataille se déroula sous les remparts de Muret, au sud de Toulouse. Le roi y trouva la mort, et l'armée de Simon de Mont-

(1) Pierre d'Aragon, »le Catholique« , vient en effet de battre les Arabes en Espagne à Las Novas de Tolosas.

ort écrasa celle de la coalition occitano-catalane. Jamais dames et amants ne purent recouvrer leur Joie d'Amour...

Non, bien sûr, qu'un pouvoir politique tolérant à l'égard du catharisme fût nécessaire à l'élan de la Fine Amour – encore qu'au temps de l'Inquisition, quelque vingt ou trente ans plus tard, la joie d'aimer des troubadours sera condamnée par le pouvoir catholique comme incitation à l'adultère. Cela, Miraval ne pouvait encore vraiment le deviner. Il se plaignait simplement que la guerre avait désorganisé les beaux déduits courtois. Et il pressentait peut-être que, peu à peu, les lignages nobles qui avaient reçu et suscité les troubadours allaient disparaître du devant de la scène sociale et politique, *faydits*, dépossédés par les armées de la croisade; les mêmes lignages qui protégeaient et fournissaient du reste l'Eglise cathare. Et il est vrai que la civilisation des troubadours et l'Eglise des Bons Hommes devaient disparaître de la même mort. Une mutation sociale brutale, de fait de guerre.

Les féodaux occitans, grands ou petits, d'avant la croisade, n'étaient certes pas des anges de douceur et de civilité. Violents et batailleurs comme la plupart des représentants de leur caste à travers l'Europe, ils tentaient, au cœur du XIIe siècle, d'arrondir leur survie matérielle en se livrant à divers rapts et brigandages, en usurpant les droits de dîmes aux établissements ecclésiastiques les plus proches, en terrorisant moines et paysans et en tâchant de s'imposer à leurs voisins. Ils avaient à l'évidence, selon leur logique propre, les meilleures raisons de se montrer de violents adversaires de l'ordre romain et canonique que la papauté promouvait alors à travers la Réforme grégorienne (1). Leur anticléricalisme virulent et concret n'avait de pair que le mépris dans lequel ils tenaient bien souvent leur femme épousée, considérée comme objet de marchandage à la fin du XIIe siècle encore : ainsi les multiples épouses de Raimon VI de Toulouse, qu'il encourageait parfois à se faire Parfaite cathare pour le dégager de liens matrimoniaux devenus encombrants; ainsi l'exemple pathétique de Marie de Montpellier, qui eut le malheur de naître héritière et

(1) Se reporter en cas de besoin au chap. 6.

que son époux Pierre d'Aragon, le paladin de Muret, traita de la façon la plus indigne (1).

Et pourtant, une Eglise chrétienne plus évangélique et plus stricte que celle de Rome – mais moins exigeante financièrement –, parvenait à apposer sur cette société un rigorisme tempéré de justice paisible; et pourtant, une mode littéraire brillante la traversait comme un feu d'artifice pour gens lettrés, lui proposait de nouveaux modèles de relations sociales et amoureuses. Par la grâce du catharisme et de la joie d'aimer, la société féodale occitane, largement ébranlée par la bourgeoisie, tendait au début du XIIIe siècle à un ordre indéniablement moins violent, à des attitudes plus policées, à des idéaux plus raffinés, à une réflexion plus intellectuelle. Il n'existe aucun lien direct entre troubadours et Bons Hommes. Les uns parlaient de Dieu, les autres d'Amour profane. Catharisme et Fine Amour se conjuguaient pourtant, ici, pour amender la violence et le mal, pour ouvrir le cœur et l'esprit. Ce qui ne pouvait que sourire aux femmes.

---

(1) Excellente biographie de Marie de Montpellier par Paul AMARGIER : « Marie de Montpellier, éloge d'une reine », dans le *Cahier de Fanjeaux* n° 23, « La Femme dans la vie religieuse du Languedoc », 1988, p.21-36.; et non moins excellente analyse – au travers du cas précis de la même Marie, de la domination masculine médiévale par Claudie DUHAMEL-AMADO : « Une forme historique de la domination masculine : femme et mariage dans l'aristocratie languedocienne à la fin du XIIe siècle », dans *Cahier d'Histoire* de l'I.R.M. n° 6, juil-sept. 1981.

QUATRIÈME PARTIE

FEMMES CATHARES

Un monde raisonneur et laïc ?

Dans la société aristocratique occitane ne se développa aucun mythe collectif faisant de la chevalerie une institution sacrée, un ordre célestiel. Alors que les romans courtois en langue d'Oïl de la matière arthurienne, revus et corrigés dans l'orbite cistercienne, débouchèrent au début du XIIIe siècle sur le personnage quasi christique de Galaad et sur le thème quasi liturgique du (saint) Graal, le seul roman du genre que servit la langue d'Oc, le *Roman de Jaufré*, ne proposa au public méridional qu'une parodie facétieuse du climat dénué d'humour des chevaleries septentrionales. Et le seul roman en occitan qui ne fût pas une plaisanterie, celui de *Flamenca*, n'illustra, à la même époque, qu'un rite et un délire d'amour des plus profanes, dans lequel les pratiques de la religion n'apparaissaient que comme pièces de décors annexe et plages de commodité pour l'intrigue...

Il est vrai qu'en cette société empreinte encore de romanité – même bien abâtardie –, les chevaliers ne furent jamais que des porteurs et manieurs d'épée professionnels, pas même nécessairement membres de la noblesse seigneuriale, et considérant avec intérêt les joutes procédurières des juristes toulousains ; il est vrai que parmi la société des petites cours coseigneuriales, pauvres mais aimant ce qui brille et les couleurs rutilantes, Fine Amour traça la voie du Bien dans la générosité du bel amour des dames ; il est vrai que le rationalisme du christianisme des Bons Hommes, qui n'utilisaient nul symbole, nulle croix, nul édifice de culte particulier, tendait à y relativiser fortement la notion du sacré dans ce monde visible.

Comment les aristocrates occitans, habitués à entendre les Bons Chrétiens railler les superstitions catholiques, assimiler les statues des saints dans les chapelles à un culte idolâtre et le mystère de l'Eucharistie à une fraude caractérisée, auraient-ils pu se laisser facilement séduire par des histoires de sang du Christ aussi concrètes que les romans du Graal ? Et réciproquement. Comment une société capable d'exprimer, dans le plus fin de sa culture littéraire, que le but de la longue quête courtoise était l'éclosion de la Joie d'Aimer, aurait-elle pu trouver de l'intérêt à des romans de pieuse et étroite sagesse, n'indiquant que le chemin du Paradis ?

Cependant, même si une certaine culture profane y prit naissance et s'y développa mieux qu'ailleurs, même si un christianisme ne sacralisant pas le visible et fondant son discours dans une lecture logique des Ecritures put s'y implanter largement et profondément, même si les cadres juridiques du droit romain et les structures municipales s'y juxtaposèrent plus tôt qu'ailleurs à l'ordre rigide et violent de la féodalité, même si l'Eglise de Rome y fut raillée, démythifiée et considérée comme une rivale par une caste nobiliaire qui avait, il faut bien le dire, tout intérêt à le faire, il est difficile d'appliquer à la société médiévale occitane le qualificatif anachronique de « laïque ». Parlons plutôt d'un certain rationnalisme profane de cette société, peu encline aux mystères sacrés, et préférant les joutes oratoires des exégètes en Ecriture, des docteurs en Droit ou des théoriciens de la poétique (1), aux récits hagiographiques des miracles des saints.

Un christianisme fondé sur le raisonnement, et n'utilisant aucun support d'imagerie, lui convenait bien ; comme lui convenaient manifestement un ordre social et politique récusant toute mainmise temporelle d'un pouvoir religieux ; ou tout aussi bien un art d'aimer et de courtiser fondé sur la belle parole et ouvrant sur la joie.

Quoi qu'il en soit, à l'intérieur de cette société fracturée, où *paratge* et logique commerciale s'affrontaient froidement, les

(1) L'on connaît, sous l'appellation de *tensons* ou de jeux partis, les textes fort bien rimés de débats entre troubadours sur des points de jurisprudence amoureuse, périlleux exercices de style plus que chefs-d'œuvre d'inspiration, il faut bien le dire...

voies de pénétration du catharisme étaient grandes ouvertes : le *castrum* était lieu de rencontre des antagonismes et des affinités, et à partir de l'adhésion personnelle de bien des dames en vue, le catharisme y coula une dynamique pour ainsi dire naturelle. Le quotidien sans doute relativement violent de cette société féodale en mutation y fut très certainement tempéré, parallèlement et en même temps, par la diffusion de *courtoisie* et par la pénétration religieuse cathare à l'intérieur des lignages, qui était principalement le fait des femmes : les Bons Hommes, qui récusaient toute justice humaine au nom du précepte : Tu ne jugeras point, tendaient à intervenir comme conciliateurs dans les conflits nobiliaires et proposaient des voies de compromis qui ne condamnaient personne et faisaient droit à chacun. Nul doute que la violence et l'arbitraire féodaux, très visibles en Languedoc au milieu du XIIe siècle, ne se soient progressivement fondus et adoucis au fil des décennies suivantes, sous l'action conjuguée *d'hérésie* et de *courtoisie*....

14

Le temps de l'engagement

Une société mouvante, ouverte. Des féodaux, grands ou petits, appauvris et surtout assagis; une caste aristocratique tenant son rang par une culture profane brillante, échafaudant la mode, gardant le haut du pavé commun des bourgs. Parmi elle, et la cernant de près, un ordre bourgeois manieur de lettres de change et de logique commerciale; et, l'encadrant dans ses cités même, toute une neuve volonté de libertés et d'organisation municipales tenant tête à l'évêque aussi bien qu'au seigneur. Un système de Coutumes minutieuses réglementant le droit des plus forts et le devoir des plus pauvres, mais résistant autant que possible à certains arbitraires. Et tout un peuple de paysans, d'artisans, de bergers, de colporteurs, avec leurs femmes, considérant les notaires, les hommes de loi, les banquiers, et leurs bourgeoises épouses; tous gardant les yeux braqués vers les chevaliers, les aristocrates, leurs dames parées de couleurs brillantes, leurs aïeules en noire vêture, leurs ecclésiastiques plus religieux que les curés.

L'ORDRE DES VAINQUEURS

Ce tableau, schématique à l'extrême, demandera bien entendu à être corrigé, épaissi de vie, à chaque page qui suivra, ou presque. Mais telle, en sa multiple définition, cette société des villes et bourgs, des *castra* occitans, encourut l'ire de l'Eglise romaine; en 1209, le pape Innocent III appela les grands princes et les seigneurs d'Occident à une croisade en terre chrétienne et non plus en contrée sarrasine, contre le comte de Toulouse Raimon VI, contre Raimon Roger Trencavel, vicomte de Carcassonne, Béziers, Albi et Limoux, et contre tous leurs vassaux coupables de tolérer et protéger ouvertement les communautés d'une Eglise officiellement réputée hérétique.

Moins encore qu'un traité complet de catharisme, ce livre ne prétend présenter une histoire de l'Epopée cathare (1); qu'il suffise de rappeler que la croisade, cette guerre à motif indéniablement religieux, et qui dura vingt ans, de 1209 à 1229, tourna à la guerre de conquête et que le roi de France, tout d'abord très réticent, sut s'y engager au bon moment, si bien que ce fut lui qui en retira tout le bénéfice. En 1229, après un flux et un reflux des événements et des espérances pour chacun des camps en présence, une paix définitive fut signée, un nouvel ordre européen engagé. C'en était fait de la quasi-indépendance de fait des grandes principautés occitanes : l'héritier de Montfort, le conquérant des premiers jours, éliminé par l'Histoire, le roi de France annexait directement la vicomté Trencavel, installait ses sénéchaux et ses grands officiers à Carcassonne ou à Beaucaire et affichait lourdement ses prétentions sur le comté de Toulouse. L'on savait désormais que ce ne serait plus qu'une question de temps : en 1229, Raimon VII de Toulouse, à peine vaincu pourtant, signait des clauses à peu près irréversibles engageant son beau comté sur la voie de l'annexion royale, par le mariage de sa fille et unique héritière, Jeanne, à l'un des petits frères du roi Louis IX, dit un peu plus tard Saint Louis.

Vingt années de la guerre religieuse la plus cruelle n'avaient pourtant eu d'autres résultats que ceux de toutes les guerres : des bouleversements politiques. Des frontières furent remaniées, des pays tout entiers changèrent de main, mais de résultat religieux point; en 1229, malgré les grands bûchers collectifs de la croisade par lesquels environ quinze cents à deux mille Parfaits et Parfaites furent éliminés, l'Eglise cathare était si bien vivante qu'elle venait tout juste – en 1226, d'ériger en

(1) Je renvoie pour l'analyse complète et tous les détails nécessaires et précis concernant l'histoire et les événements politiques, militaires et même religieux de la conquête et de l'assimilation française du Languedoc, à l'excellente somme de Michel ROQUEBERT, (quatre tomes, un cinquième en préparation) *l'Epopée cathare, op. cit.*

évêché à part entiére ses communautés du Razès. Mais 1229 marqua un tournant décisif.

A partir de 1229, un sénéchal royal administrait désormais la vaste vicomté Trencavel; le comte de Toulouse, placé sous haute surveillance, s'était obligé lui-même à se montrer le plus impitoyable ennemi de l'Eglise interdite; la plupart des lignages seigneuriaux locaux, qui avaient constitué le principal soutien et même le réservoir des communautés cathares, avaient été éliminés par la guerre comme la lignée vicomtale des Trencavel, *faydits*, dépossédés au profit de nouvelles dynasties par droit de conquête, ou plus rarement ralliés aux vainqueurs; l'Eglise des Bons Hommes perdait ainsi, avec ses protecteurs naturels, toute son assise et son infrastructure, se voyait condamnée à la clandestinité, alors qu'au contraire les autorités catholiques et romaines avaient enfin champ libre pour agir.

Elles agirent avec intelligence, détermination, et efficacité. Tirant la leçon des échecs précédents, elles lancèrent sur le pays, qui leur était livré à merci, la contre-prédication des ordres mendiants, Dominicains et Franciscains, tout juste créés sur le modèle extérieur des hérétiques évangélistes, et leur confièrent le redoutable outil bureaucratique de l'Inquisition. Après le tournant de 1229 et du traité de Meaux-Paris, dés les années 1233-1235, le temps de l'Inquisition succéda, sur le pays, à celui de la guerre. Violence plus larvée. L'on ne vit plus – sauf exception –, de ces énormes bûchers ramassant dans les flammes l'ensemble des communautés cathares razziées à l'intérieur des villes tombées, deux cents, quatre cents hérétiques renvoyés à l'enfer d'un seul coup; mais une lente et patiente machine à broyer les consciences, un tribunal religieux ne relevant que du pape seul et parcourant systématiquement villes et villages pour en extirper l'hérésie, par confession, conversion, dénonciation, élimination systématique de toutes les Parfaites et de tous les Parfaits, l'un après l'autre repéré, retrouvé, capturé, soumis à l'abjuration ou à la mort.

En un siècle en tout cas, ce fut chose faite : l'Eglise, peu à peu vidée de toute substance, l'Eglise du Désert privée de tous ses pasteurs, s'enfonça dans l'oubli auquel elle avait été condamnée. Les derniers proscrits exécutés pour hérésie cathare en

Languedoc furent brûlés vifs à Carcassonne en 1329. C'étaient quatre hommes. La dernière femme avait été brûlée, à Carcassonne toujours, en 1325. L'on connaît encore son nom : Guillelme Tournier. Elle n'était que bonne croyante. La dernière Parfaite connue, et qui fut brûlée elle aussi bien entendu, mais à titre posthume, s'appelait Aude Bourrel et était de Limoux.

Jusqu'au bout les femmes. Un siècle et demi d'histoires de femmes liées à l'histoire du catharisme, d'abord rayonnant et paisible, puis soumis aux violences des hommes et aux angoisses de la clandestinité. Ces mille petites histoires individuelles, ces mille petites voix sans visage, nous parviennent encore depuis le temps de la guerre, le temps de l'Inquisition et le temps de l'oubli.

LA PAIX CATHARE

Bernard Mir Acezat, de la famille des Mir, seigneurs de Saint-Martin-Lalande et de Camplong, en Lauragais, avait été en son adolescence l'écuyer d'Aimery de Montréal, et nous l'avons rencontré déjà, en chevaleresque compagnie, à la table de Blanche de Laurac et de sa fille Mabilia, les dames hérétiques en leur maison. En ce temps-là, s'empressa-t-il d'ajouter à l'intention de l'inquisiteur qui l'interrogeait en 1245, et pour minimiser sa part de responsabilité en l'affaire, les hérétiques vivaient publiquement dans tout le pays, et dans Saint-Martin même tenaient au moins dix maisons ouvertes; à peu près tous les habitants du *castrum* se rendaient au prêche des Bons Hommes. En ce temps-là encore, se souvint Bernard Mir, sa sœur Bernarde Mironette était elle-même hérétique, et il allait la voir pour manger avec elle. Il ajouta enfin, à leur décharge à tous deux, qu'elle finit par se convertir par la suite, juste avant de mourir.

Ce type de témoignage, rassemblé vers le milieu du XIIIe siècle par les copistes d'Inquisition, et qui décrit la situation du Languedoc cathare avant l' intervention de la croisade, est extrêmement courant; et toutes ces bribes de témoignages, servis par l'extraordinaire mémoire médiévale, dessinent le puzzle complet et cohérent d'une implantation générale de l'hérésie entre Toulouse et Méditerranée à la fin du XIIe siècle, à partir de la classe nobiliaire comme d'une *intelligentsia*. La grande enquête de 1244-1245, menée par les inquisiteurs Bernard de Caux et Jean de Saint-Pierre en Lauragais, en Lantarès, en Toulousain, et dont les procédures, conservées par le manuscrit 609 de la Bibliothèque municipale de Toulouse, sont abondamment citées dans ce chapitre (1), nous ouvre tout particulièrement un pays cathare profond.

Guilhabert du Bousquet, l'un des anciens amis d'Arnaude de Lamothe, et qui fut lui aussi arrêté après avoir été dénoncé, peut-être par elle, rapporta ainsi en 1245 que quarante ans auparavant et même davantage, il voyait les hérétiques vivre publiquement à Toulouse, dont il était notable, mais aussi à Fanjeaux, Montréal et autres lieux, dont il fréquentait la noblesse. Il assistait lui-même au prêche des Bons Hommes et ne manquait pas de les *adorer* : vous savez déjà qu'il convient de traduire cette « langue de bois » inquisitoriale par le triple Salut du croyant au Bon Chrétien.

> « Il n'y avait alors guère d'hommes à Lanta, à Caraman ou à Verfeil, ajouta le chevalier toulousain, qui ne se fissent hérétiques »...

Quant à sa propre mère, qui s'était d'abord retirée comme moniale dans un couvent catholique, elle avait choisi finalement de se faire Parfaite, et tenait publiquement maison à son domicile même.

Raimonde Gasc, la femme de l'un des deux tisserands du Mas-Saintes-Puelles, se souvenait d'avoir vu les hérétiques vivre en paix dans le pays plus de cinquante ans auparavant, ce qui nous ramène aux années 1195. Petite fille, elle fit même partie de cette véritable classe des Parfaites enfants, ordonnées trop tôt par Isarn de Castres, diacre de l'Eglise de Toulousain pour le Lauragais, puis réconciliées quelques années plus tard à l'orthodoxie romaine par saint Dominique – vers 1207-1208 –, avant de se marier et de consacrer une vie de bonne croyante cathare à la foi clandestine et à la protection de l'Eglise mise hors la loi : avec elles, ses amies Raimonde Germain, Ermengarde Boyer, Ermengarde Aychart, Na Ségura Vidal ou Na Comdors. Filles nobles et filles d'artisans mêlées. En ce

(1) Les dépositions ici utilisées de Bernard Mir Acezat, Guilhabert du Bosquet, Raimonde Gasc, Ermengarde Boyer, Guiraude Vidal et Martin de Caselles, sont tirées du Ms.609 de Toulouse, f° 30a, 213a, 22b, 253a et 237b..

temps-là, le Mas saintes Puelles était ouvertement cathare, sous le regard de Dame Garsende, la mère des coseigneurs, et de sa fille Gailharde qui tenaient maison de Parfaites, et sous le patronage spirituel du diacre Isarn de Castres. Toutes classes sociales mèlées (1).

Ermengarde Boyer, l'une des petites Parfaites mal reconverties par Frère Dominique, rapporte même que vingt ans plus tard, aux temps de la clandestinité, alors qu'elle cachait chez elle des Parfaites, les cinq coseigneurs du Mas venaient les y visiter, Bernard, Guilhem, Jordan, Aribert et Gailhard, les cinq fils de dame Garsende, avec les dames de la famille : Saurimonde, Flors, Guillelme Meta, Finas, avec sa jeune génération, avec aussi les bourgeois du lieu comme Pierre Gauta l'écrivain public et son fils... Guilhem du Mas junior, fils du coseigneur Guilhem, un jour qu'il était allé visiter des Bons Hommes à Laurac avec sa mère Fauressa, son frère Jordan et son cousin Bertrand de Quiders, s'entendit du reste reprocher par lesdits religieux hommes de ne pas les aimer « comme le faisaient tous ceux de son sang » – ou de sa noble extrace selon le sens que l'on donne au mot *genus* employé par le scribe. Et il leur répondit qu'en effet lui ne les aimerait jamais.... L'on ne saurait trouver meilleure preuve par l'exception – par le conflit de générations ? – de l'extrême généralisation du catharisme à travers la société du Lauragais au début du XIIIe siècle.

L'ancien curé de Cambiac, en Lauragais, confiera lui-même à l'inquisiteur qu'en 1245 encore, tous les coseigneurs et l'ensemble de la population de sa paroisse, hommes et femmes, mais d'un certain âge, étaient intégralement bons croyants et défenseurs d'hérétiques (à part la veuve Untel). Faut-il voir ici encore une nuance de conflit de générations – étouffé dans l'œuf par la répression normalisatrice ?

En janvier 1243, déposait parmi tant d'autres un chevalier de Montgey, entre Toulousain et Albigeois, nommé Pierre de Cornélian (2). Déposition sans surprise d'un quotidien de ce que

(1) Un article a été consacré à la société cathare du Mas-Saintes- Puelles par Georgi Semkov dans *Heresis* n° 2, 1984, p.34-53 ; et un chapitre tout entier dans mon livre *Le Vrai Visage du Catharisme, op. cit.*, p.168-180 de l'édition 1990.

(2) La déposition de Pierre de Cornélian devant Frère Ferrier et Pons Garry est conservée dans le vol.24 du Fonds Doat de la B.N. (f° 19b-24a).

nous avons déjà appelé le « catharisme ordinaire ». Tout jeune, alors qu'il était encore l'écuyer de son frère Isarn Trencavise (Tranche-bise), et avec le chevalier Donat de Caraman, lui aussi, comme son collègue l'écuyer Bernard Mir, fréquentait à Laurac la maison de la Parfaite Blanche, mère d'Aimery de Montréal, mangeait chez elle, mais pas à sa propre table et voyait là des multitudes d'hérétiques... Un peu plus tard, devenu l'écuyer de Donat de Caraman, il suivit son chevalier dans son *castrum*, et jusque dans la maison de sa parente la Parfaite Guillelme de Caraman et de ses compagnes. Il passa ensuite de Caraman à Lavaur, comme écuyer d'un autre chevalier de sa parentèle, Guiraud de Roquefort; et à Lavaur, où les maisons de Parfaites étaient innombrables – l'une d'entre elles, souvenons-nous, abritait Peironne et Arnaude de Lamothe –, il visitait ses cousines les Bonnes Dames Ermengarde de Berlande et Rixende de Montmaur, et mangeait parfois avec elles.

L'on sait ce qu'il advint des Parfaites de Lavaur. En mai 1211 la ville fut prise par Simon de Montfort, sa châtelaine Géralda ou Guiraude, jetée vive au fond d'un puits, son frère et défenseur Aimery de Montréal pendu et égorgé avec tous ses chevaliers, les quatre cents Bons Hommes et Bonnes Dames de ses maisons brûlés tous ensemble sur le plus grand bûcher de la croisade...

Mais lorsque arrivèrent les croisés dans le pays, Pierre de Cornélian, le petit écuyer, n'était plus à Lavaur. Il avait suivi son cousin le chevalier Guiraud de Roquefort, dans son *castrum* de la Montagne Noire. Peut-être était-il dès lors lui-même chevalier? Mieux que tout autre, le village fortifié de Roquefort (1), aujourd'hui ruiné, abandonné au pied de sa tour dans l'enchevêtrement des arbres sur un sommet perdu, illustre la définition d'un *castrum* de montagne, imprenable au-dessus d'un gouffre. C'est du reste le nom de ce gouffre, le gouffre de Malemort, qui sert aujourd'hui à désigner la silhouette de la tour qui seule se dessine au regard lointain. L'on a tout oublié de cette forteresse de la famille de Roquefort, qui donna au début du XIIIe siècle un évêque catholique à Carcassonne, ainsi que trois Parfaits et deux Parfaites à l'Eglise cathare. Le chemin lui même en est perdu.

---

(1) Sur la commune de Durfort, Tarn.

En 1209, les temps étaient en effet au regroupement des forces dans les lieux capables de résistance. Ou de refuge. Roquefort en était un. Pierre de Cornélian vit un jour arriver un long cortège : plus de trois cents Parfaits et Parfaites « qui venaient s'amasser là à cause de la guerre du comte de Montfort ». Le plat pays était en effet en proie à la guerre totale, massacres, destructions, conquête. Religieux et religieuses fugitifs s'établirent dans des maisons ; et durant tout ce temps où le jeune chevalier demeura là-haut pour la défense du lieu, il les écouta prêcher, leur rendit visite chez eux, partagea leur repas...

Lorsqu'on évoque les maisons de Parfaits et de Parfaites de Lavaur ou de Caraman, nulle difficulté d'imagination ne s'interpose. L'on voit de gros bourgs, de petites villes, avec leurs rues, égrenant des maisons. Cinquante maisons cathares à Mirepoix, soit. Soixante-dix à Villemur, aucun problème. Mais Roquefort, intact sous le dessin de ses ruines, abandonné tel quel au XIIIe siècle, Roquefort, à l'intérieur de son rempart et de son fossé, est minuscule. Au plus haut du village, une tour carrée, maigre, inhabitable, lieu de guetteur et de munitions. Devant la tour, marque de la famille féodale, une petite cour bien noble. Puis un amas de maisonnettes rasées, de fonds de cabanes parmi la mousse, les ronces et les fougères, parfois la marque d'une vague et étroite ruelle. De quoi loger cinquante personnes, dirait-on. Mais il reste la porte du *castrum*, double arche de pierre étroite et émouvante, au-dessous de la tour, et qu'il me souvient d'avoir, dans le soleil de janvier, un bel après-midi, juxtaposée à l'histoire de ces trois cents Parfaits et Parfaites qui un jour, il y a sept cent quatre-vingts ans ou à peu près, étaient passés exactement dans l'axe de notre regard. Pierre de Cornélian montait la garde.

La Dame de Roquefort, quant à elle, tenait alors maison cathare à Termes. Les chroniques racontent comment elle y sera prise, puis brûlée. Sa fille, Romangas, s'était établie parfaite à Puylaurens. L'on ignore ce qu'il advint d'elle.

LES ÉGLISES CATHARES OCCITANES
FIN XIIe SIÈCLE ET PREMIÈRE MOITIÉ DU XIIIe SIÈCLE

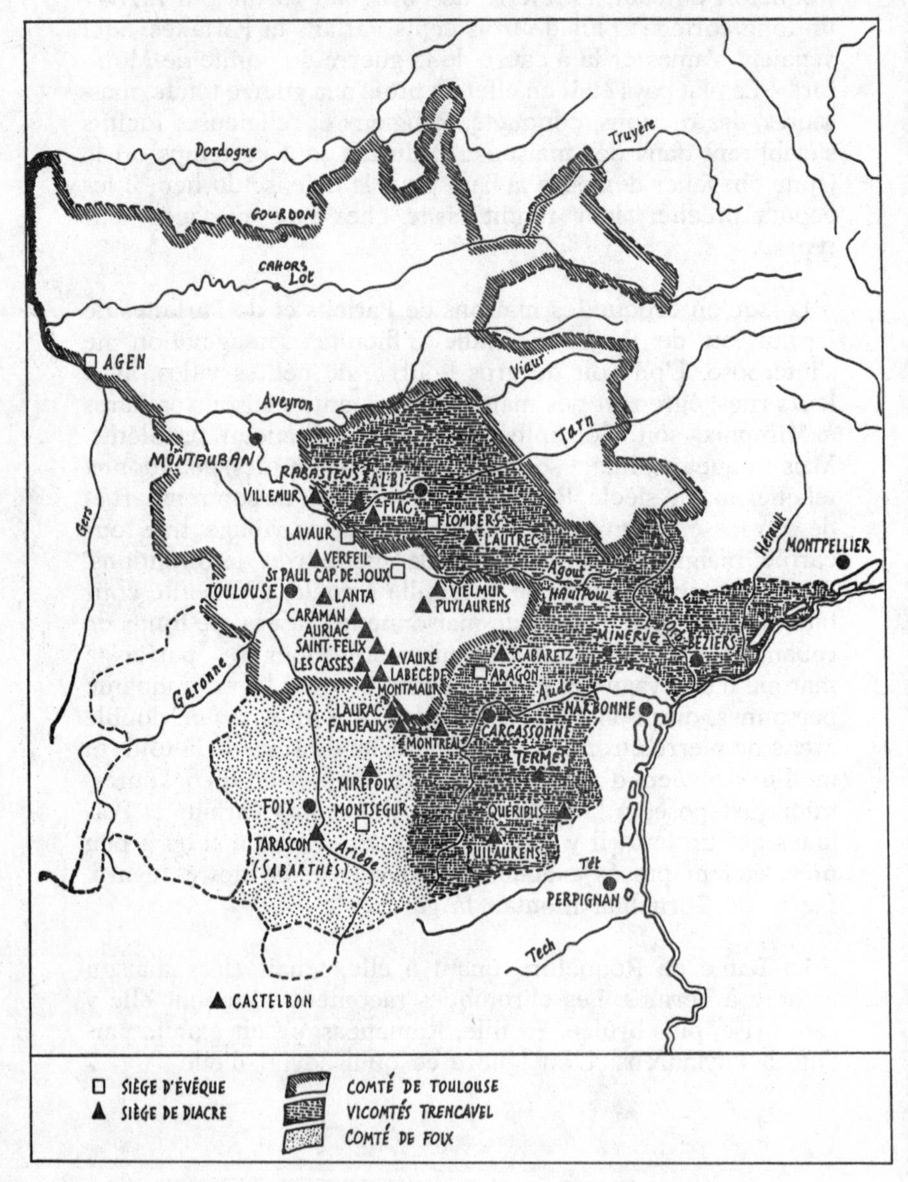

(Publié avec l'aimable autorisation des Éditions Loubatières.)

LES DAMES D'ALBIGEOIS

Dame Berbéguèira, femme du sire de Loubens, chevalier de Puylaurens (1), allait, avant la croisade, visiter cette demoiselle Romangas de Roquefort et ses compagnes en leur maison, à ce qu'elle déclara en janvier 1243 à l'inquisiteur Ferrier; et bon nombre des dames de Puylaurens l'y accompagnaient, comme Bernarde, femme d'Hunaud de Puylaurens, Argentelle, mère de Guilhem Pèire de Maurens, et bien d'autres...

Il faut dire qu'à Puylaurens, qui était siège d'un diacre de l'Eglise de Toulousain, comme à Laurac, comme au Mas-Saintes-Puelles, comme à Fanjeaux , à Saint-Martin-Lalande, à Lautrec et dans à peu près tous les lieux et places du Toulousain, du Carcassès ou de l'Albigeois, les dames des familles seigneuriales donnaient l'exemple. Berbéguèira de Loubens pouvait ainsi visiter en leurs maisons cathares les Parfaites Ermessinde, mère de Sicard de Puylaurens et ses sœurs Bernarde et Comdors, ainsi que Flandina, sœur de Gausbert, autre coseigneur du lieu. Dames et chevaliers de Puylaurens venaient en cortège les voir, et Berbéguèira se souvenait encore, quarante ans plus tard, des fruits que les Bonnes Chrétiennes lui offraient à goûter, ainsi qu'aux autres dames, lors de leurs visites... Sa belle-sœur Poma, sœur du chevalier de Loubens, avait elle-même cédé un temps à l'attirance de la vie religieuse et avait rejoint l'une des maisons de Parfaites de la ville. Mais quelque temps plus tard, elle quitta l'Eglise et retourna vivre auprès de son mari.

Ce fut à la même époque, les premières années du XIIIe siècle, que Berbéguèira suivit le cortège de l'enterrement de Peitavi, chevalier de Puylaurens, jusqu'au cimetière des hérétiques; et parmi ce cortège, précisa-t-elle, se trouvaient à peu près tous les chevaliers et les dames de la ville, toute *l'intelligentsia* cathare. A la même époque aussi qu'elle mit à profit un séjour à Saint Paul Cap de Joux, où résidait volontiers l'évêque cathare de Toulousain, pour visiter en leur maison la Parfaite Pagane Bof-

(1) Puylaurens, ville de l'actuel département du Tarn, à ne pas confondre avec le « château cathare » de Puilaurens, près d'Axat, dans l'Aude. La déposition de Berbéguèira de Loubens figure également dans le volume Doat 24 (f° 131b-144).

fil, sœur du diacre de Montmaur, et ses compagnes; l'y accompagnaient, bien sûr, les dames de la famille coseigneuriale du lieu, Donade, femme de Bertrand de Saint-Paulet, Lombarde, mère d'Isarn de Saint-Paulet, ou Dona, épouse de Sicard Saisset.

Elle ne dit mot de la croisade, de la période des guerres, auxquelles prit sans doute part son mari. Entre 1220 et 1229, aux temps de la reconquête occitane, la vie semble avoir pour elle reprit son cours : elle confie des travaux de toile aux tisserands hérétiques de Puylaurens, se rend avec toutes ces dames : son amie Bernarde Hunaud, Brunimonde femme d'Isarn de Saissac et quelques autres, au sommet du *castrum*, tout près du donjon de Puylaurens, dans la maison de Bernard de Montauquer, où l'on chuchote qu'il y a quelque chose d'extraordinaire à voir : il s'agit du chevalier Guiraud Azéma, qui s'est fait Bon Chrétien, et qui vit là avec son compagnon, mais « reste assis sur son siège, immobile, comme un tronc »... Les dames ne viennent pas l'adorer, mais, curieuses, le considérer comme une sorte de « monstre » –le mot est de Berbeguèira elle-même. Est-il un blessé mal rescapé des guerres de la croisade, consolé en son infirmité et trouvant dans la religion une raison de survivre, un peu comme quelques siècles plus tard Joë Bousquet, mal rescapé de la guerre de 14-18, dans son immobilité carcassonnaise, en trouvera une dans la poésie? Est-il simplement atteint de quelque paralysie civile? L'on ne voit pas en tous cas que les cathares, fiers de s'astreindre au travail évangélique, aient jamais encouragé des pratiques de méditation transcendentale ou non...

Berbéguèira de Loubens, dont le curieux prénom signifie en français « Bergère », alors que le nom de son mari évoque un loup, et que sa propre fille se prénomme Loba/la Louve, ne jouissait sans doute pas elle-même d'une très bonne santé. Toute sa déposition devant Frère Ferrier témoigne d'un souci constant de médecine et de médecin, semble même indiquer qu'elle avait des difficultés à se mouvoir – ce qui ne l'empêcha pas toutefois de vivre assez longtemps puisqu'au moment où elle parlait elle pouvait avoir entre cinquante et soixante ans, ni d'être plusieurs fois mère. Lorsque peu après 1220, en présence de son cousin Gausbert de Puylaurens, elle voit le Parfait Bernard Engilbert et son compagnon, il lui est impossible de fléchir le genou devant eux selon le rite, et elle doit leur demander de la bénir ainsi. Quelques années plus tard, elle s'avise que Béatrix, femme de Jordan de Roquefort, entre chez Raimon Cellerier pour y visiter des hérétiques. Toutes ces dames suivent aussitôt : Berbéguèira, son amie Bernarde Unaud avec sa fille Bérengère, Guillelme de Padiers, Raimonde Audebaud; et toutes grimpent à l'échelle derrière dame Béatrix pour gagner l'étage, le solier (1) qui abrite les Bons Hommes. Toutes sauf Berbeguèira, qui « n'ose pas se commettre sur l'échelle et demeure toute seule en bas », à attendre que ses amies, dûment bénies, redescendent jusqu'à elle...

Elle cite abondamment, tout au long de sa déposition, le Parfait médecin Guilhem Bernard d'Airoux, qui semble avoir été des plus réputés dans la bonne société du Toulousain et de la Montagne Noire. Elle le voit soigner à Puylaurens Jordan de Saissac, à Montgey Béatrix de Roquefort, ou même son propre gendre le chevalier de Saïx, époux de sa fille Loba; elle le rencontre fréquemment pour lui parler des petites maladies de la famille, l'appelle au chevet de son mari où il reste trois jours... Pierre de Cornélian lui-même, le petit écuyer de Caraman et de Lavaur, le jeune chevalier qui gardait Roquefort à l'arrivée des croisés, eut à son tour plusieurs fois recours aux soins du même Bon Homme, vingt ans plus tard, la force de l'âge venue.

La déposition que fit en août 1244, devant Frère Ferrier, dame Finas, épouse du chevalier Isarn, seigneur de Tauriac, nous fait pénétrer dans quelques autres de ces villes et bourgs, de ces *castra* où le catharisme, avant la croisade, vivait en ses maisons un quotidien tranquille et bien considéré (2). Finas était originaire de Rabastens, entre Toulousain et Albigeois, et de la noble famille du lieu. Petite fille, vers 1204, elle était élevée chez son frère, Pelfort de Rabastens, car sa mère Braïda et sa sœur Esclarmonde vivaient en Parfaites dans leur propre maison. Finas et son frère ne manquaient pourtant pas de leur rendre visite. Bien entendu, ajouta-t-elle, à cette époque là les

---

(1) Le solier est un étage, construit en bois; voir p. 22, note 1.

(2) La déposition de Finas de Tauriac figure, à la suite de celle de son mari Isarn, dans le volume Doat 22 (f$^{\circ}$ 65a ss).

hérétiques vivaient publiquement à Rabastens et y tenaient leurs maisons. Quelques années plus tard, mais avant l'irruption de la croisade, elle épousa un chevalier de la maison de Lautrec, Aymeric Sicard, et le suivit en Albigeois.

A Lautrec, qui était siège de diacre de l'Eglise d'Albi, comme ailleurs et mieux qu'ailleurs le catharisme florissait, et Finas, jeune femme, se rendait avec les autres dames du lieu visiter la Parfaite Boéria (en français : bouvière), sœur d'En Frézoul, l'un des coseigneurs de la ville, et ses compagnes. Puis tout se brouille, devient indistinct. L'on comprend que Finas est devenue veuve, mais l'on ne sait ni quand ni comment, puis qu'elle s'est remariée avec son présent mari, Isarn de Tauriac. On la retrouve ensuite à Villemur où chez elle, dans sa propre maison et, sans doute, au temps de la reconquête occitane, entre 1220 et 1229, elle reçoit en personne Bernard de Lamothe, le Fils Majeur de Toulousain, et son *soci* Guilhem du Solier. Et là, devant un cercle d'amis, Isarn de Saint-Michel avec son épouse Béatrix, Pierre Baga, Vital Faure, Mathelia de Cos et Guillelme de Punhères, les deux Parfaits s'étaient mis à prêcher, solennellement.

> « Ils disaient du bien d'eux- mêmes, et du mal de l'Eglise romaine et de ses clercs, dit Finas à l'Inquisiteur. Et que la sainte hostie n'est que du pain; que le mariage et le baptême ne valent rien. Ils disaient aussi que ce que Dieu fait ne passera pas, mais que la chair de l'homme ne ressuscitera jamais. »

A la suite de cette prédication, toute l'assistance fléchit le genou rituellement devant les Bons Hommes et appela leur bénédiction.

Tout le reste de la déposition de Finas, devenue Dame de Tauriac, n'est qu'une longue suite de visites à des Parfaits et Parfaites clandestins, en compagnie de la bonne société du lieu, à qui les périls de l'heure n'ont nullement fait renier ses engagements. Et pourtant dame Finas s'efforce de toujours bien faire ressortir, à l'intention de l'inquisiteur qui l'interroge, l'esprit critique qu'elle n'a jamais abandonné en face des « erreurs des hérétiques ». Elle pris même le soin, dit-elle, une certaine fois, d'amener avec elle un lettré, Hugues Boué, pour écouter la prédication des Parfaits et vérifier dans leurs livres son bien fondé, lui qui savait lire (1)... Et pendant ce temps son mari, Isarn de Tauriac, protègeait les clandestins, leur accordait des sauf-conduits, s'occupait de les défendre et demandait même à ses veneurs de les laisser en paix lorsqu'ils les rencontraient dans la forêt. Au moins quatre enfants étaient nés de leur union, un fils, Boson, et trois filles, Bertrande, Arbrissa et Esclarmonde.

Petit clin d'œil de vie joyeuse et simple. Un jour Finas, qui peut-être simplement se promène sur ses terres de Tauriac, en compagnie du chevalier Matfre de Paulhac et de son plus jeune enfant, la petite Esclarmonde, rencontre deux Parfaits, Pons Gilibert et son compagnon. Mais Esclarmonde, qui est encore une toute petite fille, refuse obstinément d'ouvrir la bouche et de dire un seul mot, en réponse aux deux Bons Hommes qui l'interpellent gentiment...

Ces fragments de la vie particulière de quelques dames du comté de Toulouse ou de la vicomté Trencavel ne doivent pas représenter des arbres qui cachent la forêt : ils n'ont valeur que d'exemples, pris presque au hasard qu'ils sont, et destinés à colorer un peu un phénomène dont l'on sait, abstraitement, qu'il connut une ampleur générale indiscutable : au début du XIIIe siècle, si le pape Innocent III appela à la croisade contre les protecteurs d'hérétiques en Languedoc, c'était bien, indiscutablement, parce qu'à Castelnaudary, Guiraude Vidal, toute jeune Parfaite, voyait alors Bons Hommes et Bonnes Dames, les membres de son Eglise, vivre publiquement dans le pays « comme les autres gens ». Elle-même demeurait alors aux Bordes avec ses compagnes Bernarde et Poncia, et de nombreux hommes et femmes, morts depuis, venaient les y visiter...

C'était parce qu'à Laurac, chevaliers et écuyers venaient partager le repas de Blanche et Mabilia, les Bonnes Dames, et écouter leur prêche; parce qu'à Fanjeaux, à Lautrec, à Caraman, au Mas-Saintes-Puelles, à Lavaur, à Villemur, dans tous les *castra* du Languedoc, dames veuves et demoiselles se faisaient Parfaites; parce que les petites Peironne et Arnaude de Lamothe avaient quitté leur famille pour entrer en religion,

---

(1) Et pourtant, dame Finas appartient à cette aristocratie occitane née avant la conquête française, cette *intelligentsia* au sein de laquelle on sait fréquemment lire et écrire, du moins parmi les mâles il est vrai...

tandis que Guilhem du Mas junior marquait son opposition aux adultes de la sienne en refusant d'honorer les Bons Hommes ; parce que les épouses des chevaliers allaient goûter chez les Bonnes Dames et entretenaient de Dieu leurs jeunes maris.

C'était le temps de l'engagement. Une société s'était engagée. Du côté de l'hérésie. Une guerre allait s'engager. Pierre de Cornélian montait la garde au-dessus du gouffre de Malemort ; Guilhabert de Castres régnait spirituellement sur Fanjeaux ; la petite Esclarmonde boudait.

15

Familles cathares

RICHES ET PAUVRES

L'on peut certes légitimement retirer de la lecture de ce qui précède une impression de mondanité, voire d'élégance. Ce voyage au cœur du catharisme occitan semble nous entraîner presque exclusivement au sein de la bonne société. Il est temps de relativiser les choses. Il est indéniable que ce véritable engouement de la petite noblesse de Languedoc pour le catharisme l'a promis et promu au succès au profond du pays. Pour autant, dès la fin du XIIe siècle, alors que les dames de Laurac, du Mas ou de Puylaurens se faisaient Parfaites et matriarches cathares, tenaient maison religieuse un peu comme, au XVIIe siècle, on tiendra salon littéraire et y recevaient les dames de leur rang, toute la société occitane était déjà imbibée et, déjà, bourgeoises, femmes d'artisans et même de paysans partageaient avec ces dames les maisons de Parfaites.

Et il n'y avait bien sûr pas que les femmes qui se fussent engagées. Le catharisme ne fut jamais un jeu de société, un passe-temps féminin intellectuel, est-il encore besoin de le dire? Mais un christianisme répondant aux aspirations de toute une population et satisfaisant la réflexion de ses élites culturelles. Pierre Bofilh, des Cassès, par exemple, racontait à son inquisiteur en 1245 une enfance bien exemplaire. L'on ignore tout de son origine sociale : manifestement, la famille n'était pas noble. Sans doute « bourgeoise », mais à quel degré? En tout cas, avant 1205, son père Bernard Bofilh, son oncle Pierre et son frère Bon Fils étaient Parfaits cathares et lui, enfant, vivait avec eux, dans leur maison. Son frère Bon Fils, ou Bofilh((1), fera même carrière dans l'Eglise de Toulousain, puisqu'on le connaît par ailleurs comme diacre de Saint-Félix ou de Montmaur, entre 1205 et 1239.

La famille Arrufat de Castelnaudary ne semble pas, elle non plus, avoir été vraiment aristocratique, mais paraît se situer dans la frange aisée et bien en vue de la société. Raimon Arrufat, qui témoigne en 1245, est alors âgé de quarante-sept ans, très précisément (2). Et il se souvient non moins précisément qu'en son enfance, bien avant l'arrivée des croisés, il avait l'habitude de rencontrer partout, publiquement, dans Castelnaudary, des cathares et des vaudois. Cathares et vaudois fréquentaient même de manière régulière la maison de son père, Raimon Arrufat senior, venaient y manger, y dormir, et toute la famille se rassemblait autour d'eux, dans un esprit de tolérance et même d'œcuménisme – exemplaire si l'on se souvient que cathares et vaudois, eux-mêmes, ne s'appréciaient guère entre eux et se traitaient réciproquement d'hérétiques.

L'enfance de Raimon Arrufat fut marquée, comme tant d'autres, de tristes souvenirs. Il est vrai qu'en ce temps-là la mort était partout présente, à tous les âges de la vie, et l'existence ressentie plus douloureusement fragile encore qu'elle ne le semble aujourd'hui. Ce qui ne signifie nullement que les gens du Moyen Age vivaient dans la tristesse. Nous reparlerons du sourire des dames, du rire des Bons Hommes eux-mêmes! Mais en 1204, le petit garçon avait sept ans lorsqu'il perdit sa mère. Il vit le Parfait Raimon Bernard et son compagnon

(1) L'on est, au XIIIe siècle, à la racine des patronymes, naissant de prénoms, de surnoms, de noms de métier. Il n'est pas toujours facile de s'y retrouver, ni de rendre correctement la valeur des noms en français moderne. Souvenons-nous, par exemple, qu'au chapitre précédent nous avons rencontré un frère et une sœur nommés respectivement Bernard Mir et Bernarde Mironette. En tout état de cause, les patronymes étaient presque toujours féminisés lorsqu'ils s'appliquaient à une femme; et il arrivait ainsi qu'un patronyme donnât à son tour naissance à un surnom, voire un prénom. Nous aurons par exemple l'occasion de rencontrer, au fil de ces pages, une Parfaite nommée Cogula. Or, un recoupement de témoignages montre qu'il s'agit en fait d'une Rixende Graile, épouse de Bernard Cogul...

(2) Les dépositions de Pierre Bofilh, des Cassès, de Raimond Arrufat, de Castelnaudary, et de Pons Viguier, de Saint-Paulet, figurent dans le Ms.609 de Toulouse, f° 225 b, 250 b, 227 b.

l'emporter, agonisante, vers Saint-Martin-Lalande où elle fit entre leurs mains sa bonne fin, consolée, dans une de leurs maisons. Ce fut ensuite le tour de son frère, Jean, de s'aliter et de demander le consolament des mourants. Raimon le vit à son tour emporté par les mêmes Bons Hommes, vers la maison de Saint-Martin-Lalande où ils veillèrent sur ses derniers jours.

Le frère aîné du jeune Raimon, Pierre Arrufat, participa peut-être à un accrochage militaire entre bandes de seigneurs rivaux? en tous cas, et avant l'arrivée des croisés qui n'allaient même pas réussir à remettre tout le monde d'accord, Raimon le vit à son tour ramené, mortellement blessé, dans la maison de leur père. Les chevaliers aux côtés de qui il avait sans doute combattu, s'occupèrent de lui en ses derniers moments : Guilhem Alric le fit transporter chez lui, et Estout de Roqueville, notable et chevalier toulousain, fit amener à son chevet le Parfait Arnaud Arrufat, son probable cousin, diacre de Verfeil, avec son *soci*, qui lui conférèrent le consolament des mourants. Raimon Arrufat père était présent et consentant.

Deux des sœurs du jeune Raimon, Jeanne et Ermengarde, avaient choisi de leur côté de se faire Parfaites. Mais leur père Raimon Arrufat, malgré toute l'amitié et la compréhension qu'il avait toujours montrées aux religieux de tous ordres et de toutes tendances, jugeait peut-être que sa maison se vidait trop brutalement; il les arracha d'autorité à leur état et les rendit au monde en leur donnant des maris. En bref, avant la croisade, la famille de Raimon Arrufat avait déjà consacré à l'Eglise cathare une mère et deux frères consolés, deux sœurs Parfaites, sans compter le parent diacre, Arnaud de Verfeil.

Raimon Arrufat se souvient aussi que, vers 1220, il rencontrait encore communément des Parfaits et des Parfaites dans les maisons alliées qu'il fréquentait. A Lasbordes, chez sa cousine Alazaïs Rougier, il voyait ainsi les trois sœurs de cette Alazaïs, toutes trois hérétiques. Et il y avait là aussi son mari, Pierre Rougier, qui plus tard devait se faire à son tour Bon Chrétien; à Lasbordes toujours, mais chez Pierre Baudriga, le mari de sa nièce Guiraude, il voyait la mère et la sœur de ce Pierre, toutes deux Parfaites et qui se tenaient là. Dans les maisons des bourgs comme dans les salles des demeures nobles, le catharisme était ancré au cœur des familles.

Même si les Bofilh des Cassès sont manifestement des notables, et si les Arrufat de Castelnaudary montrent des accointances chevaleresques, les Rougier et les Baudriga de Lasbordes sont incontestablement de modestes familles. Comme les artisans et laboureurs du Mas-Saintes-Puelles, qui en 1245 seront appelés par les inquisiteurs à témoigner à propos d'hérésie au même titre et en même temps que les membres du clan aristocratique des coseigneurs et que ceux de la bourgeoisie consulaire du *castrum*. En 1245, dans le cadre de la même enquête, un habitant de Saint-Paulet, en Lauragais, parlait d'une simple vie de paysan, que le catharisme marqua, comme tant d'autres, en profondeur.

Pons Viguier, vers 1215, était un tout jeune homme. Un jour, pendant qu'il travaillait dans les vignes, sa mère Audiart, avec qui il vivait, reçut le consolament d'ordination dans la maison des Domerc, à Saint-Paulet. Puis elle rentra chez eux, et demeura ainsi tout un mois, en l'état de Parfaite, auprès de son fils. N'accordons pas trop grande foi à la feinte surprise de Pons Viguier, qui plaide les innocents. Ce ne fut sans doute pas une décision subite, ni un consolament surprise : Audiart Viguier, très probablement veuve au moment des faits, avait dû se préparer longuement, recevoir un enseignement avant de se faire Parfaite. Trente ans plus tard encore, malgré la clandestinité et les persécutions, l'Eglise se refusait aux trop hâtives ordinations et exigeait une période probatoire d'au moins un an (« trois carêmes ») destinée à habituer le postulant aux rites, jeûnes et abstinences cathares, autant qu'à lui donner une formation théologique minimale.

Durant tout un mois, donc, la nouvelle Parfaite demeura chez son fils, avant de rejoindre probablement une communauté de femmes plus ou moins importante. Par deux fois, son fils, Pons lui procura à manger. Deux fois seulement. Il s'en explique :

> « Parce que je n'avais rien, par pauvreté. Si j'avais eu davantage, je lui aurais donné volontier beaucoup plus, toute hérétique qu'elle était ».

C'est, ne l'oublions pas, à l'inquisiteur qu'il s'adresse. Sa sincérité en ce cas précis n'en est que plus émouvante. Il ajoute même qu'il n'hésita pas à dormir dans la même maison que sa mère, bien qu'elle vécut alors ouvertement comme Parfaite.

Sa mère Parfaite, c'était il y avait plus de trente ans. Pons Viguier, le laboureur de vignes, fit ensuite sa vie, comme on dit, se maria, eut des enfants. L'Eglise des Bons Chrétiens était désormais pourchassée et clandestine. Il continua à voir régulièrement et secrètement des Parfaits et des Parfaites, chez des voisins à Saint-Paulet, à Montmaur, de nuit, dans les bois, dans les champs... Son fils Pierre devenu grand, entre 1230 et 1240, entendit à son tour l'appel de la vocation et, un jour que Pons était absent, s'enfuit chez les hérétiques. Là encore, faisons la part des choses. Pons Viguier essaie de se disculper au maximum aux yeux de l'inquisiteur. Il faut bien qu'il ne soit pour rien dans le choix religieux de ses proches, mère ou fils, qui profitent toujours de son absence pour se rendre aux hérétiques... Le jeune Parfait, Pierre Viguier, bénéficia apparemment de la complicité des notables locaux, notamment d'Arnaud de Clérens, chevalier de Saint-Paulet, qui trempait dans la protection d'hérétiques et se trouvait justement, au moment où Pons Viguier témoigne en 1245, dans la prison du Château Narbonnais, à Toulouse.

> « Un jour, prend bien soin de raconter son père, mon fils Pierre Viguier, l'hérétique, m'envoya Arnaud de Clérens en messager, et cédant aux prières de cet Arnaud de Clérens, je le suivis chez lui de nuit; je trouvai là mon fils Pierre, et je pus lui parler, en présence d'Arnaud de Clérens et de sa femme. Je lui dis de quitter la secte des hérétiques et de me suivre, mais il refusa; il me demanda de son côté de l'adorer, mais je refusai. Je ne le revis plus jamais. »

Juin 1246. Pons Viguier achève sa première confession (1).

> « Ma femme vient de me quitter, ce mois-ci, et je crois bien qu'elle s'est faite hérétique. Mais je ne sais pas où elle est, je ne l'ai pas revue... »

(1) Il comparut une seconde fois en décembre de la même année et ajouta un certain nombre de détails attestant qu'il avait en fait toujours été bon croyant lui-même.

SOEURS DANS LA FOI

Père, mère, femme, enfants engagés dans l'Eglise. Peironne et Arnaude de Lamothe, avec leur mère Austorgue, vivant entre elles en communauté religieuse. Le catharisme, dans tous les milieux, se coulait à l'intérieur même de la structure familiale. l'Eglise faisait un avec cette société humaine précise.

> « Vers 1230, raconte Isarn Boquet, de Lavaur (1), j'étais un jour entré pour me chauffer chez Alazaïs Alègre, avec Pierre Alia, et nous avons trouvé là deux femmes, que nous ne connaissions pas. En sortant, nous avons demandé à Alazaïs qui elles étaient et d'où elles venaient, et Alazaïs nous répondit qu'elles étaient de Toulouse, s'appelaient les Perrières, et étaient hérétiques ».

Deux femmes hérétiques, deux sœurs, désignées sous leur patronyme, les « filles à Perrier ». En Lauragais on rencontre ainsi fréquemment « les Rougières », qui sont probablement les trois sœurs ou belles-sœurs Parfaites d'Alazaïs Rougier des Bordes, la cousine de Raimon Arrufat. Au Mas-Saintes-Puelles, Bernard de Quiders connait quant à lui « les Audenas », et « les Brunas ». Il les rencontrait régulièrement, trente ans plus tôt, dans la ville du Mas où elles tenaient publiquement maison, du temps où sa propre grand'mère, dame Garsende et sa tante Mabilia donnaient l'exemple. Dans le cas présent, il semblerait que la dénomination générique des deux groupes de sœurs Parfaites ait été construite à partir du prénom de l'une d'elles, l'aînée sans doute, ou celle dotée de la plus forte personnalité, Bruna, Audena (2).

Dans les montagnes du Cabardès, vers 1230, Pierre Daide, qui appartient à une notable famille de Pradelles, connaît « les Marmorières », qui vivent dans des cabanes qu'elles ont fait construire là-haut, dans les bois, pour demeurer en sécurité mais à proximité de leurs amis des villages (3). Le nom occitan de ces Parfaites signifie proprement « les marbrières » : sont-elles les filles d'un marbrier, exploitant de carrières de marbre? (les exploitations de marbre rouge de Caunes-

---

(1) La déposition d'Isarn Boquet, de Lavaur, figure elle aussi dans le Ms. 609 de Toulouse, f° 235 a, et date de 1244.

(2) Déposition de Bernard de Quiders, *in ibid.* f° 18 a.

(3) La déposition de Pierre Daide devant Ferrier, dont il sera largement fait mention ci-dessous, est transcrite dans le volume Doat n° 24, f° 127 a-141 a.

Minervois ne sont pas loin) ; il est en tous cas intéressant de noter qu'il existe encore, dans les garrigues de Cabardès, un ancien village, un hameau dit Marmorières. Il est probable que cette appellation est simplement liée, là encore, à une exploitation du marbre ; le site n'est pas assez proche de Pradelles pour porter un souvenir du petit village de cabanes des Parfaites clandestines, dont plusieurs générations de montagnards auraient pu entendre parler comme de « saintes femmes ». Dernière hypothèse ; les premières Parfaites des cabanes étaient peut-être originaires de ce village de Marmorières ?

Bien entendu, dans une même famille, il arrivait tout aussi fréquemment que garçons et filles, frères et sœurs, se fissent Bons Chrétiens dans une même génération. Ils suivaient alors des chemins parallèles, puisque Parfaits et Parfaites devaient vivre en communautés distinctes, ne se retrouvant que pour des cérémonies particulières ou pour parler des affaires de l'Eglise. Ainsi, lorsque N'Escogossa Pau, de Saint-Paulet, dont le nom, qui est un surnom évident, signifie exactement « Sire n'élague guère » – avec tous les sens figurés que vous pouvez imaginer, lorsque N'Escogossa Pau, donc, racontait à l'inquisiteur qu'avant 1210 ses deux frères Tholsan et Etienne Domergue et sa sœur Tholsane menaient publiquement vie d'hérétique en leur maison, il faut bien comprendre que ce n'était pas dans la même maison, mais dans une maison de Parfaits et une maison de Parfaites du bourg. Notons simplement en passant un exemple de plus de cette habitude médiévale de donner à frère et sœur le même prénom : Tholsan/Tholsane, comme nous avions remarqué déjà, au chapitre précédent, Bernard Mir/Bernarde Mironette.

Aux temps de la clandestinité, les liens de famille se resserrèrent, les Bons Hommes clandestins se rapprochèrent autant que faire se pouvait de leurs sœurs Parfaites, pour les aider et les protéger. Dans le bois de la Guizole, près des Cassès, vers 1240, le Parfait Sicre Aimeric s'était associé, avec ses compagnons, à sa sœur Aurenche Aymeric qui vivait là avec ses deux *socias*. Et leur autre frère, Guilhem Aimeric, demeuré simple croyant, venait leur apporter des fruits et demander genou fléchi leur bénédiction (1). Mais le curé de Saint-Paulet, malgré la

(1) Déposition d'Arnaud de Clérens, des Cassés, dans le Ms 609 de Toulouse, f° 223 a.

vigilance des frères, réussit un peu plus tard à faire prendre, dans leur bois, les trois Parfaites...

UN CATHARISME MATERNEL

De mère à enfants, de mère à fille, les mots de la religion passent de manière privilégiée. Et toute cette génération, ces frères et ces sœurs qui se font Parfaits et Parfaites au début du XIIIe siècle, ont reçu le catharisme dans leur berceau, l'ont appris étant enfant de la bouche de celles qui les ont élevés, mère, grand'mère, tante ou même grande sœur. Plus tard eux-mêmes, bien souvent, l'enseigneront directement ou non, consciemment ou non, à leurs propres enfants. L'influence d'Austorgue de Lamothe sur la vocation religieuse de ses filles Peironne et Arnaude, le rôle bien visible qu'elle joua dans l'engagement de leur destin, se situent à l'évidence entre la persuasion et l'autorité maternelles. Par éducation quotidienne ou par décision précise, elle leur imposa en fait son propre choix religieux. Tous ses enfants connus se montrèrent du reste, et de la manière la plus claire, bons croyants fidèles de l'Eglise cathare.

L'une des petites filles Parfaites du Mas Saintes Puelles, dame Comdors, déclara quant à elle sans ambigüité à l'inquisiteur, que sa mère l'avait faite hérétiquer de force alors qu'elle n'avait même pas dix ans, c'est-à-dire quarante-six ans plus tôt (1)... Il est certain qu'il dut y avoir ainsi un certain nombre de vocation un peu « forcées », pour raisons économiques ou psychologiques. Nous avons évoqué déjà le problème des dots, et des filles à marier. Mais il faut bien reconnaître que, très massivement, les Parfaites enfants, revenues à la vie profane et ayant pris mari, demeurèrent fidèles croyantes de l'Eglise dont elles avaient quitté l'état religieux sans pour autant manifester de rejet du choix maternel.

A la racine de la plupart des lignages nobles engagés dans la protection d'hérétique, nous l'avons vu, une femme, une aïeule, une « matriarche cathare ». Blanche de Laurac, Garsende du Mas, Francesca de Lahille, Aude de Fanjeaux, Fays de

(1) Déposition de Na Comdors, du Mas, *in ibid*, f° 20 b.

Durfort, Guillelme de Tonneins, Fournière de Péreille, la Dame de Roquefort...

Les lignées de grand'mère, mère et fille engagées dans l'Eglise sont particulièrement visibles dans les familles de l'aristocratie, pour la simple raison qu'il est plus facile d'y suivre les enchaînements généalogiques. Rappelons pour mémoire ce qu'il advint de la descendance de Blanche, dame de Laurac et de Montréal, retirée en maison de Parfaites avec sa fille Mabilia dans les toutes premières années du siècle : sa fille Navarre épousa un seigneur du Biterrois, Etienne de Servian, qui fut séduit un temps par les idées religieuses de sa jeune femme, au point de recevoir en son *castrum* deux dignitaires cathares fugitifs de France, Guillaume de Nevers et son compagnon Baudouin, ainsi que Bernard de Simorre, l'évêque de Carcassès en personne. En 1206, et à Servian même, un débat contradictoire resté fameux opposa du reste ces intellectuels cathares à Frère Dominique et à ses premiers compagnons. Mais, très vite, Etienne de Servian se laissa convaincre par Dominique et retourna à la foi catholique, tandis que son épouse, la fille de Parfaite Navarre de Laurac, le quittait pour se faire à son tour Parfaite. Elle devait mourir à Montségur, en paix, en 1234.

La troisième fille de Blanche de Laurac, Esclarmonde, épousa Géraud de Niort, qui tenait les hautes citadelles des marches pyrénéennes, entre Ariège et pays de Sault. Elle lui donna plusieurs fils qui au moment voulu se révélèrent de redoutables faydits : Raimon mourut en guerre, mais consolé ; Bernard Oth, l'aîné, qui tint, au temps de la reconquête occitane, la seigneurie de Laurac-Montréal, ainsi que son frère Géraud, firent en 1237, avec leur mère Esclarmonde, l'objet d'un grand procès inquisitorial qui les condamna par contumace (1). Faydits ils demeurèrent.

La quatrième fille de Blanche, on le sait, n'eut pas le loisir de se faire Parfaite. Elle ne survécut pas à la guerre du comte de Montfort qui, en 1211, l'ensevelit sous des pierres, au fond d'un puits de son château de Lavaur, arraché d'assaut. Le chevalier Aimery, son frère, dont Bernard Mir avait été quelques années

(1) Les actes du procès contre la famille de Niort figurent en tête du volume Doat 21.

plus tôt l'écuyer heureux et confiant, mourait, le même jour de mai, d'une mort ignominieuse de la main des vainqueurs. Soixante chevaliers pendus et égorgés. Il est vrai qu'au même moment l'on brûlait vifs plus de quatre cents Parfaits et Parfaites.

La Dame du Mas, Garsende, avec sa fille Gailharde, mourra elle aussi sur un bûcher. Ses petits-fils Jordan du Mas, Bertrand de Quiders feront tout pour la venger, seront de toutes les expéditions de faydits. Mais, dans les premières années du siècle, les dépositions des survivants de ses enfants et petits-enfants évoquent pour nous, de manière discrète, son image un peu tutélaire. Ses cinq fils la visitaient en sa maison cathare, les cinq coseigneurs, auxquels il faut peut-être rajouter leur plus jeune frère, Guilhem Palaisy, qui mourut avant 1236 et ne déposa pas devant l'Inquisition, mais dont l'on raconta que, bien que prieur catholique, il eut certains démêlés pour hérésie avec les autorités religieuses (1).

Ses petits-enfants eux aussi se souviennent avoir visité les deux dames.

> « J'avais cinq ans, dit Bertrand de Quiders, fils de Guillelmette du Mas, quand je voyais ma grand'mère Garsende et ma tante Gailharde, qui tenaient publiquement leur maison de Parfaites au Mas-Saintes-Puelles; et je mangeais le pain, les noix et tout ce qu'elles me donnaient de bon... »

(C'est moi qui, connnaissant un peu les enfants, ai eu envie de préciser « de bon »). Jordan du Mas junior, dit Jordanet, fils de Guilhem, partageait les mêmes souvenirs que son cousin.

L'on ne pourra jamais démêler le profond des relations de tendresse ou de sévérité qui ont pu exister de grand'mères Parfaites à petits-enfants. Des friandises, des noix, des pommes, s'échappent et roulent des archives du tribunal d'Inquisition. Sourire de complicité ou crainte déférente de ces petits enfants, joyeux et turbulents, comme tous les enfants du monde, devant la vieille dame maigre et vêtue de noir? Les petits enfants, avant six ou sept ans, étaient, on le sait, exemptés

---

(1) Toutes les dépositions des enfants et petits enfants survivants de Garsende du Mas figurent dans le Ms 609 de Toulouse, (f° 1-30 a et 41 b), parmi l'enquête concernant le Mas Saintes Puelles.

des salutations rituelles devant les religieux, qu'ils soient de leur famille ou non. Trop petits. N'avaient pas « l'entendement du Bien et du mal ». Mais pour le reste? Guillelmette du Mas, épouse de Bernard de Quiders, rapporte qu'en sa jeunesse, au Mas, elle allait visiter sa mère Parfaite, Garsende, en sa maison. Un jour, ce fut Garsende qui vint la voir chez elle, alors qu'elle était au chevet de son fils, le petit Oth de Quiders, malade à en mourir.

La vieille Parfaite fit alors transférer le petit malade dans sa propre maison et s'occupa de lui faire administrer le consolament. Il mourut là, chez sa grand'mère, et probablement veillé par elle, au bout de trois jours. Sa mère déclare qu'elle ne le revit pas. Devant l'inquisiteur, il est toujours bénéfique de ne jamais avoir vu un hérétique qui n'est plus là pour dire le contraire. Bertrand de Quiders, le jeune frère du petit consolé, et qui avait cinq ou six ans à l'époque, se souvient lui aussi de ce triste épisode. L'enfant devait avoir entre sept et dix ans : s'il avait été plus jeune, sa grand'mère ne se serait sans doute pas souciée de le faire consoler. Garsende du Mas, Parfaite, pensa au salut de l'âme de son petit-fils. Pensa-t-elle aussi à soigner ou adoucir son mal physique? La sécheresse des textes inquisitoriaux ne permettent aucun voyeurisme sur la douleur d'une mère ou d'une grand'mère devant l'expression absolue du mal qu'est toujours la mort d'un enfant. Et que seul le christianisme cathare permettait de considérer en face sans avoir envie de maudire « le Bon Dieu ».

L'on ne sait pas trop si l'apostolat de Garsende du Mas eut quelque influence sur la foi de ses belles-filles, les épouses des cinq coseigneurs; la vieille dame attira un temps Fauressa, femme de Guilhem, dans sa maison de Parfaites où celle-ci, malade peut-être tout d'abord, mais plus heureuse que son neveu le petit Oth, reçut le consolament et demeura quelques mois en religion avant de revenir à son mari; Saurimonde et Flors, en tout état de cause, étaient elles-mêmes filles de Parfaites. Flors, l'épouse de Gailhard du Mas, confessa à l'inquisiteur qu'un jour, alors qu'elle était chez sa mère Raimonde et ses compagnes, en leur maison de Parfaites de Belpech, celle-ci l'exhorta vivement à entrer elle-même dans les ordres; mais Flors refusa. Par la suite, rapporta-t-elle :

« Ma mère fut ramenée à la foi catholique par le prévôt de Toulouse. Puis elle tomba en relapse, et se fit à nouveau hérétiquer; c'était il y a vingt ans environ. »

Vers 1225 donc, soit au temps de la provisoire reconquête occitane. L'on ne sait ce qu'il advint par la suite de cette Raimonde de Belpech.

Quant à Dame Saurimonde, l'épouse de Bernard du Mas, elle confessa avoir abrité sa belle-mère Garsende et sa belle-sœur Gailharde, Parfaites, en son domaine propre de Cumiès, au temps des guerres. Mais elle dit aussi que sa propre mère, Raimonde de Cumiès, avait été elle-même hérétique, et qu'elle ne l'avait pas revue :

« Si ce n'est une fois, malade, dans une pauvre petite maison de Cumiès, et il y avait là, avec elle, une autre Parfaite, avec qui je parlai un moment. Et quand je suis entrée dans cette petite maison, c'est le Parfait R.B. qui est venu sur le seuil, avec son compagnon, et nous avons échangé un salut. C'était vers 1220... »

Saurimonde reconnut ensuite avoir visité plusieurs fois Guilhabert de Castres, l'évêque cathare de Toulousain, alors qu'il se cachait dans des maisons amies, et avoir été bonne croyante durant trente années. Une mention dans la marge du registre qui contient sa déposition indique qu'elle fut retenue au Mur, en prison. Au moment où elle déposait, en mai-juin 1245, cela faisait à peu près un an et demi que son fils, le chevalier Jordan du Mas, était mort en défendant Montségur.

Le rôle des mères et des grand'mères dans la propagation d'une foi est à proprement parler inestimable. Véziade, épouse de Bernard Hugues de Festes, fut condamnée en 1244 comme relapse par l'inquisiteur Ferrier. L'on n'a conservé que sa sentence, pas son interrogatoire (1). Ce qui lui était reproché en premier lieu, c'était d'avoir, en son enfance, été élevée et nourrie par sa grand'mère hérétique. Mais Véziade était la fille d'Esclarmonde de Durfort, de Fanjeaux, elle-même fille de Guilhem le Troubadour et de Raimonde, Parfaite, et, du côté paternel, de Bernard de Feste, lui-même fils de la Parfaite Orbria. Ses deux grand'mères étaient donc hérétiques, et il est difficile de préciser laquelle des deux l'éleva en sa maison...

---

(1) Sentence de Véziade de Feste, dans le volume Doat 21, f° 317 b.

Le rôle des tantes paraît avoir été non moins considérable. Les exemples de fillettes élevées et éduquées, en maison cathare, par leur tante Parfaite, sont extrêmement nombreux parmi les témoignages féminins devant l'Inquisition. Au point d'élever la pratique au plan d'une véritable institution ! Nous avons déjà évoqué, un peu plus haut, le cas de Maurine Bousquet, de Villesiscle, qui fut confiée à l'âge de sept ans à sa tante Carcassonne Marty et demeura auprès d'elle dans sa maison de Parfaites de Rivière-de-Cabaret jusqu'à l'arrivée des croisés. Azalaïs, femme d'un Bernard originaire de Toulouse mais habitant le Mas-Saintes-Puelles, passa elle aussi cinq années de son enfance auprès de sa tante Guillelme en sa maison de Parfaites de Verdun en Lauragais, et sa tante l'instruisait... Pons Amiel, le notaire de Mireval, près de Laurac, reconnut qu'il avait fait, quant à lui, un mariage compromettant, puisque sa femme Dias, avant qu'il ne l'épouse, vivait à Labécède avec sa tante Rossa et ses compagnes Parfaites, chez qui elle avait été proprement élevée.

Les maisons de Parfaites de Cabaret comptaient décidément de nombreuses petites filles en pension ou en noviciat, car deux sœurs habitant le Mas-Saintes-Puelles, Raimonde et Florence, veuves toutes deux au moment où on les interroge, racontent l'une après l'autre avoir été elles aussi élevées par leur tante Parfaite Guillelme Audena (est-ce l'une des sœurs « les Audenas » rencontrées il y a quelques pages ?) dans sa maison cathare du *castrum* de Cabardès. Florence resta même ensuite quelques années, jeune mariée, au village de Rivière-de-Cabaret. « Tous les hommes et toutes les femmes du lieu allaient alors au prêche des hérétiques », ajouta-t-elle. C'était au moment de la reconquête occitane, et de la « Guerre de Cabaret », vers 1227 (1).

Rôle des tantes, des mères, des grand'mères, avions-nous relevé. Lignées de femmes engagées dans la religion, lignées de Parfaites même : groupes de femmes errantes, au temps des persécutions, mère et filles, sœurs entre elles, Parfaites et compagnes de clandestinité. Les fils, quant à eux, en général bons croyants, les défendaient, les protégeaient, les vengeaient au besoin. Il y eut aussi, bien sûr, des fils pour suivre leur mère

(1) Toutes dépositions contenues dans le Ms 609 de Toulouse, f° 5 ab.

Parfaite dans son choix religieux, et qui se firent eux aussi Parfaits. Près des Cassès, ainsi, dans les dures années 1242-1245, les frères Pons et Arnaud Ainart, Bons Hommes clandestins, veillaient sur leur mère Marquésia et sa *socia*, Parfaites, en leur errance. Lorsque, par la faute d'Arnaud de Clérens, ce chevalier compromis dans la défense d'hérétiques et qui tentait probablement de se racheter au yeux des autorités, elles furent toutes deux capturées, les deux Bons Hommes orphelins marquèrent leur douleur (1).

Lien de ferveur au cœur de la famille, le choix religieux, lorsqu'il signifia engagement à mort, fut lien de douleur.

L'EPOUSE PARFAITE

Au cœur des ménages également. Le choix, l'engagement commun, le partage d'une foi, avec sa part d'imaginaire et de phantasme, de rite domestique et de références culturelles, pouvait cimenter une union ou, tout au contraire, la déchirer cruellement à la moindre crise. Nous avons parlé déjà, abondamment, de l'opinion que professaient sur le mariage les prédicateurs cathares. Comme un leitmotiv revient, dans les dépositions devant l'Inquisition, ce qui était en fait une formule toute prête tendue par le juge-confesseur au suspect déposant : « (j'ai entendu l'hérétique dire que) le baptême de l'eau et le mariage ne valaient rien, et que la sainte hostie n'était que du pain, et (j'ai cru) ou (je n'ai pas cru) ces erreurs pendant (...) »

La négation du sacrement de mariage par les Bons Hommes était en effet un topique qu'ils partageaient avec l'ensemble des mouvements de dissidence évangélique des XIe et XIIe siècles; pour eux l'acte contractuel éminemment profane et social que représentait le mariage, ne pouvait en aucun cas faire figure de sacrement. Dieu n'avait rien à voir dans ces arrangements humains, dans les problèmes de lignages ni dans l'union charnelle des corps. Ils ne proclamaient pas pour autant l'amour universel et réprouvaient la débauche autant et plus que tous les religieux chrétiens de leur temps. Ils toléraient, avec indifférence, l'existant, c'est-à-dire l'habitude culturelle et sociale de fêter et de sceller des unions, espérées durables, entre deux

---

(1) Déposition de Guillelme de Clérens, des Cassès, *in ibid.*, f° 224 a.

êtres qui s'étaient librement choisis ou dont les champs étaient contigus; on dut leur demander bien souvent de solenniser par leur présence l'acte qui se concluait; ils durent bien souvent, les vieilles Parfaites surtout, donner leur avis sur les unions envisagées et recommander aux fils ou aux filles de bons croyants de choisir de préférence pour conjoint(e) quelqu'un de leur foi. Mais ils en restaient là, et refusèrent toujours de laisser entendre que l'institution humaine du mariage pouvait montrer quoi que ce soit de sacré, ni qu'y manquer pouvait être assimilé à un péché.

Les couples de bons croyants cathares n'eurent pourtant rien à envier aux couples catholiques sur le plan de la fidélité et de l'harmonie. Il fallut un curé catholique, et l'extrême fin de l'aventure cathare en Occitanie, pour qu'à notre connaissance du moins, l'argument évangélique contre le mariage, assimilant dans le même péché toute œuvre de chair, qu'elle soit conjugalement légitime ou adultère, apparaisse utilisé par un séducteur pour convaincre ses proies réticentes. Vous avez reconnu, bien sûr, Pierre Clergue, le peu commun recteur de Montaillou, qui savait se montrer hérétique pour courir les belles en dépit de leur état conjugal et de ses propres vœux, mais rester catholique pour dénoncer les familles vraiment cathares de sa paroisse.

L'on connaît maint exemple de couples de bons croyants qui, vers le soir d'une vie bien remplie, leurs enfants élevés, se retirèrent l'un après l'autre, tranquillement, dans les ordres cathares, l'un en maison de Parfaits, l'autre en maison de Parfaites. Ainsi de Pierre de Durfort, l'un des coseigneurs du Fanjeaux du temps de la paix cathare, et son épouse Fays, l'une des quatre dames ordonnées par Guilhabert de Castres en 1204. Leur fils Pierre et leur fille India ne tardèrent du reste pas à suivre leur exemple et vécurent l'un et l'autre en maisons cathares, d'abord à Queille puis, pour l'ultime, à Montségur.

Dans un milieu infiniment plus modeste, Guilhem Graile, des Cassès, expliquait en 1245 à l'inquisiteur :

> « J'ai eu une sœur, du nom de Rixende, qui s'est faite hérétique, et son mari Bernard Cogul lui aussi s'est fait hérétique. Ils ont quitté tous les deux le *castrum*, et sont allés vivre dans les bois durant très longtemps; c'était il y a 25 ans et plus... »

Vers 1220, donc. Un jour, en 1238, sa sœur Rixende lui fit savoir, par Arnaud de Clérens, l'ambigu agent des clandestins, qu'elle désirait lui parler; il se rendit au rendez-vous qu'elle lui fixait, mais là, la Parfaite errante lui demanda de lui donner quelque chose pour la secourir, et il assure à l'inquisiteur qu'il refusa. Quelques années auparavant, c'était son beau-frère Bernard Cogul qu'il avait revu, dans la maison de son frère Bernard Graile, et qui y prêchait avec son compagnon. Les deux Bons Hommes clandestins l'exhortèrent, à ce qu'il dit, à se faire à son tour Parfait, mais il ne le fit pas. D'autres témoins, d'autres gens des villages, convoqués devant le tribunal d'Inquisition, se rappeleront avoir vu ça ou là le Parfait Cogul, ou la Parfaite Cogula (1)...

Le voisin de Guilhem Graile, Tholsan Bertrand, des Cassès, raconta lui aussi une pauvre triste histoire. Il dit que sa mère, Guillelme Lagleize, s'était faite hérétique à Auriac, vers 1230, et qu'elle y avait mené une existence de Parfaite durant trois ans. Puis elle avait été capturée et emmenée à Toulouse; là elle avait abjuré, et après sa conversion, elle avait récupéré son mari, et maintenant elle vivait chez son fils aux Cassès...

L'engagement des femmes est-il plus absolu que celui des hommes? on a en effet conservé la mention de telles ténacités féminines, mais il serait imprudent de généraliser : le destin des parents de Guilhem Authié, de Villepinte, près de Castelnaudary, est pourtant simple et exemplaire :

> « Mon père Raimon Authié et ma mère Raimonde, son épouse, se firent tous les deux hérétiques, avoua-t-il à l'inquisiteur. Puis ils furent convertis et réconciliés à la foi catholique par saint Dominique et l'abbé de Villelongue, il y a trente ans, et ils reçurent leurs lettres de réconciliation. Mais ma mère Raimonde retourna à son vomi , se refit hérétique, et fut brûlée. Mais je ne l'ai jamais adorée, et ne lui ai jamais rien donné ni envoyé (2). »

Pitoyable petite lâcheté du quotidien de l'Inquisition...

De fait, et dans la même logique, quand le couple se déchire, c'est le plus souvent l'épouse qui se fait Parfaite, et quitte ainsi

(1) Dépositions de Bernard Graile, Tholsan Bertrand, Guillelme de Clérens et Raimon de Roqueville, *in ibid.*, enquête sur les Cassès, f° 222 a-227 a.
(2) Déposition de Guilhem Authié, *in ibid*, f° 251 a.

son mari. Le lien conjugal devait en principe être délié, de son propre consentement, par le conjoint délaissé. Qu'en fut-il en réalité? les cas de figure les plus variés sont bien entendu envisageables, de la maison de Parfaites refuge pour mal mariées, jusqu'à l'harmonie de la décision prise à deux dans la sérénité. Le chevalier faydit et protecteur d'hérétiques Raimon de Roqueville est appelé par Guillelme de Clérens « le mari de l'hérétique Raimonde »; et il est de fait que ce mari, demeuré seul, continuait à veiller sur son ex-femme Parfaite et sa compagne Marquésia, leur assurait son escorte d'une cachette à l'autre dans les bois du Lauragais. Pourtant, interrogé à son tour par le même inquisiteur, Raimon de Roqueville restait très laconique; lui qui, du temps de la paix cathare ou de la reconquête occitane, recevait les dignitaires cathares, Guilhabert de Castres, Bernard de Lamothe, et même Peironne et Arnaude en son hôtel toulousain, en compagnie de ses frères et de tout le clan familial, dit simplement, à propos de sa femme :

> « Dame Raimonde, mon épouse, a mis à profit une maladie pour quitter notre domicile. J'ai appris depuis, et je tiens pour certain, qu'elle s'est rendue chez les hérétiques à Montségur, et qu'elle y est morte il y a cinq ans ».

En 1240 donc. En 1241 pourtant, la Parfaite Raimonde de Roqueville, bien vivante, circulait en cachette dans les bois du Lauragais sous la protection de son mari le chevalier faydit... Mais étant donné la mince plage d'imprécision des dépositions, peut-être est-elle morte, en fait, sur le grand bûcher du 16 mars 1244.

Guilhem Bernard, surnommé Sancho, chevalier de Vaudreuilhe, prèés de Revel, rendit vers 1225 une visite à ses amis Perrier, de Labécède en Lauragais((1). C'était pendant la reconquête occitane, pendant la brève période de paix, de respiration entre deux guerres, avant le désert de l'Inquisition, avant aussi que toute la population du *castrum* de Labécède ne fût passée par le pal et l'épée des croisés. Guilhem Bernard trouva là toute la famille, et même un peu plus : il y avait Gausbert Perrier, le maître de la maison, ses deux fils Guilhem et Pierre, sa femme Brunissende, mais aussi Nomais, la

(1) Déposition de Guilhem Bernard, chevalier de Vaudreuilhe, *in ibid.*, f° 232 b.

compagne hérétique, la *socia* de cette Brunissende, qui était Parfaite... Sans doute, et apparemment sans problèmes, les deux Bonnes Chrétiennes avaient elles trouvé abri quelque temps auprès de l'ancien mari et des deux enfants de l'une d'elles, en attendant d'intégrer une maison plus régulière de l'Eglise de Toulousain, qui était alors en train de se reconstituer. Peut-être, mais rien ne l'indique vraiment, Brunissende Perrier était-elle l'une de ces « Perrières », les deux sœurs ou belles-sœurs hérétiques rencontrées par Isarn Boquet, à Lavaur, chez Alazaïs Allegre ?

D'autres fois, bien sûr, les choses durent se passer moins sereinement entre deux époux séparés par l'Evangile. L'on a même conservé l'écho de quelques menues frictions ou querelles conjugales à motif religieux. La plus sévère est celle racontée par la très bavarde Ermessinde ou Aimersende Viguier, de Cambiac, qui vivait apparemment dans un milieu extrêmement catharisant.

C'est par sa tante, Géralda de Cabuet, qu'Aimersende, toute jeune épouse enceinte de Guilhem Viguier, fut amenée pour la première fois à rencontrer, chez Esquiva, femme du chevalier d'Auriac Guilhem Aldric, les deux Parfaites qui, un peu plus tard, allaient sèchement et maladroitement qualifier de démon l'enfant qu'elle portait en son sein. Si ce contact avec l'Eglise de Dieu ne fut pas concluant pour la jeune femme, ce ne fut certes pas de la faute de sa pieuse tante, qui joua en l'affaire son rôle à la perfection...

> « Mon mari Quilhem Viguier m'admonesta bien souvent d'aimer les hérétiques comme lui même le faisait, et tous les gens de la ville, mais moi je ne voulus pas en entendre parler, parce que ces Parfaites m'avaient dit que je portais en moi un démon. Et à cause de cela, mon dit mari me battit bien souvent et me dit des injures, parce que je n'étais pas l'amie des hérétiques... »

Aimersende, il est vrai, ne fut pas avare de détails à l'intention de l'inquisiteur qui l'interrogeait, et sa déposition ne répond nullement aux normes répétitives des cinq mille six cents et quelques autres que renferme le registre de Toulouse. Elle est en tout cas la seule femme battue du volume (1). Ou

(1) Le Ms 609 bien entendu. Voir sa déposition f° 239 b et ss.

presque. Nous parlerons un peu plus loin de la petite Raimonde Jougla, de Saint-Martin-Lalande.

Austorgue Bourriane, de Lavaur, profita elle aussi de l'écoute inquisitoriale pour se plaindre de son mari : Raimon Bourriane avait une sœur Parfaite; une nuit, celle-ci entra chez eux, avec sa compagne, manifestement dans le but de s'y abriter; quand Austorgue les entendit entrer, confia-t-elle, elle commenca à se lamenter et à pleurer, si bien que son mari se mit en colère et voulut la faire taire; mais elle refusa de se lever de son lit et de dire un seul mot aux deux Parfaites. Heureusement, au chant du coq, Raimon Viguier vint chercher les deux femmes pour les escorter en autre lieu sûr, et Austorgue put enfin respirer (1).

Même genre de scène, mais plus discrète, dans l'aristocratie du Mas-Saintes-Puelles : dame Dias, épouse de Bernard de Quiders, le fils de Guillelmette du Mas, vit une nuit des étrangers pénétrer chez elle : qui sont ces gens? demanda-t-elle à son mari. Ne t'en occupe pas, et vas te coucher, lui répondit-il, fort peu courtoisement. Dias se mit au lit sans répliquer, et ce ne fut que bien plus tard que son mari lui laissa entendre que ces hommes inconnus étaient en fait des hérétiques (2).

Bien entendu, les deux épisodes qui viennent d'être relatés décrivent un quotidien d'angoisse : les hérétiques sont vigoureusement pourchassés, ainsi que tous ceux qui les protègent. La crainte de la délation, l'appréhension du risque encouru, entrent pour beaucoup dans le rejet des proscrits par les épouses déposantes, dans la volonté de secret des maris; mais la période des grandes persécutions de la seconde moitié du siècle verra bien souvent, à l'inverse de ces exemples, de courageuses épouses apporter aide et soutien aux clandestins à l'insu de leur mari. Il faut dire, aussi, que le ménage de Dias et Bernard de Quiders n'allait pas sans heurt...

---

(1) Déposition d'Austorgue Bourriane, de Lavaur, *in ibid.*, f° 236 a.
(2) Déposition de Dias de Quiders, du Mas-Saintes-Puelles, *in ibid*, f° 15 a.

L'AMIE DE COEUR

Bernard de Quiders avait en effet une maîtresse, dame Barona, qu'il logeait dans une maison du Mas-Saintes-Puelles, et qui, manifestement, aimait, quant à elle, les hérétiques. Raimon de Na Amelha, du Mas, se souvient avoir vu chez elle, vers 1230, Bertrand Marti, le futur évêque de Toulousain, avec son compagnon, et toute l'intelligentsia du *castrum* s'y pressait pour les écouter prêcher : Bernard de Quiders bien sûr, mais aussi deux des frères coseigneurs, Jordan et Gailhard, et Pierre Gauta senior, l'écrivain public, et le médecin Garnier, père du déposant, et bien d'autres encore (1)...

Jordan Saïs, le seigneur de Cambiac, ne cherche aucun détour lorsqu'il explique à son tour à l'inquisiteur qu'il a fait passer du lin à filer à des femmes hérétiques par l'intermédiaire de Guillelme Tournier, sa concubine, et de Valencia, la concubine de son fils Guilhem (2). Par l'universelle Aimersende Viguier, nous savons même que Guillelme Tournier vivait généralement à Toulouse, et que ladite Valencia était la femme d'un Pierre Valence. Une maîtresse bonne croyante suppléait-elle à la mauvaise humeur d'une épouse mal encline envers les Bons Hommes?

Des pratiques d'union libre, en dehors de tout lien conjugal à distendre, se faisaient incontestablement jour, aux temps de la paix cathare, en prolongement logique de la désacralisation du mariage amenée par le christianisme cathare. Deux instantanés, des années 1240 : au Mas-Saintes-Puelles, Arnaud Mestre, sur son lit de mort, reçoit le consolament des mains des Bons Hommes Raimon de Na Rica et Bernard de Mayreville. A son chevet, Guillelme Companh, son *amasia*, son amie, la fille du cordonnier du Mas qui est là, lui aussi, à assister à la bonne fin de son presque gendre, avec d'autres voisins. Et Radulfa, « qui elle aussi avait été la maîtresse du mourant (3)... » Le terme d'*amasia* (amie/amante) employé ici pour désigner les deux

(1) Déposition de Raimon de Na Amelha, du Mas, *in ibid.* f° 6 b. A noter que, fils d'un Garnier, il porte un « matronyme ».

(2) Déposition de Jordan Saïx, seigneur de Cambiac, *in ibid.*, f° 238 b.

(3) Ce témoignage est dû à Bernard Textor, l'un des tisserands du lieu, Ms.609, f° 28 b.

jeunes femmes, est infiniment plus poétique et plus sentimental – à notre oreille du moins –, que celui de *concubina*. Nous le retrouverons dans les dépositions des survivants de Montségur.

Dernier instantané, au cœur d'une famille cathare : une nuit, à Hautpoul, haut *castrum* de la Montagne Noire, côté Albigeois ; Pierre Daide est à table, dans sa maison. Auprès de lui, partageant son repas, deux jeunes femmes : Guillelme, son *amasia*, et Bernarde, fille du sieur Barau Villemagne, un voisin et notable du lieu. On frappe à la porte : entrent Aimery du Collet et son compagnon, les hérétiques clandestins qui hantent ces hautes terres. L'on échange quelques mots, puis les deux Bons Hommes quittent la maison, pour entrer dans le château de Hautpoul (1)... Lumière vacillante et froid nocturne. Autour de la lumière, trois jeunes visages.

---

(1) La déposition de Pierre Daide, de Pradelles-Cabardès, est contenue dans le volume Doat 24, voir ci-dessus p. 178. Aimery du Collet était l'évêque cathare d'Albigeois de ce temps.

16

Voisines cathares

IMAGES

Ecoutez, tout d'abord. Fermez les yeux. Entendez le pas des chevaux qui s'approchent. Non, ce n'est pas un galop sauvage et fier, le sol ne tremble pas; ce n'est pas la cavalerie éduéenne qui hante la nostalgie du vent. Non, c'est le bruit mat, sur la terre battue d'une route, près de Toulouse, d'une petite troupe au pas tranquille et assuré. Les voici. Nous sommes en 1228. La croisade du roi Louis de France a secoué le pays, mais Raimon de Toulouse, le valeureux comte, n'est pas encore vaincu, il saura imposer sa paix à la face du monde, personne ici n'en doute. Les voici, les pacifiques cavaliers.

En tête chevauche le Bon Homme Pagan de Labécède. Il a fière allure en selle; naguère, avant de se rendre à Dieu et à l'Evangile, il était chevalier et seigneur. Puis, en 1227, Humbert de Beaujeu, sénéchal du roi, a livré son village de Labécède à la fureur des soldats français. Et pour lutter contre le mal avec les meilleures armes, qui sont celles du Bien, le chevalier a échangé le haubert et l'épée contre le livre et la bure à capuchon; mais aujourd'hui il chevauche encore comme un soldat, malgré son regard las. Près de lui, son *soci* semble un peu moins assuré en selle. Et tout autour d'eux, dansant sur leurs destriers bien harnachés, une aimable compagnie de chevaliers leur fait honneur et escorte à l'entrée de la ville; il y a là Isarn Jordan de Saissac, Guilhem Séguier de Lauran, Pons de Mirabel, Guilhem Bernard et son frère Pierre Rigaud de Vaudreuilhe. Tous anciens faydits, tous futurs faydits, en cet instant de grâce suspendu entre deux guerres, et devant le regard de vos yeux fermés.

Le regard ouvert, c'était celui du chevalier Guilhem Bernard, dit Sancho, qui raconta la scène dix-huit ans plus tard à l'inquisiteur (1). Quant à Pagan de Labécède, l'ancien seigneur devenu Parfait, il sera capturé en 1232, avec dix-neuf autres Bons Hommes, par l'évêque dominicain de Toulouse, Raimon du Fauga. Et brûlé.

Dans le silence revenu, voici encore une image. Assises devant le seuil de la maison d'Isarn Matfre, au Mas-Saintes-Puelles, deux femmes inconnues, vêtues de sombre, quenouille en main, filent le lin ou le chanvre. Ce sont deux Parfaites, et qui travaillent sans doute pour aider Camone, la dame du logis, que l'on voit justement sortir à l'instant et venir s'installer auprès d'elles. Celui qui a remarqué la scène, et qui en a peut-être profité pour saluer les trois dames, c'était Raimon d'Alaman, un jeune croyant de la meilleure société du *castrum* (2).

A peu près à la même époque, à Fanjeaux, chez Jean Couffinal, un notable dont la maison est en permanence ouverte aux hérétiques, dont la famille est très engagée dans la religion, Barsalone (3) de Brugairolles, la fille du logis, assiste et participe à une cérémonie du catharisme ordinaire, dont elle racontera maints autres exemples à l'inquisiteur. Barsalone fréquente régulièrement les Parfaits, les connaît bien. Elle a vu régulièrement, en son enfance, son oncle Parfait, et sa grand-mère Parfaite; sa mère est morte consolée, et sa sœur de lait Véziade a, elle aussi, suivi quelque temps la voie de justice et de vérité, vivant comme Parfaite plusieurs mois dans la maison même, avant de revenir au monde et de prendre un mari...

Ce jour-là, dans la maison Couffinal de Fanjeaux, deux Parfaits et deux Parfaites sont venus prêcher : Pierre Bordier et son

(1) Déposition de Guilhem Bernard, chevalier de Vaudreuilhe, dans le Ms 609 de Toulouse. Voir p. 189, au chap. précédent.

(2) Déposition de Raimon d'Alaman, du Mas-Saintes-Puelles, Ms 609 f° 5 b.

(3) Barsalona, c'est-à-dire Barcelone. Les prénoms féminins à signification géographique – noms de ville ou de pays , sont alors trés usités (Navarre, Cerdane, Lombarde, Florence, Carcassonne, Alamande etc.). La déposition de Barsalone, femme de Guilhem de Brugairolles, devant frère Ferrier et Pons Garin (1244), est copiée dans le volume Doat 23, f° 121 a-125 a.

compagnon, Guillelme et sa compagne. Pour les écouter, des voisins et des amis se sont joints à la famille, et à côté des deux Jean Couffinal senior et junior, ses père et frère, Barsalone voit Raimon Bellissen le jeune, et Arnaud Tardin, et Pierre, le fils de Martel, et Guiraud de Varnholes, et d'autres encore, nobles et bourgeois mêlés. Le prêche fini, chacun, l'un après l'autre, fléchit par trois fois le genou devant les Amis de Dieu : « Seigneur, la bénédiction de Dieu et la vôtre. Et priez Dieu pour moi, qu'il fasse de moi une Bonne Chrétienne et me conduise à une bonne fin. » Ils reçoivent enfin le baiser de paix de l'Eglise du Christ : les hommes présents directement de la bouche des Parfaits, puis se baisant l'un l'autre deux fois à plein visage, et les femmes recueillant la paix des Bons Hommes par l'intermédiaire du Livre pour la première, puis se la transmettant de l'une à l'autre par le baiser.

La cérémonie terminée, les quatre Bons Chrétiens quittent la maison, sous la conduite de deux des jeunes gens, Jean Couffinal et Raimon Bellissens, et reprennent leur chemin. Ce type de petites cérémonies de catéchèse semi-clandestine, alimentant la ferveur de tout un peuple de croyants, se répètent à l'infini à travers les souvenirs que l'Inquisition pétrifia un jour, se répétaient à l'infini au cœur d'un quotidien, rythmaient le « catharisme ordinaire ». Prédication, bénédiction, baiser de paix, pain de la Sainte Oraison. Puis, quand les temps l'exigèrent, escorte, prudence, secret, chuchotements et portes closes.

CONVIVIALITÉ

Convivensia, conviviensa. On a usé et abusé de ce terme occitan factice – que ne connaissent ni le « petit Lévy », très sérieux dictionnaire de la langue des troubadours, ni la somme linguistique contemporaine du « gros Alibert » (1), qui sont les deux Bibles des études occitanes –, au point d'en faire, avec *Paratge*, l'un des piliers, l'une des valeurs fondamentales de la civilisation méridionale d'avant la conquête française. Ce qui nous intéresse ici, ce n'est pas de gloser une fois de plus sur

(1) Emil LEVY, *Petit Dictionnaire Provençal-Français*, 3e édition, Heidelberg, 1961, et Louis ALIBERT, *Dictionnaire Occitan-Français*, Toulouse, I.E.O. 1966

l'esprit de tolérance qui régnait en ces lieux ni de mettre en évidence la présence de médecins juifs ou de jongleurs arabes dans les rues de Toulouse, mais simplement de souligner combien le christianisme cathare savait rassembler autour d'une même pratique et d'une même foi, autour d'un groupe de prédicateurs ou du lit d'un malade qui avait demandé le consolament, croyants et croyantes de toute origine sociale. Nous avions bien remarqué déjà, que c'était par la fêlure, la fracture du système féodal, la rupture du cloisonnement des castes, que le catharisme avait pu se répandre en largeur et en profondeur au travers de cette société. Et que telle était bien la raison pour laquelle l'on parlait aujourd'hui encore du catharisme occitan.

L'Eglise cathare avait su attirer à elle les vocations de la grande dame, une Blanche de Laurac, comme de la pauvre paysanne, la mère de Pons Viguier, de Saint-Paulet. Les Bons Chrétiens s'assurer le soutien fidèle du chevalier faydit, Alaman de Roaix, et du charpentier d'Odars. La société tout entière, à partir de son *intelligentsia*, s'était imbibée. Devant le Parfait clandestin, comme dans la maison du diacre de Laurac au temps de la paix cathare, riches et pauvres, nobles et vulgaires se cotoyaient. La religion était un sujet supplémentaire de conversation, à travers cette curieuse société féodale qui laissait passer la parole et, partant, l'amitié.

Les prédications des Parfaits clandestins dans les maisons amies, bien que régulières et nourries, constituaient ainsi de véritables événements de voisinage et d'affinité. Chaque maison avait ses familiers, sans trop de distinction de classe. Vers 1234, chez Guilhem de Canast, au Mas-Saintes-Puelles, Bertrand Marti et son compagnon purent ainsi prêcher devant Jordan du Mas lui même, Jordan de Quiders et sa mère Guillelmette, Pierre Bernard le charcutier et Raimonde, mère de Guilhem Germain (1). Certaines fois, ce type de cérémonies prenaient figure de véritables rassemblements, et le caractère clandestin de ces assemblées du Désert n'enlevait rien à leur solennité, qui reproduisait parfaitement celle des grandes cérémonies du Fanjeaux ou du Laurac du temps de la paix cathare. Plusieurs dépositions d'habitants du Mas-Saintes-Puelles ont

(1) Déposition de Guilhem de Canast, dans le Ms 609, f° 8 a.

ainsi gardé le souvenir de la véritable foule qui se pressait, un jour de 1233, dans la maison du chevalier Pierre de Saint-André dit Cap de Porc, pour entendre la prédication de Jean Cambiaire, le Fils Majeur de Toulousain (1).

> « Il y avait de trente à quarante personnes, estimait Gailhard Amiel : Bernard et Jordan du Mas, les seigneurs, Guilhem Garnier et son père, le médecin, et Pierre Gauta senior, l'écrivain public, et Pierre Amiel mon frère, et bien d'autres encore... »

Raimon Causitz, qui faisait partie de l'assistance, ajouta qu'il y avait également Raimon d'En Amiel, Etienne de Rozenge, Arnaud Godalh, l'un des consuls du *castrum*, et Bernard de Saint-André avec sa femme Peironne. Mais Raimon Amiel lui-même, tout juste cité, dit à l'inquisiteur qu'à son avis l'assemblée avait réuni au moins soixante-dix personnes et même davantage, et qu'elle comptait aussi un troisième coseigneur, Aribert du Mas, Roger Sartre, le tailleur du bourg, Pierre de Saint-André avec sa femme Susanne, Pons Barrau, le plus riche bourgeois du lieu, Guilhem Vidal, le mari de dame Ségura, Guilhem Gasc le tisserand et bien d'autres encore... Autour de Jean Cambiaire lui-même, précise-t-il, il y avait trois autres hérétiques, dont il ignore le nom.

Après le tournant de 1229 et la défaite militaire occitane, malgré le quotidien de clandestinité qui s'installait alors, la société blessée demeurait unie, toutes classes sociales mêlées, autour de ses Bons Chrétiens. Dans le courant du XIIIe siècle, nous aurons l'occasion de considérer le fait plus à loisir dans quelques chapitres, la petite féodalité méridionale faydite, dépossédée et éliminée par la croisade puis l'Inquisition, par force abandonnera peu à peu au petit peuple l'ultime fidélité aux Parfaits; mais tant qu'elle pourra manifester signe et volonté d'existence, elle gardera sa foi et résistera au pape et au roi en parfaite connivence et fraternité avec ces artisans, bourgeois et paysans qu'elle avait su, quelques générations plus tôt, entraîner dans l'aventure cathare.

---

(1) Dépositions de Gailhard Amiel, Raimon Causitz et Raimon Amiel, *in ibid.* f° 10 a-10 b.

COMPLICITÉ DE CLERCS

Il n'était pas jusqu'à une bonne partie des clercs catholiques, d'origine occitane, qui ne manifestassent indulgence, bonne volonté voire bienveillante tolérance envers ceux dont leur Eglise avait pourtant fait « les hérétiques ». Pour ce qui est du haut clergé séculier, des prélats évêques, rien de bien étonnant, puisque par leur naissance ils appartenaient généralement à la noblesse locale, cette *intelligentsia* gagnée au christianisme cathare. Rappelons l'exemple de cet évêque catholique de la Carcassonne d'avant l'irruption française, Bernard de Roquefort : il était fils et frère de Parfaits et de Parfaites. Si l'on considère que *l'ordinaire* de la poursuite des hérétiques et déviants était alors confiée à de tels prélats, rien d'étonnant à ce que leur zèle n'ait guère montré d'efficacité. L'une des premières réalisations du commandement spirituel de la croisade, lorsqu'elle descendit la vallée du Rhône vers le Languedoc, fut d'ailleurs de destituer l'un après l'autre ces évêques trop complaisants dans leur consensus mou, à commencer par celui de Viviers.

Tel n'était pas le cas, soulignons-le en passant, de l'évêque de la Toulouse du temps, Folquet de Marseille, non plus que tous les évêques et prélats formés comme lui dans l'orbite cistercienne. L'ordre de Cîteaux avait au contraire était créé comme un premier ordre de combat et de reconquête contre les attirances évangéliques des XIe-XIIe siècles, et s'il n'avait pas fait ses preuves dans la joute oratoire contre les prédicateurs hérétiques, il avait gardé, au début du XIIIe siècle, une rancune extrêmement agressive contre tout ce qui ressemblait à un cathare et même à un vaudois. La pastorale antihérétique, à la manière d'un Raoul de Fontfroide, d'un Pierre de Castelnau ou d'un Arnaud Amaury, avait si peu de chances d'être entendue, que l'évidence froide de son échec détermina la vocation de Prêcheur de Dominique de Guzman, futur saint Dominique, passant par là.

Parmi le haut et bas clergé d'origine locale, beaucoup plus de bonhomie. Sans pousser le tableau jusqu'à la scène idyllique, l'image générale de prélats indifférents jusqu'à la bienveillance et de petits curés prêtant parfois une oreille attentive à la prédication de leurs collègues cathares n'est pas vraiment outrée. Le peuple chrétien d'alors le vivait bien ainsi, qui considérait les Bons Hommes comme des religieux simplement un peu plus évangéliques que les autres, et les scènes de « double assurance sur l'au-delà » (1) étaient fréquentes autour du lit de mort des grands et des humbles : l'on faisait venir le curé pour une extrême-onction, et on lui remettait un don pour son église; puis l'on demandait le consolament des Bons Hommes et on faisait un geste pour leurs pauvres à eux. Au niveau du vécu occitan, il y avait complémentarité autant et plus que concurrence entre les deux Eglises... L'un des fils de la très pieuse dame Richa, du Mas-Saintes-Puelles, n'était autre que le Parfait et diacre cathare Raimon du Mas, qui jouera un grand rôle dans la reconstruction de son Eglise, du temps de Guilhabert de Castres. Son autre fils, Germain, était prêtre catholique autant que faire se pouvait...

Dans le clergé régulier, au contraire de l'ordre de combat des Cisterciens, le vieil ordre bénédictin montrait une certaine compréhension pour ces autres « moines noirs » qu'étaient en fait les religieux cathares. Au moment de la croisade et des persécutions, les moines de l'abbaye de Saint-Hilaire, près de Limoux, seront justement suspectés d'avoir abrité des proscrits. Au Mas-Saintes-Puelles, le prieur de l'établissement bénédictin de Saint-Thibéry, Guilhem Palaisy, était l'un des fils de la Dame et Parfaite Garsende, et sa bienveillance envers l'Eglise cathare n'était pas à mettre en doute; en revanche, le prieur cistercien du Mas pour l'abbaye de Boulbonne, un certain Arnaud, se signalera comme agent zélé de l'Inquisition; il fera même l'objet d'une attaque de commando punitive de la part de la jeune génération des chevaliers du lieu : Guilhem du Mas junior – celui qui, pourtant se vantait de ne pas aimer les hérétiques –, Bertrand de Quiders, Raimon d'Alaman, et Guilhem de Montmerle, dit Morette. Armés de couteaux et de pierres, ils pénétrèrent chez lui par effraction et lui dérobèrent deux roncins (des roussins, tout simplement), clamant bien fort que si le moine avait montré le bout de son nez, ils lui auraient réglé son sort (2)...

---

(1) Expression due à Jean DUVERNOY.
(2) Déposition de Raimon d'Alaman, Ms 609, f° 5 b.

Plusieurs témoignages devant l'Inquisition font également état d'un moine bénédictin de Sorrèze, Guilhabert Alzeu, prieur de l'établissement de Saint-Paulet, qui menait une action de professionnel dans le sauvetage des Parfaits en péril : Raimon de Roqueville, le chevalier faydit, le mari de la parfaite Raimonde, explique que ce saint homme gardait les proscrits en son logis, sous la protection de fausses lettres de réconciliation qu'il avait extorquées à l'archevêque de Narbonne, dont il était un familier. Et l'on pouvait ainsi venir chez lui écouter et saluer les Parfaits. Raimon de Roqueville, avec son frère Bec et Bernard de Raissac, visita par exemple trois ou quatre fois, chez le prieur et sa servante Gavaude, le diacre Bofilh et son compagnon Pierre Coma, aux alentours de 1220. Il précisera même, dans sa déposition, que tout le monde adora alors les hérétiques, ce qui semble signifier que le prieur lui-même ne s'en priva pas. Guilhabert Alzeu, moine de Sorrèze, protégeait également deux Parfaites sous couvert de ces faux papiers : dame Alamande et Aimengarde Bertrand, qu'il ne gardait pas chez lui, bien entendu, mais aux besoins desquelles il subvenait, dans leur maison des Cassès qui était la demeure propre de dame Alamande : il leur faisait passer des provisions et en particulier, connaissant bien leur rite, du poisson (1)...

Raimon de Vénerque, avocat de Vaudreuilhe, parlait, quant à lui, d'un ancien curé de Cadenac, nommé Adam Raimon, et qui du temps de la croisade tenait chez lui un hérétique notoire, Pons Scutifer, avec qui il mangeait et partageait tout. A se demander si le curé en question n'était pas lui même Parfait et compagnon rituel du proscrit. Et cet état de fait dura au moins deux années. L'on aimerait en savoir davantage (2)...

Une chose est du moins certaine : dans ce climat de relative solidarité ecclésiastique entre clercs romains et cathares, l'ordre militaire des Templiers, quoi qu'en laissent entendre les livres à mystère, message et initiation, se montra d'un bout à l'autre de l'histoire l'adversaire résolu et fanatique de l'Eglise des Bons Hommes.

---

(1) Déposition de Raimon de Roqueville, *in ibid* f° 216 ab; voir chap. précédent.

(2) Déposition de Raimon de Vénerque, de Vaudreuilhe, *in ibid.* f° 232 a.

UN POUVOIR RELIGIEUX DANS LA VILLE?

Etendant ses ramifications à l'intérieur des clans familiaux de la noblesse seigneuriale et de la bourgeoisie consulaire dès les dernières années du douzième siècle, l'Eglise cathare ne tendait-elle pas à se constituer en véritable groupe de pression, parti, coterie ou « lobby » dans les sphères du pouvoir politique d'alors? La question mérite d'autant plus d'être posée que l'impression d'une *intelligentsia* cathare en Languedoc s'impose.

Bien évidemment, l'Eglise elle même ne cherchait qu'à sauver les âmes, à diffuser à travers la population le message de Salut dont elle était dépositaire. La grande dame, le chevalier, le seigneur même qui choisissait de se faire Parfait, Blanche de Laurac, Pierre et Fays de Durfort, ou encore Pagan de Labécède, prononçait ses vœux et devenait religieuse personne, ne possédant plus rien en propre et astreint à la vie évangélique. Il ou elle devait même travailler de ses mains pour vivre. La femme et l'homme consacrés à Dieu avaient abandonné tout intérêt matériel, toute volonté de possession ou de pouvoir. Mais demeurant en contact étroit, permanent, avec les membres de leur milieu aristocratique, qui étaient d'autant plus ouverts à leur écoute qu'ils étaient eux-mêmes en général de bons croyants de leur Eglise, comment auraient ils pu ne pas les influencer?

L'influence la plus directe, la plus immédiate, que les Parfaits et Parfaites pouvaient jouer sur leurs familiers, était sans conteste de les encourager dans leur anticléricalisme naturel, de leur donner les meilleures raisons de ne plus respecter cette Eglise romaine que, justement, ils avaient tout intérêt – économique s'entend – à considérer comme une ennemie. Au contraire de l'Eglise cathare, l'Eglise romaine ne se privait en effet pas de posséder des biens fonciers, ni même de prétendre prélever des dîmes sur le fruit du travail du peuple chrétien. Le pape de Rome et ses prélats se posaient même en arbitres de l'ordre politique européen... Les Bons Hommes avaient beau jeu d'exposer que la vraie Eglise du Christ était immatérielle, que la prétendue sainte hostie n'était que du pain et que les clercs romains ne disaient rien de valable, à la messe, que le *Pater* et l'Evangile...

C'est en cela que cette *intelligentsia* cathare, Parfaits et croyants mêlés, encourut de fait l'ire de Rome. Mais le danger pour l'ordre établi n'était-il pas plus profond encore? Les Parfaits et les Parfaites, seuls, étaient astreints par leurs vœux à l'objection de conscience totale que représente une vie évangélique : ne plus tuer, même un animal... Ne plus prêter serment... Ne plus juger (1)... Et pourtant, sans aucun doute, une idéologie autre que celle de Rome tendait à devenir dominante dans les sphères cultivées des seigneuries occitanes. Nul doute qu'habitués au langage, au prêche, à la conversation et au raisonnement des Parfaits, les membres de l'oligarchie au pouvoir et leurs proches ne commençaient peu à peu à considérer d'un autre œil le fondement même de leur société féodale et chrétienne : le serment scellant tout acte, le droit de justice haute et basse articulé autour de la peine de mort et surtout le droit de regard de Dieu sur la marche du monde...

Nous avons évoqué ensemble, déjà, cette désacralisation du visible que le catharisme portait en germe et répandait autour de lui, en plein cœur de la chrétienté médiévale. Et qui s'accordait si bien avec le goût méridional d'un ordre laïc et profane. Et par la grâce duquel les femmes, porteuses d'une âme bonne et divine au même titre que les hommes, relevaient la tête et prenaient la parole.

L'Eglise de Bons Chrétiens ne cherchait nullement à s'emparer des rênes du pouvoir en ce bas monde, mais simplement à ramener à Dieu ses brebis perdues, et à rassembler le bon troupeau en direction du paradis. Mais l'implication étroite des maisons religieuses dans les structures de la seigneurie *castrale* tendait à faire, de leur logique message évangélique, une nouvelle norme. Ordinaire du cartharisme... Ainsi un Pierre Saturnin, maçon de son état, lorsqu'il vint à Laurac du temps de la paix cathare pour construire un portail de pierre au rempart de la ville, à la demande probable de la municipalité, fut-il logé lui-même ainsi que son équipe, par ladite municipalité consulaire, et en pension complète, dans la maison du diacre Isarn de Castres et de ses compagnons : *de mandato communitatis ejusdem ville*, le sens en est bien clair (2). Imaginez le maire de

(1) Il s'agit des préceptes du Sermon sur la Montagne (Evangile selon saint Matthieu).

(2) Déposition de Pierre Saturnin, du Mas-Saintes-Puelles, *in ibid.* f° 24 b.

votre commune logeant, durant la durée des travaux de réfection de la mairie, l'équipe des maçons à la table du curé de la paroisse. En ce temps-là, bien sûr, l'Eglise et l'Etat n'étaient pas séparés. Mais pour le pouvoir public que représentait la municipalité consulaire, l'Eglise officielle, avec qui tout se partageait et qui était l'interlocutrice naturelle, c'était l'Eglise cathare.

En dehors de ces indéniables fonctions d'hôtellerie que remplissaient leurs maisons bien structurées, Parfaits et Parfaites jouaient dans la ville un rôle d'assistance et de charité inhérents à leur état religieux, soignaient les malades, exerçaient en tous lieux et en tous temps leur pastorale, et se livraient à toutes les sortes possibles de travaux manuels, ainsi que le leur commandait leur Règle. Ainsi avaient-ils prise sur le réel, le vécu de leur voisinage. Dans l'organisation sociale proprement dite, ils n'intervenaient qu'au niveau de la justice. Une certaine justice de paix entre parties qui, sans leur intervention, auraient réglé leur différend par les armes ou d'interminables procédures. Le rôle de conciliateur des Parfaits est unanimement attesté. A Montségur, entre Raimon de Péreille et Pierre Roger de Mirepoix; à Saint-Martin-Lalande entre Mir Lalande et Bernard Mir Acezat; à Pradelles-Cabardès entre les familles de Pierre et de Bernard Daide :

> « Par la main et le pouvoir des Parfaits, ils firent la paix et la concorde entre eux et en signe de paix se donnèrent un baiser mutuel (1) ».

Les Bons Chrétiens répandaient la paix, l'apaisement dans la ville. En fait, l'assise sociale de leur Eglise leur conféra un poids spirituel supplémentaire, et non l'inverse.

DES RELIGIEUX AU TRAVAIL

Suivant leur règle de justice et de vérité, en l'occurence le précepte de saint Paul : « Travaillez de vos mains, comme nous vous l'avons ordonné », et « Si quelqu'un ne veut pas travailler, qu'il ne mange pas non plus » (1 Thess.4,11 et 2 Thess.3,10),

---

(1) Déposition de Pierre Daide de Pradelles Cabardés, dans le volume Doat 24. Voir chap. 15.

chaque Parfait, chaque Parfaite était astreint au travail. Nulle crainte de déroger. Les Parfaites, infiniment, filaient. Blanche de Laurac elle-même, et la Dame du Mas, devaient tenir la quenouille. Les maisons de Parfaites prenaient parfois allure d'atelier de filature ou même de couture spécialisés, comme les maisons des Bons Hommes d'établissement de peausserie ou de tissage. La maison du diacre Sicard de Figuèiras, à Cordes, peut figurer en exemple du genre : d'anciens chevaliers, entrés en religion, y apprenaient le tissage en écoutant l'enseignement du diacre (1).

Les travaux textiles : filature, tissage, couture, étaient sans doute pratiqués de manière privilégiée par les Bons Hommes et Bonnes Dames du temps de la paix cathare : les maisons de l'Eglise formant la base-atelier de la production, et la prédication itinérante favorisant le colportage et l'écoulement des produits finis – comme de la collecte de la matière première. Bien entendu, la répression et la persécution désorganiseront cette activité économique, la clandestinité obligera les Bons Chrétiens à des métiers plus mobiles. Mais déjà, avant la croisade, l'on pouvait voir des Parfaits se louer comme ouvriers agricoles, commercer, monter des charpentes.

L'Eglise cathare retirait du travail de ses membres –qui individuellement vivaient dans la pauvreté –, un certain capital monétaire, qui fut sans doute d'abord utilisé à des œuvres de charité, à la fabrication coûteuse des Livres d'Evangiles et des Rituels, à l'établissement des maisons religieuses puis, au temps des persécutions, servit de pécule de survie, destiné à payer des passeurs, des escortes, du ravitaillement. Le *trésor* – au sens de banque – de l'Eglise de Toulousain repliée à Montségur, fut ainsi prudemment évacué sur la Lombardie peu avant la fin tragique du siège de 1244.

Jordan de Saïs, seigneur de Cambiac, dont, souvenons-nous, la concubine s'appelait Guillelme Tournier et était de Toulouse, dit à l'inquisiteur qu'autrefois :

> « Les hérétiques demeuraient publiquement sur son domaine de Cambiac, qu'ils cultivaient ses terres et qu'il recevait d'eux, normalement, le blé qu'ils lui devaient en redevance. »

---

(1) Déposition de Guilhem d'Elves, dans le volume Doat 23, f° 209 a-210 a.

Comme n'importe quels tenanciers d'un seigneur. Le même Jordan de Saïs faisait aussi travailler les Parfaites, car les deux bien-aimées du château, Guillelme et Valencia, furent ainsi au moins une fois chargées de faire porter, par la dévouée croyante Austorgue de Rosenges, dix livres de lin à filer aux deux Bonnes Chrétiennes qu'elle cachait. Même au temps des persécutions, les Parfaites ne lâchèrent jamais la quenouille, outil léger et transportable s'il en est, même au cœur des bois, et sans cesse travaillèrent à payer de l'habileté de leurs mains les dévouements qui protégeaient leur vie. Du travail des parfaites filandières, on usa et abusa.

N'Escogossa Pau de Saint-Paulet, le « Sire n'élague guère » que nous avons déjà rencontré, était, comme son surnom l'indique peut-être, un familier du travail de la vigne. Sans doute ne s'entendait-il pas trop bien à la tailler, février venu ? Il avait une sœur et deux frères hérétiques, Tholsane, Tholsan et Etienne : du temps de la croisade, ils se louèrent tous pour travailler dans les vignes de Guilhabert Alzeu, ce moine de Sorrèze qui tenait le prieuré de Saint-Paulet comme un havre pour clandestins. Et là, dans les vignes du brave prieur, N'escogossa Pau put observer ses frères Parfaits qui travaillaient puis, entre deux rangées, s'interrompaient pour prier. « Mais moi je ne priais pas avec eux, et ne les adorais pas non plus », ajouta-t-il à l'intention de l'oreille et du calame inquisitoriaux (1).

Deux Parfaites filant, assises devant un seuil du Mas-Saintes-Puelles. Deux Parfaits se mettant à prier entre deux rangées de la vigne qu'ils sont en train de tailler. Images du catharisme familier.

MAISONS

Dernière image. Gausbert Sicard, seigneur de Coronde, près de Montauban, fut condamné lui aussi, en 1241, par l'inquisiteur de Toulouse Pierre Sellan, à prendre la croix pour Constantinople. Il lui avait en effet avoué que, sur ses terres, une maison « avait été hérétiquée pour des femmes hérétiques ». L'expression est peu commune. Elle signifie pro-

---

(1) Déposition de N'Escogossa Pau, de Saint Paulet, dans le Ms. 609 de Toulouse, f° 227 a. Voir chap. 15.

blablement et tout simplement qu'une maison déjà existante, appartenant au déposant et non construite pour l'occasion, avait été, de son consentement, affectée au logement d'une communauté de Parfaites. Celles-ci lui payaient du reste un loyer : « Elles me donnèrent vingt sols, parce que je les avais accueillies sur mes terres », a-t-il expliqué à l'inquisiteur.

La maison ne fut pas consacrée, au sens catholique du terme. Le mot « hereticata » ne doit pas faire illusion. Les cathares se faisaient une doctrine de considérer tout objet, tout corps visible comme l'œuvre du mauvais principe, et ne tenaient pour sacré aucun lieu de culte particulier. Leur unique sacrement, le consolament, se conférait aussi bien dans une maison particulière qu'au fond d'un bois, et ils prêchaient dans les auberges, sur les places publiques comme au coin du feu de votre voisine. Ils priaient au milieu des vignes aussi bien que dans la maison de leur communauté.

Un quotidien paisible s'était installé dans le domaine de Gausbert Sicard de Coronde. La maison louée aux Parfaites était sans doute située à proximité de la demeure particulière du propriétaire ; les Parfaites envoyèrent plusieurs fois du vin à sa femme, en signe d'amitié, et Gausbert lui-même se chargea de les fournir, de leurs propres deniers, en pain et en diverses victuailles. L'on était manifestement déjà au temps des persécutions et d'une semi-clandestinité. La complicité d'une famille de la petite noblesse, ici comme ailleurs, permettait à l'Eglise de retrouver sa respiration, de maintenir la vie de ses communautés.

17

La bénédiction des Bonnes Dames

SALUT DE L'ÂME ET SOIN DU CORPS

Les Bons Chrétiens n'accordent en principe aucune valeur au corps humain. « Dieu n'a rien qui soit à lui dans ce corps », disent-ils fréquemment. Ils nomment aussi tunique de peau, ou prison charnelle, cette dépouille transitoire et corruptible dans laquelle le mauvais créateur enferme les âmes divines et éternelles qu'il a dérobées au monde du Dieu vrai. Figure du néant, le corps, les corps humains – puisque chaque âme en habite successivement plusieurs –, ne ressuscitera jamais : seules, prêchent ils, les œuvres de Dieu sont impérissables et demeureront pour l'éternité.

Après la mort du corps, l'Eglise cathare ne pratique aucun rite particulier. Lorsque le défunt était notoirement croyant d'hérétique et mort consolé, et si le curé du village est particulièrement mal disposé envers l'Eglise, on l'enterre sans autre cérémonie dans le cimetière particulier de ceux à qui est refusée la sépulture en terre consacrée. D'où certaines mentions, dans les textes, de cimetière des hérétiques. Après la guerre, au temps de la clandestinité, lorsqu'il sera vraiment impossible d'enterrer un mort trop compromis dans le seul cimetière désormais autorisé, celui de l'enclos paroissial, on le mettra en cachette n'importe où, au fond du pré, dans la rivière, et toujours sans la moindre cérémonie. Indifférence générale pour cette dépouille, pétrie par le diable, et « qui n'appartient qu'aux vers », selon la vigoureuse expression de Bélibaste.

Pourtant, avant que le corps du malade ne soit quitté par la vie, les Bons Chrétiens lui consacrent leurs soins, essayent de calmer sa souffrance. A part Guilhem Bernard d'Airoux, qui est mentionné dans bon nombre de dépositions et qui peut-être était médecin avant de se faire Parfait (1), l'on ne connaît guère de Parfaits médecins. Mais les maisons de l'Eglise dans les villes et villages, où l'on amène les mourants pour leurs derniers jours « entre les mains des Bons Hommes », comme ce fut le cas pour la mère ou le frère de Raimon Arrufat, tenaient de l'hôpital autant que de l'établissement religieux. Cette coutume qui paraît fréquente, de demander à mourir chez les Parfaits, est sans doute une simple extension de la coutume chrétienne au sens large, connue et pratiquée dans la bonne société en général, de se rendre pour ses derniers jours à un établissement monastique et de mourir sous habit religieux. Ce peut être l'abbaye de Boulbonne, un prieuré de Saint-Jean-de-Jérusalem; ou la maison des Parfaits.

Là, bien sûr, les Bons Hommes conféraient au malade le consolament des mourants, mais ne manquaient pas de lui prodiguer en outre des soins de base, qui parfois du reste le ou la ramenaient à la santé. Cette pratique, bien entendu, disparaîtra avec la clandestinité, sauf l'exception, considérable, de Montségur, où jusqu'au bout des cortèges pathétiques de fidèles croyants, malades, âgés, transportés tant bien que mal par leurs proches, viendront chercher la bonne fin, entre les mains des Parfaits. Au temps de la clandestinité, ce sera au contraire les Bons Hommes errants que l'on essaiera de joindre, pour qu'ils viennent, à domicile et en secret, apporter la bonne mort, celle qui sauve l'âme, l'ultime consolament.

Cette sorte d'extrême-onction cathare n'avait pas valeur de baptême spirituel ni d'ordination : si le malade survivait, grâce aux soins prodigués par les Bons Chrétiens, et qu'il voulût demeurer dans l'Eglise, il convenait, précise le Rituel cathare, qu'il passât une période probatoire, comme tout néophyte, puis qu'il fût à nouveau consolé.

La Parfaite, en tout cela, partout est présente. Elle console peu, mais elle soigne, elle veille. C'est Garsende du Mas au che-

(1) Voir chap.14, les dépositions de Berbeguèira de Loubens et de Pierre de Cornélian.

vet de son petit-fils Oth de Quiders. C'est aussi « Bermonde, l'hérétique, soignant chez elle, dans la maladie dont elle mourut, Peironne, mère de Pierre, Bernard et Arnaud Daide (1) ». C'est Peironne et Arnaude de Lamothe au chevet de dame Esclarmonde d'En Assalit dans la bouverie des Roaix en Lantarès. Pas plus que les Bons Hommes, les Parfaites ne pratiquent une médecine savante ni délicate, mais elles prodiguent leurs soins, elles allègent les souffrances, elles rassurent, elles assurent le nécessaire, chez elles ou chez le malade, un peu à l'image de ces infirmières en cornette du siècle dernier. Elles remplissent, au début du XIIIe siècle et dans les localités du Languedoc, une véritable fonction hospitalière et charitable, qui préfigure un peu celle qui commencera à se développer dans la France urbaine du Bas Moyen Age.

Du temps de la paix cathare, ou entre deux guerres, l'on organise le convoi des malades jusqu'aux maisons de l'Eglise où ils recevront les derniers soins de l'âme et du corps : parfois, les Parfaits viennent eux-même les chercher, et les transportent en leur maison ; ainsi de dame Alpaïs de Congost, sœur de Raimon de Péreille, mourante en sa demeure de Puivert et que les Bons Hommes emmenèrent faire sa bonne fin chez eux, à Paris en Kercorb ; parfois ce sont les familles des malades qui assurent le convoi, et parfois encore, des sortes de professionnelles de l'assistance : deux femmes de Montauban, par exemple, une Gaucelina, faydite (ou Gaucelina Faydit ?), et une Algaia, reçoivent en 1241 sentence pénitencielle de l'inquisiteur Pierre Sellan, pour avoir conduit des malades aux Parfaits de Villemur. Algaia avait précisé, dans sa déposition, que le voyage s'était fait par bateau sur le Tarn, qu'elle était restée plusieurs jours à la maison des hérétiques avec ledit malade, et qu'elle y avait vu, entendu prêcher et même salué rituellement Bernard de Lamothe et Guilhem du Solier (2).

PREDICATION ET ENSEIGNEMENT

Ce qui ressort le plus difficilement de la lecture des documents, c'est une appréhension vraisemblable de la sensibilité

---

(1) Déposition de Pierre Daide, Doat 24. Voir chap. 15.

(2) Sentences de Gaucelina, faydite, et d'Algaia, dans le volume Doat 21, f° 275 a et 278 b.

hérétique, un sentiment diffus mais juste de la spiritualité cathare. Les recueils d'Inquisition rassemblent des confessions, des aveux arrachés par la force – brutalité morale et brutalité physique –, à des malheureux, qui voient l'échafaudage de leur vie s'écrouler autour d'eux, et rassemblent tout ce qu'il leur reste de lucidité et d'énergie pour tenter de se préserver une espérance de survie, une chance de s'en tirer, ou du moins de sauver quelque bribe de bien, un lopin de terre ou une méchante masure, à destination de leurs enfants. Ils s'appliquent donc indistinctement, naïvement, obstinément, à nier d'abord l'évidence, puis à la ramener aux plus minimes proportions, à évacuer toute responsabilité de leur part, à la rejeter sur leur voisin, sur leurs parents morts, puis, s'il le faut, sur leur beau-frère, sur leur femme, leur mari, sur n'importe qui. Quant aux hérétiques, toute nuance de sympathie à leur égard est soigneusement, désespérément évitée, gommée, oblitérée.

L'inquisiteur du XIIIe siècle – nous verrons que cela ne sera pas toujours le cas au début du XIVe –, ne s'intéresse du reste pas au détail des « erreurs hérétiques » que le déposant a pu professer ou entendre prêcher. Il lui suffit de pouvoir établir le constat que ce déposant a, ou n'a pas, commis le catalogue des délits répertoriés, qu'il se repent de ses fautes, ou que, déjà confessé quelques années plus tôt par un précédent inquisiteur, il est retombé – ou non – dans son péché. Les formules définissant les différents délits religieux, résumant la prédication hérétique et la croyance propre du déposant, sont des formules toutes prêtes, consignées en « manuels d'Inquisition », et qui lui sont tendues par le professionnel qui l'interroge – à moins qu'elles ne soient même tout simplement que clauses répétitives du formulaire notarié inscrit par le scribe en son registre.

Reviennent ainsi systématiquement, mécaniquement, les descriptions des cérémonies, du baiser de paix, de l'« adoration » des Parfaits. Le souvenir de leur prédication, lui-même, est figé en quelques phrases résumant leurs erreurs bien connues :

> « (Ils disaient que) le baptême, le mariage et le sacrement de l'autel ne valaient rien, que la sainte hostie n'était que du pain, que les œuvres de Dieu ne passeront pas mais que la chair de l'homme ne ressuscitera jamais »...

Dans ce contexte, les relations de sympathie, les affinités spirituelles et affectives entre les Parfaits et leurs croyants, les Parfaites et leurs croyantes, ne sont presque jamais perceptibles; quant à la chair de la prédication des Bons Hommes, la densité et l'enveloppe sensible de leur parole, nous ne pouvons que l'imaginer, à la lumière des quelques textes théoriques d'origine cathare que nous avons conservés – et qui, soulignons-le, confirment parfaitement les formulations dues à l'Inquisition. L'ossature, les lignes de force du discours cathares peuvent ainsi être reconstitués de manière vraisemblable; en outre, malgré la vigilance du juge religieux, des traits de vie s'échappent parfois entre deux pages des lourds registres du tribunal. Détails ténus, arachnéens.

Guilhem du Bousquet, chevalier de Lantarès, probable frère ou parent de ce Guilhabert qui fut l'ami d'Arnaude de Lamothe, fréquentait lui aussi l'hôtel de la famille de Roaix à Toulouse, du temps de la reconquête occitane, en compagnie des mêmes familiers : le chevalier Raimon Estève et sa femme Na Matheuz, Esclarmonde d'En Assalit, Lombarde de Roaix. Le Fils majeur Bernard de Lamothe prêcha ainsi pour eux, un jour de 1226 ou 1227, « d'aimer Dieu et de le servir (1) ».

Guilhem Bernard, chevalier de Vaudreuilhe, expliqua quant à lui de manière détaillée comment prêchaient les Parfaits qu'il écouta chez Arnaud Caldière, à Labécède, avant 1232 :

> « Il y avait là Pierre de Saint-Michel de Lanes et son frère Pons, Pierre Cathala, et Arnaud Caldière lui-même, le maître du logis, tous chevaliers, ainsi que Pierre Correg et Guilhem Raimon, écrivains publics et notaires du *castrum*, avec qui j'étais entré là. Et tous, sauf moi, ont adoré les deux hérétiques; ensuite les deux notaires lisaient dans un livre, et lesdits hérétiques expliquaient ce qu'ils disaient (2) »...

Guilhem Bernard s'était-il trouvé en présence de deux Bons Hommes qui, exceptionnellement, ne savaient pas lire? Plus vraisemblablement, la lecture de leur livre, le Livre des Evangiles, par des tiers réputés « neutres », était-elle utilisée par les

(1) Déposition de Guilhem du Bousquet, des Pujols près de Sainte-Foy en Lantarès, dans le Ms. 609 de Toulouse, f° 213 b.

(2) Déposition de Guilhem Bernard, chevalier de Vaudreuilhe. Voir p. 189 et 195.

Parfaits comme argument à l'appui de la véracité de leurs dires. « Voyez, c'est bien écrit là dans l'Evangile, votre notaire lui même en est garant, ce n'est pas nous qui l'inventons. Notre Seigneur Jésus Christ a bien dit : Mon royaume n'est pas de ce monde (Jo 18,36) ». Bien entendu, l'on pouvait faire confiance ensuite en leur habileté d'exégètes des Ecritures pour tirer de la Parole citée tout son développement logique – et éventuellement dualiste.

Les Parfaites elles aussi prêchaient. Peut-être, comme c'était le cas des femmes vaudoises, leur Eglise les dépêchait-elle de manière privilégiée pour évangéliser le public féminin, pour pénétrer mieux le cœur de la famille. C'est ce que semble indiquer, comme d'autres témoignages, la relation par Arnaude de Lamothe de la venue des prédicatrices dans la maison de leur mère, à Montauban (1). Quoi qu'il en soit, et même du temps de la paix cathare, cette règle ne fut jamais générale, et les Parfaites prêchèrent aussi pour tout public. Elles étaient considérées, par le peuple des croyants, comme des Bonnes Chrétiennes, Amies de Dieu à part entière.

Ermengarde Boyer, l'une des petites filles Parfaites du-Mas-Saintes-Puelles, vécut comme ses amies une vie de bonne croyante cathare après que frère Dominique les eût réconciliées à la foi catholique vers 1209. Elle abrita ainsi chez elle, durant une année, le temps des persécutions venu, deux Parfaites, Rixende et sa compagne, que le tout-Mas-Saintes-Puelles venait bien sûr visiter, les bras chargés de victuailles et de présents. Mais les deux Bonnes Dames furent capturées chez elle, et elle-même n'échappa à une première pénitence qu'en prenant la fuite. Ce jour-là, en mai 1245, elle était pourtant devant son juge.

> « Je croyais, lui dit-elle, que ces hérétiques étaient de Bonnes Femmes, et que par elles on pouvait être sauvé (2) »...

Dame Biverne Golairan, d'Avignonnet, était elle aussi une familière de l'Eglise cathare. Quand son fils tomba malade, ce furent deux Bons Hommes qui vinrent le soigner, et elle les garda chez elle deux jours et une nuit. En 1230, elle hébergea

---

(1) Voir au chap. 1 de ce livre le récit d'Arnaude de Lamothe.
(2) Déposition d'Ermengarde Boyer, dans le Ms. 609 de Toulouse, f° 20 b.

deux Parfaites, Bérengère de Ségreville et sa compagne ; ne les adora pas, dit-elle, mais écouta leur prédication, et leur donna à manger. Elle ajouta aussi que, par la suite, sa fille Géralda elle-même se fit Parfaite, mais à son insu, et que depuis lors elle ne la revit plus (1). Guillelme Ribèire, la sœur de Pons Ribèire d'Odars, était là quand son frère hébergeait Arnaude de Lamothe et sa compagne Guillelme Sicard (ou Cayrol ?) en 1242, peu avant leur capture. Et Guillelme allait les saluer, genou fléchi, leur demandant leur bénédiction ; et les deux Parfaites « lui disaient qu'elles avaient le plus grand pouvoir de sauver les âmes (2) »... Seul écho conservé d'une prédication d'Arnaude de Lamothe. C'était probablement, du reste, du fait de la dénonciation de l'ex-Parfaite »convertie« que la famille Ribèire avait été convoquée devant l'inquisiteur à son tour...

Les Parfaites étaient-elles lettrées comme les Parfaits, comme eux habiles à manier l'exégèse évangélique ? ou se contentaient-elles de quelques formules élémentaires établissant que leur Eglise seule présentait l'image de celle du Christ et des Apôtres ? Pierre Magis, qui était probablement de son état maçon ou charpentier de la région de Montauban, avait l'habitude de rencontrer et d'entendre prêcher les vaudois sur les places publiques de la ville. Sa prise de contact avec les doctrines cathares se fit de manière plus précise ; alors qu'il faisait des travaux, il fut, comme Pierre Saturnin à Laurac, logé dans la maison d'une Parfaite – mais peut-être était-ce pour elle qu'il effectuait ces travaux, il ne le précise pas. En tous cas, il prenait ses repas chez cette dame, et pendant qu'il mangeait, avec son équipe, elle avait pris l'habitude de venir leur parler : on ne sait pas ce qu'elle exposait exactement aux ouvriers, mais Pierre Magis fut convaincu, et crut désormais « que les hérétiques étaient de bonnes gens ». L'inquisiteur le condamna à un triple pèlerinage au Puy, à Saint-Gilles et à Saint-Sauveur (3).

Les Parfaites prêchaient, elles bénissaient, elles tenaient hospices et hôtellerie ; elles enseignaient, aussi, les rudiments de leur foi, elles faisaient la catéchèse en leurs maisons pour les petites filles qu'elles élevaient auprès d'elles, novices ou orphelines. Arnaude et Peironne de Lamothe, durant leur année de

---

(1) Déposition de Dame Biverne Golairan, d'Avignonnet, *in ibid.* f° 137 b.
(2) Déposition de Guillelme Ribèire, d'Odars, *in ibid.* f° 203 a
(3) Sentence de Pierre Magis, Doat 21, f° 275 a.

noviciat à Villemur, et jusqu'à leur ordination par Arnaud Méric, apprirent tout de la Parfaite Poncia et de ses compagnes; Azalaïs, femme de Bernard de Toulouse, habitante de Castelnaudary, finit par avouer à l'inquisiteur qu'elle était restée cinq ans Parfaite en sa jeunesse. C'était sa tante, la Parfaite Guillelme, qui l'avait instruite en sa maison de Verdun en Lauragais (1)...

Ce que les textes ne permettent pas vraiment de saisir avec certitude, c'est si, parmi les innombrables maisons de Parfaites du Languedoc du temps de la paix cathare, certaines étaient plus spécialisées dans l'accueil de novices à former, d'autres tenaient davantage de l'hopital/hospice, ou encore du pur et simple atelier, ou même de la maison d'hôtellerie ouverte; il semble que, chez Blanche de Laurac, l'on prenait surtout des repas – du moins si l'on avait accès à la chevaleresque compagnie; que dans certaine maison de Saint-Martin-Lalande ou de Villemur, on s'occupait des malades à leur dernière extrémité; que les novices, à Laurac, recevaient un enseignement nourri dans la maison de la Parfaite Brunissende (2). Ecole? Atelier? Hôpital? Hôtel? Mais il serait imprudent de généraliser.

RATIONALISME ET SPIRITUALITÉ

Ce dont on peut être sûr, en revanche, même s'il nous faut abandonner tout espoir concret d'une appréhension sensible de leur discours, c'est que la parole des Parfaits –et des Parfaites – devait être vigoureuse. Grâce aux dépositions devant les derniers inquisiteurs anti-cathares, beaucoup plus curieux que leurs prédécesseurs, on peut se faire une idée plus vivante et plus argumentée du prêche des derniers Bons Hommes. Nous le retrouverons en dernière partie de ce livre. Le discours des Parfaits et Parfaites de la première moitié du XIIIe siècle ne devait pas être fondamentalement différent. Que peut on en savoir, ou du moins en deviner? Leur lecture des Evangiles était fondée sur une logique directe et facilement traduisible en

(1) Déposition d'Azalaïs, femme de Bernard de Toulouse, Ms 609 de Toulouse, f° 253 b.

(2) Voir les dépositions de Bernard Mir Acezat au chap. 13, de Pierre de Cornélian au chap.14, de Raimon Arrufat au chap. 15, et celle de Dulcie Faure, de Villeneuve-la-Comtal, (Ms 609, f° 184 b) au chap.12 de ce livre.

termes de concret. Ainsi se gagnaient-ils les sympathies, les adhésions intellectuelles. Tandis que leur vie évangélique, la rigueur de leur morale et de leur ascèse, leur probité, leur équité, puis leur courage devant les persécutions du monde mauvais, valaient des ferveurs à ceux que la population appelait *Boni Homines*, *Probi Homines*, Prud'hommes, Bons Hommes –ou Bonnes Dames.

Le premier argument de leur discours tendait toujours à montrer qu'ils et elles étaient la vraie Eglise du Christ, par opposition à l'usurpatrice Eglise romaine, puisqu'ils le démontraient par leur vie évangélique exemplaire, qui tranchait de manière criante avec les mœurs des clercs catholiques. Puis ils avaient l'habitude de se railler, avec sans aucun doute beaucoup d'humour – nous en aurons quelques échantillons avant la fin de ce livre, je vous le promets –! des superstitions de l'Eglise romaine, culte des saints, pratiques sacramentelles invraisemblables, habitude folklorique de se parer d'ornements sacerdotaux et de rugir des chants canoniques en croyant ainsi se faire mieux entendre de Dieu, foi ridicule dans des miracles et autres interventions divines en ce bas monde... Les Bons Hommes critiquaient ouvertement les dépenses énormes que la bâtisse des grandes églises de pierre faisait supporter au peuple chrétien, et reprochaient de manière non moins vive à ces faux clercs de vivre paresseusement aux crochets de leur fidèles.

Leurs démonstrations étaient parfois un peu raides. On a vu combien la malheureuse parole des Parfaites à propos de sa grossesse avait indisposé Aimersende Viguier à l'égard de leur Eglise. Manque de pédagogie évident! Dans le même ordre d'idées, le Parfait Raimon Gros commit une faute de psychologie élémentaire, quand il bougonna à l'adresse de dame Irlande de Villèle, femme d'un chevalier de Montesquieu, qui voulait porter un cierge à l'église pour la vigile de la fête paroissiale de Roqueville, « qu'elle ferait bien mieux de faire brûler cette chandelle dans sa propre maison ». Et pourtant dame Irlande, apparemment née dans une rustique foi catholique, commençait peu à peu à s'intéresser à l'Eglise des Bons Hommes, grâce aux efforts de sa belle-mère, dame Ava, qui accomplissait auprès d'elle un véritable travail de fond. La malheureuse répartie du Parfait, insuffisamment argumentée, et heurtant de front les références au sacré de la jeune femme, ruina en quelques instants les patients travaux d'approche de la vieille croyante.

> « Aux grandes instances de ma belle-mère Ava, confia Irlande à son confesseur/inquisiteur, je crus pendant deux jours que les hérétiques étaient de Bons Hommes et de vrais Amis de Dieu, mais pas plus longtemps, car j'entendis cette parole de Raimon Gros ... et à cause de cela je cessai de le croire. Je ne revis plus d'hérétiques, ni n'en adorai plus jamais, malgré les demandes répétées de ma belle-mère » (1).

Bien entendu, très généralement, ce type d'argument de la part des prédicateurs cathares, portaient. La réflexion de bon sens, le demi-sourire ironique de leur rationalisme et même le bon rire bien franc de leur humour, emportaient les adhésions. Pourquoi adresser des prières à la statue de la Vierge dans sa chapelle, puisqu'on voit bien que ce n'est qu'un morceau de bois, taillé de la main des hommes? Pourquoi adorer le signe de la croix? si votre père était mort sur un gibet, vénéreriez-vous l'image de son instrument de supplice? Si le bon Dieu était responsable de la marche de ce bas monde, il ne se contenterait pas de guérir par miracle un malade de temps en temps : il n'aurait jamais inventé ni permis aucune maladie...

Les Parfaits réussissaient ce tour de force d'universaliser dans la conscience commune et de populariser un système religieux chrétien totalement abstrait, comme une construction intellectuelle, c'est-à-dire sans recours à aucune imagerie, à aucun symbolisme, à aucun support matériel capable de donner visage à une foi. Ni croix, ni colombe, ni temple, ni église, ni figure de Père barbu, ni ornements sacerdotaux, ni chants liturgiques. Un appareil religieux fondé sur la simple Parole, dépouillée de tout émoi des sens, sur le geste contenu, essentiel. Leur irrationnel – puisque toute religion est par essence même construction d'irrationnel –, s'exprimait en termes rationnels, se montrait raisonnable. Et en même temps totalement spirituel.

Ils rassuraient, ils consolaient. A l'angoisse de la damnation éternelle, qu'avait rabattue sur le peuple crédule de longs siècles de christianisme devenu instrument de domination, ils

(1) Déposition de dame Irlande de Villèle, *in ibid.* f° 108 a.

répondaient par des évidences souriantes : Dieu est bon, il ne peut y avoir de mal en lui, il ne peut vouloir la mort éternelle d'un seul de ses enfants. A chacun, sauf échecs d'exceptions comme ceux relatés à l'inquisiteur par Aimersende ou par Irlande, à chacun ils s'adressaient en des termes à lui adaptés : à l'intention des savants clercs, ils utilisaient l'argument scolastique des catégories d'universaux, ou des signes universels (la catégorie universelle des signes du Bien : éternité, vérité, clarté etc. s'opposant en tout à celle des signes du mal : temps, mensonge, ténèbres etc.) ; au pauvre paysan, ils déclaraient que Dieu n'avait jamais institué les dîmes, et que chacun devait vivre du fruit de son travail ; à tous ils prêchaient l'Evangile, et le prêchaient d'exemple, comme si déjà, en ce bas monde lui-même, la place du mal devait être réduite au maximum du possible, grâce à l'action des hommes de bonne volonté. Ceux qui avaient reconnu que leur seule liberté véritable était de faire et de vouloir le bien.

Dans cette spiritualité de froide lumière, les femmes se mouvaient avec aisance. Les chasubles d'or et les cathédrales résonnantes de l'Eglise de Rome les avaient toujours maintenues un peu en retrait, tremblantes mais séparées. Désormais les croyantes regardaient, dans la Parfaite qui leur parlait sans artifice, un reflet de leur propre visage de Salut. Et la Parfaite leur disait qu'elle avait reçu le pouvoir de sauver les âmes. De les rendre à Dieu et au Bien.

LA MORT D'UNE PARFAITE

Raimon de Vénerque, l'avocat de Vaudreuilhe, en Lauragais, connaissait bien ses voisins les seigneurs et chevaliers Guilhem Bernard, dit Sancho, et son frère Pierre Rigaud, ceux-là mêmes qui chevauchaient un beau jour de 1228, sur la grande route, en escorte à leur ami Pagan de Labécède qui venait de se faire Parfait (1). Il raconta à l'inquisiteur que ces chevaliers avaient deux sœurs Parfaites, Condors et Englesia, qu'ils abritaient dans leur propre demeure, au château de Vaudreuilhe.

---

(1) Voir ci- dessus p. 194-195. Le prénom d'Englesia signifie tout simplement Anglaise; à rapprocher du prénom d'Irlande, *supra*, et de la note 3, p. 195.

La bénédiction des Bonnes Dames

« Et la Parfaire Condors mourut dans leur maison. Et j'étais là quand elle fut à l'article de la mort, à la demande de Pierre Rigaud. Et ladite Condors dit alors la prière des hérétiques, à savoir : »*Adoremus Patrem, et Filium, et Spiritum Sanctum* (1) », et elle mourut ainsi. A Vaudreuilhe, dans la maison de ses frères. »

(1) Adorons le Père, et le Fils, et le Saint-Esprit.

18

Les amis d'Arnaude

Dans un trou, au milieu d'un bois situé entre Cambiac et Maurens et que les hérétiques avaient coutume de fréquenter, un jour de plein été, Aimersende Viguier trouva un sac. Que faisait-elle dans ce bois? Furetait-elle, aux aguets de ces Parfaits et Parfaites qu'elle n'aimait guère, qui se cachaient un peu partout dans le pays et qui étaient si vigoureusement recherchés par les pouvoirs publics et religieux?

Dans le sac, il y avait très exactement: vingt-trois anguilles fraîches, une chemise d'homme, une demi-quarterée d'oignons, un bol de pois chiches, un pain et demi et une gourde de vin. C'était le sac d'un Parfait clandestin.

Aimersende s'empressa d'emporter le tout à destination du curé de Cambiac, Martin d'Auriac, lui en fit l'inventaire complet, et lui expliqua avec précision où elle l'avait trouvé, afin qu'il puisse y faire rechercher – et capturer –, les hérétiques (1).

LE TEMPS DE L'INQUISITION

A partir de 1229, tout était allé très vite. A peine la paix signée, à peine la soumission du comte Raimon scellée, les bases d'une répression définitive de l'Eglise hérétique étaient posées, et un concile réuni à Toulouse autour du vieil évêque

(1) Déposition d'Aimersende Viguier, dans le Ms 609 de Toulouse (f° 239 b), fréquemment citée ici.

Folquet de Marseille pour marquer un premier point dans ce combat. L'Eglise cathare, qui avait rétabli et même élargi ses positions d'avant 1209, marqua un premier frémissement d'inquiétude. Guilhem del Soler – ou du Solier, le compagnon de Bernard de Lamothe, fit défection aussitôt : il se présenta de lui-même au concile de Toulouse pour y abjurer, et les autorités catholiques l'en récompensèrent par une prébende de chanoine. Tandis que Parfaits et Parfaites gagnaient les maquis, ou du moins les taillis, l'Inquisition en deux ou trois ans se mit en place.

En 1233, c'était chose faite. A Toulouse, au lendemain de la capture par l'évêque et le comte de l'ancien seigneur Pagan de Labécède, le tribunal d'Inquisition, confié aux mains de Pierre Sellan, l'un des premiers compagnons de Dominique, et du juriste Guillaume Arnaud, commença à fonctionner et, immédiatement, ouvrit l'horreur au quotidien. Non seulement on brûla des Parfaits et des Parfaites à pleines charrettes, mais on exhuma des cadavres coupables d'avoir fini leur vie en odeur d'hérésie, à destination de bûchers posthumes. Le 4 août 1234, l'évêque de Toulouse lui-même, le dominicain Raimon du Fauga, célèbra à sa façon la fête de saint Dominique – canonisé le jour même –, en lui offrant la gloire du supplice d'une vieille dame à l'agonie.

Ayant appris par une quelconque délation que cette malade avait reçu le consolament des mourants, il se rendit en effet personnellement à son chevet, sans crosse, mitre ni anneau trop visibles, et abusa de sa naïveté en se faisant passer auprès d'elle pour un Bon Chrétien. La vieille dame lui confessa sa foi sans difficulté, et il s'empressa de la faire transporter, avec son lit, sur le bûcher. Après quoi tout le couvent des Dominicains se mit à table joyeusement en rendant grâces à saint Dominique (1)...

La population supporta très mal ces véritables exactions, et particulièrement les exhumations et les bûchers posthumes qui

(1) Tout ce qui précède est tiré de la chronique de Guillaume Pélhisson, éditée par Jean DUVERNOY (Toulouse, 1958). Pour l'ensemble, voir : Yves DOSSAT, *lLes Crises de l'Inquisition toulousaine au XIIIe siècle* (Bordeaux, 1959) ; et, bien sûr, l'ouvrage fondamental de Jean DUVERNOY, *le Catharisme*, t.2, *l'Histoire des Cathares*, *op. cit.*, p.267-278.

attentaient à ce que chacun – même atteint par le rationalisme cathare –, considérait comme sacré : le respect du aux morts. Des révoltes éclatèrent, à Toulouse, à Albi, à Narbonne, qui menacèrent les couvents des Dominicains et, un temps, les inquisiteurs furent même chassés de Toulouse. Mais ils revinrent munis de lettres du pape, lourds de menaces et leurs pouvoirs décuplés. Le comte de Toulouse, lié par son allégeance au roi de France et à l'Eglise, aurait-il jamais la force de desserrer l'étau ?

En 1237, nouvelle défection notoire dans l'Eglise cathare : le Parfait Raimon Gros – celui-là même qui avait choqué dame Irlande par sa remarque impie –, abjurait et se faisait immédiatement dominicain lui-même au couvent de Toulouse (1). La même année, le Parfait Guilhem Bernard Hunaud, qui avait été, avant son entrée en religion, l'un des plus importants coseigneurs de Lanta, fut capturé, puis brûlé à Toulouse. Quant à l'Eglise elle-même, elle était éparpillée à travers monts et bois, à part la hiérarchie toulousaine qui s'était établie dans le *castrum* de Montségur, hors d'atteinte des soldats de l'Inquisition.

PARFAITES DES CABANES

Les vingt premières années de l'Inquisition virent une intense activité de l'Eglise interdite, dont les effectifs, tant féminins que masculins, étaient encore très nombreux, à partir de véritables camps volants communautaires cachés au couvert des bois et des taillis. Ce fut l'époque des cabanes des clairières, de véritables villages de cabanes parfois, regroupant les clandestins avec la complicité et sous la protection des croyants les plus sûrs. Ce fut le temps de la grande pérégrination d'Arnaude de Lamothe et de ses compagnes à travers les fermes isolées et les bois du Lantarès...

---

(1) Depuis le XIIe siècle, et jusqu'au milieu du XIIIe siècle, en Italie comme en Occitanie, d'Henri de Baimiac à Rainier Sacconi, la plupart des Parfaits qui se présentent spontanément pour abjurer se retrouvent très vite dans les rangs de l'Eglise catholique, comme chanoines ou dominicains ; cela laisse à penser que l'Eglise romaine reconnaissait en quelque sorte l'authenticité de l'état religieux de leurs hérétiques adversaires.

Parfois, notamment dans les montagnes peu accessibles, ces villages de cabanes jouèrent auprès des croyants des bourgs le même rôle qu'anciennement les maisons de l'Eglise au cœur de la communauté villageoise. L'on prit l'habitude de se rendre au milieu des bois pour accomplir ses dévotions. Très haut dans la Montagne Noire, sur les pentes du pic de Nore, ce furent des Parfaites qui s'établirent les premières : Pierre Daide, qui était d'une notable famille de Pradelles-Cabardès et d'Hautpoul, celui-là même dont la bien-aimée se prénommait Guillelme, était un familier des cérémonies champêtres de l'Eglise de Dieu (1). Vers 1231 ou 1232, raconta-t-il à frère Ferrier :

> « Mélina, mère des trois frères Arnaud, Roger et Bernard Guiraud, de Pradelles, se fit hérétiquer au cours d'une maladie qu'elle avait, et reçut le consolament des hérétiques; puis elle guérit, et quittant alors le *castrum* de Pradelles, elle fit construire des cabanes dans la forêt; elle demeura désormais là, dans ces cabanes, tout près de Pradelles, avec les Parfaites Marmorières, durant trois ou quatre années. »

Les sommets de la Montagne Noire, le haut Cabardès, offrent en plein Languedoc des bois sombres et de vastes pâtures qui rappellent d'autres hauts pays du Massif central, du Velay à l'Auvergne; mais ouverts sur des paysages ensoleillés, sur la lumière du Carcassès; il n'empêche que les hivers y sont rudes, que la neige s'y attarde souvent jusqu'en mai, que les vents du couloir occitan, Cers ou Marin, y soufflent encore avec violence. Imaginons ce que pouvait représenter, pour ces femmes plus toujours très jeunes, la vie en cabanes dans de telles conditions.

Très vite, en fait, on constate que la hiérarchie de l'Eglise de Carcassès a établi ses bases de repli dans ces cabanes de montagne, comme celle de Toulousain dans le *castrum* encore inviolé de Montségur. L'on y procède à des cérémonies d'ordination dans la plus belle tradition de la paix cathare de Fanjeaux ou de Laurac. Ainsi en 1234 ou 1235 :

> « Les Parfaits Bernard de Leuc, Pierre Estève et Guilhem Faure vinrent dans ces habitations des Parfaites, et y consolèrent et

(1) La déposition de Pierre Daide a été déjà largement utilisée aux chap. précédents. Voir chap. 15, p. 178 et 193.

reçurent Brunissende, sœur des frères Raines du Mas-Cabardès, raconta encore Pierre Daide, qui était témoin. Cela se passa de la façon suivante : à la demande des hérétiques, cette Brunissende se rendit à Dieu, à l'Evangile et à l'ordre de la secte hérétique (1), et promit que désormais elle ne mangerait plus de viande, ni d'œufs, ni de fromage, ni rien qui ne soit pas maigre, si ce n'est de l'huile et du poisson; qu'elle ne jurerait ni ne mentirait plus jamais, et que jusqu'à la fin de sa vie elle demeurerait en totale chasteté; qu'elle n'abandonnerait la secte par crainte de la mort, ni par l'eau, ni par le feu, ni de toute autre mort; qu'elle ne mangerait jamais sans avoir auparavant dit l'oraison du Notre Père. Après quoi, Brunissende récita le Notre Père, puis les trois Parfaits imposèrent sur elle les mains et le Livre. Et ils lurent dans ce Livre à haute voix et ils lui donnèrent le baiser de paix par ce Livre et avec le bras, puis ils prièrent le Seigneur, et firent des révérences et des génuflexions en grand nombre... »

Pierre Daide assista à ce consolament dans les bois avec toute sa famille, Pierre et Raimon ses frères, Bernarde sa mère, Alazaïs sa servante, ses cousins Arnaud, Pierre et Bernard Daide, sa belle-sœur Cerdane, et toute une foule d'habitants de Pradelles, les Audebert, les Gairaud, les Regaffre, les Aostel... Et tous, hommes et femmes, à la fin de la cérémonie, adorèrent collectivement les Parfaits : Bénissez-nous, Seigneurs, et priez Dieu pour nous, qu'il fasse de nous des Bons Chrétiens et nous conduise à une bonne fin... Puis la Paix se propagea à travers l'assistance, des Parfaits aux croyants, des Parfaites aux croyantes, et tout le monde se rendit à un grand banquet champêtre de fête, où les Bons Chrétiens bénirent le pain et le partagèrent aux convives, et dirent à chaque plat le Benedicite. A la fin de cette belle journée, chacun rentra chez soi, et les Parfaits et les Parfaites regagnèrent leurs cabanes...

A travers la déposition de Pierre Daide, on perçoit l'intense va-et-vient de l'activité des pasteurs cathares du Désert, à partir des Eglises clandestines de Carcassès et d'Albigeois, de part et d'autre de la ligne de crête de la Montagne Noire, c'est-à-dire par-dessus la limite actuelle des départements de l'Aude et du

(1) Cette description du consolament, qui est manifestement un extrait du « formulaire de l'Inquisition », paraphrase de manière particulièrement fidèle le texte du Rituel cathare occitan de Lyon première phrase du Rituel, début de l'apparelhament : « nous sommes venus devant vous, et devant Dieu, et devant l'Ordre de la Sainte Eglise »...). A la différence bien entendu que le terme « Sainte Eglise » est ici transcrit « secte hérétique »... Les inquisiteurs utilisaient manifestement des documents de première main.

Tarn. Du côté Cabardès, la hiérarchie de Carcassès, et l'évêque Pierre Pollan, hantent les bois de Pradelles et le village de cabanes des Marmorières; du côté tarnais, les Parfaits de l'Eglise d'Albigeois, avec leur Fils Majeur puis évêque Aimery du Collet, sont réfugiés sur les hauteurs du *catrum* d'Hautpoul; malgré les impératifs de la clandestinité, les délimitations de compétence des Eglises cathares sont respectées, même au fond des bois.

Les croyants sillonnent les bois, pour se rendre auprès des Parfaits et des Parfaites dans leurs cabanes. Ils montent là-haut depuis le Mas-Cabardès, Roquefère, Miraval, et même du fond du Minervois, de Laure, de La Livinière. Un jour, sur le versant nord du pic de Nore, Pierre Daide et ses amis Guilhem Ermengaud et Bernard Michel font une rencontre fortuite : dans une clairière, deux Parfaits sont assis : Aimery du Collet et son compagnon, et avec eux Adam Fournier de Hautpoul; l'évêque tient dans ses mains un livre ouvert, dans lequel il lit. Les trois promeneurs s'éloignent aussitôt sans faire de bruit, à ce qu'assura Pierre Daide à l'inquisiteur, et laissent là le petit groupe en réflexion.

Est-ce la dernière image d'un catharisme paisible et encore rayonnant? L'on est en 1242. L'Inquisition est désormais bien rodée. La montagne offre encore une sécurité relative, mais dans les plaines et côteaux du Toulousain, la vie est de plus en plus difficile pour les proscrits. Arnaude de Lamothe et ses dernières compagnes tournent désespérement entre Odars et Sainte-Foy-d'Aigrefeuille. Non loin d'elles, croisant leurs traces, se succédant peut-être dans les mêmes cabanes, les mêmes refuges vite éventés, d'autres groupes de Parfaits et Parfaites clandestins essaient tant bien que mal de survivre selon leur rite et de prêcher leur Evangile.

Dame Dias, veuve de Pons de Saint-Germier, dit le Généreux, seigneur de Caraman, était du nombre. Elle appartenait directement à cette noblesse occitane dont le catharisme avait été le christianisme d'élection. Dans sa jeunesse, aux côtés de son mari, entourée de toute sa famille, père, mère et frères, elle assistait aux prêches de la hiérarchie toulousaine, aux cérémonies du catharisme rayonnant, au cœur de la bonne société d'Avignonnet, de Caraman ou de Saint-Germier. Vers 1240, devenue veuve mais jeune encore, elle gagna Montségur pour y recevoir le consolament d'ordination (1).

Elle le reçut des mains de Bertrand Marti, l'évêque de Toulousain, et demeura là-haut un certain temps dans les maisons de l'Eglise – qui constituaient la majeure partie du *castrum*. Aux prédications, dans la maison de l'évêque, elle voyait l'assistance des seigneurs du lieu, Raimon de Péreille et son épouse Corba, Pierre Roger de Mirepoix et sa jeune femme Philippa, et tant d'autres... Puis, avant le siège, et même vraisemblablement dès la fin de l'année 1242, elle quitta Montségur. Elle gagna le haut Lauragais, pour se plier à la vie, à l'apostolat clandestins avec des compagnes, d'autres Parfaites, Algaia Estève, de Ségreville, Guillelme Faure, Bernarde de Selve. On pouvait, en 1242, quitter Montségur, alors qu'on avait la chance de s'y trouver replié, en relative sécurité, loin des embûches et des dangers du monde. Mais, bien sûr, Montségur n'avait pas pour vocation de servir d'abri à toute l'Eglise occitane. Les impératifs de la vie de l'Eglise en voulaient autrement : il fallait affecter et dépêcher Parfaits et Parfaites où cela semblait utile. Le plat pays avait besoin de ses pasteurs, même proscrits. En outre, le manque de place, dans le minuscule village suspendu sur ses terrasses juste au dessous du ciel, était évident.

Entre Lauragais et Lantarès, dans l'exact pays dont Dias avait été grande dame, les trois ou quatre Parfaites, Dias, Guillelme, Algaia, Bernarde se retrouvent donc à leur tour dans des cabanes, dans un bois près de Caragoude, sous la protection d'une famille du lieu, qui leur procure de quoi se nourrir et vient les adorer. Il y a là Bernard Faure, de Caragoude, avec son frère Pierre Faure, sa femme Raimonde, et leur fils Pierre : et tous partagent le repas des Parfaites, à une table dressée en plein bois ; elles bénissent le pain, elles disent à chaque plat le bénédicité. Encore un rayon de paix dans une clairière ? Mais leurs amis Faure, par prudence, les conduisent dans un autre bois, près de Mascarville, où elles passeront l'hiver, avec le concours des croyants du lieu. A peine le printemps venu, leur errance reprend. Arnaud Gavaudan et Pierre Batail, du village proche, viennent leur dire que quelqu'un les a vues, les

---

(1) La déposition de Dias de Saint-Germier, largement utilisee ici, est conservée dans le volume Doat 23 (f° 57-64 b).

emmènent à Mascarville même dans l'étable où Etienne Audran tient ses animaux.

Puis on les ramène dans le bois de Caragoude, leur ancienne cabane est en mauvais état; Arnaud Micol les aide à la réparer, leur apporte les bois de charpente nécessaires. Et toujours les croyants se pressent autour d'elles, leur apportent des victuailles, des fruits, du pain, du blé, des légumes. La cabane est sans doute bien agrandie, car des Parfaits viennent à leur tour s'y installer, sous le même toit, ce qui est assez étonnant, eu égard à la pruderie cathare habituelle. Sans doute l'édifice compte-t-il au moins deux pièces? Dias voit même passer parfois des gens de la noblesse, comme Bertrand d'Alaman, que les Parfaits sortent pour accueillir, tandis que les Parfaites demeurent dans la cabane, regardant la scène probablement à travers une fenêtre. Au bois de la Fraixenède – la fresnaie – tout près de Saint-Germier, où elles se réfugient un peu plus tard, Raimon d'Alaman à son tour passe, alors qu'il chassait, les rencontre, leur parle, les adore.

Elles ne restèrent qu'un mois dans ce bois, où les avaient emmenées leurs amis Faure de Caragoude, car un jour des enfants qui gardaient des bœufs découvrirent la cabane et ses occupantes, et les menacèrent directement, leur promettant qu'ils les feraient capturer. Elles s'enfuirent aussitôt vers un autre bois.

Ce fut dans le bois de Caragoude, en mai 1243 (1), qu'ils furent tous capturés, les Parfaites Dias, Algaia et Guillelme, les Parfaits Guilhem Ricard et son compagnon. En mars 1244, Dias de Saint-Germier était interrogée par l'inquisiteur Ferrier. Elle dénonça un certain nombre des familles bonnes croyantes qui l'avaient protégée, relativement peu en fait. Quelques mois plus tard, en août de la même année, Arnaude de Lamothe, qui elle aussi avait été capturée un an plus tôt, comparaissait à son tour devant le même inquisiteur, abjurait, se confessait, dénonçait. Mais rien n'indique que Dias, quant à elle, eût à ce moment-là abjuré.

---

(1) Ou 1244. Voir ci-dessous note 1 p. 235.

LA FAMILLE D'ARNAUDE

En 1241, Pierre Sellan, l'un des tout premiers inquisiteurs de Toulouse, rendait sentences en grand nombre contre les suspects d'hérésie qu'il avait interrogés lui-même. Sentences relativement légères : celles que nous avons conservées (1) consistent pour la plupart en des pèlerinages expiatoires, à Saint Gilles, au Puy-en-Velay, au pire à Constantinople, et en port de croix cousues sur les vêtements, en signe d'infamie.

Parmi les suspects enregistrés à Montauban, toute la famille Lamothe. Les dépositions d'Arnaude elle-même, et qui datent de 1244 et de 1245, mentionnent un certain nombre de ses frères et sœurs qui, plusieurs fois, rendirent visite aux trois Parfaites de la famille. Nous avons ainsi rencontré, dans les premières pages de ce livre, au hasard des aveux de la Parfaite convertie, Maraude, Dulcie, Bernard aussi, ou Raimon, et même un petit Armand. A combien d'enfants la vieille Parfaite Austorgue de Lamothe avait-elle pu en sa vie donner naissance? Le registre de Pierre Sellan permet d'en repérer six, deux filles et quatre fils, vivants en 1241 : Maraude, Dulcie, Raimon, Bertrand, Guilhem Bernard et Hugues. Si l'on y ajoute Arnaude et Peironne, bien sûr, ainsi que peut-être cet Armand qui doit être mort ou disparu de Montauban en 1241, et en admettant que Bernard et Bertrand soient un seul et même fils, ce qui n'est pas sûr, cela fait un total de neuf, auquel, bien entendu, il convient d'ajouter un nombre incertain mais signifiant d'enfants morts en bas âge. Si elle était effectivement veuve vers 12O8, l'on comprend qu'indépendamment de toute raison d'ordre spirituel, dame Austorgue de Lamothe ait pu juger bon de confier deux de ses filles à l'Eglise cathare (2)...

La lecture des sentences de tous ces enfants Lamothe est extrêmement frustrante, car le texte en est suffisamment explicite pour qu'on les reconnaisse sans ambiguïté; mais ne fait que reprendre, en les résumant, les principaux chefs d'accusa-

(1) Volume Doat 21 (f° 185 a-312 a).

(2) Les sentences des enfants Lamothe sont contenus au chapitre « Montauban », dans le volume Doat 21 (f° 233 a, Guilhem Bernard, 249 a, Na Garriga, 251 a, Raimon, 276 b, Na Marauda, 277 a Dulcie, 278 b, Bertrand et 280 b, Hugues.

tion retenus contre chacun d'entre eux, et qui émanent de leurs dépositions, dont le registre n'a pas été conservé. L'on aimerait tellement en savoir davantage... Voir le nom de « Lamothe » inscrit de la main du copiste, et rester sur sa faim, alors que l'on sent que l'on va enfin avoir des nouvelles de quelqu'un qu'on a bien connu autrefois, il y a très longtemps, qui a disparu, et dont la vie est restée dans l'ombre.

Vous ferai-je partager cette frustration ? Guilhem Bernard de Lamothe apparaît le premier dans les pages du registre. On ne saura de lui rien de plus, seulement qu'étant jeune il suivait sa mère au prêche des hérétiques, puis qu'il continua à croire en leur Eglise. Raimon de Lamothe, lui, avait reconnu être allé visiter à Lavaur sa mère et ses deux sœurs hérétiques, avoir mangé et dormi une nuit dans leur maison, puis n'avoir cessé de fréquenter l'Eglise interdite ni de porter aide aux Parfaits et Parfaites clandestins par ses dons et aumônes. Bertrand de Lamothe quant à lui est à coup sûr marié : sa femme, dame Garrigue, fait partie des condamnés de Montauban. Lui aussi reconnut avoir visité, à Lavaur, sa mère et ses sœurs Parfaites et être demeuré quelque temps auprès d'elles, puis d'avoir mené une vie de bon croyant et protecteur d'hérétiques : il adora, écouta les prêches et les conseils moraux des clandestins, les aida de toutes les manières, les escorta, ne cessa de leur offrir ses services. Hugues, enfin, comme ses frères, avait fait le voyage de Lavaur auprès des trois Parfaites, puis avait revu et fréquenté encore les hérétiques. Les dames de la famille sont plus précises.

> « Dame Maraude, dans quelque mas, vit sa mère Austorgue et ses sœurs Arnaude et Peironne ; et elles lui prêchèrent qu'elle devrait se faire elle aussi hérétique, mais elle ne voulut pas les croire, et repartit le lendemain. Elle dit aussi que dans la maison de l'hérétique Jeanne d'Avignon, elle vit Bernard de Lamothe, Guilhem del Soler et leurs compagnons hérétiques, et écouta leur prédication ; et elle les invita chez elle, ils mangèrent avec elle et elle avec eux, deux fois. Elle les revit chez une autre Parfaite, les adora chaque fois, et leur donna du pain, du vin et des fruits ».

> « Dulcie, sa sœur, dit en tout la même chose que Maraude, excepté qu'elle ne fit pas le voyage de Lavaur pour voir ses mère et sœurs. Puis Maraude dit encore qu'à Villemur elle rencontra deux Parfaits qui la saluèrent de la part de sa mère Austorgue... Puis elles dirent, tant Maraude que Dulcie sa sœur, que les hérétiques étaient de bonnes gens ».

Le texte des chefs d'accusation des deux sœurs d'Arnaude se passe en effet de tout commentaire. Manifestement Maraude et Dulcie, en leur âge mûr à Montauban, sont demeurées trés proches l'une de l'autre. L'on ne saura rien de plus sur elles. Arnaude avait parlé d'un petit garçon de Maraude, qui s'appelait Tholset. Le scribe d'Inquisition n'a noté, pour aucune des deux sœurs, le nom d'un mari, ni même un patronyme. Seul leur prénom a attiré mon regard. Maraude était dame. « Na Marauda ». Et Dulcie? La seule certitude que nous puissions retirer de la lecture de ces brèves sentences, c'est que les enfants Lamothe étaient de bons représentants de cette petite aristocratie occitane pour qui le catharisme était le christianisme ordinaire, et pour qui Parfaits et Parfaites restaient, après vingt ans de guerre et dix ans de proscription, de Bons Hommes et de Bonnes Dames.

Raimon, Bertrand et Guilhem Bernard de Lamothe furent condamnés du reste aux peines les plus sévères d'alors : deux ou trois ans sous la croix à Constantinople. Hugues, moins compromis, ne se vit contraint qu'aux pèlerinages de Saint-Gilles, Saint-Jacques-de-Compostelle, Saint-Sauveur, Saint-Denis et Saint-Thomas. Maraude fut condamnée à se rendre au Puy, à Saint-Gilles, à Saint-Jacques, Saint-Denis et Saint-Thomas, et à porter les croix durant une année; Dulcie fut exemptée du pélerinage à Saint-Denis...

Pierre Sellan et les tout premiers inquisiteurs ne s'acharnaient encore durement que contre les Parfaits et Parfaites. Deux ou trois ans plus tard, la machine inquisitoriale était bien rodée, et les simples suspects de sympathie envers l'Eglise cathare, comme les enfants Lamothe, n'échappaient plus guère à la prison, à la confiscation des biens. On ne sait pas si les frères et sœurs d'Arnaude effectuèrent leurs saintes pérégrinations, ni s'ils furent plus tard convoqués à nouveau devant le Saint-Office et des juges plus sévères. Il est vrai que leur sœur, tout au long de son interminable confession de conversion, ne les avait guère accablés.

LES AMIS D'ARNAUDE

Ce qui ne fut pas le cas de ses amis. Arnaude de Lamothe, rappelons-le, fut capturée au cours de l'été 1243, avec trois autres Parfaites dont sa compagne Guillelme, dans un bois tout proche de Sainte-Foy-d'Aigrefeuille, en Lantarès. Lorsque ses frères et sœurs, en bons suspects, comparaissaient devant l'inquisiteur Sellan à Montauban, vers 124O ou 1241, elle errait encore de tente en cabane, de faubourg en grenier, soutenue, aidée, cachée, approvisionnée, vénérée, par tout un petit peuple de fidèles croyants des villages.

Un an plus tard, après avoir abjuré, elle entama devant l'inquisiteur Ferrier une très longue confession. Par le menu, elle détailla; par nom et par prénom, elle dénonça. C'était la seule preuve qu'elle pouvait donner à son juge religieux de la sincérité de sa conversion. La seule chance qu'elle avait de sauver sa vie.

Un an plus tard encore, dans l'été 1245, elle comparut à nouveau devant le tribunal, mais cette fois devant Bernard de Caux, et n'ajouta rien de significatif à sa première déposition. Mais un certain nombre de ses anciens amis l'avaient rejointe dans les cachots du Château Narbonnais où, à Toulouse, l'Inquisition tenait ses demeures, et le registre des dépositions faites devant Bernard de Caux et Jean de Saint-Pierre, le manuscrit 609 de Toulouse si fréquemment utilisé ici, porte, très lourdement, à quelques pages de la seconde déposition d'Arnaude, le texte des interrogatoires de Guilhabert du Bousquet, de Raimon Azéma, de Pons de Bunag, de Pons Calvet, du fils de Jacques d'Odars, de la sœur de Pons et Bernard Ribèire. Nul doute qu'après la première dénonciation de l'ancienne Parfaite, ils n'aient été convoqués, arrêtés à leur tour, peut-être même confrontés à elle.

Ces dépositions, si ce n'est le poids pénible de leur présence, ne nous apportent guère d'informations supplémentaires concernant les années d'errance des Parfaites fugitives. Les chevaliers Guilhabert du Bousquet, Raimon Azéma et Pons de Vendinac, de Bunag (1), évoquent le temps de la *reconquista* occitane, alors qu'Arnaude, Peironne et Austorgue résidaient presque ouvertement dans les hôtels citadins et les mas champêtres de *l'intelligentsia* toulousaine. Guilhabert du Bousquet précise simplement qu'alors qu'il les hébergeait chez lui, vers

(1) Dépositions dans le Ms 609 de Toulouse, f° 213 a, 200 b, 205 a.

1226 ou 1227, ses filles Gensers et Aiceline ne les adoraient pas, car elles n'avaient alors que trois ans ou à peu près. Raimon Azéma, chevalier de Lanta, avait fréquenté à Toulouse, chez les Roqueville, chez les Bousquet, chez les Roaix, toute la bonne société pour qui venait prêcher Bernard de Lamothe et Guilhem du Solier avant 1230.

Pons de Vendinac, de Bunag près de Tarabel, est plus précis.

> « A la demande de dame Longa, Dame de Tarabel, j'ai porté deux fois à manger à Peironne et à sa compagne Arnaude, à savoir du pain et du vin, dans une maison qui était située près de Tarabel, il y a seize ans et plus (vers 1229). Dame Longa venait avec moi, et quand nous arrivions à proximité de ladite maison, elle me demandait de m'éloigner, et elle entrait elle-même chez les Parfaites; moi je ne pus pas les voir »...

Alaman de Roaix depuis longtemps était faydit, condamné par contumace comme notoire protecteur d'hérétique par une sentence de l'inquisiteur Guillaume Arnaud de mai 1237. Depuis, il menait lui aussi une vie d'errance, quémandant le gîte et le couvert successivement à tous ses métayers, à travers ses domaines, et bon nombre d'entre eux, ainsi Pons Calvet (1), déposèrent n'avoir pas osé le lui refuser. Parmi les humbles amis d'Arnaude, on retrouve aussi Pierre Grand, fils de Jacques d'Odars, qui se souvint l'avoir vue avec sa compagne Guillelme Sicard chez Pons Ribèire vers 1241 (2) . Et surtout Guillelme, la propre sœur de Pons et de Bernard Ribèire, et qui vénérait manifestement les deux Parfaites que ses frères cachaient (3). Elle avoua à l'inquisiteur ce que nous ignorions, à savoir que ces mêmes deux frères, depuis lors, s'étaient faits à leur tour hérétiques, avaient été capturés, avaient été brûlés. Arnaude l'avait-elle su?

Un an plus tard encore, en 1246, le même inquisiteur, Bernard de Caux, assisté de Jean de Saint-Pierre, rendait sentence à Toulouse, contre des suspects prévenus d'hérésie, dont les dépositions ne sont malheureusement pas au nombre de celles qui ont été conservées par le manuscrit 609, mais parmi les

---

(1) Déposition de Pons Calvet, *in ibid.* f° 205 a.
(2) Déposition de Pierre Grand, *in ibid.* f° 203 b.
(3) *Id.* Voir p. 214, note 2.

quels nous retrouvons encore bon nombre des amis d'Arnaude, très probablement cités sur sa dénonciation (1). De 1243 à 1246, l'étau de la terreur s'était définitivement resserré. Paysans du Lantarès et seigneurs toulousains se retrouvaient à même enseigne, dans la grande égalité humide des cachots. Sentence fut rendue contre Jeanne, la femme d'Alaman de Roaix « qui incitait son mari à aimer les hérétiques » : prison perpétuelle. Sentence contre les trois frères Roqueville, faydits notoires, Estout et Pierre, dit Trésemines, coseigneurs de Montgiscard, et Bernard, seigneur des Cassès : prison perpétuelle.

Pons Saquet, chevalier de Lanta, pour avoir caché chez lui deux femmes hérétiques – Arnaude et sa compagne très probablement –, et ne les avoir pas livrées à l'Inquisition comme il s'y était engagé lors d'une première comparution devant un inquisiteur : prison perpétuelle. Dame Assaut, femme de Raimon de Castelnau, pour avoir elle aussi reçu des hérétiques dans sa maison : prison perpétuelle. Arnaud Estève, seigneur de Tarabel, relaps, pour avoir assisté à des consolaments, mangé le pain béni des hérétiques, reçu leur baiser de paix, leur avoir fait escorte : prison perpétuelle. Prison perpétuelle aussi pour les humbles, pour Guilhem et sa femme Rica, d'Aurin, pour Arnaud de Rival et Jacques Calvet, d'Odars, pour Arnaud Dorbert de Lanta. Prison perpétuelle pour Jacques d'Odars; pour Hugues et Raimon de Canelles, pourtant, simple prison temporaire.

1246. L'Inquisition avait trouvé son souffle, son rythme, son pas pesant à travers le pays. Le tribunal se déplaçait avec tout son lourd appareil de bourg en village, de ville en *castrum*. Interrogeait tous les habitants majeurs : les hommes de plus de quatorze ans, les femmes de plus de douze. Dépositions, témoignages, dénonciations, étaient consignés en registre, les suspects immédiatement appelés à répondre des accusations contre eux formulées, à se justifier en dénonçant à leur tour. Les équipes des Dominicains et Franciscains chargés du système inquisitorial, et auprès desquels nulle influence, nulle intercession ne pouvait jouer, se rodaient et, en bons professionnels, flairaient mensonge et dissimulation, mettaient tou-

(1) Le texte des Sentences de Bernard de Caux et Jean de Saint Pierre a été publié par Mgr. DOUAIS, *Documents pour servir à l'histoire de l'Inquisition dans le Languedoc* (Paris, 1900).

jours le doigt sur la silhouette sombre que l'on voulait laisser oublier. Il fallait repérer les caches des Parfaits et des Parfaites, les capturer, les amener à la conversion ou les abandonner au bras séculier, euphémisme pour bûcher.

Aprés le tournant d'Avignonnet et de Montségur, l'on commença à s'en prendre de manière beaucoup plus rude, tout d'abord aux relaps, aux croyants dont les aveux avaient déjà été consignés en registre par un inquisiteur, avec la promesse que désormais ils ne croiraient plus que les hérétiques étaient de bonnes gens et que par eux on pouvait être sauvé; et qui se retrouvaient deux ans plus tard, devant un autre inquisiteur, confrontés aux minutes de leur première confession, convaincus d'avoir entre-temps revu et à nouveau adoré les hérétiques. Prison perpétuelle. Quelques années plus tard, pour la même faute, la relapse, ils seront brûlés. Et pour les bons croyants tout simples, les protecteurs d'hérétiques du fond des *castra*, nobles, boutiquiers ou tenanciers de mas : prison perpétuelle encore. Jusqu'à ce que terreur gagne.

19

Femmes de Montségur

Dias de Saint-Germier, capturée en mai 1243, n'avait pas tout avoué à l'inquisiteur Ferrier devant qui elle avait comparu un an plus tard, en février 1244 (1). Sans doute même n'avait-elle pas abjuré. Puis, revenue dans son cachot, et devant l'imminence du bûcher, elle dût réfléchir, s'angoisser, se résoudre à sauver sa vie. En mai 1245, après avoir abjuré, elle comparaissait en effet devant Bernard de Caux, et reprenait entièrement sa première confession, y ajoutant un certain nombre de détails qu'elle s'était d'abord efforcée de taire (2). La méthode inquisitoriale, qui faisait alterner impressionnantes séances d'interrogatoire et longues périodes de solitude en geôle, commençait à porter ses fruits. Dias essaya pourtant de sauver ce qui pouvait encore l'être, fit la part du feu. Elle dénonça un peu, pour prouver la sincérité de sa conversion, et chargea elle-même son propre passé.

INQUISITION

Elle avoua ainsi que ses deux frères, Pierre et Azémar, s'étaient faits eux aussi Parfaits; que vingt ans auparavant, au

(1) La date indiquée en tête de sa première déposition est: 7e jour des kalendes de mars, 1244; ce qui correspond au 23 février de l'année 1244, en ancien style (style de Pâques), mais de l'année 1245, en nouveau style (style du 1er janvier). Peut-être convient-il de repousser d'une année l'histoire de sa capture et de son premier interrogatoire? (capture en mai 1244, déposition en février 1245).

(2) Les deux dépositions de Dias de Saint-Germier devant Bernard de Caux (mai et juillet 1245) sont conservées dans le Ms 609 de Toulouse, f° 174 ab.

cours d'une maladie, elle-même avait été hérétiquée une première fois, par Géraud de Gourdon, diacre cathare d'Auriac et son compagnon, en présence de sa mère dame Richarde et de son mari, le chevalier Pons de Saint Germier; et qu'après ce premier consolament, elle avait vécu durant quinze jours avec des Parfaites dans un bois prés de Vitrac. Que bien plus tard, revenue au monde, elle se rendait à son tour dans les bois pour y rencontrer ses frères Parfaits...

Elle raconta que vers 1240, alors qu'elle était devenue veuve, ce furent le diacre de Caraman, Bernard Gaston, et son compagnon, qui la conduisirent à Montségur, en trois jours de marche, et en passant par Gaja la Selve et Queille, pour y être ordonnée par l'évêque Bertrand Marti; qu'après être restée un an et demi Parfaite à Montségur, elle fut emmenée (1) par des sergents de Raimon de Péreille jusqu'à Gaja, où l'accueillirent trois Parfaits qui la conduisirent à leur tour dans le bois de Caragoude, rejoindre la cabane de la Parfaite Algaia.

Elle commença à dénoncer : dans les bois de Caragoude, de Mascarville, de la Fraissenède de Saint-Germier, et encore ailleurs, Bertrand d'Alaman était venu maintes fois les adorer, elle et ses compagnes; une fois, il leur amena même, probablement pour les apparelher, le diacre de Saint-Paul Guilhem Ricard. Et son frère Raimon d'Alaman lui aussi venait les visiter, et Pierre de N'Adam qui leur apportait de l'huile et une gourde de vin. Et toutes les bonnes croyantes : Guillelme Audry, que Dias connaissait et fréquentait depuis sa jeunesse, Ermengarde Rosaud, Cornélia, Covinenz, Guillelme Séguy... Et les dames nobles, Bernarde d'Alaman, Austorgue de Rosenges et sa fille Alamande... Et les bons croyants : Bourrel, de Falgairac, et ce Pierre de Na Vidala (2), qui fut ensuite – dit elle – hérétique et brûlé.

Cela ne parut pas suffisant. L'inquisiteur la renvoya macérer dans son cachot durant quelques mois et, en juillet suivant, elle

(1) L'expression employée par la déposante, ou du moins transcrite en latin par le scribe, est *traxerunt*, ce qui laisse supposer que ce n'est sans doute pas vraiment de sa propre volonté que Dias quitta le refuge de Montségur. C'était, nous le savons, l'Eglise, qui décidait de l'affectation de ses pasteurs...

(2) Ce « matronyme » est particulièrement intéressant, car formé à partir d'un nom maternel qui est lui même un nom d'épouse, c'est-à-dire un patronyme féminisé. En mot à mot : Pierre de Madame Vidal.

revint une seconde fois sur ses aveux. Elle donna de longues listes de noms : des gens de son entourage dont elle avait entendu dire qu'ils étaient croyants d'hérétiques; des voisins qui lui avaient glissé une parole suspecte; et encore des bons croyants qui l'avaient aidée, saluée et adorée du temps qu'elle était elle-même Parfaite. Et jusqu'à cette Guillelme de Vivier qui était venue, avec sa nourrice Bernarde Vidal, les adorer, elle et ses compagnes, dans un taillis du Pech près de Caragoude, en leur apportant des noix et des pois cassés. Elle dénonça aussi sa propre sœur, Raimonde, femme d'Arnaud de Tarabel de Cessales, mais avec retenue, prenant bien soin d'indiquer que cette dernière, si elle vint la visiter au fond des bois, ne l'adora point.

Elle reconnut enfin que son mari, en la maladie dont il mourut, avait été consolé, en leur propre demeure, par le diacre de Caraman Géraud de Gourdon et son compagnon Bernard Sabatier; que c'était un serviteur gascon d'Austorgue de Rosenges, un nommé Bonhomme, qui avait conduit les Parfaits jusqu'à la maison du malade avec Etienne et Donat de Villeneuve, d'Avignonnet, et qu'après la cérémonie tout le monde, Dias comprise, avait adoré les deux hérétiques.

> « Et elle reconnut qu'elle avait mal agi, en ce que devant frère Ferrier et une autre fois devant Bernard de Caux, inquisiteurs, à Toulouse, sous le sceau du serment et requise de dire la vérité, elle avait dissimulé l'hérétication de son mari... »

La machine inquisitoriale avait tourné, avait brisé Dias, comme elle avait brisé Arnaude, et tant d'autres, hommes, femmes, simples croyants ou Parfaits. La veille de la dernière comparution de Dias de Saint-Germier devant Bernard de Caux, en juillet 1245, sa sœur Raimonde elle aussi avait été citée et interrogée, et elle insistait frénétiquement sur la repentance de l'ancienne Parfaite (1).

> « Elle dit qu'elle vit, au bois de la Fraissenède, sa sœur Dias et ses compagnes hérétiques, mais ne les adora pas, et ce il y a trois ans. Et elle dit que sa sœur Dias était maintenant convertie de son erreur, et qu'elle tenait désormais la foi catholique. »

---

(1) Déposition de Raimonde, sœur de dame Dias convertie d'hérésie, femme d'Arnaud de Tarabel de Cessales, dans le Ms 609 de Toulouse, f° 174 b.

L'INQUISITION SOUS MONTSÉGUR

Sans doute Dias de Saint-Germier ne fut-elle capturée dans le bois de Caragoude qu'en mai 1244, ne fut-elle interrogée pour la première fois par un inquisiteur qu'en février 1245; ce qui incite à interpréter en nouveau style la date de sa déposition devant frère Ferrier (1), c'est le constat que, à la fin du mois de février 1244, Frère Ferrier s'était déjà très certainement déplacé et installé, avec toute son équipe, dans les tentes des croisés qui assiégeaient Montségur. En cette fin d'hiver l'on savait, inéluctablement, que Montségur allait être pris, ses hérétiques brûlés, ses croyants survivants arrêtés et soumis à Inquisition (2).

Le 1er mars 1244, en effet, Pierre Roger de Mirepoix, le chef militaire de la place, négociait une trêve; et dès les tous premiers jours du mois, avant même la reddition du 16 mars, Frère Ferrier commençait les premiers interrogatoires, ceux très certainement des otages remis aux croisés en preuve de bonne foi de la part des défenseurs. L'on imagine mal qu'une semaine à peine auparavant, la machine inquisitoriale ait encore fonctionné à Toulouse aux dépens de l'ancienne Dame de Saint-Germier.

La chute de Montségur, c'est-à-dire l'élimination par le feu de toute la hiérarchie, de toute l'infrastructure et du meilleur des forces vives des Eglises de Toulouse et de Razès, et en même temps la mise hors jeu des derniers lignages de *l'intelligentsia* cathare méridionale qui aient été capables de résistance militaire, l'événement marquait un tournant décisif dans l'évolution de la répression antihérétique et de l'histoire du rattachement du Languedoc à la France. Après la chute de Montségur, tout devient différent. Un espoir est tombé. Un vide s'installe. La terreur gagne.

---

(1) Voir note 1, p. 235.

(2) Toute l'histoire de Montségur et de ses habitants est exposée avec précision, en détail, et avec cœur, dans le très beau t. 4 de *l'Epopée cathare, op. cit.* de Michel Roquebert : *Mourir à Montségur* (Toulouse, Privat, 1989). J'encourage le lecteur à s'y référer constamment, car je ne donnerai bien sûr ici que de très grandes lignes de ce vaste sujet.

Femmes de Montségur

Durant quarante années, un village occitan de montagne avait vécu en marge du monde, et en même temps au cœur des préoccupations, des ferveurs et des haines de son siècle. L'installation d'un sénéchal de France à Carcassonne et d'officiers royaux à travers l'ancienne vicomté Trencavel, la soumission et les promesses du comte de Toulouse à l'Eglise de Rome et au roi de France, le nouvel ordre qui se mettait en place sur le Languedoc, rien de tout cela ne l'avait vraiment atteint. A Montségur, îlot préservé par-dessus les tempêtes, le seul pouvoir réel était resté celui de ses légitimes seigneur et coseigneurs, la seule autorité spirituelle celle de l'évêque de Toulousain et de son Eglise ailleurs appelée hérétique, la seule norme morale et intellectuelle, celle de l'Evangélisme cathare.

Montségur, village fortifié, *castrum* situé dans les Pyrénées ariégeoises, comme une enclave de suzeraineté toulousaine à l'intérieur du comté de Foix, n'avait jamais été pris par la croisade. Sa position à la fois écartée géographiquement et extrêmement escarpée topographiquement, ainsi que les intimes et profondes convictions cathares de la famille noble dont il dépendait, l'avaient préservé de tout fait pratique de conquête. Malgré la croisade de 1209, malgré la guerre royale de 1226, malgré la soumission toulousaine de 1229, Montségur était resté entre les mains de ses seigneurs occitans, la famille de Péreille, et n'avait été rattaché que sur le papier aux possessions du Maréchal de la foi, le sire de Lévis, que le roi de France avait installé à Mirepoix.

Telle était du reste exactement la raison pour laquelle, en 1232, alors que Parfaits et Parfaites s'étaient égaillés à travers bois du fait des premières mesures répressives systématiques, l'évêque cathare de Toulousain, Guilhabert de Castres, avait demandé au seigneur de Montségur, Raimon de Péreille, de recevoir en son *castrum* et d'y abriter quasi officiellement la hiérarchie et la vie de son Eglise. Après de lourdes hésitations, Raimon de Péreille avait fini par accepter et Montségur devenait ainsi, désigné peu à peu et *de facto* aux yeux du monde, « tête et siège » de l'Eglise interdite.

LA PREMIÈRE DAME DE MONTSÉGUR

Il faut dire que déjà, auparavant, Montségur n'était pas un village tout à fait comme les autres. La forteresse d'origine féodale qui coiffait l'éperon rocheux, dont chacun d'entre nous porte, en filigrane, entre mémoire et regard, la silhouette triangulaire et effilée, était, en 1200, ruinée. En ce cas très précis, du fait d'une situation montagnarde sans doute trop inhospitalière et trop exclusivement stratégique, le phénomène *d'incastellamento* avait avorté : Montségur n'était pas devenu un *castrum*, un groupement fortifié d'habitat, mais était resté une modeste tour féodale, peu à peu dégradée et abandonnée. Son seigneur, un tout jeune homme, Raimon de Péreille, fils de la Dame de Péreille et de l'un des coseigneurs de Mirepoix, résidait à Péreille ou à Mirepoix, sans trop se préoccuper sans doute de ce petit poste de défense délabré.

Mais la Dame de Péreille, Fornèira, ou Fournière en français, mère du jeune homme, choisit un jour, comme tant de *matriarches* de sa génération, de se faire Parfaite, quitta son mari et se retira en maison cathare à Lavelanet, emmenant avec elle sa plus jeune fille, la petite Azalaïs. Azalaïs du reste, devenue mûre dame et veuve, racontera quarante ans plus tard à l'inquisiteur comment sa mère, Parfaite, vint un jour furtivement l'enlever de chez son père, pour l'élever près d'elle en maison de l'Eglise, puis bientôt la persuader de se rendre elle aussi à Dieu et à l'Evangile; mais Azalaïs ne resta que quelques années jeune Parfaite et, comme toutes ces jeunes filles de sa génération que nous avons rencontrées au Mas-Saintes-Puelles, en Cabardès ou ailleurs, quitta l'Eglise pour se marier – avec le chevalier Alzeu de Massabrac – sans pour autant cesser d'être bonne croyante (1).

La Parfaite Fournière de Péreille fut très certainement la première « femme de Montségur »; mieux, ce fut certainement par elle que Montségur connut sa silhouette et son destin. Le témoignage de son fils Arnaud Roger, coseigneur de Mirepoix, et donc frère de Raimon de Péreille, indique en effet que « il y a quarante ans et plus », donc avant 1204, la dame et quelques

(1) Voir note 1, p. 254.

compagnes tenaient publiquement une maison cathare à Montségur (1). Ce fut dans les mêmes années que, du témoignage même de Raimon de Péreille, deux dignitaires cathares, le diacre de Mirepoix et son compagnon, vinrent lui demander de reconstruire – ou remettre en état – Montségur et de les y accueillir (2). Tel fut le point de départ de la constitution du *castrum* de Montségur, un village dont la demeure seigneuriale fut réaménagée et rendue habitable –Raimon de Péreille lui même s'y installa et y fonda une famille –, et dont les premières maisons furent des maisons religieuses, maisons de Parfaites sans doute même avant maisons de Parfaits.

« Il y a quarante ans et plus », avant 1204 donc, ce fut la Dame même de Péreille et de Montségur, qui avait abandonné à l'un de ses fils, Raimon, tous ses droits sur la seigneurie, avec le nom « de Péreille » (3), pour se retirer en religion, qui ouvrit la première maison de Parfaites au sommet du pog. Montségur lui avait appartenu en propre. Elle connaissait particulièrement bien le lieu et son château ruiné. Il n'est pas du tout impossible de penser que c'est à sa demande, du fait de son désir à elle de s'installer là-haut avec des compagnes, que l'Eglise de Mirepoix s'était adressée au nouveau seigneur en titre, le jeune Raimon, pour le prier de rendre le lieu à nouveau habitable et accepter d'y recevoir des communautés; c'était en effet la hiérarchie qui avait à s'occuper des maisons de l'Eglise et de l'affectation de ses pasteurs, nous en avons vu un exemple précis par le rôle que joua Bernard de Lamothe dans la réfection des maisons du Lantarès et l'installation des trois Parfaites Lamothe.

Entre 1200 et 1204, les Eglises cathares occitanes en général, et l'Eglise de Toulousain en particulier, n'avaient aucune raison spéciale d'envisager la constitution ou la construction d'un

---

(1) Déposition d'Arnaud Roger de Mirepoix, dans le volume Doat 22, f° 108 b-109 b.

(2) Déposition de Raimon de Péreille, *in ibid*. f° 214 a-232 b. Le texte précis est celui-ci : « Aux instances et prières de Raimon (diacre) de Mirepoix, de Raimon Blasquo et d'autres hérétiques, je reconstruisis le *castrum* de Montségur qui était auparavant détruit, puis j'y tins et reçus lesdits hérétiques et bien d'autres, je les y adorai maintes fois et y écoutai leurs sermons. C'était il y a quarante ans et plus. »

(3) Le frère de Raimon de Péreille, Arnaud Roger, héritera par contre des droits coseigneuriaux de son père sur Mirepoix, et de son nom.

point fort, d'une place de sécurité. Comte et vicomte, classe seigneuriale dans son ensemble et même consulats urbains, toute une société derrière ses pouvoirs politiques considérait avec bienveillance le clergé cathare et participait de près à la vie de l'Eglise. La menace d'une intervention armée extérieure était encore à peu près inimaginable. 1204, c'était l'année où la sœur et l'épouse du comte de Foix se faisaient elles mêmes Parfaites. 1204, c'était l'apogée du catharisme rayonnant, qui croyait s'être gagné un territoire de paix. La fondation de Montségur ne peut avoir de signification militaire. Le *castrum* ne s'édifia pas comme lieu de refuge et de défense d'une Eglise hérétique, mais comme simple lieu de vie en montagne d'une poignée de Parfaites du pays.

La première Dame de Montségur, ce ne fut aucune Esclarmonde, ni de Foix, ni de Péreille. Malgré les belles imaginations de Napoléon Peyrat, ni le comte de Foix ni sa sœur n'eurent jamais rien à voir avec la seigneurie de Montségur, que les Péreille ne tenaient de Foix que « sauf la fidélité due au comte de Toulouse ». Il est plus que probable du reste qu'Esclarmonde de Foix, qui vivait en maison de Parfaites à Pamiers, ne mit jamais les pieds à Montségur. Mais sans doute l'intuition du fantasque pasteur, auteur passionné d'une *Histoire des Albigeois* en cinq volumes, se révèle t-elle, en ce cas précis comme parfois ailleurs, exacte et fine : Montségur fut très certainement le fruit d'un vouloir de femme, et de femme cathare. Mais non celui d'Esclarmonde; celui de Fornèira de Péreille.

LES PETITES FILLES DE MONTSÉGUR

Au moment où l'inimaginable, une croisade en terre chrétienne et contre des vassaux du roi de France, déferle sur le pays, il faut se représenter Montségur comme une petite demeure féodale, surmontée d'une tour semblable à celle de Roquefort de la Montagne Noire, et entourée, sur des terrasses sommitales concentriques, de quelques maisons habitées par des communautés religieuses. L'irruption du danger brutal bouleverse cet ordre des choses : Raimon de Péreille, le jeune seigneur du lieu, s'y est installé lui-même tout près de sa mère Parfaite et, très vite, la place, qui est naturellement protégée et située à l'écart du théâtre des conflits, commence à jouer le rôle de refuge qu'on lui connaît aujourd'hui.

Raimon de Péreille accueille en son lieu haut aussi bien la hiérarchie de l'Eglise de Toulousain – l'évêque Gaucelin, le Fils Majeur Guilhabert de Castres –, que des lambeaux de communautés religieuses du plat pays ayant échappé aux bûchers collectifs de la croisade, ou encore les femmes et les enfants des familles de ses parents et alliés du Lauragais : les dames de Fanjeaux, les sœurs et les filles des Parfaites de la Paix cathare, gagnent la *montagne sûre* tandis que leurs frères et leurs maris, qui les y rejoignent régulièrement, font la guerre sous la bannière du comte de Toulouse. Montségur est un *castrum* de l'exode.

> « Il y a trente ans et plus, dit Raimon de Péreille, Gensers, femme de Pierre de Saint-Michel, de Fanjeaux, Véziade, femme d'Isarn Bernard de Fanjeaux, Hélis, mère de Pierre et Arnaud de Mazerolles, Fabrissa, femme de Bernard de Villeneuve et Gaia, sœur d'Isarn Bernard, demeurèrent longtemps dans le *castrum* de Montségur, et lesdites dames y adorèrent maintes fois Guilhabert de Castres et les autres hérétiques »...

Les dames de Fanjeaux avaient donc suivi à Montségur leur brillant prédicateur et directeur de conscience... Quoi qu'il en soit, Montségur commença alors à prendre véritable configuration de *castrum*, groupant tout un ensemble d'habitat fortifié au sommet de son pech effilé. Une société mêlant nobles et roturiers, laïcs et religieux, s'y était établie à demeure pour tout le temps que durèrent les guerres, entre 1209 et 1229; une population flottante, redescendant dans le plat pays, regagnant ses bourgs et ses châteaux toutes les fois que le hasard des armes le permettait; des communautés religieuses n'oubliant jamais leur devoir d'itinérance pastorale malgré le danger.

Au village de Montségur, du temps des guerres, vécurent ainsi les dames du tout Fanjeaux et ce qu'il restait des Parfaites du proche Lauragais, Hélis de Mazerolles comme Garsende du Mas, mais aussi des familles déracinées; Guillelme de Fistes, femme d'un nommé Maury d'Alaigne, confessa par exemple y avoir séjourné, du temps de son enfance, avec ses parents qui étaient hérétiques (1). Sans doute convient-il, dans ce cas précis, d'imaginer un couple entrant dans les ordres cathares, gagnant ensemble les maisons de Montségur où l'époux se joint aux Bons Hommes alors que l'épouse entre en maison de Parfaites, et leur enfant, la petite Guillelme, emmenée avec eux, élevée quelques années durant auprés de sa mère et de ses compagnes.

Il y avait d'autres enfants, au village de Montségur, et nous connaissons le nom de plusieurs d'entre eux : Raimon de Péreille s'était en effet marié, avant 1220, avec une riche héritière du Lantarès, Corba, qui était fille de la vaste famille coseigneuriale des Hunaud de Lanta, bien connue pour son attachement au catharisme à qui elle donna plusieurs Parfaits et Parfaites jusqu'au bûcher et d'innombrables protecteurs. Corba était-elle quelque peu disgrâciée ? son prénom semble indiquer qu'elle était peut être « courbée » ; en tous cas, cela ne l'empêcha nullement de mettre au monde et d'élever une nombreuse famille dans la maison forte du village perché de Montségur. Nous lui connaissons au moins cinq enfants ayant survécu jusqu'à l'âge adulte ou l'adolescence : quatre filles, Philippa, Arpaïs, Esclarmonde et Braïda, et un fils, Jordan. Quatre petites filles au moins, pour qui Montségur fut maison natale, chaleur maternelle, lieu d'enfance, aire de jeux, de rêves et d'aventures affectives. Quatre petites filles de Montségur.

Quatre petites filles, parmi leurs cousins et cousines et ces quelques dizaines d'enfants pour qui le monde s'arrêtait à la ligne bleue des montagnes, aux yeux de qui, tout naturellement, la beauté de l'horizon ne pouvait faire illusion ni disculper du mal le créateur de ce monde ; pour qui un chrétien était nécessairement un Bon Homme ou une Bonne Dame, comme tous ces religieux qu'ils croisaient quotidiennement dans les ruelles du village et qu'ils saluaient à l'imitation de leurs parents. Lorsque la trêve de la *reconquista* occitane, entre 1220 et 1229, eut permis à la plupart des enfants de redescendre avec leurs parents, plus durablement, en Lauragais ou en Lantarès, aux communautés religieuses et à la hiérarchie de se réinstaller auprès de leurs croyants des bourgs, les quatre petites filles demeurèrent à Montségur, chez elles, avec leurs

(1) Sentence de Guillelme de Fiste (Castres), août 1244, dans le volume Doat 21, f° 320 ab.

parents Raimon et Corba de Péreille, avec leur frère Jordan, avec leurs grand'mères Parfaites et tous ceux qu'elles connaissaient de prés et qu'elles aimaient.

Fournière de Péreille, la première Dame de Montségur, disparaît assez tôt des documents, vers 1234. On ne sait pas au juste quand elle fit, en paix, sa bonne fin. Mais l'autre grand mère des quatre fillettes avait tout juste pris le relais : la mère de Corba de Péreille, Marquésia Hunaud de Lanta, la grande dame qu'Austorgue de Lamothe et ses filles Parfaites fréquentaient dans les salons toulousains, s'était elle aussi rendue à l'Eglise et avait gagné, peu aprés 1230, une maison cathare de Montségur auprès de sa fille et de sa famille. Pour Philippa, Arpaïs, Esclarmonde et Braïda aussi, deux visages de grand'mères symbolisaient l'Eglise chrétienne de leur village.

AU VILLAGE DE MONTSÉGUR

1230, 1232, tout bascula. Un jour de l'hiver 1232, arriva l'évêque de Toulousain Guilhabert de Castres, accompagné solennellement de son Fils majeur Bernard de Lamothe, de l'évêque d'Agenais Tento avec son Fils Majeur Vigouroux de la Bacone et d'une trentaine de Parfaits. Il avait fait dire au seigneur de Montségur qu'il désirait lui parler, et Raimon de Péreille s'était porté lui-même, avec déférence, et escorté de son bayle et de quelques hommes d'armes, au-devant de la petite troupe qui s'acheminait vers Montségur sous la protection d'Isarn de Fanjeaux, de Raimon Sans de Rabat et de Pierre de Mazerolles. Les chevaliers de Montségur prirent la relève des chevaliers de Fanjeaux, et l'on s'arrêta pour passer la nuit au *castrum* de Massabrac (1), où l'on fit un feu pour Guilhabert de Castres qui, déjà âgé et sans doute fatigué par le voyage, avait froid. Le lendemain, l'évêque de Toulousain et son escorte firent leur entrée dans Montségur (2).

Nous savons de quelle demande il était porteur, et ce que le seigneur de Montségur, après de longues hésitations, finit par

(1) Lieu dit aujourd'hui disparu, situé probablement à proximité de l'actuel village de Bénaix.

(2) Tous ces détails sont donnés par les dépositions de Guilhem de Bouan et de Bernard de Joucou, sergents de la garnison de Montségur (Doat 24, f° 74 b-75 a et Doat 22, f° 269 ab).

lui concéder. Le comte de Toulouse s'étant à son tour incliné devant Rome et le roi de France, l'Eglise cathare, mise hors la loi et éparpillée dans la clandestinité, n'avait plus de centre à partir de quoi reprendre souffle et réorganiser son action : Montségur, demeuré hors d'atteinte des nouveaux pouvoirs, constitua ce lieu à partir de quoi tout redevenait possible, « tête et siège » de l'Eglise interdite (1). A partir de Montségur et de 1232, la hiérarchie de l'Eglise de Toulouse, avec son évêque Guilhabert de Castres et ses Fils Jean Cambiaire et Bertrand Marty, celle de l'Eglise d'Agenais, avec son évêque Tento et son Fils Majeur Vigouroux de la Bacone, puis celle de Razés avec son évêque Raimon Agulher, retrouvaient base de prédication et de survie, un peu en dehors, ou plutôt au-dessus, du monde.

1232. Les aînées des quatre fillettes étaient devenues des adolescentes. Philippa et Arpaïs, avec leur mère Corba, allaient visiter leur grand'mère Marquésia en sa maison, écouter le prêche de Guilhabert de Castres dans la grande salle du château ou dans la maison des Bons Hommes. Comme l'ordre français et catholique avait envahi le plat pays jusqu'à Mirepoix et Lavelanet, parents et alliés avaient à nouveau rejoint le refuge de Montségur. D'autres jeunes filles, des cousines, d'autres garçons, de jeunes chevaliers, des écuyers, vivaient désormais dans le village fort qui se repeuplait, s'agrandissait. Le frère de Raimon de Péreille, Arnaud Roger de Mirepoix, était à son tour venu s'installer, avec sa femme Cécilia de Montserver, dont la mère était Parfaite, et leur fille Braïda; étaient venus s'installer sa sœur Azalaïs, la petite Parfaite des années 1204, veuve du chevalier Alzeu de Massabrac, mort consolé, avec ses deux fils Alzeu et Oth et sa fille Fays; son beau-frère Bernard du Congost, veuf d'Alpaïs de Péreille, avec son fils Gailhard, sa fille Blanche, son neveu Bertrand et ses deux nièces Parfaites, Ava et Saissa; son cousin Bérenger de Lavelanet avec sa femme Guillelme, qui se fera bientôt Parfaite, ses filles Bernarde et Lombarde et son tout jeune fils, Arnaud Olivier... Le clan noble du *castrum* de Montségur formait à lui seul un village d'une quarantaine d'habitants.

Mais Montségur était désormais aussi et surtout le dernier point fort de l'Eglise hérétique, et sans compter les impératifs

(1) *Domicilium et caput.* L'expression est utilisée par Bérenger de Lavelanet (Doat 24, f° 43 b-44 a).

pratiques du va- et-vient permanent des Parfaits et des Parfaites partant et revenant de missions de prédications impossibles, des fidèles montant en pèlerinage aux sources de la foi des communautés paisibles, des malades que l'on amenait là pour une bonne fin entre les mains des Bons Hommes, ce qui nécessitait lieux d'hébergement et escortes, l'on savait que Montségur était désigné comme l'ultime cible : il fallait prendre les moyens de le défendre. Des chevaliers faydits, avec leurs écuyers, Jordan du Mas, petit-fils de la Parfaite Garsende, Guilhem de Lahille, fils de la Parfaite Francesca et frère de la Parfaite Bruna, et quelques compagnons vinrent se joindre aux chevaliers de la famille de Péreille – Mirepoix ; l'on engagea des sergents d'armes, bon an mal an une cinquantaine environ, qui s'installèrent à leur tour peu à peu dans le village avec femmes, enfants ou amantes ; et surtout, Raimon de Péreille offrit la moitié de la seigneurie de Montségur avec la main de sa fille Philippa à son cousin Pierre Roger de Mirepoix, homme de guerre expérimenté, qui prit effectivement en main le commandement militaire de la place.

Les deux aînées des petites filles de Montségur se marièrent en effet l'une aprés l'autre ; Philippa la première, qui était sans doute la plus grande. Toute jeunette encore, elle se retrouva Dame de Montségur à plus de titres encore que sa mère Corba de Péreille, puisque, fille de l'un des deux coseigneurs de la place, elle devint en outre l'épouse du second. Au moment de son mariage, vers 1234, elle pouvait avoir de quatorze à seize ans, peut-être même moins ; Pierre Roger de Mirepoix était quant à lui un homme dans la force de l'âge, ayant probablement dépassé la quarantaine, veuf et père d'une fille prénommée Marquésia, qui était au moins aussi âgée que la jeune épousée, et elle-même femme de Raimon de Niort. Mariage de raison bien sûr, des réalités duquel l'on ne peut rien savoir, sauf qu'un enfant en naîtra au bout de quelques années, un petit Esquieu. La sœur de Philippa, Arpaïx de Péreille se maria à son tour vers 1236, mais pour sa part à un jeune chevalier qu'elle put probablement choisir, Géraud de Rabat, qui se fit l'un des défenseurs de la place. On ne leur connaît pas d'enfant.

Les deux jeunes femmes, Philippa de Mirepoix et Arpaïx de Rabat, continuèrent à visiter sereinement et pieusement leur grand'mère Marquésia Hunaud de Lanta et les autres communautés de Parfaites, et d'assister au prêche de Guilhabert de Castres ou de Bertrand Marty dans les maisons de l'Eglise, avec leurs suivantes et en compagnie de leur mère Corba de Péreille, de leurs jeunes sœurs Esclarmonde et Braïda, de leurs cousines Lombarde de Lavelanet, Fays de Plaigne et Braïda de Mirepoix, ou de leurs tantes Azalaïs de Massabrac et Cecilia de Mirepoix. Aux assemblées religieuses, se pressaient aussi les femmes et les maîtresses des hommes d'armes, les deux bayles des coseigneurs avec leur épouse, le médecin personnel de Pierre Roger, la nourrice du petit Esquieu et les soldats eux-mêmes, sergents, écuyers ou chevaliers. Village singulier, île et place forte, où la vie ne prenait rythme et sens qu'en fonction de l'Eglise des Bons Chrétiens.

Singulier *castrum*, dont la moitié de la population était composée de communautés religieuses et l'autre moitié de soldats, nobles et roturiers, avec leur famille : famille au sens large bien sûr, véritable clan seigneurial pour les chevaliers; famille plus réduite pour les simples sergents. Aucun paysan. Le pech calcaire et vertical de Montségur ne permet nulle tentative d'agriculture. L'approvisionnement de la place dépendra toujours de son plat pays. Un certain nombre d'artisans cependant, tous religieux. Parfaits et Parfaites, en leurs maisons de Montségur, mettaient le travail constant de leurs mains au service de la vie commune. Ils et elles tissaient, coupaient, cousaient, fabriquaient, façonnaient tout ce qui est utile au quotidien. La boulangère était une Parfaite; le meunier un Parfait.

Singulier *castrum* où, durant un demi-siècle au moins, aucun religieux ni croyant catholique ne pénétra jamais, dont chaque habitant fut inmanquablement, nécessairement, fervent fidèle ou membre de l'Eglise cathare. Les soldats eux-mêmes, les cinquante insensés de la minuscule garnison qui brava longtemps la grande armée du sénéchal de France, faydits, militaires professionnels ou d'occasion, recrutés par Pierre Roger de Mirepoix ou s'étant portés volontaires par conviction, se montrèrent tous de véritables militants, sachant pourquoi ils se battaient, et au service de qui ils avaient mis leur bras.

MONTSÉGUR AU PLUS HAUT

Singulier *castrum*, où la promiscuité la plus étonnante mêla, dans des ruelles escarpées, nobles dames, vieilles religieuses, enfants, damoiseaux, ménagères, soudards, amoureuses et hommes de Dieu. L'horizon y était vaste et bleu. Lui seul n'a pas changé aujourd'hui. Le regard déjà pouvait y prendre appui sur la silhouette lointaine du pech de Roquefixade à l'ouest, et craignait l'amoncellement des nuages autour du Saint-Barthélemy, qui couvrait bientôt tout le ciel à partir du sud. Le village était grand, il abritait au moins cinq cents personnes en 1243 ; vertigineux, étagé presque à la verticale autour d'une montagne élancée, précaire et fort entre charpentes, pierre taillée, torchis et roc aplani, il est difficilement imaginable aujourd'hui, même si une patiente et tenace archéologie a révélé la partie supérieure de ses terrassements, les bases de quelques-unes de ses maisonnettes, le profil de ses escaliers.

Il faut dire qu'aujourd'hui les volumes nets et l'architecture faussement mystérieuse (1) de la petite forteresse française bâtie par les vainqueurs, probablement au début du XIVe siècle, sur la plate-forme sommitale du pech de Montségur et jetée pour ainsi dire sur les ruines à peu près arrasées de l'ancien *castrum* cathare, fausse singulièrement toutes perspectives ; il faudrait parvenir à faire abstraction de cette excroissance anachronique, pour se représenter le sommet de la montagne, beaucoup plus rugueux et bosselé qu'il ne l'est aujourd'hui, surmonté probablement d'une ou deux tours, d'une demeure seigneuriale en pierre posée sur le rocher, et projetant au long des pentes une cascade escarpée de terrassements, de cabanes, maisonnettes et voies de passages rudimentaires. Le tout ceint de murailles, et séparé du rempart par des lices.

Une ou deux barbacanes, ou postes avancés, fermaient assez bas la montagne. La neige, le froid, la pluie, les nuées presque

(1) La perfection géométrique de la forteresse de Montségur, et ses orientations générales sur le soleil, montrent simplement que ce fut une belle bâtisse médiévale, œuvre de ces professionnels qui construisaient châteaux et cathédrales. Le « secret » de l'architecture du petit château français n'est bien entendu pas cathare – puisqu'il est bien postérieur à l'occupation cathare et que de toutes façons les cathares n'auraient eu que faire de symboles architecturaux –, mais compagnonnique.

toute l'année, enserraient de boue, minaient les petites maisons de torchis. Puis la chaleur d'août donnait à penser qu'il n'y avait d'autre eau, dans le village, que celle des pluies et de la neige fondante; point de source, mais des citernes. Qu'il n'y avait point de champ, de vigne ni de jardin. Mais dans le froid, l'humidité et le brouillard de la montagne, les plus belles échappées de lumière sur les êtres et les choses.

Durant prés de quinze années, le village perché fut le point de mire de toute une population de croyants, qui courbaient la tête à la messe obligatoire des bourgs du plat pays et serraient le poing au fond des poches au passage des cortèges de l'Inquisition qui pénétraient partout. En direction du sud, presque à portée de regard sous le signal du mont Saint Barthélemy, on savait que l'Eglise agissait, priait, travaillait, qu'à Montségur de nouveaux Parfaits et Parfaites étaient régulièrement ordonnés pour ensuite redescendre affronter les dangers de la plaine auprès de leurs fidèles, que les noyaux des communautés religieuses s'activaient là-haut et que l'on pouvait toujours, au voisinage de la mort, prendre le chemin de la montagne avec un parent ou un ami, pour monter faire sa bonne fin entre les mains des Bons Hommes et des Bonnes Dames, dans les hospices de l'Eglise. Autant que de refuge fortifié contre les agressions de croisade, le lieu haut de Montségur tint fonction de havre de Salut de l'âme et d'ultime pitié des corps.

Les Parfaites de Montségur, traditionnellement, jouèrent ce rôle d'assistance aux malades, aux vieillards et aux infirmes qui montaient à l'abri de leurs maisons se donner à Dieu au terme de leur vie. Quand le siège militaire de la place fut installé, que les combats montèrent jusqu'aux murailles du village, elles soignèrent aussi les blessés. Elles avaient une supérieure, Rixende del Teil, mais se répartissaient bien entendu en un certain nombre de maisons. Navarre de Servian, fille de Blanche de Laurac, fut de ces Parfaites paisibles, jusqu'à sa mort vers 1234. Lorsque les événements se précipitèrent, à partir de 1242, un dernier contingent de religieuses et de soldats monta s'enfermer dans le village fort.

En 1240, Pierre Roger de Mirepoix et ses compagnons avaient participé avec toute leur génération de chevaliers faydits à la chevauchée de Raimon Trencavel, le fils du vicomte de

Carcassonne assassiné en 1209, et qui franchissant la ligne des Pyrénées de son exil aragonais, avait tenté de reconquérir sa principauté sur le roi de France. Malgré l'échec de cette tentative devant l'armée du sénéchal de France, les temps étaient à la révolte, au soulèvement populaire derrière des princes occitans pour libérer le pays. Au centre de cette révolte, Montségur, que le comte de Toulouse utilisa comme fer de lance de son action militaire et diplomatique au printemps de 1242. La chevalerie de Montségur opéra un véritable raid de commando contre l'appareil inquisitorial qui stationnait en mai à Avignonnet en Lauragais. Les inquisiteurs et leur suite furent massacrés, leurs registres fichiers, lourds de délations et de dénonciations, détruits, et tout le pays se souleva dans l'enthousiasme. Mais l'échec de cette ultime tentative toulousaine, après celui de Trencavel, eut pour dernier résultat de désigner crûment Montségur à la vindicte de la royauté française – pour qui il s'était affirmé noyau de résistance militaire –, tout autant qu'à celle de Rome – aux yeux de qui il figurait le nid de serpents de l'hérésie. Désormais, l'heure était à « décapiter l'hydre ».

Si bien que Montségur, qui avait peut être été à demi toléré tacitement depuis dix ans, comme « abcès de fixation », par les représentants de l'ordre catholique, se trouva, dans l'été 1243, encerclé d'une immense armée assiégeante, composée de croisés plus ou moins spontanés, de Français, de Gascons et de gens du pays, sous les ordres des évêques méridionaux et du sénéchal de Carcassonne, Hugues des Arcis. En bon chef de guerre, Pierre Roger de Mirepoix avait amassé dans la place vivres et munitions. Plusieurs milliers de soldats avec tentes, équipement, chevaux de guerre, machines, prélats et aumoniers, assiégeaient un village de deux cents religieux non violents et de quelques dizaines de femmes et d'enfants, défendus par une garnison de cinquante hommes. Mais ce village était Montségur, au plus haut.

LA DERNIÈRE DAME DE MONTSÉGUR

Philippa de Péreille, la toute jeune dame de Montségur, épouse de Pierre Roger de Mirepoix et mère du petit Esquieu alors en nourrice, est au nombre des dix-neuf survivants du siège dont la déposition devant l'inquisiteur Ferrier nous ait été conservée (1). Elle avoua qu'elle était bonne croyante d'hérétique depuis qu'elle avait l'âge de raison, et que depuis sept ans et jusqu'à la prise du château, elle avait régulièrement adoré les Parfaits et reçu le baiser de paix des Parfaites. Ce chiffre de sept années a-t-il été lancé un peu au hasard par Philippa, ou peut-on lui accorder une signification plus précise? la jeune femme entendait peut-être exprimer qu'elle suivait le rite des croyants depuis sa majorité, qui était alors fixée à douze ans pour les filles? Elle aurait ainsi été âgée d'un peu moins de vingt ans à l'issue du siège, en 1244, et par conséquent n'aurait été qu'une fillette de dix ans au moment de son mariage avec Pierre Roger, ce qui n'est bien sûr pas impossible. Leur premier enfant, Esquieu, n'était semble-t-il qu'un bébé lors des événements du siège.

Effectivement, à la différence bien sûr des relations faites par son père ou par sa tante, les souvenirs évoqués par Philippa de Mirepoix devant l'inquisiteur ne remontent au plus qu'à trois ou quatre années, ce qui plaide en faveur d'une extrême jeunesse.

> « J'ai vu, dit elle, mon frère Jordan de Péreille adorer bien souvent les hérétiques dans les rues de Montségur, il y a trois ans, il y a deux ans, l'année dernière... »

Elle décrit également à frère Ferrier, et rattache à la même période les grandes cérémonies du prêche de l'évêque Bertrand Marty, devant toute la société de Montségur et en particulier les membres de sa famille, son père, sa mère, ses sœurs, ses tantes, son mari; et ne mentionne jamais le vieil évêque Guilhabert de Castres, auquel son Fils Majeur Bertrand Marty dût succéder entre 1238 et 1240.

Elle évoque ses visites à sa grand'mère Parfaite, qui la gâtait :

> « Avec ma sœur Arpaïx, femme de Géraud de Rabat, ma mère Corba et ma sœur Esclarmonde, nous allions souvent manger, dans la maison des Parfaites, avec ma grand'mère Marquésia et ses compagnes, et nous mangions, à leur table, le pain qu'elles avaient béni, et disions le benedicite à chaque plat... Et plusieurs fois, ma grand'mère Parfaite, Marquésia, me donna des chemises, des voiles, des gants et autres choses qui se portent... »

---

(1) Déposition de Philippa de Mirepoix, dans le volume Doat 24 (f° 196 b-204 a).

Philippa elle-même, Dame de Montségur, veillait à l'approvisionnement de la hiérarchie de l'Eglise – est-ce une nuance inégalitaire à porter au tableau de la société cathare occitane? Mais, bien entendu, ces provisions profitaient à l'ensemble des communautés :

> « J'ai envoyé maintes fois à Bertrand Marty, Raimon Agulher et aux principaux hérétiques, ainsi qu'à ma grand'mère Marquésia, du pain, du vin, des poissons, des légumes et autres provisions, par ma suivante Raissague, fille de Fabrissa, de Queille, par Fays de Plaigne ou par Azalaïs Feiresse, de Camon, la nourrice de mon fils Esquieu. Toujours à la même époque, d'il y a trois ans jusqu'à la prise de Montségur. »

C'était effectivement du temps où, en prévision d'un affrontement puis au long du siège, les vivres étaient peut-être soigneusement réparties et rationnées. Mais Philippa était la femme du seigneur.

La toute jeune dame était-elle au fait des événements politiques et des agissements de son mari, grand seigneur et chef de guerre? En 1240 –avait-elle seize ans? Pierre Roger chevauchait aux côtés de Raimon Trencavel et dirigeait bon nombre d'opérations de la guerre des faydits.

> « Jordan du Mas le vieux, et Guilhem du Mas son neveu, le frère de Jordan du Mas junior qui a été tué sous Montségur, vinrent au *castrum* pour nous avertir que les Français voulaient capturer Pierre Roger, mon mari, au siège du château de Roquefeuil »...

Il revint sain et sauf pourtant, et dut chercher à assurer son propre pouvoir aux dépens des droits de son beau-père. Philippa témoigne encore :

> « Il y avait discorde entre mon père Raimon de Péreille et mon mari Pierre Roger, à propos du partage des droits sur Montségur. Pons Arnaud de Châteauverdun vint alors au château pour apaiser cette discorde. Il fit la paix entre eux et repartit. Il y a eu un an l'été dernier. »

A la même époque, elle vit arriver au *castrum* une véritable petite armée à cheval :

> « J'ai vu Guilhem Fort, Raimon Arnaud et Raimon de Limoux, avec Pélestieu, Guilhem Pierre « Bouche de Loup » et Roger

> d'Aragon, et le fils de Guilhem Fort, dont j'ignore le nom, ainsi qu'une multitude de chevaliers qui étaient bien au nombre de cinquante et avec leurs montures, qui venaient au *castrum* de Montségur. Ils mangèrent et dormirent pour la plupart dans la maison de mon mari, et repartirent le lendemain ».

L'inquisiteur ne lui demanda semble-t-il pas de quoi cette troupe de cavalerie venait s'entretenir avec le seigneur de Montségur, ni si la jeune femme le savait; tout ce qui l'intéressa, ce fut de savoir s'ils avaient adoré des hérétiques.

Il interrogea pourtant Philippa sur l'approvisionnement de la place forte, et la Dame de Montségur put lui répondre :

> « Des hommes de Laroque d'Olmes, de Lavelanet, de Montferrier, de Massabrac, de Villeneuve d'Olmes, de Roquefère, de Saint-Benoît et de Balaguier, au diocèse de Toulouse, et dont j'ignore le nom, apportèrent au *castrum* de Montségur du blé, du vin et autres vivres, à mon mari Pierre Roger, à mon père Raimon de Péreille, et aux autres chevaliers et sergents dudit *castrum*, et même aux hérétiques (qui avaient pourtant déjà leurs légumes). Il y a eu un an de cela l'été dernier. »

Et ce 18 mars 1244, sous la tente de l'Inquisition, au pied du pech, la toute jeune femme, la dernière Dame de Montségur, est obligée d'évoquer le long et terrible siège qu'elle vient de vivre. De dénoncer, encore et toujours, d'hérétiques pratiques qui, seules, intéressent son confesseur-juge :

> « Jordan du Mas, Bertrand de Bardenac, Bernard de Carcassonne et Sicard de Belpech, à la fin de leurs jours, furent consolés par les hérétiques et reçus par eux, je veux dire quand ils furent blessés des blessures dont ils moururent. C'était il y a un mois et demi. Je n'assistais pas à ces consolaments... »

La tante du côté paternel de Philippa, la plus jeune des filles de Fournière de Péreille, cette petite Parfaite Azalaïs vieillie, quarante ans plus tard, en veuve du chevalier Alzeu de Massabrac, est elle aussi l'un des dix-neuf survivants du siège de Montségur dont la déposition devant l'inquisiteur Ferrier nous ait été conservée (1). Elle aussi raconta ce quotidien du prêche de Guilhabert de Castres ou de Bertrand Marty, du temps de la paix armée, devant l'assemblée des nobles dames et de leurs

---

(1) Déposition d'Azalaïs de Massabrac, dans le volume Doat 24 (f° 204 a-209 a).

maris, devant les coseigneurs et les chevaliers faydits, Jordan du Mas, Guilhem de Lahille, Brézilhac de Cailhavel, devant les sergents et leurs femmes, Pons et Arsendis, Bruna et Arnaud Domergue, et tant d'autres. Elle raconta aussi, à sa manière, et indirectement, le quotidien d'un siège qui se resserrait chaque jour davantage, du danger mortel qui se rapprochait, s'amoncelait.

> « Quand Guilhem de Lahille fut blessé mortellement à Montségur, je me rendis pour le visiter dans la maison de l'évêque des hérétiques, Bertrand Marty, en compagnie de Corba, femme de Raimon de Péreille, de Cécilia, femme d'Arnaud Roger, de Philippa, femme de Pierre Roger de Mirepoix, d'Arpaïx, femme de Géraud de Rabat et de ma fille Fays, femme de Guilhem de Plaigne. Et alors, toutes ensemble, nous avons demandé à l'évêque Bertrand Marty et aux autres hérétiques que, s'il nous arrivait d'être mortellement blessées et de perdre conscience, qu'ils veuillent bien nous recevoir et nous consoler même en ayant perdu l'usage de la parole. Ils nous le promirent et firent avec nous ce pacte de *convenenza* (1), grâce auquel ils nous recevraient et consoleraient même si nous ne pouvions plus parler. Puis, toutes, nous avons adoré ces hérétiques avant de quitter leur maison. C'était il y a trois semaines environ... »

Trois semaines environ avant la déposition de la sœur de Raimon de Péreille, c'est-à-dire dans les derniers jours de février 1244, Montségur, dans le froid de l'hiver, était à bout de résistance, accablé de boulets de pierre, de lourds projectiles tirés par les machines de jet installées par les assiégeant et qui écrasaient les fragiles toitures du village. Plusieurs assauts aux échelles avaient même été repoussés *in extremis*. Les femmes participaient à la défense, des Parfaits eux-mêmes montaient la garde, la place ne pouvait plus tenir sans un prompt renfort. Mais qui, sauf le suzerain des coseigneurs, le comte de Toulouse, pouvait encore tenter d'aider Montségur?

> « Quand Bernard le Carcassonnais, l'un des sergents de Montségur, fut blessé à mort, il fut consolé dans la maison de l'évêque des hérétiques Bertrand Marty, de la manière habituelle, et j'assis-

---

(1) Ce terme juridique, emprunt au vocabulaire et aux pratiques du droit méridional d'alors, signifie à proprement parler convention, et désignait, en ce cas précis, un accord conclu en temps d'intense péril entre croyant et Parfait, et garantissant au premier de recevoir le sacrement salvateur, même s'il ne lui restait qu'un souffle de vie et plus aucune conscience. Le Rituel cathare prévoyait en effet que le postulant devait nécessairement être capable de répondre à l'officiant.

tai à ce consolament avec beaucoup d'autres personnes, mais je ne me souviens pas lesquelles, parce que nous courions tous alors de tous côtés à cause des attaques. »

C'est toujours Azalaïs de Massabrac qui parle.

Les fouilles archéologiques viennent de mettre au jour, sur une terrasse d'habitat de la crête orientale du pech, un foyer de cuisine, intact; en place sur le foyer, un pot de terre à cuisson, entier mais brisé, et sur le pot, l'écrasant encore, un boulet de pierre tiré par une des machines des croisés. Le quotidien que vécurent Azalaïs de Massabrac ou Philippa de Mirepoix, les amantes des sergents ou les Parfaites, ce fut aussi cela.

LES BRÛLÉES

De quel espace d'intimité Philippa et Pierre Roger de Mirepoix, Corba et Raimon de Péreille, Fays et Guilhem de Plaigne, Arpaïx et Géraud de Rabat, pouvaient-ils bien disposer, dans la chambre de leur demeure de pierre encerclée d'une vie populeuse et dense, rythmée de cérémonies religieuses et d'obligations familiales, même avant que l'étau du siège ne les enserre? De quelle parcelle de vie propre, plus précairement encore, pouvaient bénéficier, dans un angle du village surpeuplé, un coin de maison, un repli du rocher, le fond d'une salle de gardes, Pons et Arsendis Narbonne, Guillelme et Arnaud Aicart avec leurs trois enfants, Bruna et Arnaud Domergue, Amade et Guilhem d'Unac, Pierre Aura et son amie Bonetta, Pierre Vidal et son amie Guillelme Calvet, même avant que l'étau du siège ne les broie?

Où les sergents de la garnison, leurs épouses, leurs maîtresses, prenaient-ils leurs repas? Chacun chez soi, dans son petit espace vital préservé on ne sait comment? En commun? Dans les maisons des Parfaits et des Parfaites, qui tenaient table ouverte, et comme le faisaient fréquemment les gens de la noblesse? A quoi ressemblait Montségur du temps où les fumées des foyers et de la vie s'élevaient entre ses multiples toits? avant que des boulets de pierre ne viennent écraser ses foyers et leurs êtres?

A la fin du mois de février 1244, Montségur est à bout de résistance. Une dernière attaque aux échelles vient d'être repoussée. La prise d'assaut est imminente, avec ce que l'on peut imaginer d'horreur irrationnelle et militaire. Pierre Roger de Mirepoix a bien tenté de réconforter le moral de ses quelques poignées de soldats et de la population en laissant espèrer l'intervention d'un renfort du comte de Toulouse. Peut-être y croit-il lui même? Le 1er mars, il négocie avec le sénéchal du roi une trêve de quinze jours, après quoi le château sera rendu, en bon ordre. Espère-t-il ainsi gagner du temps? laisser au comte Raimon le loisir d'arriver enfin avec une armée de l'empereur Frédéric? L'Eglise, quoi qu'il en soit, avait besoin d'un peu de temps et de répit, pour se préparer.

L'inquisiteur Ferrier déjà est à pied d'œuvre, dans les tentes de l'armée, au pied du pech. Pierre Roger a gagné la vie sauve pour tous les défenseurs et leur famille, et même pour les chevaliers responsables du massacre des inquisiteurs d'Avignonnet, ce qui est inespéré. Ils devront simplement confesser leurs erreurs à l'inquisiteur et répondre à ses interrogatoires. Par contre bien sûr, comme une déjà ancienne habitude en a été prise, les hérétiques hommes et femmes qui seront trouvés dans la place à l'expiration de la trêve, le 16 mars prochain, et qui ne voudront pas se convertir, seront immédiatement brûlés. Bien entendu, aucun des Parfaits ni des Parfaites de Montségur, aprés ces années passées au sommet de la montagne, c'est-à-dire déjà au-dessus du monde, et dans l'écho des prédications des évêques de Toulousain ou de Razés, ne demandera la vie sauve (1). Tous et toutes, au contraire, organisent leur départ de ce monde, distribuent à leurs défenseurs, leurs amis, leurs fidèles, leurs proches ou les plus nécessiteux des hommes d'armes, ce qu'il leur reste en propre de provisions ou de vêtements, des couvertures, du poivre, des bouts de chandelle, un peu d'argent, mais aussi des pourpoints ou des tuniques qu'ils

(1) A part peut être cette Parfaite nommée Azalaïs Raseire qui, bien que prise à Montségur, fut brûlée à Bram un an plus tard, et non dans le grand bûcher collectif du 16 mars 1244. Il n'est peut-être pas impossible d'imaginer qu'elle commença par se mettre au rang des laïcs, se retrouva aprés le 16 mars dans la cohorte des survivants gardés à vue, puis devant l'inquisiteur, et que finalement, prise de remord, elle refusa d'abjurer tout à fait, si bien qu'elle fut ramenée dans sa paroisse d'origine de Bram pour y être brûlée à son tour. C'est en tout cas moins invraisemblable que d'en tirer la conclusion que le bûcher de Montségur n'a jamais existé, comme Yves DOSSAT, qui est par ailleurs un excellent historien, n'a pas hésité à le faire il y a quelques années...

ont taillés et cousus de leurs mains en leurs maisons-ateliers. C'est le temps des adieux.

Dans le silence retombé, les croyants qui ont posé les armes, les femmes qui respirent enfin plus calmement, se rendent en cortège dans les maisons des Chrétiens qui vont quitter ce monde, qui vont mourir, pour une dernière bénédiction, une dernière parole, un dernier geste, un salut, un baiser de paix. Et l'inconcevable se produit. Dans les deux ou trois derniers jours précédant l'expiration de la trêve, et la veille même encore, l'un aprés l'autre, une vingtaine de ces hommes et de ces femmes, dont la vie sauve est pourtant assurée, demandent à recevoir le consolament qui fera d'eux de bons Hommes et de Bonnes Dames, promis au bûcher. Acte de courage et de foi, diront les uns, de désespoir et de fanatisme, diront les autres. Logique poussée jusqu'à l'ultime, de cette nostalgie de la lumière lointaine qui marque le catharisme mieux encore que toute autre religion chrétienne? Plus simplement, fatigue brûlante de militants, qui se sont battus jusqu'au bout, qui ont perdu et qui n'ont plus rien à perdre? Refus de quitter des êtres chers? Dernier choix individuel de chrétiens nourris au quotidien, durant des années d'exception, du pain de la Parole du Christ? Dernier acte de liberté et de dignité humaine de la part de vaincus qui s'affirment ainsi des vainqueurs?

Ce sont des chevaliers, des guerriers des grands lignages faydits : Guilhem de Lahille, de Laurac, qui accompagne ainsi jusqu'au bout sa sœur Parfaite Bruna, Brézilhac de Cailhavel, Raimon de Marceille et Bernard de Saint-Martin dont le frère Raimon est diacre. Mais aussi de simples sergents, avec leur femme : Pons et Arsendis, Arnaud et Bruna; et même Guilhem Garnier, ce bouvier de Lantarès que nous connaissions pour l'avoir vu, avec ses humbles amis d'Odars ou de Tarabel, protéger, cacher, nourrir Arnaude de Lamothe et ses compagnes, et qui vers 1241 ou même un peu plus tard, pour fuir l'Inquisition, avait ensuite gagné la garnison de Montségur. Et Guillelme Aicart, qui quittait ainsi son mari et ses trois enfants. Et cette Ermengarde, du lieu d'Ussat, dont on ne sait rien. Mais aussi la mère et la sœur de la trop jeune Dame de Montségur, Corba et Esclarmonde de Péreille.

Ce furent les évêques Bertrand Marty et Raimon Agulher qui conférèrent ces ultimes ordinations, et au soir de ce dimanche glacial – comme le sont les jours de mars à Montségur, la séparation commença : les nouveaux Parfaits et Parfaites ne regagnèrent pas leur demeure, leur minuscule espace de vie dans le *castrum* délabré, mais se joignirent aux communautés de l'Eglise.

Au matin du mercredi 16 mars 1244, tous et toutes s'étaient rassemblés dans les lices pour attendre l'irruption des soldats. Le sénéchal de France et l'archevêque de Narbonne firent procéder à l'évacuation de la place, et arracher les condamnés à Montségur. Ils furent précipités, au nombre de deux cent vingt cinq environ, dans le bûcher qui avait été préparé pour eux, pendant les derniers jours, et sans doute sous leurs yeux, au pied de la montagne. Le chroniqueur Guillaume de Puylaurens écrivit qu'ils passèrent directement des flammes du bûcher au feu de l'enfer, et que le château fut enfin rendu au maréchal de Mirepoix : le sire de Lévis, à qui il appartenait selon le nouveau droit international depuis quelques années, n'avait effectivement jamais songé ni osé en prendre possession.

Des deux cent vingt-cinq victimes du 16 mars 1244, on connait aujourd'hui le nom d'une bonne soixantaine. La hiérarchie de Toulousain et de Razés y fut décimée totalement, et dans l'enclos de pals et de pieux bâti par les croisés, disparurent en même temps les hautes Parfaites des lignages de Fanjeaux ou de Laurac : India de Fanjeaux, Braïda de Montserver ou Bruna de Lahille ; et Raimonde, la fille de Na Rica, l'épouse du barbier du Mas-Saintes-Puelles.

Quand, le 18 mars 1244, Philippa, la trop jeune Dame de Montségur fut convoquée par l'inquisiteur Ferrier pour en être entendue, elle venait de voir brûler vives, deux jours auparavant, sa grand mère Marquésia, sa mère Corba et sa sœur Esclarmonde. On ne sait pas ce qu'elle devint ensuite. Sans doute suivit-elle Pierre Roger en comté de Foix, au *castrum* de Montgaillard. On ne sait pas non plus si Esquieu, son petit garçon, parvint à l'âge adulte.

Elle fut la dernière Dame, et peut-être même la dernière femme de Montségur. Derrière ses pas, l'Inquisition fit très certainement procéder, selon sa loi, à la destruction du village fortifié qui avait abrité tant de pestilence hérétique (1). Puis cinquante ans plus tard, oubliés les interdits de reconstruire, un héritier des Lévis, probablement ce François II qui s'intitula « seigneur de Montségur et de Lagarde », fit applanir un peu mieux le sommet du pog et bâtir la belle petite citadelle qu'on connaît encore aujourd'hui, et qu'il jeta en travers des ruines de l'ancien *castrum* sans craindre d'en bouleverser le tracé. Mais les seigneurs de Lévis préférèrent toujours, à la forteresse des montagnes, leur confortable château des plaines; aucune épouse des Lévis ne devint jamais vraiment Dame de Montségur, et la place, durant plusieurs siècles, n'abrita plus qu'une bien virile garnison, qui y perdit peut-être quelques dés à jouer dans la stratigraphie des couches archéologiques (2)...

Mais les femmes de Montségur, croyantes ou brûlées, servantes ou châtelaines, furent toutes femmes cathares. D'humbles objets ont gardé le souvenir de leur main, de leur patience, de leur désir de vivre. Ciseaux et dés à coudre des ateliers des Parfaites, ornements de ceinture des dames, boucles et appliques de bronze doré, fragments de bijoux de cuivre ou de peignes d'os, ont traversé le temps, ont marqué leur sillage. Philippa, Marquésia, Arpaïx, Azalaïs, Arsendis, Braïda, Ermengarde, Esclarmonde, Rixende, Guillelme, Raimonde, Fays, Bruna, Corba, Saïssa, India, tant de noms peuvent encore se chuchoter.

---

(1) Tel est du reste le véritable sens de l'interrogatoire des survivants de Montségur, dont l'impunité avait été garantie. Il s'agissait, bien sûr, de les confesser au sens catholique du terme et de tâcher de les amener à repentance et conversion, mais aussi de bien établir, grâce à leur témoignage, le caractère hérétique du lieu même de Montségur, dont l'ensemble des bâtisses dut faire normalement l'objet d'une sentence de démolition de la part de l'inquisiteur.

(2) Un bel échantillonnage des objets mis au jour lors des fouilles archéologiques qui étudient patiemment et scientifiquement le village cathare et le château de Montségur depuis une trentaine d'années, peuvent être vus au musée du village actuel. Pour une bonne analyse de ces données, se référer à l'excellent catalogue de l'exposition *Archéologie et vie quotidienne aux* XIIIe-XIVe *siècles en Midi-Pyrénées,* réalisée au musée des Augustins de Toulouse (mars-mai 1990) par la Direction Régionale des Antiquités Historiques.

20

Les maudites

La terreur a gagné.

Géralda, femme de Géraud Déjean Arc, du village d'Auriac, revenait de la fontaine (1). Sur le chemin, elle rencontra sa voisine Alazaïs Monier, l'air affolé. Elle l'interrogea :

– Que t'arrive-t-il, Azalaïs?

– Ne sais-tu pas que le Bon Homme Arnaud Garrigue, qui était prisonnier au Château Narbonnais, vient d'être brûlé?

– Et pourquoi cela te met-il dans un tel état?

– J'ai grande crainte, parce que ce Bon Homme Arnaud Garrigue, avec ses compagnons, rappelle-toi, ils sont venus chez le cousin de ton mari, Géraud Arc, il y a quelques années, pour y tenir une réunion entre eux ; et nous avons tous assisté à cette rencontre, toi, moi, Géraud Arc, sa femme Fabrissa, sa mère Bertrande, le chevalier Azémar de Montaut... Si le Bon Homme a parlé, nous allons tous être cités devant l'Inquisition !

> « Tout récemment, avoua Géralda à l'inquisiteur en juillet 1246, quand j'ai effectivement été citée, je me suis entretenue avec cette Fabrissa, maintenant veuve de Géraud Arc. Je lui dis que j'avais très peur des Frères inquisiteurs : Dieu veuille qu'ils ne me prescrivent pas une pénitence trop sévère ! Oh, Géralda,

---

(1) Déposition de Géralda, femme de Géraud Déjean Arc d'Auriac, dans le manuscrit 609, f° 98 ab.

me dit-elle, vous leur avez donc dit la vérité? Je lui répondis que oui, et elle s'exclama qu'en ce cas j'étais perdue. Comme je lui demandais ce qu'elle ferait elle-même en pareil cas, et si elle dirait la vérité aux inquisiteurs, elle me répondit : jamais, au grand jamais! et qu'au contraire il y avait bon nombre d'habitants d'Auriac qui se laisseraient écorcher tout vifs par les inquisiteurs plutôt que de leur révéler la vérité. »

Pitoyable délation de la part de la pauvre Géralda, destinée à lui attirer, à ce qu'elle espère, une certaine clémence des inquisiteurs. Mais il est vrai que désormais chacun sait qu'il lui faut se méfier de chacun, de chaque voisin, de chaque connaissance, des membres de sa famille même. Que l'oreille de l'inquisiteur est partout et que le système inquisitorial tout entier, qui désormais rythme le quotidien des bourgs, est fondé sur le principe de la délation baptisée confession. Les Parfaites que l'on révérait, qui étaient de Bonnes Chrétiennes et qui avaient le pouvoir de sauver les âmes, l'une après l'autre, capturées, brûlées. Ce terme terrible, en marge des registres de l'Inquisition : *combustus, combusta*, brûlé, brûlée. Pour une bonne croyante, ou même une bien tiède, comment échapper à la délation? à la jalousie, la rancune de certains voisins, la cupidité de certains cousins?

Jeanne, veuve de Bernard, chevalier de la grande famille toulousaine des de Latour, crut s'assurer l'impunité, aprés la mort de son mari, en se retirant moniale chez les dames de Fontevrault du prieuré de Lespinasse. Elle fut néanmoins dénoncée comme croyante d'hérétique et citée devant l'Inquisition. Sa sentence, rendue par Bernard de Caux le 24 juin 1246, est parvenue jusqu'à nous :

« Pour avoir vu et adoré les hérétiques maintes fois et en divers lieux, écouté leur prédication, leur avoir fait des dons et avoir cru qu'ils étaient de bons hommes, pour avoir fait des aumônes à des vaudois et nié la valeur du serment »...

Elle fut condamnée à être emprisonnée à l'intérieur même de son établissement religieux,

« Dans une petite cellule séparée où personne d'extérieur ne pourrait parvenir jusqu'à elle, si ce n'est la prieure de Lespinasse elle même et elle seule, chargée de pourvoir à son nécessaire, et de veiller à l'exécution de la sentence (1). »

COMPROMISSION ET REJET

Et les témoins, les suspects, les cités à comparaître, comparaissent, entre angoisse et hébétude, devant Bernard de Caux et Jean de Saint-Pierre, ce couple d'inquisiteurs qui ont repris les travaux de Frère Ferrier, interrogent à nouveau les croyants qu'il avait débusqués, complètent l'instruction de leur procès, systématisent le harcèlement de ceux qui vacillent, recoupent et recoupent indéfiniment les pistes lancées par leurs prédécesseurs. Après la chute de Montségur, les deux victimes d'Avignonnet, les inquisiteurs Guillaume Arnaud et Etienne de Saint-Thibéry, sont vengés à chaque page de registre, les procédures sont lancées sur des rails inexorables.

« Ma mère, Arnaude, fut hérétique, dit Pierre Benech, de Laurac. Je lui rendis visite une fois ou deux chez Pons Faure, à Villeneuve-la-Comtal, où elle se cachait et où elle fut prise. Elle a été brûlée (2)... »

« Mon père Raimon et ma mère Raimonde furent tous deux hérétiques, dit Guilhem Authier, de Villepinte près de Castelnaudary. Ils furent ensuite convertis et réconciliés par saint Dominique et l'abbé de Villelongue, il y a une trentaine d'années et même plus, et reçurent leurs lettres de réconciliation. Mais ma mère Raimonde retourna à son vomi, se refit hérétique, et fut brûlée. Mais je ne l'avais pas revue (3)... »

« Un jour, dit Martin Terrazone, de Saint-Martin-Lalande, j'allai manger chez Guilhem Faure et discuter avec lui, et je vis chez lui deux femmes inconnues. Je lui demandai qui elles étaient, et il me répondit que c'étaient deux femmes étrangères et je ne m'en souciai plus. Puis j'entendis dire que ces femmes avaient été capturées et brûlées (4)... »

Les bûchers jalonnent inexorablement les livres de l'Inquisition. Et désormais, depuis Montségur, une certaine fatalité s'est

---

(1) Sentences de Bernard de Caux et de Jean de Saint-Pierre, in Mgr. DOUAIS, *Documents pour servir à l'histoire de l'Inquisition dans le Languedoc, op.cit.* Sentence XI, p.31.

(2) Ms.609, f° 192 b.

(3) *Id.* f° 251 a. Voir chap. 15.

(4) *Id.* f° 36 b.

abattue. L'Eglise n'est plus là. Elle a presque entièrement disparu dans les flammes. La nouvelle hiérarchie de Toulousain, péniblement reconstituée, s'est exilée en Lombardie, à l'abri des persécutions ; ce qui reste de celle de Carcassès erre entre les bois de Palaja ou de Cornèze et les montagnes du Cabardès. Bons Hommes et Bonnes Femmes, de plus en plus isolés, en rupture de toute attache, tournoient dans leur désert que désormais les gendarmes de l'Inquisition cernent de toutes part. De plus en plus, au sein des familles croyantes, l'on craint et l'on évite le contact avec les hérétiques, les perdants de l'Histoire, compromis et compromettants ; on commence à rejeter ceux et celles par qui le malheur arrive, la dénonciation, la citation à comparaître, l'emprisonnement, la perte des biens, les croix d'infamie. Ceux et celles pourtant que l'on cachait et protégeait jusqu'alors avec une telle ferveur. Le découragement et le désespoir, avec la terreur, commencent eux aussi à gagner.

Il y avait certes toujours eu des mouvements individuels, sporadiques, de rejet des maudits. Amade, l'épouse d'un chevalier de Saint-Martin-Lalande, Pierre de Gouzens, raconte ainsi aux inquisiteurs de 1245 comment, vers 1233, au moment où justement la répression commençait à s'organiser lourdement sur le pays rendu docile, sa belle-mère Dulcie et sa nièce Bernarde, deux Parfaites qui depuis cinq ans vivaient chez elle paisiblement et presque au su et au vu de tous, furent brutalement expulsées de la maison par son mari. La nuit qui suivit, ajouta-t-elle, elles rentrèrent secrètement dans la maison, et elles y furent capturées (1). Une mère Parfaite expulsée et peut être dénoncée par son propre fils, la chose a de quoi surprendre et même choquer ; sans doute ne s'agit-il que d'un procédé de style employé par la belle-fille pour tenter de disculper un peu la famille, bien compromise. Mais il n'en demeure pas moins que la terreur peu à peu commençait à remplir son office, c'est-à-dire à fissurer la solidarité qui unissait dans une espérance commune les Bons Hommes et leurs croyants.

---

(1) Déposition d'Amade, femme de Pierre de Gouzens, de Saint-Martin-Lalande, *in ibid.* f° 38 a.

LA PEUR DU FEU

Il faut dire que la famille des Gouzens, chevaliers de ce *castrum* de Saint-Martin-Lalande qui était entièrement gagné au catharisme derrière ses coseigneurs, les Bernard Mir que nous avons déjà rencontrés (1), était bien compromise. Quand l'Inquisition y transporta son appareil dans l'été 1245, les dénonciations contre les Gouzens montèrent de toutes parts. La matriarche Dulcie, épouse du chevalier Pons de Gouzens, avait ainsi élevé dans sa foi, outre sa nièce Bernarde, qui se fit Parfaite et fut prise avec elle, son neveu Guilhem, qui avait passé cinq ans de son enfance en maison de Parfaites auprès d'elle, avant 1230. Ce jeune Guilhem de Gouzens, avec son épouse Aimengarde (2), se révélèrent en fait, bien mieux que leurs cousins germains Pierre et Amade, parmi les plus fidèles protecteurs d'hérétiques de Saint-Martin.

Les dénonciateurs du village les ont vus partout écouter, adorer, les religieux clandestins, les escorter dans des maisons amies; eux-mêmes reconnaissent leur avoir fait porter maintes fois des vivres, avoir veillé à leur survie. En ce temps de danger et de difficulté, c'est une Parfaite, Guillelme, anciennement épouse de Raimon Faure, de Camplong, qui assure avec ses compagnes l'essentiel du rite et du prêche de l'Eglise dans la région de Saint-Martin. Parmi les dénonciateurs du couple de Guilhem et Aimengarde de Gouzens, une toute jeune fille, au passé déjà lourd, Raimonde Jougla.

Son père Raimon Jougla, lui même dénoncé par de nombreux voisins comme croyant et protecteur d'hérétiques, essaie de se débarrasser hâtivement devant l'inquisiteur du poids compromettant de sa fille.

> « Un jour que j'allais au lieu dit La Pèira, près de Belpech, je laissai mon fils Raimon et ma fille Raimonde à la maison; et à mon retour, je trouvai chez moi cette Guillelme, femme de Raimon de Camplong avec ses compagnes hérétiques. Je demandai alors à mes enfants qui les avait amenées là, et ma fille Raimonde répondit que c'était Isarn de Gibel qui les avait introduites à la

---

(1) Cf. note 1, p. 143.

(2) Ou Ermengarde, le scribe, ici comme ailleurs, utilise indifféremment les deux graphies.

> maison, lui promettant qu'il le lui revaudrait bien. Plein de colère, je me mis alors à battre ma fille, et je la jetai hors de la maison, nue, sans aucun vêtement. J'étais en train de battre mon fils quand Isarn de Gibel et sa femme Andreva, avec mon frère Pons, vinrent faire sortir lesdites hérétiques de chez moi pour les emmener chez eux. Et alors ma fille se fit hérétique, je ne la revis plus jamais, mais entendis seulement dire qu'elle était maintenant convertie (1). »

De cette sombre histoire, la jeune fille donna sa propre version à l'inquisiteur. Malheureusement, le mauvais état du manuscrit a lacéré sa déposition et ne permet pas de tout saisir (2). L'on comprend cependant que, selon son interprétation à elle, si son père l'avait effectivement jetée hors de la maison, c'était parce qu'il l'accusait d'être la maîtresse de Guilhem de Gouzens; que l'épouse de Guilhem lui-même, dame Aimengarde, avec d'autres de ses connaissances, Martine Vilaudin, sa fille Finas, dame Mélia et une Arnaude au patronyme indéchiffrable, avaient tenté de s'entremettre, et lui avaient peut être conseillé finalement de se joindre aux Parfaites errantes. Avant le drame, elle avait du reste beaucoup fréquenté les prêches clandestins, tant dans la maison de son père que dans d'autres maisons de Saint-Martin, et presque toujours en compagnie de ses mêmes amies. Aimengarde et Guilhem de Gouzens l'avaient aussi plusieurs fois utilisée pour porter de leur part des vivres aux clandestins.

Ce fut un nommé Bernard Alzeu qui la guida, en même temps que les Parfaites, en dehors de Saint-Martin; il les emmena dans un hameau proche de Laurac, à la maison de Raimon Arnaud, frère de la Parfaite Fabrissa; son frère Raimon Jougla s'était joint au petit groupe. A l'abri de la maison amie, les Parfaites prêchèrent, bénirent le pain et le partagèrent aux croyants qui étaient là, et Raimonde, quant à elle, leur promit qu'elle se rendrait à leur Eglise quand elles le voudraient. Elle suivit alors les Parfaites dans leur itinérance autour de Laurac, vit hommes et femmes venir les adorer et écouter leur prêche; elle même se sentait de plus en plus attirée par leur apostolat, réclamait d'être reçue dans l'Eglise.

> « Mais, dit-elle à l'inquisiteur, elles ne voulurent pas m'hérétiquer tant que je n'avais pas été suffisamment instruite dans leur

---

(1) Déposition de Raimon Jougla, Ms 609, f° 32 b.
(2) Déposition de Raimonde Jougla, *in ibid.* f° 41 a.

> foi et que je n'avais pas fait avec elles au moins trois Carêmes (1). C'était il y a trois ans... »

Vers 1242 donc, avant la chute de Montségur, au temps où la clandestinité des Parfaites n'était pas désespérée, ni leur errance destructurée.

Elle reçut finalement le consolament d'ordination chez un chevalier de Laurac dont elle tait le nom, mais ne demeura guère avec ses compagnes Parfaites. Celles-ci partirent en effet pour Montségur, mais sans elle. Comme on était en 1242 ou 1243, il est fort probable que Fabrissa et ses compagnes se retrouvèrent parmi les communautés de Montségur assiégé, puis au sein du grand bûcher collectif du 16 mars 1244. Raimonde Jougla, quant à elle, fut prise en charge par un jeune croyant de Laurac – depuis lors prisonnier au Château Narbonnais –, qui l'emmena rejoindre dans un fourré où elles étaient cachées, deux autres Parfaites, une Arnaude et sa mère. Raimonde vit le seigneur de Gaja-la-Selve, Bernard de Mazerolles, venir les y adorer. Mais c'est là qu'elles furent bientôt toutes trois capturées, et emmenées à Toulouse pour y être brûlées.

> « Elles furent brûlées à Toulouse, avoua Raimonde, mais moi, conduite devant le bûcher, par peur du feu, je me convertis à la foi catholique. C'était il y a deux ans et demi. »

Par peur du feu. Les mots sont dits, tout simples, terribles. Malgré la peur du feu, à laquelle ils s'étaient du reste engagés à ne pas céder lors de leur ordination, tant d'hommes et tant de femmes acceptèrent pourtant de quitter la vie par la porte de la souffrance plutôt que de renoncer au Salut de leur âme et de renier leur foi. La petite Raimonde Jougla, adolescente grandie dans la fascination d'une clandestinité exaltant l'âme et le cœur, dans le mirage peut-être de ces beaux chevaliers et de ces nobles dames qui s'agenouillaient devant les noir vêtues, fut attirée vers la lumière, s'y brûla un peu les ailes et les cils, et se réveilla brutalement devant l'horreur de la mort et du brasier.

---

(1) Les Bons Chrétiens, nous l'avons vu, pratiquaient trois Carêmes par an. Les Parfaites exigeaient donc de Raimonde Jougla une période de noviciat d'un an avant qu'elle puisse prétendre à l'ordination. Rappelons-nous le témoignage de Dulcie Faure, qui passa au moins trois ans en noviciat avant qu'il ne soit question de son ordination (Chap.12, la Maison dans la ville).

LA GRANDE MISÈRE DES ERRANTES

Arnaud de Clérens, ce petit chevalier des Cassès et sa femme Guillelme, que nous avons déjà rencontrés, et qui étaient tout autant compromis dans la protection d'hérétiques que la famille de Gouzens à Saint-Martin-Lalande, essayèrent eux-aussi de se disculper quelque peu aux yeux de Bernard de Caux, en s'embrouillant – et nous embrouillant –, dans de sombres histoires de dénonciations (1).

Au *castrum* des Cassès, comme en celui de Saint-Martin et tant d'autres, les coseigneurs eux-mêmes, les frères de Roqueville, donnaient l'exemple de l'engagement cathare. Arnaud de Clérens était certainement leur obligé. Avant 1240, il se montrait bon protecteur d'hérétiques; vers 1237, lorsqu'il rencontra, par hasard ou volontairement, trois Parfaites dans le bois de la Guizole, Bruna, dame Aurenca sœur de Guilhem Aimeric et Cogula sœur de Guilhem Graile, il s'empressa de rapporter le fait à sa femme, qui aussitôt en profita pour leur porter de la laine à filer; en échange, elle accepta de leur cuire du pain dans son four; mais jamais les trois Parfaites ne reçurent salaire de leur travail de filandière, car le curé de Saint-Paulet les captura presque aussitôt.

Guillelme et Arnaud de Clérens reçurent chez eux et cachèrent quelque temps deux autres Parfaites, Marquésia et sa compagne Raimonde. On était en 1241. Les deux femmes leur avaient été confiées par Raimon de Roqueville, seigneur des Cassès lui-même, qui ensuite se chargea à nouveau, avec son frère Bertrand de Roqueville, de les escorter en lieu sûr, à Avignonnet. Il faut dire que la Parfaite Raimonde avait été la dame Raimonde de Roqueville, et la propre épouse du seigneur des Cassès (2).

Les Clérens hébergèrent encore plusieurs fois la Parfaite Marquésia, avec différentes compagnes, une autre Raimonde, une Azalaïs. Guillelme de Clérens avoua à l'inquisiteur qu'elle garda ainsi douze jours durant, cette année-ci, c'est à dire en 1245, entre la Pentecôte et la Saint-Jean d'été, Marquésia et

(1) Cf. note 1, p. 186.
(2) Cf. note 1, p. 188.

Raimonde dans sa maison, et que les deux Parfaites ne cessèrent de travailler pour elle, filant, l'aidant en tout dans ses travaux ménagers et assurant tout le nécessaire. Puis que son mari les trahit au curé des Cassès, sans l'en avertir. Arnaud de Clérens donna davantage de détails à l'inquisiteur. Il lui raconta comment ledit curé lui avait tout d'abord conseillé d'attendre un peu, dans l'espoir que les deux Parfaites attireraient d'autres hérétiques dans le piège, puisqu'on savait bien que Marquésia avait elle-même deux fils Parfaits, qui viendraient certainement la visiter. Mais au bout de quatre jours de patience, le curé fit capturer les deux Parfaites dans la maison des Clérens.

Arnaud de Clérens ajouta que Pons et Arnaud Ainart, les deux Bons Hommes, fils de la Parfaite Marquésia, arrivèrent la même nuit pour voir leur mère, et demandèrent où elle était. Lorsque le maître de maison leur eût expliqué que les deux Bonnes Dames avaient été prises, ils ne furent pas dupes, et s'exclamèrent que c'était lui qui les avait dénoncées. Il leur mit alors dans les mains un morceau de pain qui avait appartenu à leur mère – qu'elle avait peut-être béni –? et ils partirent avec ce pain (1). Seul souvenir matériel, à part l'ouvrage inlassable de ses mains, que la Bonne Dame avait pu laisser en ce monde.

La misère matérielle des errantes se doublait de misère morale. A deux compagnes, elles étaient l'Eglise, et pouvaient encore tenir leur rite, alimenter leur foi et peut être conforter leur espérance religieuse. Mais les périls et les difficultés de la vie au maquis les séparait parfois, parfois l'une d'elle se faisait prendre, et l'esseulée demeurait prostrée, dans l'incapacité certes de suivre la Règle de l'Eglise, qui enjoignait aux Bons Chrétiens de ne prendre leurs repas et de ne prier qu'en communauté, mais aussi tout simplement dans l'angoisse de la solitude humaine et du silence de Dieu.

> « Il y a quelques années, avoua Raimon Segans, d'Avignonnet (2), je gardai chez moi durant trois jours l'hérétique Bérengère de Ségreville, et à ce moment-là elle était seule, sa *socia* lui avait été enlevée. Alors, Raimon Faure, de Montmaur, lui amena

---

(1) Déposition d'Arnaud de Clérens, *in ibid.* f° 222 a-223 b; déposition de sa femme Guillelme, *in ibid.* f° 224 ab.

(2) Déposition de Raimon Segans *in ibid.* f° 137 a.

une autre hérétique comme compagne, puis les escorta toutes deux hors de chez moi, et je les adorai avant leur départ. Peu de temps après, je rencontrai, chez Tholsan de Salle, la *socia* de la Parfaite Bérengère de Ségreville en compagnie de Peitavine, la maitresse du logis, et cette hérétique me demanda aussitôt de lui donner quelque chose, car elle n'avait rien à manger; je lui donnai alors un sou melgorien, mais je ne l'adorai pas... »

Faim, dénuement absolu, crainte d'être capturée, angoisse de la solitude : les situations que les souvenirs des déposants laissent deviner sont parfois tout à fait dramatiques. Nombreuses furent les mères et filles Parfaites qui furent prises ensemble, et ensemble brûlées. Le curé d'Auriac, auquel nous devons la trahison de bien des secrets de confessionnal, rapporte ainsi une des confidences de la bavarde Aimersende Viguier (1) : dans une cabane, au creux d'un bois proche de Cambiac, avaient vécu deux Parfaites qui étaient la mère et la sœur de Raimon Raseire; une amie d'Aimersende, Raimonde Olmier, allait parfois leur porter des vivres et les adorer. Mais c'était Raimon Raseire lui-même qui avait conduit sa sœur à la cabane de leur mère esseulée, afin qu'elle lui confère le consolament et en fasse sa *socia*, sa compagne rituelle. Jusqu'au bûcher, s'il le fallait?

Des éclairs d'héroïsme familier, de dévouement obscur, d'humble générosité, de courage têtu et de vouloir limpide, alternent, dans le long bégaiement sinistre des livres d'Inquisition, avec les plus sordides lâchetés. L'histoire des maudites s'écrit désormais le cœur lourd.

Le nommé Pons Jean, de Saint-Martin-Lalande, obtint très certainement les meilleures grâces des Frères inquisiteurs. On dirait aujourd'hui, familèrement, les félicitations du jury. Voici en effet, textuellement, ce qu'il trouva à leur raconter :

« Un jour que mon fils Arnaud était malade, et que le médecin Jean était à la maison pour le soigner, Guilhem Faure, bayle de Saint-Martin, entra chez moi avec deux femmes hérétiques; l'une de ces hérétiques avait un bras cassé, et Guilhem Faure demanda au médecin de bien vouloir la soigner; mais le médecin refusa. Guilhem Faure quitta alors la maison avec les deux femmes hérétiques, et le lendemain, elles furent prises et brûlées (2). »

---

(1) Déposition de Martin de Caselles, ancien curé d'Auriac, *in ibid*. f° 237 b-238 a.

(2) Déposition de Pons Jean, *in ibid*. f° 35 a.

LE TEMPS DES FAYDITS

Après le bûcher de Montségur, après quelques dernières années de tragique errance, c'est la fin de la grande période des Parfaites. Le second versant du XIIIe siècle voit leur disparition relativement rapide. En Lauragais, autour de Saint-Martin-Lalande, jusqu'à Laurac même, la Bonne Dame Guillelme de Camplong tient le maquis longtemps avec ténacité avant d'être prise; elle est l'une des dernières grandes Parfaites. L'une des toutes dernières dames nobles à entrer dans les ordres cathares selon les traditions de sa caste, après Montségur, est Stéphanie, sœur des coseigneurs de Châteauverdun, en comté de Foix.

Elle reçut le consolament d'ordination des mains d'Arnaud Pradier, diacre du Mas-Saintes-Puelles, vers 1245. Dix ans plus tard, aprés un long et lourd quotidien d'errance et de vie en cabanes rudimentaires dans les bois du glacial pays d'Aillou, en pleine montagne, elle se confesse longuement à l'inquisiteur. Elle a abjuré. Arnaud Pradier a lui aussi abjuré. A l'abri des murailles du Château Narbonnais, sous la bénédiction des Frères inquisiteurs de Toulouse, ils vont même jusqu'à se marier afin de bien prouver la sincérité de leur conversion. Rien n'interdit bien sûr d'imaginer qu'une secrète inclination s'était épanouie entre eux. On peut très bien essayer de colorer leur histoire en rose et blanc. Il n'est même pas impossible qu'un enfant leur soit né, dans l'ombre du château inquisitorial, où ils vivent ensemble, protégés de possibles vengeances des familles croyantes qu'ils avaient dénoncées (1).

Séréna et Agnès de Châteauverdun, les deux belles-sœurs de Stéphanie, eurent une fin plus digne. Au début du XIVe siècle, circulait encore parmi les populations croyantes du comté de Foix la petite histoire pieuse de leur bonne fin, destinée à ranimer la foi des dernières croyantes. Capturées à Toulouse alors que, probablement Parfaites, elles essayaient de fuir pour la Lombardie, elles se seraient laissées brûler plutôt que de man-

(1) Déposition de Stéphanie de Châteauverdun, dans le registre des Parfaits convertis, Ms 124 de la B.M. de Toulouse, f° 196 ab. Voir à ce sujet Annie CAZENAVE, « les Cathares en Catalogne et Sabarthès d'après les registres d'Inquisition..., *Bulletin philologique et Historique, année 1969*, Paris, 1972, p. 387-436.

quer à leur Règle évangélique en saignant une poule. Séréna de Châteauverdun, soulignons-le, était demoiselle de Mirepoix, la propre sœur de Pierre Roger, le seigneur de Montségur.

L'Eglise, à Montségur, a été touchée à mort, et le pays ne présente plus les forces vives capables de la régénérer. Le pouvoir politique est désormais français et royal jusqu'à Toulouse. Le comte Raimon VII, le dernier des Raimon, est mort dans l'impuissance en 1249, et son état est administré par son gendre Alphonse, frère de Saint Louis, avant qu'il ne le soit purement et simplement par de grands officiers de la Couronne; les clans familiaux de *l'intelligentsia* cathare du début du siècle, tous les seigneurs et coseigneurs vassaux des Trencavel et des Toulouse, sont ralliés à l'ordre catholique ou, plus souvent, faydits.

La vague du désespoir a projeté vers l'Italie du Nord, où l'Inquisition ne bénéficie pas encore de l'aide du pouvoir politique, le dernier mirage des croyants obstinés ou simplement compromis. La hiérarchie des Eglises occitanes s'y est tant bien que mal reconstituée; l'évêque de Toulousain, Vivent, est ainsi établi à Crémone avec son Fil Majeur Guilhem Delpech. Jusqu'au début du XIVe siècle la Lombardie – et même la Sicile –, constitueront la mythique terre d'asile, vers laquelle fuieront familles et marchands, chevaliers et novices soucieux d'entrer en catéchèse. Le plus souvent, les colonies de réfugiés occitans des villes italiennes vivent mal leur exil; les retours au pays se font nombreux, et tout aussi désenchantés, aboutissant le plus souvent dans les geôles de l'Inquisition.

Dans la seconde moitié du siècle, des bandes de faydits, chevaliers ou simples petits propriétaires dépossédés par l'Inquisition et par elle condamnés par contumace, battent la campagne, hantent les bois et les abords des villages, ainsi longtemps Alaman de Roaix, les frères de Roqueville, Pierre de Mazerolles, qui est le petit-fils de la Parfaite Aude de Fanjeaux. Les premières années, leurs anciens tenanciers, leurs métayers, leurs obligés, leur procurent le gîte et le couvert, les cachent, les protègent; l'ancien bayle de Pierre de Mazerolles, sa jeune femme Ermengarde elle-même, qui est enceinte, lui portent à manger dans les bois. Puis le temps fait son œuvre. La terreur a gagné. Beaucoup sont pris. Les faydits s'organisent en bandes armées. Parmi eux, des Bons Hommes courageux, bien décidés à porter jusqu'au bout la Parole des Evangiles, et dont certains sont de jeunes Parfaits, partis en Italie pour y recevoir l'enseignement et l'ordination des évêques de l'exil, puis revenus réévangéliser leur terre.

Mais ce n'est plus le temps des Parfaites. La clandestinité les a englouties, les a vouées définitivement, aprés la boue, le froid, la faim et les épines, à la prison et au bûcher. Au cœur et au secret de la cellule familiale, nulle aïeule ne peut plus envisager finir ses jours en religion, dans une maison de l'Eglise, entourée de l'affection de ses petits-enfants et de la considération de tous. Nulle épouse ne peut plus espérer s'accomplir un jour dans la voie spirituelle, après avoir marié ses filles aînées. Le personnage et le rôle de la Parfaite s'effacent. L'Eglise meurtrie sera soutenue à bout de bras par les Bons Hommes du désespoir, durant plus de cinquante années encore. Au cœur des familles, les femmes, les filles, les mères lui garderont longtemps leur foi. Les croyantes seront le plus ferme soutien des maudits. Mais plus aucune femme ou presque ne demandera le consolament d'ordination. Désormais, il n'existe plus de communauté de Parfaites. Se souviendra-t-on longtemps qu'elles étaient de Bonnes Dames, et qu'elles avaient le pouvoir de sauver les âmes?

21

Le temps des croyantes

LA BONNE FIN DE FABRISSA

En 1249 ou 125O, Fabrissa ou Fauressa, femme de Bernard Carcassès, de Villefloure, était à l'article de la mort et réclamait à son mari qu'il lui procurât des Bons Hommes pour l'assister et lui conférer le consolament de la bonne fin. Dans l'ancienne vicomté de Carcassonne, aujourd'hui administrée par un sénéchal et des officiers royaux, sillonnée et quadrillée par les agents de l'évêque qui avait dans ces années-là pris lui-même en main l'office d'Inquisition, une poignée de Bons Hommes courageux arpentaient encore la campagne au nom de ce qu'il restait de l'Eglise cathare de Carcassès. Le vieil homme de Villefloure connaissait les réseaux des clandestins, il trouva deux Parfaits, et sa femme mourut consolée.

Quelques mois plus tard, le 16 mars 1250, se doutant probablement qu'il ne tarderait pas à être dénoncé par quelque voisin, il tenta sa chance, prit les devants, et se présenta spontanément à l'inquisiteur épiscopal, dans l'espoir de faire la part du feu et de sauvegarder l'essentiel en avouant l'accessoire. Mal lui en prit, car la machine, peu à peu, le broya comme elle en avait broyé bien d'autres, et finit par le convaincre de relapse, ce qui pour un simple croyant constituait la faute majeure, passible d'emprisonnement à vie (1).

---

(1) Les trois dépositions successives de Bernard Carcassès, de Villefloure, copiées dans le Registre du Greffier de Carcassonne (Manuscrit de la B.M. de Clermont Ferrand) figurent dans Mgr DOUAIS, *Documents..., op.cit.*, p.286-292.

Le système de défense qu'il avait imaginé de mettre en avant était pourtant vraisemblable et cohérent : il chargea le passé de sa femme, et fit ainsi le récit de leur jeunesse en des temps – c'est-à-dire vingt ou trente ans auparavant –, où les nobles chevaliers de Carcassès se faisaient les héraults de l'hérésie.

> « J'ai épousé une femme qui s'appelait Fabrissa, dit-il, et elle avait été demoiselle – c'est-à-dire suivante – de Raimon de Casals, un chevalier qui était l'ami des hérétiques et qui endoctrina Fabrissa dans leur secte. Et ma femme fit alors tout pour me séduire et m'amener à aimer moi aussi les hérétiques : mais je résistai. »

Et sa confession se fait naïve, pleine de contradictions touchantes. Il se plaint qu'en son absence sa femme introduit chez eux des hérétiques, comme ce Parfait Guilhem de Casals, probable frère du chevalier Raimon, et qui ensuite parviendra à gagner la Lombardie. Et même si l'époux en colère bat, à ce qu'il dit, sa femme pour cette désobéissance, il n'en accepte pas moins de garder le Bon Homme une semaine à son logis.

Une autre fois, c'est la Parfaite Rixende d'Amiel qui trouve refuge dans sa maison, et le malheureux mari accepte de la voir chez lui une année entière, et sa femme Fabrissa s'empresser autour d'elle à lui faire tout le bien qu'elle peut. L'épisode date, probablement de la croisade royale de 1226.

> « Après cette année, ajoute-t-il, elle quitta ma maison pour celle de sa nièce Barmonde, et là elle fut capturée, puis brûlée à Carcassonne avec quelques autres hérétiques ».

Bien plus tard, vers 1243 ou 1244, sa femme Fabrissa avait été chargée par un de ses amis hérétiques, de faire passer à un Bon Homme de Villetritouls la petite somme de cinq sols qu'il lui devait. Son mari Bernard Carcassès refusant énergiquement de s'en mêler, elle fit transmettre le dépot par son propre fils, Raimon. Et puis, enfin, tout récemment, il y a moins d'un an, cette Fabrissa tomba malade, de la maladie dont elle mourut.

> « Elle tomba malade très gravement, commence à s'enferrer le veuf dans l'angoisse, et demanda qu'on lui amène des hérétiques qui puissent faire son Salut, car elle voulait de toutes manières mourir entre leurs mains, en ayant fait son testament et reçu l'Eucharistie ».

La formulation est curieuse. Bernard Carcassès entend-t-il par là que Fabrissa, comme cela semble s'être pratiqué de manière assez courante avant le temps des persécutions, réclamait sur son lit de mort deux assurances sur l'au-delà, la catholique et la cathare, toutes deux bien entendu parfaitement chrétiennes? Plus vraisemblablement essaie-t-il, devant l'évêque inquisiteur, de donner une teinture catholique aux derniers instants de sa femme, et le mot « Eucharistie » qui monte alors à sa bouche pourrait finalement refléter ce qui était, somme toute, l'interprétation populaire du consolament aux mourants : assimilé à une extrême-onction, une quelconque eucharistie du dernier jour destinée à favoriser le passage, voire à sauver l'âme.

En tout état de cause, Bernard a trop parlé, s'est trop dévoilé. Deux ans plus tard, le 6 mai 1252, il est à nouveau devant l'inquisiteur, mais cette fois sur convocation, et non librement. Sans doute, entre-temps, a-t-il pu réfléchir à l'ombre de la prison épiscopale. Il n'ajoute du reste guère que quelques détails à sa première déposition, évoquant à nouveau les temps du catharisme rayonnant chez les frères de Casals, trente ans auparavant : il y voyait alors d'insignes membres de la hiérarchie, comme Benoît de Termes, bientôt évêque de l'Eglise de Razès, et aussi le Parfait Raimon Alric, frère de l'ancien curé de Montlaur... Il donne surtout des gages de bonne volonté à l'inquisiteur en lui dévoilant l'emplacement de la tombe de quelque Parfait, de quelque Parfaite, qui puissent être condamnés à titre posthume à être déterrés et brûlés en public.

Ce n'est qu'encore un an plus tard, le 7 mai 1253, que Bernard Carcassés en vint à raconter réellement l'hérétication de sa femme Fabrissa. Ce fut lui qui se chargea de lui trouver des Parfaits. Elle l'envoya à Couffoulens, chez Bernard Roux, dont la femme Vergelia prit l'affaire en mains. Elle lui donna rendez-vous le soir même à l'église de Casals, et le soir même, effectivement, il y trouva deux Bons Hommes, qu'il conduisit aussitôt chez lui, à Villefloure, au chevet de Fabrissa. Il les laissa ensemble dans la chambre, et prit soin quant à lui d'aller bien fermer la porte à clef et de rester à faire le guet de peur que quelqu'un ne survienne.

> « Et alors lesdits hérétiques hérétiquèrent la malade, et elle leur légua ses vêtements, que lesdits hérétiques reçurent avant de

quitter la maison. Mais ils dormirent chez moi cette nuit là, et le lendemain matin je les emmenai chez Arnaud Sicre, le forgeron de Villefloure... »

Deux jours plus tard, à ce qu'avoua encore Bernard Carcassès, il conduisit finalement les deux Bons Hommes de Villefloure jusqu'à l'entrée de Leuc et, avant de les laisser là, les adora. Il rentra alors chez lui, retrouver sa femme mourante ou déjà morte, et cela se passait vers la Saint-Jean d'été de l'année 1249 ou 1250. Sa confession s'achève par une dernière évocation du temps de sa jeunesse, quarante ans plus tôt, autour des seigneurs de Casals, les frères Raimon, Guilhem, Sicre et leur sœur dame Flandine, tous morts depuis, chez qui l'on écoutait et adorait des hérétiques, tous morts depuis, et où lui-même rencontra sa femme Fabrissa – tout juste morte désormais entre les mains des Bons Hommes.

1253. Relaps et convaincu de mensonge et dissimulation, Bernard Carcassès ne reverra sans doute plus jamais Villefloure. L'Inquisition passe tout le pays au peigne fin. Les dépositions consignées par le greffier de l'Inquisition de Carcassonne pour la période de 1250 à 1259 environ, montrent une population ballotée d'un inquisiteur à l'autre, et qui craint de recouper ses aveux (1), à travers des villages où l'on reçoit, cache, écoute encore les Bons Hommes. Ce qui reste des familles de la petite noblesse, les seigneurs de Leuc, de Cornèze, et leurs femmes surtout, dame Esclarmonde, dame Fays, sont encore en première ligne pour les protéger et organiser leur rite clandestin. La capture du diacre Bernard Gausbert, puis celle de Bernard Assier, le plus actif des Bons Hommes de Carcassès, en 1259, remplissent d'effroi la population des croyants, d'autant que l'un et l'autre se convertiront. Donc dénonceront tant et plus.

---

(1) Les déposants reconnaissent en général avoir déjà comparu devant l'Inquisition à Caunes-Minervois (entre 1235 et 1248, et notamment devant Frère Ferrier) ou à Carcassonne même, devant Jean de Saint-Pierre (vers 1245-1247), devant l'évêque lui-même (entre 1250 et 1253 env.), puis divers Frères inquisiteurs.

LE MIRAGE DE LA LOMBARDIE

En ce second versant du siècle et de l'histoire du catharisme, les populations croyantes se retrouvent peu à peu livrées à elles-mêmes, dans le grand péril du contact avec leurs pasteurs errants, raréfiés et compromettants. Après la grande vague d'exode massif de la hiérarchie vers l'Italie du Nord qui a suivi la chute de Montségur, ces populations ont pris comme l'habitude de tourner vers la Lombardie leurs nostalgies et ce qu'il leur reste d'espoir. Là-bas sont les évêques et beaucoup de ces Bons Hommes, qui ont pouvoir de sauver les âmes. Et de plus en plus, l'on sait que là-bas sont arrivés aussi les anciens amis, les anciens voisins, à leur tour contraints à l'exil. Et l'on rêve d'aller soi-même s'y établir, en paix, hors d'atteinte des clercs et des Français.

Ce passage des Alpes vers la plaine lombarde constitua un véritable fait de société dans l'Occitanie conquise. S'exilèrent des chevaliers faydits, des guerriers vaincus et ayant tout perdu, mais aussi des familles tout entières, compromises dans la protection d'hérétique, ruinées par la guerre ou les confiscations de l'Inquisition. De véritables communautés se réorganisèrent ainsi autour de leurs pasteurs, à Crémone, à Plaisance, à Pavie, à Gênes, à Coni et dans un grand nombre de villes italiennes. Une véritable allée et venue de passeurs et de messagers s'opéra par là-même, par- dessus les Alpes, sillona les chemins des cols, portant des salutations et des nouvelles de caractère personnel ou général.

Pétronille, femme de Deide – ou Daïde, ou Déodat – de Bras, bourgeois de Villefranche-de-Rouergue, fut interrogée par l'Inquisition toulousaine au début du mois de juin de l'année 1273 (1). Et l'une des premières questions qui lui fut posée fut celle de ces faydits : avait-elle jamais eu contact avec un fugitif pour hérésie? Elle répondit que oui, et parla d'un Guilhem, depuis lors défunt :

> « Qui se disait des environs d'Albi, et expliqua qu'il était faydit de sa terre par peur des inquisiteurs, qui lui avaient mis en prison

(1) Dépositions de Pétronille, femme de Deide de Bras, devant les inquisiteur Pons de Parnac et Renoud de Plassac, dans le volume Doat 25 (f° 4 b-5 b).

> sa sœur et son mari ; pour cette raison, il avait fui vers la Lombardie, puis en était revenu. »

Ce Guilhem passa deux jours au logis de Pétronille et Deide, et un soir il raconta à ses hôtes :

> « Qu'en Lombardie il avait trouvé une male race, et qu'on l'y avait mal reçu, et que c'était pour cela qu'il en était rentré ».

Trois semaines plus tard, dame Pétronille comparut à nouveau devant l'inquisiteur et avoua ce qu'elle avait nié un peu plus tôt, à savoir que, de Lombardie, ce faydit albigeois ou un autre lui avait rapporté un morceau de pain béni par les Bons Hommes. Qu'elle avait encore hébergé deux de ces fugitifs, qu'elle leur avait donné de quoi manger, boire et se vêtir, et qu'ils lui avaient même conseillé de partir avec eux pour la Lombardie...

Le même jour, et ce n'est certainement pas un hasard, sa commère et amie Pétronille de Castanet, de Verfeil, était tirée de la prison où elle avait été mise « pour hérésie », pour comparaître elle aussi devant les inquisiteurs (1). Cette seconde Pétronille était plus directement impliquée dans l'hérésie, puisqu'elle reconnut aussitôt avoir vu, salué rituellement et écouté des Bons Hommes trois ans auparavant, et les avoir même reçus chez elle. Pour le reste, elle avait elle aussi, bien sûr, hébergé des fugitifs, et des plus notoires :

> « Amblard Vassal, faydit pour fait d'hérésie, revenant de Lombardie, nous apporta, de leur part, du pain béni par les hérétiques; et il salua mon mari Guilhem de Castanet de la part d'Aimery du Collet (2), l'évêque des hérétiques. Et nous avons mangé de ce pain béni, et reçu Amblard Vassal avec grande joie... Il y a eu un an un peu avant la fête de Saint-Jean-Baptiste. »

Le chevalier d'Albigeois Amblard Vassal, faydit et relaps, a laissé lui aussi une longue déposition devant l'Inquisition, qui permet de le bien connaître. Et nous le retrouverons, avec sa

(1) Dépositions de Pétronille, femme de Guilhem de Castanet, *in ibid.* (f° 6 a-11 a).

(2) Nous avons déjà rencontré l'évêque d'Albigeois, Aimery du Collet, un livre à la main, dans une clairière de la Montagne de Nore, au-dessus d'Hautpoul, avant la chute de Montségur. Voir chap. 15 et chap. 17. Il ne revint probablement jamais de son exil italien.

femme et ses filles. Mais les deux Pétronille ont encore à parler ici : le premier juillet suivant, Pétronille de Castanet revint en effet devant l'inquisiteur, et lui rapporta une scène bien vivante :

> « Un jour, j'étais allée visiter mon compère Déodat de Bras et ma commère Pétronille, qui sont de Villefranche (de Rouergue), et j'avais mangé et dormi chez eux. Et le lendemain matin, qui était un dimanche, tout le monde étant allé à la messe, je restai seule avec ma commère Pétronille; celle –ci se mit alors à me montrer sa maison, son blé, son vin, et tout ce qu'elle possédait, en me disant que tout cela était du diable. Et elle me dit aussi que si elle trouvait assez d'argent, elle s'enfuirait en pèlerinage, là où sont les Bons Hommes, c'est-à-dire en Lombardie. »

L'inquisiteur demanda alors à Pétronille si son mari, Guilhem de Castanet, était jamais allé en Lombardie.

> « Non, répondit-elle avec une pointe de provocation. Mais il y serait volontiers allé, si j'avais accepté de partir avec lui. Mon mari disait en effet que personne ne peut être sauvé, si ce n'est dans la secte des hérétiques, et que tout ce qui est visible est l'œuvre du diable. »

En cette fin du XIIIe siècle, alors que les Bons Hommes vivent en fuyards, se font brûler à Toulouse et à Carcassonne, abjurent dans les prisons de l'Inquisition ou envoient des messages depuis l'Italie, on est étonné d'entendre de simples croyantes disserter fort justement de dualisme évangélique. De fait, bien plus que les registres du milieu du siècle, les archives inquisitoriales des années 1270-1280 révèlent en même temps de hardies propositions hérétiques et rationalistes, et de touchants témoignages de religiosité populaire frisant la superstition. Ce phénomène se confirmera très largement au début du XIVe siècle, alors que la voix précise et le discours logique des Bons Hommes se feront plus lointains encore aux oreilles de leurs ouailles solitaires.

Dans les années 1275, un Bernard Demier, de Toulouse, peut soutenir que les Frères prêcheurs et mineurs sont les faux prophètes dont parle l'Evangile, puisqu'ils persécutent les bonnes gens qu'ils appellent hérétiques (1); et une dame Navarre de Belleval, près de Caraman, depuis la prison de l'Inquisition de

---

(1) Volume Doat 25 (f° 13 b et ss).

Toulouse, envoyer dire à sa nièce de bien prendre soin d'un petit bout de pain tout racorni qu'elle garde au fond d'une malle, car c'est du pain bénit des Bons Hommes et qu'au moment de la mort ce pain a autant de valeur que si on pouvait avoir les Bons Hommes eux mêmes (1)... Au feu des persécutions, le message des Bons Hommes, dans sa transcription laïque, se radicalise et s'aiguise; en même temps, chuchoté et devenu lointain, il commence à cristalliser ces élans de piété populaire touchant à la superstition qu'il avait auparavant tenté de faire taire.

LA FEMME DU FAYDIT

Il faut dire que la codification par l'Inquisition des divers délits d'hérésie, avec leur tarif de pénitence, contribue grandement à figer les propositions de l'évangélisme dualiste cathare en formules schématiques jusqu'à l'absurde, jusqu'à la caricature. Ce que les curés prêchent en chaire aux populations des villages, lors de la messe obligatoire du dimanche, afin de les encourager à la délation et à la dénonciation de tout ce qui à couleur ou odeur d'hérésie, ne retient bien sûr que la lettre la plus rigide et la plus étroite du discours des Bons Hommes. C'est ainsi que, par conséquence directe, on retrouve dans le grand livre de l'Inquisition le détail de certaines dénonciations de voisinage qui frôlent – à nos yeux – la stupidité. Dame Bezersa, femme du chevalier Pierre Isarn de Cestayrols, en Albigeois, est ainsi dénoncée, par le propre curé de son village, parce que, durant ses accouchements, elle invoquait l'aide du Saint-Esprit et non celle de la Vierge Marie (2)...

En même temps, et très logiquement, un anticléricalisme féroce se développe au sein de la population des villes et des bourgs, s'alimentant des perpétuelles exactions, des violences et des horreurs quotidiennes de l'institution inquisitoriale, et utilisant, dans sa formulation combattive, ce que l'on a retenu des arguments évangéliques du rationalisme cathare.

Dans les campagnes, les documents nous laissent deviner une situation désolée, un quotidien de misère. Les derniers

---

(1) Volume Doat 25 (f° 228 b-230 a).
(2) *In ibid.* (f° 62 b).

Bons Hommes errent à travers l'Albigeois, mêlés à des bandes de faydits, qui cherchent abri et survie de mas en ferme, de bois en lande. Ainsi des deux frères Parfaits, Bernard et Guilhem de la Bourdarié qui, arrêtés un peu avant 127O, abjurèrent et laissèrent, dans le Registre des Parfaits convertis dont un fragment est parvenu jusqu'à nous, de copieux souvenirs. Parmi les humbles familles paysannes qui les reçoivent, les cachent, partagent avec eux leur quelques provisions, les femmes se montrent chaleureuses, amicales, empressées, ferventes sans aucun doute.

> « Alors que nous étions près du mas de Testet, raconte Bernard de la Bourdarié, quatre Parfaits ensemble, Pons Rainaud, Guilhem de Murel, mon frère Guilhem et moi-même, Jean de Roumégoux nous amena Astrugue, femme de Pierre Barthe, du Testet. Elle nous apportait, et nous donna, une belle et grande miche, un gâteau bien cuit, du poiré et du vin, des pêches et du raisin » (1).

Jean de Roumégoux, quant à lui, comme son frère Pierre, était un petit noble hors la loi, condamné à l'errance avec les hérétiques, et négociant pour eux, avec les paysans des mas, leur survie commune. Parmi eux, bien souvent, un autre chevalier faydit, Amblard Vassal.

Amblard Vassal, fugitif et rentré de Lombardie peu de temps auparavant, fut capturé et amené devant les inquisiteurs en septembre 1274. Dans l'été 1272, il avait apporté au logis de dame Pétronille de Castanet, à Verfeil, un morceau de pain bénit et les salutations de l'évêque en exil Aimery du Collet. Il raconta pour sa part une longue et triste histoire (2).

Il appartenait à une de ces familles de la noblesse albigeoise qui avaient de traditionnelles attaches avec le catharisme. Un peu avant 1260, jeune encore, marié à une dame nommée Ayceline, et chargé d'enfants, il reçoit dans son domaine campagnard du mas del Pech les bandes errantes, parmi lesquelles il reconnaît des chevaliers, d'anciens amis à lui, et des Parfaits, qu'il adore en famille.

---

(1) Ms 161 de la B.M. de Carcassonne. Edition et traduction par Jean DUVERNOY, « Cathares et faidits en Albigeois vers 1265-1275 », dans *Heresis* 3, décembre 1984, p.5-28.

(2) Sa déposition devant Renoud de Plassac et Pons de Parnac, contenue dans le volume Doat 25 (f° 183 b-192 a), a été éditée et traduite par Jean DUVERNOY, *loc. cit.* p.29-34.

« Le Parfait Raimon Gautier revint chez moi avec une dizaine de personnes, parmi lesquelles il y avait Raimon de Montredon, Ermengaud de Roquemaure et son frère Roque, de Berlan, et Pierre Aguilhon, de Lagriffoul, tous faydits et fugitifs pour hérésie, portant des armes, à savoir des arbalètes et des arcs, des épées et des couteaux... Ils se préparèrent à manger dans ma maison, mais mangèrent en dehors... Quand ils eurent mangé, ils partirent tous, les Parfaits et les faydits. Il faisait nuit quand ils partirent, nuit quand ils arrivèrent, et je ne sais pas où ils allèrent... »

Amblard Vassal se compromit lui-même quelques années plus tard, vers 1265 ou 1266, lorsque, au cours d'une maladie grave, et avec la complicité de sa femme Ayceline, il reçut le consolament des mourants des mains de Bons Hommes de passage. Il dut être immédiatement dénoncé, car il n'était pas encore rétabli que déjà l'inquisiteur d'Albigeois le faisait arrêter et lui mettait marché en main : le chevalier était libéré, sous caution de quarante livres, mais s'engageait à dénoncer et faire prendre les Parfaits fugitifs avec qui il serait en contact. En fait, aussitôt revenu chez lui, il alla trouver dans un bois ses camarades faydits, Pierre, Jacques et Sicard de Roumégoux, qui escortaient toujours les deux frères Parfaits Bernard et Guilhem de la Bourdarié, bien résolu à partir avec eux, dans leur errance toujours orientée sur un mirage de Lombardie, plutôt que d'encourir à nouveau la suspicion des inquisiteurs en ne leur livrant point de Parfaits.

Devenu faydit, le chevalier Amblard Vassal erra de longues années, avec ses compagnons, à travers l'Albigeois et le Lauragais. De véritables réseaux de clandestinité s'étaient désormais constitués, et en chaque lieu ils savaient, ou on leur faisait savoir, quelles maisons amies leur procurerait à l'occasion gîte et couvert. Dans ces humbles logis, comme dans les maisons plus bourgeoises, c'étaient bien souvent les femmes qui étaient dans l'intelligence du secret et qui offraient leur dévouement. Ainsi, à Caussade, une certaine connivence lia-t-elle Amblard Vassal à Guiraude Jourdan, chez qui il put manger du pain et du fromage et boire du vin, alors que son mari, Guilhem, ne comprit pas à qui il avait à faire; de même, à Villefranche de Rouergue, Amblard Vassal rencontra Pétronille de Bras, que nous connaissons bien.

« A Villefranche-de-Rouergue... Isarn del Quier nous amena dans la maison de Daïde de Bras, où il avait déjà séjourné lui même assez longtemps; et nous y sommes restés, Guilhem de Roumégoux, Pierre Bés, Isarn del Quier et moi... Je crois que Pétronille, femme dudit Daïde, savait que nous étions des faydits, et ce que nous étions, mais je ne crois pas que ledit Daïde l'ait su. Ce Daïde était marchand, et presque chaque jour hors de chez lui; mais la dite Pétronille était là continuellement, à nous rendre quelque service. Elle nous donna quatre bonnets... »

Entre-temps, entre l'épisode de Caussade, qui date de 1268 environ, et celui de Villefranche-de-Rouergue, de 1272, beaucoup d'eau était passée sous les ponts. Fugitif pour hérésie, Amblard Vassal avait laissé sa femme, probablement enceinte, seule à la maison avec ses autres enfants. Un garçon leur naquit en son absence, dont, grâce à l'intermédiaire d'un protecteur de faydits, Guiraude Jourdan accepta de se faire la marraine. Puis Amblard Vassal parvint à gagner la Lombardie, dont il revint porteur de pain béni et de messages de la part des exilés pour leurs amis demeurés au pays.

Sa femme Ayceline n'avait pu demeurer dans leur maison. Soit qu'elle eut été proscrite elle aussi pour hérésie, soit plus simplement par pauvreté, elle avait été à son tour contrainte à l'errance. Le chevalier faydit était-il revenu pour la chercher et l'emmener avec lui en Lombardie? Mais peut-être l'épisode, mal situable chronologiquement, date-t-il en fait de ses premières années de clandestinité? Quoi qu'il en soit, il la chercha longtemps, et jusqu'en bas Quercy:

« Alors que je cherchais ma femme, fugitive, Bernard du Roset me dit d'aller à Montpezat, près de Montalzat, auprès de Durand Dufour ou de sa femme Raimonde, car ils savaient et me diraient où elle était. J'y allai, et la dite Raimonde, femme de ce Durand, m'emmena jusqu'au village de Mondoumerc, où était ma femme, avec ses filles. Et elles étaient là, mendiant et quémandant leur pain. »

Dans l'été 1274, Amblard Vassal se cachait aux limites du Lauragais, prés de Caraman. C'est là qu'il fut pris. On ne sait pas quelle fut sa sentence, ni ce qu'étaient entre-temps devenus sa femme Aiceline, son petit garçon de la clandestinité, non plus que ses filles.

LES FEMMES DES CHARPENTIERS

Comme dans les collines de Carcassès, comme dans les campagnes de l'Albigeois, les rues de Toulouse, les maisons de ses artisans, les demeures de ses derniers aristocrates fidèles, les auvents de ses églises même, dissimulent mal des Parfaits clandestins, des fugitifs en transhumance vers la Lombardie, des prédications sauvages, des imprécations contre la domination des clercs et des Français. En 1274, Toulouse est tout à fait française; Jeanne, la dernière héritière des comtes Raimon, mariée à un prince de France, Alphonse de Poitiers, vient de mourir, peu après son époux, sans laisser aucun enfant. Les clauses du désastreux traité de 1229, auquel Raimon VII s'était plié devant Blanche de Castille et le légat pontifical, ont donc trouvé leur application totale et définitive : le comté de Toulouse revenant à la couronne de France, et les administrateurs royaux s'y installant aussitôt.

La ville et le pays étaient toujours en plein essors économique. Malgré les guerres, malgré les exodes de forces vives et de capitaux vers l'Italie. A Toulouse même, l'île de Tounis, au milieu de la Garonne, était l'exemple de ces colonies de peuplement que le nouveau pouvoir installait, comme ses bastides en pleine campagne. A Tounis, c'étaient des artisans qui s'établissaient; tout un village d'artisans, dans de pauvres petites maisons et tout un remue-ménage d'ateliers. Côte à côte, dans des maisonnettes contiguës, mal séparées par des cloisons provisoires, nous pouvons reconnaître plusieurs familles de charpentiers. Les reconnaître parce que, vous l'auriez compris, ces gens eurent malheureusement pour eux d'assez sévères démêlés avec l'Inquisition. Le 7 février 1274, Guillelme, femme du charpentier Thomas, originaire de Saint-Flour en Auvergne, dénonça ainsi sa voisine Fabrissa ou Fauressa, femme du charpentier Pierre Vidal, originaire de Limoux, et sa fille Philippa, femme du charpentier Raimon Maurel (1).

A travers la paroi de leurs maisons contiguës, Guillelme avait en effet pu surprendre de la bouche de Fabrissa des paroles bien compromettantes. Que Lucifer avait fait l'homme, par

(1) Dépositions de Guillelme, femme de Thomas de Saint Flour, dans le volume Doat 25 (f° 37 b-43 b).

exemple, et que c'était Dieu qui lui avait ensuite insufflé la parole. Que les clercs de l'Eglise romaine ne tenaient pas une bonne foi, et ne disaient rien de vrai, donnant du simple pain pour le corps de Dieu. Elle entendit également Fabrissa parler d'une femme de Lombardie appelée Plaisance, et qui était une bonne personne, « et fidèle, et amie des Bons Seigneurs ». Et justement, quelque temps plus tard, Guillelme vit cette Plaisance arriver avec son mari et un âne pour passer deux ou trois jours chez sa voisine Fabrissa. En tous cas, elle comprit bien qu'il devait s'agir de la même personne, car elle l'entendit plusieurs fois appeler « Plaisance ». Elle n'y tint bientôt plus. Soupçonnant que cette Lombarde devait être une messagère des hérétiques réfugiés en Italie, elle s'arrangea pour la faire parler à propos des faydits toulousains :

– Mon amie, vous êtes de Lombardie?

– Oui.

– Mon amie, connaissez-vous Bartholomée Fougassier?

– Oui, je le connais. Et il est en lieu sûr.

Ainsi, triompha Guillelme devant les inquisiteurs, « je compris que cette femme était une messagère des hérétiques. Aux vendanges, il y aura un an de cela. »

Sa voisine Fabrissa Vidal, citée bien entendu à comparaître, répondit de tout cela devant l'inquisiteur (1). Elle nia avoir rien dit d'hérétique ni d'insultant pour les clercs romains. Eut-elle un petit sourire quand elle expliqua que son amie lombarde ne s'appelait pas Plaisance, mais venait de la ville de Plaisance? Sa voisine Guillelme avait mal entendu ou mal compris à travers cette cloison qui avait des oreilles...

Elle expliqua qu'elle avait connu ces Italiens deux ans plus tôt, alors qu'ils étaient de passage sur le chemin de Saint-Jacques-de-Compostelles, et qu'elle leur avait demandé de s'arrêter à nouveau chez elle au retour. Quand ils revinrent, ils avaient effectivement avec eux un âne, qui portait leur bagage

---

(1) Dépositions de Fabrissa, femme de Pierre Vidal, Volume Doat 25 (f° 43 b-52 a).

et un chargement d'aiguilles à vendre. Un Lombard habitant Toulouse leur amena même chez elle Pons Durand, le marchand d'aiguilles (1) de la Dalbade, qui leur en acheta.

> « Je ne crois pas que ces pèlerins lombards étaient des hérétiques, ajouta-t-elle, car je les ai vus manger de la viande. »

Puis elle dit que sa voisine Guillelme était en effet venue trouver la femme lombarde, et l'avait questionnée à propos des fugitifs originaires de Toulouse, notamment des frères Fougassier et d'Aimengarde de Prades, et que celle-ci ne lui avait rien répondu d'autre que, très vaguement :

> « Il y a beaucoup de gens originaires de Toulouse qui vivent à Plaisance et sur les terres du roi Charles (2), mais je ne connais pas leurs noms (3). »

Mais Guillelme continua à débiter devant les inquisiteurs tous les soupçons qu'elle avait accumulés à propos de sa voisine, la femme de l'autre charpentier. Elle avait vu Bernard Fougassier, le frère de ces faydits notoires, venir parler longuement avec Fabrissa, tandis que sa fille Philippa faisait le guet. Et aussi Pons de Gomerville, avant qu'il ne soit fugitif pour hérésie. Et pourtant, en public, Fabrissa recommandait hautement à sa fille de ne pas les regarder! Et il y avait bien pire.

Quand la mère de Fabrissa, la vieille Raimonde, mourut, elle était auparavant restée malade au moins onze semaines, et dans le secret le plus absolu. Guillelme avait bien épié, mais elle n'avait pas vu qu'un prêtre lui eût apporté l'extrême-onction. Tout ceci était extrêmement louche. Et après la mort de sa vieille mère, Fabrissa clamait bien fort : « Saint Père, ayez l'esprit de mon âme! »

---

(1) Le terme exact est *agulherius*. A rapprocher du patronyme de l'évêque cathare de Razès Raimon Agulher, sans doute issu, directement ou indirectement, de ce nom de métier : marchand, ou fabricant d'aiguilles.

(2) Il s'agit de Charles d'Anjou, frère de Saint Louis, dont l'intervention contre l'héritier de l'empereur Frédéric en 1266-1268 fut décisive et mit un terme, en faveur de la papauté, au long conflit des Guelfes et des Gibelins. Il fut roi de Naples et de Sicile jusqu'aux Vêpres siciliennes de 1282.

(3) Simple question de ma part : en quelle langue se parlaient ces femmes?

« Moi, dit Guillelme, je suis allée trouver Fabrissa, et je lui ai dit qu'elle avait mal agi en tenant secrète la maladie de sa mère, car je serais bien volontier allée la visiter avec d'autres voisins et voisines, et elle me répondit qu'elle n'avait jamais fermé sa porte à quiconque aurait voulu venir faire visite. »

Et elle confia aux inquisiteurs, comme un dernier ragot, que cette pauvre Raimonde, avant d'être malade, lui avait dit n'avoir confiance qu'en elle, et avait traité le charpentier Raimon Maurel, mari de sa petite-fille Philippa, de « noir paysan » (1).

Et il y avait encore bien pire.

« Quand mourut Guilhem Aribaud (2), qui avait été condamné pour hérésie au port de croix et emprisonné dans la prison des Juifs, conta Guillelme, cette Fabrissa se mit à crier : Saint Père ! Saint Père ! Et comme je lui en faisais reproche, lui disant qu'il n'était pas de sa parentèle, Fabrissa me répondit qu'elle était malheureuse parce qu'elle n'avait pas pu faire ce qu'elle voulait ; elle avait en effet envoyé, la nuit précédente, la femme et le fils de Guilhem Aribaud à l'église des Carmes pour veiller, et quand les Prud'hommes étaient arrivés jusqu'à lui, il avait perdu l'usage de la parole. Moi, je crois bien que les Prud'hommes en question étaient des hérétiques qui voulaient hérétiquer le mourant... C'était l'année dernière, au mois d'août. Et à peu près à la même époque, la mère des Fougassier mourut, et j'en parlai à Fabrissa et à sa fille Philippa. Et cette Fabrissa me dit alors, et Philippa l'entendit aussi, que nulle dame n'avait eu de meilleurs fils en esprit... »

Le mot « esprit » était décidément devenu bien compromettant en Occitanie dans les années 1270. Quoi qu'il en soit, les accusations de sa voisine Guillelme s'étaient faites précises et lourdes, et Fabrissa Vidal désormais aurait bien du mal à s'en expliquer sans se laisser broyer par la machine inquisitoriale. D'autant que la dénonciatrice y rajouta encore quelques détails croustillants : Fabrissa avait dit, d'un clerc brûlé à Toulouse devant le roi, que nul mieux que lui ne disputait avec les Prêcheurs et les Mineurs, et qu'il avait été brûlé parce qu'il disait que l'hostie, quand on l'avait avalée, on la digérait. « Quoi ? avait sursauté sa vieille mère Raimonde, c'est pour cela qu'on

---

(1) Le texte porte : *rustico nigro*.

(2) La déposition de Fabrissa nous apprendra qu'il s'agissait d'un maître charpentier.

l'a brûlé ? Ce n'est donc pas vrai ? » Et de toutes façons, la famille était bien infectée d'hérésie, car la jeune Philippa avait dit un jour à Guillelme, dans sa vigne, que le premier mari de sa grand-mère Raimonde avait été brûlé lui-même pour hérésie.

> « Il avait refusé de tuer un coq, comme les inquisiteurs le lui demandaient, en disant que ce coq ne lui avait rien fait ! (1) »

Le 4 avril 1274, au cours de sa troisième et dernière séance de dénonciation devant l'Inquisition, Guillelme enfonça définitivement le clou. Elle avait entendu dire à Fabrissa que Dieu ne créait pas de nouveaux esprits pour les enfants qui naissaient, qu'il aurait fort à faire s'il devait chaque jour créer de nouveaux esprits ; que l'esprit de Guilhem Aribaud irait de corps en corps jusqu'à parvenir entre les mains des Bons Hommes. Et enfin et surtout, que ce n'était pas des hommes, mais des diables, qui lui avaient révélé tout cela, et qu'elle savait telles choses qu'elle ne révélerait pas même si on lui piquait d'aiguilles toute la chair de son visage...

Que pourrait répondre Fabrissa ? Si l'on excepte la dernière diffamation de sorcellerie, tout ce prétendu discours est bien authentiquement cathare, même s'il n'est pas toujours parfaitement compris ; que Fabrissa elle-même, au contact de Bons Hommes clandestins, l'ait peu à peu intégré et assimilé, ou que sa voisine Guillelme l'ait, de son côté, appris de source et de leçons inquisitoriales. Il est en effet très possible, en ce cas particulier mais aussi de manière plus générale, que ce soit l'inquisiteur lui même, à la lumière de ces « Manuels » d'Inquisition qui se codifiaient peu à peu, qui ait soufflé à la dénonciatrice certaines formules destinées à « piéger » le suspect d'hérésie.

Lors de sa première comparution, Fabrissa nia tout. Quand elle revint devant les inquisiteurs après quelques jours d'isolement, elle commença à céder du terrain, s'expliqua comme on l'a vu à propos de ses amis lombards, puis parla au sujet des amis et des messagers des fugitifs, donc aussi des hérétiques. A Toulouse encore, après 1270, c'était bien souvent par les der-

---

(1) Il semble qu'en effet l'un des procédés utilisés par les inquisiteurs pour démasquer des Parfaits capturés, était de leur demander de tuer un animal, ce que leur Règle leur interdisait. Cf.l'histoire des dames de Châteauverdun.

nières familles de *l'intelligentsia* que passaient l'information et le contact. Ce contact, Fabrissa l'eut semble-t-il d'une dame nommée Jordane, l'épouse de Pons de Gomerville. C'est chez elle, en 1272, qu'elle rencontra le passeur :

« Dans cette maison, il y avait Pierre Maurel, assis dans un lit, et cette Jordane me le présenta en disant : voici, c'est lui qui a fait passer en Lombardie Aimengarde de Prades et sa compagne Bernarde. Ce Pierre Maurel est le fidèle messager des croyants d'hérétiques et des Bons Hommes de Lombardie... Il vient souvent voir de leur part les amis et les croyants du pays de Toulouse, car tous ont grande confiance en lui. »

Pierre Maurel prit alors la parole sur un ton assez sentencieux, car il déclara à Fabrissa que « Dieu avait dit de sa bouche même aux hérétiques : foi, espérance et charité, car vous trouverez le Salut ! » et finit son petit discours de manière tout à fait classique :

« Ceux que l'Eglise romaine persécute mènent une meilleure vie que les autres gens, et c'est pour cela que l'Eglise romaine les persécute. »

S'ensuivit une conversation de théologie et de politique générale qui convainquit Fabrissa. Elle eut une première objection :

« Mais les clercs de l'Eglise romaine étudient tous les jours dans leurs livres. Il serait tout à fait étonnant qu'ils se mettent à persécuter des gens, s'ils y apprenaient que c'était un péché de le faire ! »

Ce fut Pons de Gomerville lui-même, le futur faydit pour hérésie, qui lui répondit :

« Il ne leur est pas donné, à eux, de connaître la vérité. Bien au contraire, on peut facilement reconnaître que ces clercs romains ne suivent pas la voie des Apôtres, car les Apôtres ne tuaient pas, et n'exposaient jamais personne à la mort, comme eux le font. »

Et il acheva sur des considérations évangéliques :

« En ce siècle, l'homme montre bien peu de respect pour son semblable. L'argent est une véritable rouille de l'âme. Dieu a dit : Quitte ton père, ta mère, ta femme, tes enfants, et suis moi. »

L'on en vint à parler des amis compromis. De ces fameux frères Fougassier, dont l'un justement, Pons, était revenu d'Italie demander des nouvelles de sa mère (morte, « et nulle femme n'avait eu de meilleurs enfants, prenant meilleur soin de leur mère »); et de ce Guilhem Aribaud, qui avait fait une si triste fin entre la prison des Juifs et l'église des Carmes. Pierre Maurel avait demandé de ses nouvelles aux amis toulousains :

> « Guilhem Aribaud, le maître charpentier, est-il mort? – Oui, répondit Jordane, et j'en suis bien malheureuse, car il n'a pas eu le nécessaire (1) à sa mort. – Nous parlons pour rien, Jordane, intervint alors son mari, car bientôt il n'y aura plus personne dans ce pays (et il regardait Fabrissa) qui tienne pour les hérétiques. Les convertis d'hérésie sont la mort de cette terre et de ses gens, car ils révèlent tout... Je déteste fort ce pouvoir des Français; les clercs et les Français travaillent la main dans la main, et détruisent et confondent n'importe qui pour un oui ou pour un non.«
>
> « Toutes ces paroles de Pierre Maurel, de Jordane et de Pons de Gomerville, avoua enfin Fabrissa, et toutes leurs idées me plurent... »

LA BONNE FIN DE LA VIEILLE RAIMONDE

Le 10 avril 1274, Fabrissa Vidal revint une troisième fois devant les inquisiteurs, reconnut qu'elle n'avait pas tout dit, et corrigea ses premières déclarations. Elle était en effet allée beaucoup plus loin vers l'hérésie. Cette troisième fois, elle parla des Bons Hommes. Sans doute était-ce par l'intermédiaire de Pons et de Jordane de Gomerville qu'elle avait pu les rencontrer enfin.

> « Quand je vis pour la première fois des hérétiques, c'était dans le faubourg Saint-Etienne, à l'extérieur des portes, dans la maison de Bernard Faure (ou le forgeron) de Saint-Romain et de sa femme Esclarmonde, où ils demeuraient à ce moment-là. C'étaient les Parfaits Guilhem Prunel et Bernard Tilhol, de Roquevidal. Je leur avais amené ma mère Raimonde pour qu'elle les voie, et tous alors, Pons et Jordane de Gomerville, Esclarmonde femme de Bernard, ma mère et moi, nous les avons écoutés prêcher; mais seule ma mère les adora, en s'inclinant devant eux. »

---

(1) Jordane de Gomerville parle ici à mots couverts du consolament aux mourants.

La vieille dame se souvenait peut-être d'une époque où l'on rencontrait fréquemment, dans ce pays, de Bons Hommes et de Bonnes Dames, que l'on saluait rituellement en pleine rue. Sans doute avait-elle gardé de sa jeunesse une culture et certaines convictions cathares, car elle demanda aussitôt aux deux Parfaits de « la recevoir dans leur secte ».

Des divers témoignages des commères de l'île de Tounis, on peut reconstituer assez facilement l'histoire de la bonne fin de la vieille Raimonde. Elle était, selon les termes de Pons de Gomerville, « vieille et décrépite ». Il avait même émis l'idée qu'on pourrait la faire passer en Italie pour finir ses jours auprès des Parfaits. Sans doute était-elle déjà malade : elle savait, l'on savait, qu'elle ne vivrait plus très longtemps désormais. Elle voulait mourir selon la foi des Bons Hommes. Telle fut la raison précise pour laquelle sa fille Fabrissa prit contact pour elle avec les amis des Parfaits, et l'emmena dans la maison du faubourg Saint-Etienne. Et tous, avec elle, Fabrissa, Jordane et Pons de Gomerville, supplièrent les Parfaits de « la recevoir comme compagne et de l'hérétiquer ». Les deux Bons Hommes n'acceptèrent pas tout de suite. Il ne s'agissait pas à proprement parler d'un consolament aux mourants, puisque la vieille dame était encore valide ; et il était difficile et dangereux d'ordonner Parfaite une novice mal préparée, mal enseignée, dans un temps de périls aussi effrayants. Raimonde et sa fille rentrèrent chez elles, sur l'île de Tounis ; puis, une semaine plus tard, Pons de Gomerville annonça enfin à Fabrissa que les Parfaits acceptaient d'hérétiquer sa mère.

Toute joyeuse, Fabrissa courut chercher une fougasse et du vin, qu'elle porta aux Bons Hommes en les saluant, et le soir même eut lieu la cérémonie.

> « Le soir même, je retournai auprès de ces hérétiques dans la même maison, avec ma mère Raimonde, et là, avec Esclarmonde, nous avons commencé par écouter leur prêche. Puis ma mère se rendit à Dieu, à l'Evangile et aux hérétiques, et fut alors hérétiquée, consolée et reçue, selon le mode et le rite des hérétiques, par imposition des mains et du Livre sur sa tête, en notre présence à Esclarmonde et à moi. Après quoi, toutes les trois, nous les avons adorés trois fois, genou fléchi, en disant « Benedicite« selon le mode des hérétiques, et je reçus la paix par le Livre des hérétiques, et je transmis cette paix à ma mère et à Esclarmonde. Après sa consolation, ma mère Raimonde promit aux

hérétiques que désormais elle ne jurerait plus, ne mentirait plus, ne mangerait plus rien de gras si ce n'est huile et poisson, et qu'aussi longtemps qu'elle vivrait elle mettrait toutes ses forces au service de la secte des hérétiques. Et moi, Fabrissa, je promis auxdits hérétiques que je protégerais ma mère et leur secte autant que je le pourrais. Puis ma mère voulut donner auxdits hérétiques vingt sols tolsans, que Pons de Gomerville lui avait donnés pour qu'elle les leur donne pour son hérétication, mais ils ne voulurent pas les accepter, et me dirent de porter ces vingt sols à Raimon Fougassier (1). »

Quelques semaines plus tard – au milieu du Carême de l'année 1273 très probablement –, la vieille Raimonde mourut Parfaite. Sa petite-fille Philippa avait été mise dans le secret (2), puisqu'elle assista sa mère Fabrissa durant les derniers jours de la malade qui vivait désormais selon la Règle, ne mangeait plus aucune nourriture carnée et récitait le Pater avant chaque repas.

Fabrissa s'accusa encore d'avoir donné aux deux Bons Hommes, Guilhem Prunel et Bernard Tilhol, du raisin de sa vigne (3).

---

(1) Volume Doat 25 (f° 50 b-51 a).

(2) Déposition de Philippa, fille de Fabrissa, *in ibid.* (f° 52 a-54 b).

(3) Pour ceux qui connaissent Toulouse : sa fille Philippa Maurel indique qu'elle possédait une jeune vigne de l'autre côté de la Garonne, à Montaudran, aux raisins de laquelle les hérétiques goûtèrent aussi. Nous retrouverons Philippa, trente ans plus tard, au chap. 24 de ce livre.

CINQUIÈME PARTIE

NUIT ET BROUILLARD

Respiration

Certains auteurs ou commentateurs du xxe siècle, agacés sans doute par le remue-ménage d'ésotérisme vulgaire et imbécile qui défigure le site et discrédite tout intérêt trop marqué pour le catharisme, ont parfois cru remettre l'événement historique de la chute de Montségur à sa juste place en minimisant tant que possible la portée de son retentissement. Il fut longtemps de bon ton, dans l'historiographie française, de rappeler que l'événement passa à peu près inaperçu de ses contemporains. Il n'empêche. Nous n'insisterons jamais assez sur le fait que ce fut au contraire un événement considérable, qui marqua un tournant dans l'histoire politique de la France comme dans celle des idées. Et qui détermina la mort à terme du catharisme, même si cette extinction devait représenter une agonie d'un siècle.

Montségur a été le coup de dés de la dernière carte, du dernier espoir, de la dernière chance du comte de Toulouse, pour briser l'inexorabilité du traité de Paris, pour tenter de garder une indépendance et une identité à sa terre. En 1242, avec l'expédition d'Avignonnet, il utilisa les chevaliers de Montségur pour galvaniser la population méridionale autour de sa propre tentative de libération ; par son échec, il désigna la place forte à la vengeance du roi et des inquisiteurs. Après la chute de Montségur, le comte rentra les épaules, définitivement, et mourut tristement, trompant sa colère et son impuissance en se vengeant sur de bons croyants agenais (1), coupé de ses derniers fidèles, qui étaient faydits et hors la loi.

---

(1) Il en fit brûler quatre-vingts à Agen juste avant sa mort, en 1249.

Montségur fut aussi la dernière présence, au cœur du pays, de l'Eglise vivante et battante – comme un cœur peut être battant. Après le grand bûcher de 1244, dont la fumée se vit peut-être de très loin, du côté où l'on avait l'habitude de tourner le regard et l'espoir, là-bas sous la ligne des montagnes, les Bons Hommes et les Bonnes Dames qui survécurent ne furent plus jamais que des étrangers sur leur propre sol. La clandestinité était désormais irrémédiable. Une vague de découragement, bien aiguisée et ordonnancée par les Prêcheurs de l'Inquisition et les troupes françaises, précipita les abjurations, les fuites vers la Lombardie, et les dénonciations. Jusqu'à Montségur, la clandestinité avait gardé un sens, était organisée en fonction d'un but et d'une espérance, par une Eglise encore bien structurée et capable d'envisager un avenir. Après Montségur, le catharisme ne chercha plus qu'à survivre désespérément, commença réellement à mourir. « L'hydre » de Blanche de Castille avait bien été à peu près décapitée.

Disparurent les premières celles qui avaient donné à ce christianisme évangélique son identité cordiale et familière : les Parfaites. Aprés Montségur, cela n'eut plus beaucoup de sens, pour une bonne croyante, de demander à être ordonnée. Les dernières Bonnes Dames s'épuisèrent et s'effilochèrent entre ronce et neige, entre geôle et bûcher. Certaines abjurèrent. Moins nombreuses que les hommes sans doute. Bien peu s'exilèrent. Elles disparurent, on aurait pu dire par extinction naturelle, si cette extinction n'avait pas été le fruit de l'épuisement des forces physiques, de la traque, de l'angoisse et du feu.

Les croyantes prirent le relai à leur manière. Dans sa dernière clandestinité, le catharisme se fit populaire, se cacha dans les maisons des métayers, des artisans; les simples femmes des faubourgs et des hameaux protégèrent les errants, Bons Hommes comme simples faydits. Ne pouvant plus espérer accéder à une vie religieuse, plus souvent que leurs maris et que leurs compagnons, elles demandèrent massivement, malgré les périls, à être consolées sur leur lit de mort (1). Il faut dire que la vague de découragement passée, de courageux

(1) L'étude de R.ABELS et H.HARRISON, « *The Participation of Women...* », *op. cit.*, donne sur ce point d'intéressantes statistiques pour la fin du XIIIe siècle.

jeunes Parfaits étaient revenus de Lombardie, pour tenter de réévangéliser le pays, pour rapporter la Parole des Evangiles au troupeau des croyants esseulés. Après Guilhem Prunel et Bernard Tilhol en Toulousain et Lauragais dans les années 1270-1275, il y eut encore dix ans plus tard un Guilhem Pagès en Cabardès et Carcassès, et quelques compagnons, pour tenter de ranimer la foi et de maintenir le rite sous le poids du danger.

Mais le catharisme, sans ses Eglises, sans ses maisons, sans ses Parfaites, le catharisme devenu délit, perdit un peu de son sens dans son public. L'absence des Bons Hommes contribua à les rendre quelque peu mythiques, leur silence à presque sacraliser leur souvenir. Ainsi de cette pratique qui se développa peu à peu parmi les croyantes des temps obscurs, de transmettre et conserver pieusement, comme quasi-relique, des petits bouts du pain bénit des Bons Hommes. Gardés de la main d'un Parfait depuis lors capturé et brûlé, ou même reçus d'Italie avec joie et recueillement. Aurait-on pu, du temps de Guilhabert de Castres et de Blanche de Laurac, imaginer seulement un objet de piété cathare? L'étonnant rationalisme cathare était-il donc condamné à se fondre à nouveau dans l'océan des piétés superstitieuses de ce temps qui commençait à n'être plus le sien?...

En même temps le consolament, l'unique et essentiel sacrement de l'Eglise des Bons Hommes, commençait lui aussi, sinon à se dénaturer, du moins à voir réorienté son sens original. De baptême, d'ordination, il se faisait de plus en plus généralement sacrement des mourants, ultime geste assurant le Salut de l'âme. Avant les persécutions, l'on savait bien que même si le geste était identique, la signification était toute autre; que le consolament aux mourants, conféré par un simple Bon Homme de village, n'assurait nullement l'entrée en vie chrétienne, et que si le malade survivait et qu'il voulait effectivement consacrer à Dieu le reste de ses jours, il lui fallait entrer en noviciat dans une maison de l'Eglise, puis se faire ordonner par un membre de la hiérarchie, Fils ou Evêque. Aprés quoi, une vie d'observance de la Règle de l'Evangile et une carrière sacerdotale pouvaient assurer le Salut de son âme. Les livres de Rituel cathare que nous avons conservés sont très précis sur ce point (1).

---

(1) Cf. le Rituel occitan de Lyon, trad. René NELLI, *Ecritures cathares, op. cit.*, p.225.

C'était en effet pour être ordonnées par leur évêque, et par lui seul, que tant de novices, comme Dias de Saint-Germier ou les compagnes de Raimonde Jougla montaient à Montségur jusqu'en 1243, avant d'en redescendre pour diffuser l'Evangile dans les périls de la plaine, là où l'Eglise les affectait. En cas de besoin ou de péril pressant néanmoins, l'imposition des mains de n'importe quel Bon Homme ou Bonne Dame valait celle d'un évêque, et la clandestinité multiplia ce type d'ordination sans cérémonie, comme celle de Jordane du Noguié par Arnaude de Lamothe, ou celle de la sœur de Raimon Raseire par sa propre mère. Et c'est ainsi que, peu à peu, s'opéra le glissement, et que l'on tendit à ne plus faire trop de différence entre l'ordination d'un Bon Chrétien et le geste de foi du dernier jour. L'exemple de Raimonde, la vieille mère de Fabrissa Vidal un peu avant 1274, est extrêmement significatif et marque bien la transition entre deux systèmes de pensée. Le consolament des Bons Hommes est devenu le geste qui assure le Salut de l'âme au moment de la mort. La référence à une vie évangélique, à une mission de prédication et de sacerdoce s'oblitère par force. Tout se passe comme si leurs croyants prêtaient aux derniers Bons Hommes clandestins la mission de devoir sauver le plus grand nombre d'âmes sur leur lit de mort, davantage que celle de faire rayonner l'enseignement évangélique destiné à appeler en ce bas monde le Royaume du Bien, le ciel nouveau et la terre nouvelle...

Cette évolution, qui n'est pourtant pas, loin de là, une dégénérescence, et qui s'inscrira au contraire, nous le verrons, dans une étonnante résistance à la répression de la part de la tradition philosophique et rituelle du catharisme, n'est en fait que le fruit bien explicable d'un quotidien de terreur, d'où toute organisation pastorale est évacuée au maximum. Les derniers Bons Hommes, malgré tout leur courage et bien souvent leur bonne culture théologique, ne peuvent plus que parer au plus pressé, tout en essayant de déjouer les pièges de l'Inquisition et de ses agents multiples. Dans le même temps, l'intense et cruelle persécution dont ils sont l'objet donne à leur prédication son écho ultime et comme une dérisoire confirmation de l'authenticité évangélique de leur message. Dans la conscience populaire, les Parfaits apparaissent désormais, de la façon la plus manifeste, comme les représentants de l'Eglise du Christ, cette Eglise des persécutés et des doux, ceux qui tendent l'autre joue, ceux qui n'ont pas de mal à opposer au mal, et que les Ecritures montrent depuis toujours en butte aux persécutions des méchants, des faux prophètes et des pharisiens de tout ordre. Les clercs de l'Eglise de Rome, qu'en sa colère la population toulousaine maudit plus encore que les occupants français, contredisent si manifestement l'exemple des Apôtres qu'un nouvel anticléricalisme, moins intellectuel mais plus vigoureux et plus concret que celui de *l'intelligentsia* des années 1200, soutiendra désormais sans nuance les cortèges des persécutés marchant vers les bûchers de l'Inquisition jusqu'à la fin du Moyen Age. Et même au-delà.

Le dernier message que le catharisme vivra et proclamera avec force, et qui sera repris par les vaudois à l'aube de la Réforme, c'est qu'entre persécuteurs et persécutés, les vrais chrétiens sont toujours les persécutés. « C'est à leurs fruits que vous les reconnaîtrez (1). » Il est vrai que les fruits de l'arbre catholique étaient bien amers.

---

(1) Cette parole évangélique, tirée de la parabole du bon et du mauvais arbre (Mt.7,15-20 et Lc.6,43-45), est constamment utilisée, dans ce sens précis, par le catharisme comme par l'ensemble des mouvements évangéliques du Moyen Age. Le catharisme, en ses traités, en tirait en outre une exégèse dualiste.

22

La dernière Église

Des faubourgs de Toulouse ou de l'île ouvrière de Tounis, jusqu'aux paturages pyrénéens. Du carnaval de Limoux aux campagnes quercynoises. Du Lauragais à Ax-les-Thermes, de Rabastens à Montaillou, la dernière Eglise cathare, sans Parfaite (1), sans évêque, sans maison ouverte, fut aussi sans délimitation territoriale. Les dix premières années du XIVe siècle virent une petite équipe de Parfaits déterminés opérer une folle reconquête évangélique à travers à peu près tout l'ancien domaine des cinq évêchés cathares occitans.

LE ROCHER DE PIERRE AUTHIE

Un avant-printemps, tout d'abord. Un jour de mars, comme à Montségur. En montagne, la neige des toits fond au soleil, et les pervenches se pressent au bord du ruisseau. Ce village, c'est Larnat, suspendu sur une crête au-dessus de la vallée du Sabarthès, devant le paysage inversé du massif du Saint Barthélemy. Quelques maisons alignées, de belles maisons de montagne aux bois sans âge, aux volets peints, aux toits de lauze, une église qui fut romane, et omniprésent le chant de l'eau qui coule, la neige des toits et la voix du ruisseau. Au-dessus du village, en pente douce, les prairies puis les bois. Il suffit de passer le ruisseau, bellement canalisé de grosses pierres à travers le village, et l'on est à l'orée du vieux chemin, bellement imprimé lui aussi entre deux parois d'énormes blocs moussus, le vieux che-

(1) Elle connut bien une Parfaite, nous le verrons, mais si exceptionnelle que son existance ne peut avoir de signification générale.

min creux dont la voie tranche les terrassements des prés et monte vers le col, en direction de Miglos et du Vicdessos.

Des mots chantent dans ma tête. *Camin ferrat*, chemin ferré, draille, chemin sans âge, chemin médiéval à coup sûr, chemin des bâtons sonnants, chemin des pas infatigables. Chemin raide aussi, qui semble monter droit au but, du cœur de sa profonde entaille. Quelques bourbiers de printemps, quelques ronciers à peine, et il s'élance intact entre deux murailles, étageant des flaques de neige. Jordane, qui n'a que quatorze mois et jamais vu de neige, pousse des cris de joie et ne veut cesser de plonger les mains dans la douce brûlure blanche. Il faut lui piquer une violette entre les dents pour qu'elle accepte de s'intéresser à autre chose. Et voici : à la hauteur des champs de *Prado lonc*, le chemin s'évase, la ligne des blocs de pierre s'incurve, délimite une petite aire qui surplombe directement les toits du village, autour d'un gros rocher arrondi, surmonté d'une petite croix de métal forgé.

Nos amis se sont arrêtés, la main posée sur le rocher. C'est un lieu de halte, de conversation sans doute. Proche du village, mais suffisamment à l'écart. Un mot se hasarde sur toutes les lèvres : serait-ce là le « rocher de Pierre Authié » ? André Delpech nous dit à nouveau qu'il y a quelques années, un autre rocher a été détruit à la dynamite, quarante mètres plus haut, lors de la construction de la nouvelle route pastorale qui vient couper le vieux chemin du col de Miglos. Cet autre rocher était plus grand, plus haut. Que dit le texte ?

> « Pierre Authié me disait, en faisant l'éloge de sa secte et de sa foi, qu'Esperte d'En Baby, de Miglos, et son fils Raimon, venaient souvent chez Philippe de Larnat, en passant par le col qui est entre Miglos et Larnat, et ils y parlaient de la foi et de la secte des hérétiques avec Sibylle, la mère de ce Philippe, qui était une de leurs bonnes croyantes. Et cette Esperte et son fils étaient si attachés à connaître la foi des hérétiques, qu'ils venaient avec cette Sibylle sous un *caire* ou un rocher qui est au-dessus de Larnat au lieu dit *A Prado lonc* (1)... »

---

(1) Déposition de Sibylle Peire, d'Arques. Jean DUVERNOY, *le Registre d'Inquisition de Jacques Fournier*, *op. cit.*, t.2, p.384. Pour ce qui est de l'histoire cathare du village de Larnat, voir André DELPECH, « les Issaurat de Larnat », dans *Heresis*, n[e] 16, juin 1991, p. 1-20.

Sous un rocher. Celui-ci est trapu, arrondi, l'on peut s'y accoter, s'y appuyer pour parler plus confortablement, mais il n'est pas assez haut pour que l'on puisse se tenir « en dessous ». Le rocher sous lequel le vieux Parfait Pierre Authié venait prêcher pour Esperte d'En Baby, Sibylle de Larnat et leurs fils a peut-être bien été dynamité. Mais assurément leurs pas à eux tous avaient autrefois hanté ce vieux chemin du col de Miglos à Larnat, où nous posions nous-mêmes nos pas en cet avant-printemps; ils avaient tous humé l'air de la montagne, s'étaient transis dans l'humidité des soirs de neige, avaient laissé leurs regards se porter sur le grand théâtre de pierre et de glace des montagnes. Pierre Authié, avec ses compagnons clandestins, avait considéré les toits du village de Larnat avec un mélange de crainte et de détermination.

A Larnat, le vieux Parfait, malade, avait lui-même été soigné et était resté tout un mois en convalescence, dans la maison de la famille Issaurat. A Larnat, il avait procédé en 1300 ou 1301 à l'ordination de son propre fils, Jacques Authié et de son ami Pons Baille d'Ax-les-Thermes. A Larnat, il avait consolé sur leur lit de mort Guillelme Cathala, Guilhem Sabatier, ainsi que dame Hugua, la jeune épouse du damoiseau du lieu et tant d'autres bons croyants. A Larnat, il le savait, dans le silence de la montagne, plusieurs maisons vivantes et chaudes étaient des lieux d'amitié. Telles autres étaient moins sûres.

Nous sommes assemblés autour de ce rocher. Lieu de halte et de conversation. Et si c'était bien ce rocher, et non celui qui a été dynamité? Je m'interroge intérieurement. Pourquoi avoir fiché anciennement une croix dans ce rocher précisément? N'est-ce pas un signe de quelque chose de différent, de dérangeant? Première hypothèse : le curé du lieu apprend que les hérétiques avaient l'habitude de faire halte à cet endroit, et d'y prêcher : il fait placer la croix comme un exorcisme, comme un symbole expiatoire. Puis au cours des âges, on a bien entendu oublié pourquoi il fallait qu'une croix soit postée à cet endroit précis, mais on prend pieusement soin de la remplacer toutes les fois qu'elle se descelle. Deuxième hypothèse, la plus folle : les vieilles du village racontent à la veillée que, à ce que disaient leurs grand'mères, de saints hommes de Dieu venaient se recueillir en ce lieu. L'on finit par marquer ce souvenir pieux, cette atmosphère religieuse, du seul signe chrétien qui soit imaginable dans ce contexte paysan et bas médiéval : une croix. Troisième hypothèse, la plus vraisemblable : cette croix a été érigée là pour n'importe quelle raison parmi des centaines d'autres!

Aucune importance. Et moi qui, au nom du clair rationalisme, de la pure liberté de conscience et de la dure liberté de pensée, prends toujours bien soin de ne voir dans les reliques et autres miracles que manifestations de supersition, je m'empresse de ramasser en ce lieu un caillou, que peut-être Pierre Authié a pu fouler de son pied sept siècles plus tôt. Puis nous dévalons le long pré, *Prado lonc*, vers le ruisseau où poussent les pervenches qui vont emplir les mains de la petite fille. Le ruisseau autour duquel, depuis tous ces siècles, la vie de Larnat s'organise.

UNE ÉGLISE SANS ÉVÊQUE

Pierre Authié avait été un notable, un notaire, d'une famille de notaires d'Ax-les-Thermes qui avait déjà probablement donné au catharisme un ou deux Parfaits au cours du XIIIe siècle. Dans les dernières années de ce siècle, il était un homme arrivé, qui instrumentait pour le comte de Foix et les plus grands seigneurs de la région, et dont la vie était remplie par une épouse, sept enfants légitimes, une maîtresse et deux bâtards. L'un de ses frères, Guilhem, était notaire comme lui, et tous leurs frères et sœurs étaient mariés dans des familles de robins du Sabarthès.

Vers 1295 ou 1296, Pierre et Guilhem se convertirent à l'Evangile en lisant un ouvrage cathare. Sans doute leur tradition familiale avait-elle conservé quelques souvenirs assez précis du discours des Bons Hommes; mais cette lecture fut un élément décisif. L'un et l'autre quittèrent leurs parents, leurs épouses et leurs enfants, abandonnèrent tous leurs biens et le confort de leur vie, pour suivre la voie des Apôtres. A la fin de l'année 1296, ils étaient en Italie, et prenaient contact avec ce qu'il y restait de la hiérarchie des Eglises occitanes de l'exil, l'Ancien – ou peut-être diacre et peut-être Fils –, Bernard Audouy et son compagnon Pierre Raimon de Saint-Papoul... Quelques autres néophytes étaient arrivés du pays dans la même période autour du petit cercle, et c'est en fait tout un groupe de nouveaux ordonnés qui reprit en 1299 avec détermination le chemin de l'Occitanie, après avoir accompli leur noviciat, reçu l'enseignement qui leur permettrait de prêcher et le consolament d'ordination qui leur donnait le pouvoir de sauver les âmes et faisait d'eux des Bons Chrétiens.

Le petit groupe, qui arriva en Sabarthés avant la Noël 1299, était composé des deux frères Authié, de Pierre Raimon de Saint- Papoul, de Prades Tavernier et d'Amiel de Perles. Pierre Authié se révéla très vite en représenter l'autorité spirituelle, même s'il n'eut jamais la dignité de diacre et ne procéda jamais à l'apparelhament de ses compagnons. Ce furent Pierre et Guilhem Authié qui organisèrent et mirent en œuvre les réseaux par lesquels, très rapidement, le petit noyau d'une nouvelle Eglise cathare recommença à rayonner entre Toulousain, Albigeois et Sabarthès, proprement entre Massif central et Pyrénées. Les vieux réseaux de solidarité furent réactivés, qui leur avaient probablement été transmis par Bernard Audouy, et de nouveaux liens tissés parmi la parentèle et les relations des anciens notaires en comté de Foix. Leurs épouses, leurs enfants, leurs frères et sœurs, se firent eux-mêmes, parmi les vastes cercles concentriques des familles et des obligations, les agents les plus zélés des Bons Hommes clandestins.

Jacques Authié fut très vite ordonné, à Larnat et après un noviciat d'un an, par son père Pierre et son oncle Guilhem, et apporta au petit noyau les capacités d'un prédicateur de culture et de talent. Furent ordonnés également Pons Baille, d'Ax, fils de la dévouée croyante Sibylle d'En Baille et Pons de Na Richa, d'Avignonnet, probable descendant de cette dame du Mas-Saintes-Puelles dont une fille et un fils – le diacre Raimon du Mas –, périrent à Montségur, tandis qu'un autre de ses fils était curé catholique. L'on voit bien qu'une tradition cathare s'était perpétuée parmis les familles bonnes croyantes, malgré la période noire de deux génération au moins – la seconde moitié du XIIIe siècle – où la voix des Bons Hommes avait été couverte, où la chasse à l'idée, fondée sur la chasse à l'homme, avait été institutionnalisée.

Et c'est bien pourquoi, indépendamment du courage, du talent et du charisme incontestable des Bons Hommes, cette poignée de Parfaits intrépides qui ne dépassa pas la quinzaine, la reconquête opérée par la petite Eglise de Pierre Authié, fut éclatante, rapide, profonde : ils ne prêchèrent pas dans le désert, mais réinsufflèrent les mots de la foi dans des consciences encore bien réceptives, réensemencèrent un terrain toujours fertile. Cette reconquête aurait pu être durable, si à ce moment-là la répression s'était essouflée. A côté des artisans de l'île de Tounis ou des quartiers populaires de Toulouse, à côté des paysans des mas du bas Quercy et des hameaux du Lauragais, des bourgeois de Limoux, des bergers du plateau de Sault et des grands propriétaires du Razès, les familles nobles du comté de Foix renouaient leurs vieilles attaches avec le christianisme des Bons Hommes ; l'on dit même que le comte de Foix, Roger Bernard III en personne, sur son lit de mort au château de Tarascon, le 2 mars 1302, reçut de Pierre Authié le consolament de la bonne fin.

L'Eglise s'organisa avec efficacité. Guilhem Authié et Prades Tavernier se consacrèrent au comté de Foix et au Sabarthès, tandis que Pierre et Jacques Authié descendaient vers le Toulousain, puis remontaient vers d'autres hautes terres, celles du haut Albigeois jusqu'au Quercy, et réévangélisaient jusqu'au proche Agenais. Il faut dire que l'équipe des Parfaits croissait sans cesse, à partir du petit noyau de départ ; l'on recruta, l'on enseigna, l'on envoya en Italie ou l'on ordonna sur place après un temps plus ou moins long de noviciat, Philippe d'Alairac et Raimon Fabre, tous deux de Coustaussa en Razès, comme Guilhem Bélibaste de Cubières ; Arnaud Marty, de Junac en Vicdessos, ou Pierre Sans, de La Garde près Verfeil ou même Aude Bourrel, de Limoux, une dernière Parfaite.

A partir de maisons secrètes, à Toulouse, à Rabastens, dans les confins de l'Albigeois, du Toulousain, de la Lomagne, à partir de foyers amis et sûrs, comme celui des Françès de Limoux, ou le logis de Sybille Baille d'Ax, les pasteurs clandestins, par équipe de deux, se faisaient conduire dans les caves, les granges, les soliers, pour consoler les mourants ou prêcher au coin du feu. Autour d'eux, près d'eux, avec eux, celles qu'ils ne touchaient pourtant jamais, les femmes encore donnèrent leur ferveur et leur courage quotidien à l'ultime catharisme.

L'ÉPOUSE DU PARFAIT

Vital Sans, de Garde près de Verfeil, et son épouse prénommée Pros, étaient l'un de ces foyers qui recevaient et cachaient les Bons Hommes. Pros reconnut lors d'une première audition devant l'inquisiteur, en 1305 ou 1306, qu'elle avait ainsi vu, écouté, adoré à maintes reprises Pierre et Jacques Authié ainsi qu'Amiel de Perles, qu'elle avait demandé leur bénédiction et mangé le pain qu'ils avaient béni. Puis, interrogée à nouveau par Bernard Gui, cinq années plus tard, elle lui raconta comment elle prit contact avec Pierre Sans un jour de 1309 :

> « Un soir, ma voisine Guillelme m'appela, et me dit que son oncle était là. Je crus qu'elle voulait me faire comprendre que mon mari, Vital Sans (fugitif pour hérésie) était chez elle, et j'y allai donc. Dans sa maison, je vis Pierre Sans à la porte d'un cellier, et nous nous saluames normalement... Et il me dit qu'il demeurait dans cette maison pour deux jours, et qu'il venait de Saint-Menna... Guillelme m'avait dit de ne pas le toucher, et m'avait ainsi fait comprendre – et j'avais compris – qu'il était de la secte de Pierre Authié et des autres hérétiques, de qui je savais qu'ils ne touchent jamais une femme ni ne permettent à aucune femme de les toucher; je ne touchai donc pas Pierre Sans, que je supposais être hérétique et de la secte des hérétiques (1) ».

Les Parfaits de ce début du XIVe siècle avaient bien entendu prononcé, lors de leur consolament, les vœux de vie évangélique de leur ordre, et évitaient le contact des femmes, la nourriture carnée, le meurtre, le vol ou le mensonge tout aussi soigneusement que leurs prédécesseurs. Le consolament d'ordination déliait les liens sociaux du mariage, comme en principe il déliait le Bon Chrétien de toutes ses attaches mondaines et terrestres. Et pourtant, sans que bien sûr l'interdit, le tabou, soit transgressé, le sacrilège ou le péché commis, combien de femmes vouèrent leur constance et leur dévouement à accompagner et faciliter l'apostolat des Bons Hommes. Dans l'ombre de Guilhem Authié, sa propre épouse, Gailharde.

---

(1) Sentences de Bernard Gui, dans Philippe a. LIMBORCH, *Historia Inquisitionis...* (Amsterdam, 1692), p.149-150. Sentence de condamnation au mur perpétuel de Pros, femme de Vital Sans, 1312.

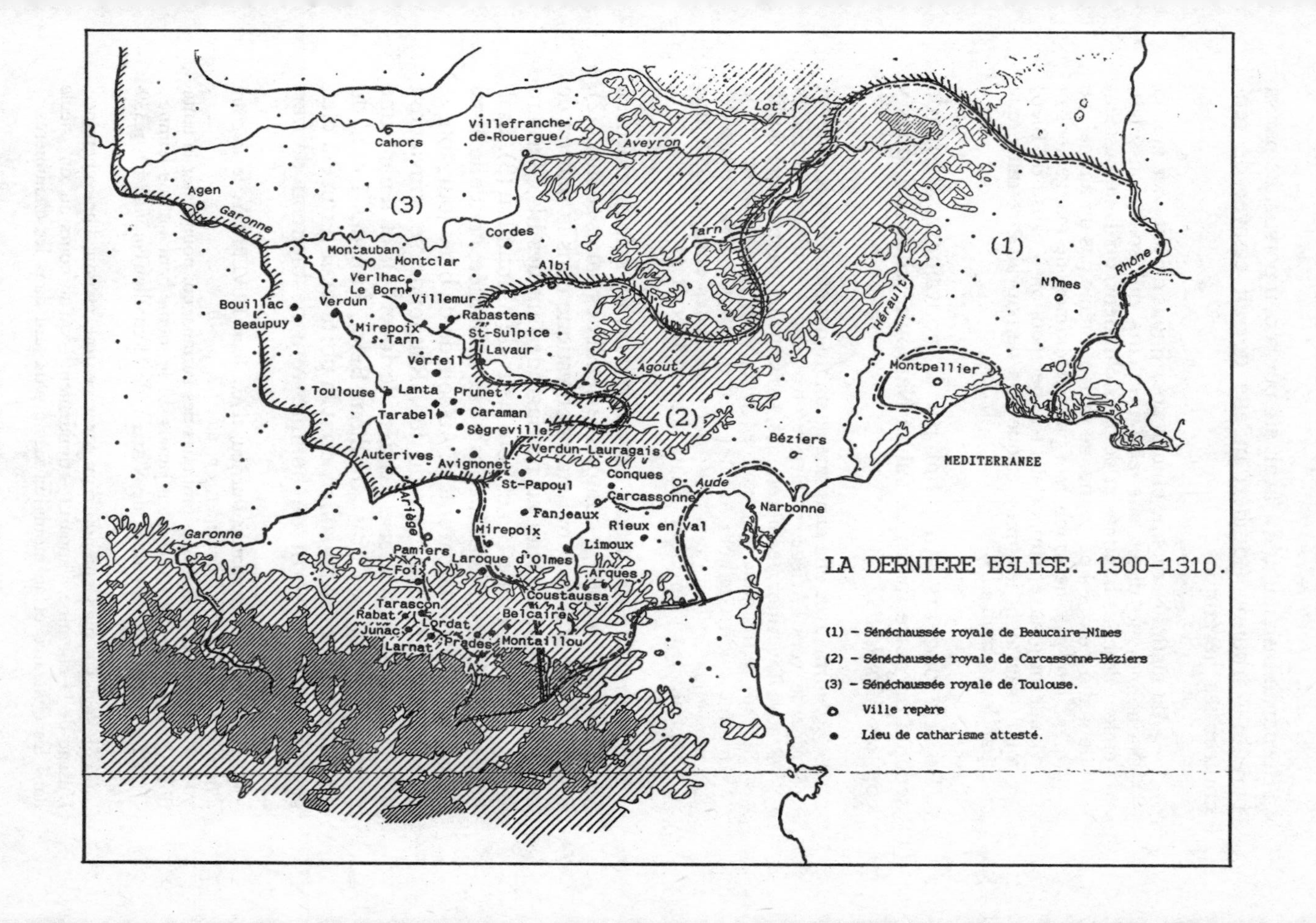
LA DERNIERE EGLISE. 1300–1310.
(1) – Sénéchaussée royale de Beaucaire-Nîmes
(2) – Sénéchaussée royale de Carcassonne-Béziers
(3) – Sénéchaussée royale de Toulouse.
Ville repère
Lieu de catharisme attesté.
(1)
(2)
(3)
MEDITERRANEE
Agen
Garonne
Cahors
Villefranche-de-Rouergue
Lot
Aveyron
Tarn
Agout
Hérault
Rhône
Aude
Ariège
Nîmes
Montpellier
Béziers
Narbonne
Cordes
Albi
Montauban
Montclar
Verlhac
Le Born
Villemur
Verdun
Bouillac
Beaupuy
Rabastens
Mirepoix s. Tarn
St-Sulpice
Lavaur
Verfeil
Toulouse
Lanta
Prunet
Tarabel
Caraman
Sègreville
Verdun-Lauragais
Auterives
Avignonet
St-Papoul
Conques
Carcassonne
Fanjeaux
Mirepoix
Rieux en Val
Limoux
Pamiers
Foix
Laroque d'Olmes
Arques
Coustaussa
Tarascon
Rabat
Lordat
Belcaire
Junac
Prades
Montaillou
Larnat
Ax

Bernarde Durrieu, d'Ax, avait été peu à peu persuadée par sa parente Narbonne Gombert qu'elle devrait essayer de rencontrer les hérétiques :

> « Un matin, Narbonne et moi, nous filions devant chez moi, et Narbonne me disait que ces messieurs qui sont poursuivis, étaient de bons hommes et de bons chrétiens, qu'ils ne faisaient de mal à rien ni à personne, ne tuaient même pas un animal, ne mentaient pas, ne touchaient pas les femmes, ne mangeaient ni viande ni gras, et supportaient la persécution à cause de Dieu; qu'ils sauvaient les âmes, et que l'on ne pouvait être sauvé que par leurs mains... »

De tels discours ayant fini par la convaincre, Bernarde accepta un autre matin de suivre Narbonne chez elle, pour y voir *les Messieurs.*

> « J'entrai avec elle dans une chambre qui était dans le solier et regarde vers l'Ariège, et là nous trouvâmes Guilhem Authié et Prades Tavernier, les hérétiques, assis sur un banc à côté du lit. Sur un autre banc qui était en face, était assise Gailharde, la femme dudit Guilhem Authié; et il demandait à sa femme des nouvelles de leurs deux fils, qui étaient des enfants. Gailharde répondait à l'hérétique qu'ils allaient bien (1). »

Scène presque identique, un autre jour, un soir de noces, à Montaillou, vers 1305, y compris le détail des bancs séparés (2). Raimonde de N'Arsen, qui était domestique dans la maison de la famille Belot, assistait au mariage de l'un des fils, Bernard Belot, avec Guillelme Benet, tous deux de Montaillou (3). Gailharde Authié, née Benet et cousine de la mariée, était elle aussi de la noce, parmi la parentèle. Au soir de ce beau jour, tout le monde était réuni autour du feu. Raimonde se souviendra même qu'elle était assise derrière le foyer (4), et tenant une petite fille dans ses bras. Guilhem Belot, l'un des frères du marié, monta alors au solier, dont la porte était fermée à clef, et appela. Il en sortit un homme vêtu de bleu ou de vert

---

(1) Déposition de Bernarde Durrieu, d'Ax. Jean DUVERNOY, le *Registre d'Inquisition de Jacques Fournier, op. cit.*, t.2, p.740.

(2) Il s'agit d'un topique des pratiques des Parfaits, qui pour éviter la tentation « diabolique », ne s'asseyaient jamais sur le même banc qu'une femme...

(3) Déposition de Raimonde de N'Arsen, de Montaillou, *in ibid.* t.1, p.339-340.

(4) Il s'agissait bien entendu d'un foyer central, et non d'une cheminée. L'usage de la cheminé n'apparut – timidement – qu'au cours du XIIIe siècle dans les châteaux, et au moins un siècle plus tard dans les chaumières.

sombre, qui descendit par l'échelle pour se joindre à la compagnie. Et la jeune servante vit toute l'assistance se lever pour l'accueillir – sauf elle, qui tenait ce bébé dans ses bras; puis l'on se rassit, et l'inconnu prit place sur le même banc que les trois frères Belot, et dont s'écartèrent toutes les femmes présentes. Puis Gailharde Authié vint s'installer près de lui, sur un autre banc très bas, qui la mettait presque à ses pieds, tandis qu'Arnaude d'En Terras, une des belles-sœurs du marié, s'agenouillait devant lui.

Une conversation à voix basse s'engagea alors près du feu, entre Gailharde et l'inconnu. Un peu plus tard, Arnaude, agenouillée, posa sur le banc quelques deniers, et il lui dit : « que ce soit pour l'amour de Dieu ». Puis il se leva et les trois frères Belot le reconduisirent à son solier et fermèrent la porte sur lui. Tout le monde alla se coucher, sauf Raimonde, la petite servante, et le plus jeune des frères.

> « Je demandai alors à Guilhem Belot qui était cet homme, qui était descendu de ce solier; il me répondit que c'était Guilhem Authié, qui avait été le mari de cette Gailharde, mais qui l'avait quittée pour se faire Bon Chrétien et amener les âmes au Salut... »

A ce que raconta Raimonde à l'inquisiteur, du reste, il apparaît que Guilhem Authié se cachait fréquemment et longuement à Montaillou, dans la maison des Belot, où les bons croyants du village venaient le visiter; c'était là une de ses maisons refuges, où sa femme Gailharde savait pouvoir le retrouver. Elle revint notamment vers le Carême de l'an 1305 ou 1306, alors qu'elle avait été citée à comparaître devant l'inquisiteur de Carcassonne, Geoffroy d'Ablis. Son neveu Arnaud Authié, l'un des fils de Pierre Authié, cité également, l'accompagnait. Raimonde la vit à nouveau en longue conversation nocturne, debout auprés du feu, avec son ancien mari le Parfait, dont elle demandait le conseil.

> « N'avoue pas la vérité, disait-il, ne nous dénonce pas, car tu commettrais un péché en nous dévoilant. Si tu veux m'en croire, ne dis pas toute la vérité, tais au moins que tu nous a vus ce soir... »

Puis ils sortirent tous deux de la maison et poursuivirent leur conversation dans le secret de la nuit, si bien que la jeune servante ne put plus rien en surprendre (1).

La déposition que Gailharde Authié, née Benet, fit alors devant Geoffroy d'Ablis, ne nous est malheureusement pas parvenue. Tout ce qu'on sait, c'est qu'en 1312, elle était au Mur, dans la prison inquisitoriale à Carcassonne. Libérée par la suite, elle fut citée à nouveau, quinze ou seize ans plus tard, par Jacques Fournier, inquisiteur et évêque de Pamiers qui, instruit par sa première déposition que, pour sa part, il avait entre les mains, ne lui demanda, malheureusement pour nous, que bien peu de choses. Dans la courte déposition de « Gailharde, veuve de l'hérétique Guilhem Authié, d'Ax (2) », perce pourtant un souvenir du souci constant qu'elle avait de son mari, du temps de sa périlleuse et évangélique clandestinité. A Guilhem Belot, à Guilhem Benet, lorsque de Montaillou ils descendaient à Ax, elle demandait de ses nouvelles, s'il était là-haut, et chez qui, et s'il allait bien. Elle reconnut aussi qu'elle s'était entremise, et avait introduit son mari le Parfait auprès du lit où leur parente Sybille Authié, d'Ax, se mourait, pour qu'il la console.

Elle dut le faire encore bien d'autres fois, et tout indique qu'elle partagea à sa façon l'apostolat de son mari. Mengarde Savinhan, de Prades en pays d'Aillou, conta ainsi à l'inquisiteur Fournier le détail de l'hérétication de son beau-père, Arnaud Savinhan, vers 1303. Gailharde Authié en fut l'instigatrice zélée. Dès que le vieillard s'alita de la maladie dont il devait mourir, Gailharde arriva d'Ax et s'établit dans la maison. Il était son grand-père, car elle était la fille de sa fille. Ce fut elle qui prit les choses en mains. Pour son confort, le malade avait été installé près du feu, dans la *foganha*, le foyer, la pièce la plus chaude de la maison. Un soir, alors que le vieillard montrait des signes d'affaiblissement, Gailharde envoya se coucher toutes les autres femmes de la maison. Et Mengarde, la belle-fille, à ce qu'elle confia à l'inquisiteur, écouta et observa tout depuis son lit, ou derrière la porte entrebâillée, à la faible lueur du feu couvert (3).

---

(1) Déposition de Raimonde de N'Arsen *cit.* p.340-341.
(2) Déposition de Gailharde..., *in ibid.* p.371-372.
(3) Déposition de Mengarde Savinhan, de Prades, *in ibid.* t.2, p.544-547.

Elle entendit tout d'abord des gens parler à voix basse, deux hommes que Gailharde, probablement, avait fait entrer dans la maison. Et Mengarde se douta bien que ce devait être des hérétiques, puisque cette Gailharde était elle-même la femme d'un Parfait. Il y avait apparemment désaccord entre le malade et ces deux hommes, que Mengarde discernait à peine dans l'obscurité, et qui se tenaient tous deux d'un côté du lit, alors que Gailharde restait de l'autre. Après une vaine discussion, l'un des inconnus dit « Allons nous en, puisque nous ne faisons rien ici », et tous deux sortirent. Mengarde se précipita derrière eux, les vit de dos dans la nuit, observa la ceinture plaquée de l'un d'eux, mais ne parvint pas à les reconnaître. Pendant ce temps, Gailharde Authié était restée à parlementer avec le malade : « Monsieur mon grand-père, croyez-moi ! Monsieur mon grand-père, croyez-moi ! » Et le vieillard, de guerre lasse : « Fais ce que tu veux »...

> « Alors, Gailharde courut derrière ces hommes et les ramena auprès du malade. Moi, j'étais à la porte. Le feu fut alors rallumé, et je vis ces deux hommes faire des génuflexions plusieurs fois devant le lit, puis se mettre au-dessus de la tête du malade, et ils l'hérétiquèrent. »

Bien entendu, la présence de Mengarde, la belle-fille du mourant, n'avait pu passer inaperçue, et lorsque les deux hommes quittèrent la maison, Gailharde lui demanda « de fléchir les genoux devant eux, sur le seuil, et de joindre les mains comme si elle priait Dieu » ; mais elle ne lui enseigna pas les paroles rituelles du *melhorier*. Mengarde apprit par contre que les deux hommes qu'elle avait vus étaient Guilhem Authié, comme elle devait bien s'en douter, et Prades Tavernier. Le lendemain, le vieillard lui demanda de mettre un peu de persil dans le bouillon de la poule qui cuisait dans sa *foganha*, mais n'en but pas, et mourut ainsi, hérétique.

L'AMANTE ET LA SŒUR

On ne sait rien d'Alazaïs, l'épouse de Pierre Authié et la mère de ses sept enfants légitimes. De son amie Monette, fille de notaire et mère de ses deux bâtards, on sait qu'elle commença par le suivre évangéliquement en Italie, puis qu'elle aussi se fit, en Sabarthès, prosélyte de la petite Eglise de reconquête. Le fils naturel de Monette et de Pierre, prénommé Bon Guilhem, se montra lui aussi dévoué agent de son père et de ses amis. Guilhem Authié quant à lui était sans doute plus jeune que son frère Pierre; il faut se les imaginer, sa femme Gailharde et lui, comme un couple dans la force de l'âge, aux jeunes enfants encore à élever. Il est très vraisemblable que Gailharde connut quelques problèmes matériels et financiers pour subvenir à leurs besoins quand son notaire de mari eut choisi la pauvreté apostolique, d'autant que les biens de la famille avaient été confisqués par les autorités inquisitoriales, dès qu'avait été appris le départ des deux frères pour l'Italie (1).

Il est en tous cas indéniable que quelque chose de chaleureux était resté bien vivant entre le Parfait et son épouse, qui continuèrent à suivre un chemin parallèle, sans se toucher mais encore unis, dans une même foi à coup sûr, dans un attachement sincère l'un à l'autre très certainement.

Pierre et Guilhem Authié pouvaient également compter, en Sabarthès, sur le concours de leur frère Raimon avec sa femme Esclarmonde et de leur sœur Raimonde de Rodes avec toute sa large famille. Ainsi que sur la fille de Pierre, mariée à Toulouse, et qui leur offrit une première base de reconquête dans la grand'ville. Prades Tavernier, quant à lui, avait une fille batârde peu instruite, Brune Pourcel, et une sœur un peu moins démunie, Guillelme Déjean, qui habitait Prades et qui, elle aussi, défendait les Parfaits, parlait pour eux, leur recrutait des fidélités, des amitiés, rassemblait des dons et des vivres à leur intention. Pons Baille une mère, Sibylle, qui fut en Sabarthès l'agent le plus dévoué de la petite Eglise. Epouse, mère ou sœur, les femmes du proche entourage des Parfaits mettaient tout leur cœur à soutenir secrètement leur ministère. Une seule semble y avoir mis un peu plus.

Il s'agit de Raimonde, la sœur d'Arnaud Marty, le jeune Parfait de Junac. Toute jeunette, elle avait épousé un veuf de Taras-

(1) A en croire Sibylle Pèire, une croyante d'Arques, mais née à Larnat, qui déposa quinze ans plus tard devant Jacques Fournier, le Bon Homme Prades Tavernier, qui était d'origine moins bourgeoise et moins distinguée que les frères Authié, aurait laissé échapper rancœur et peut-être jalousie devant leur succès de prédicateurs auprès des croyants de la bonne société, et aurait critiqué ce qu'il appelait leur avarice et leur cupidité, accusant même Guilhem d'aimer l'argent au point de se complaire, avec sa femme Gailharde, à en amasser par son ministère. Ragots?

con, Arnaud Piquier, qui était aussi l'un des plus fidèles croyants et l'un des agents les plus actifs de l'Eglise clandestine. Avant 1310, au moment où l'Eglise se défaisait sous les coups de boutoir de l'Inquisition, au moment où l'un après l'autre les Parfaits étaient capturés et brûlés, leurs croyants emprisonnés, et des villages entiers cernés par les soldats et cités à comparaître, Arnaud Piquier fut au nombre des proscrits et disparut comme tant d'autres dans un cul de basse-fosse. Raimonde quant à elle, ainsi que sa sœur Blanche, avait pu s'enfuir après avoir été citée devant l'Inquisition de Carcassonne. Les documents permettent de la retrouver quelques années plus tard, en exil dans le royaume d'Aragon, où elle partageait en tout point la vie de l'un des très rares Bons Hommes qui ait pu échapper à la traque, Guilhem Bélibaste.

Au nord de l'actuelle Espagne, en Catalogne, en Aragon, contrairement à l'Italie, le catharisme n'avait jamais fait souche. Par contre, au début du XIVe siècle, ces proches pays apparurent aux populations occitanes en péril comme une terre d'asile possible, et de petites communautés de l'exil s'y implantèrent, à peu près à l'abri de l'Inquisition de Toulouse ou de Carcassonne. A San Mateo et Morella, dans la province de Teruel, un petit groupe de réfugiés de Montaillou vivait ainsi dans une paix approximative, autour de Guilhem Bélibaste qui, en 1309, avait réussi à s'échapper du Mur de Carcassonne et passer les Albères. Il avait erré à travers la Catalogne puis rejoint à Granadella un vieux Parfait en exil, Raimon de Castelnau, avant de s'intégrer à leur groupe en Aragon et tant bien que mal, jusqu'en 1320, continuer pour eux à jouer les Parfaits. La petite communauté d'exilés restait reliée au pays par les voies de la transhumance, et recevait la fréquente visite de grands bergers des Pyrénées, comme Pierre Maury et son frère Jean qui, de Montaillou ou d'ailleurs, passaient les cols et menaient leurs troupeaux aux paturages de Flix ou de Granadella.

Par mesure de prudence, le Bon Homme Bélibaste offrait l'extérieur d'un artisan modeste. Il fabriquait des peignes de tisserand, et tout le groupe de réfugiés admettait fort bien qu'une des leurs, Raimonde Marty, veuve d'Arnaud Piquier, partageât sa maison et se fît passer pour sa femme, afin de déjouer les suspicions. Raimonde n'avait plus d'attache. Son frère Arnaud

Marty avait été brûlé à Carcassonne en 1309, son mari avait disparu, elle avait fui avec sa sœur Blanche et, peut-être, sa petite fille Guillelme, si celle-ci était née de son mariage tarasconais, ce que nous ignorons. Elle s'attacha à son Parfait au-delà des apparences. Au yeux des bourgeois de Morella, la famille pouvait paraître dans les normes catholiques, composée d'un père, d'une mère, d'une belle-sœur et d'un enfant. En fait, au fond du cœur, les réfugiés de Montaillou eux-mêmes, Blanche, Guillemette Marty, ses fils et leurs amis, savaient sans doute très bien à quoi s'en tenir : même si, lorsqu'un visiteur passait chez eux, Guilhem Bélibaste prenait bien soin de partager son lit, lorsqu'ils étaient seuls, c'était avec Raimonde qu'il dormait.

Lorsqu'une promesse d'enfant apparut entre eux, le Bon Homme, peu élégamment, essaya de sauver les apparences et se débrouilla pour en faire porter la paternité à Pierre Maury, qu'il maria à Raimonde à la mode des bons croyants, c'est-à-dire sans autre cérémonie qu'un consentement mutuel, pour deux jours et une nuit. Après quoi, visiblement jaloux et peu à son aise, il fit en sorte de récupérer tous ses droits sur la jeune femme. Pierre Maury, qui ne fut bien entendu pas dupe, ne lui en tint pourtant nulle rigueur visible et lui garda son amitié avec beaucoup de délicatesse – ou d'orgueil froissé – (1). L'enfant naquit, mais on ne sait pas ce qu'il devint, ni s'il survécut longtemps. Tout ce qu'on sait de lui, c'est que son père putatif, Pierre Maury, prit soin d'envoyer à Raimonde quelque argent pour lui. Peut-être cet enfant, dont la naissance n'est pas bien située chronologiquement, n'était-il autre, en fait, que la petite Guillelme? Les textes ne sont pas assez précis sur ce point – qui n'intéressa nullement l'inquisiteur, pour satisfaire notre amicale curiosité.

L'enfant ne pouvait en tout cas être bien grand(e) en 1321, année où son père selon la chair, le Bon Homme déchu Bélibaste, fut trahi par un mouchard, capturé par l'Inquisition après s'être imprudemment aventuré à sa suite en terre de Foix, et brûlé à Villerouge-Termenés, château de l'archevêque de Narbonne. Pierre Maury, qui avait été capturé avec lui, fut

(1) C'est très largement par la déposition de Pierre Maury devant Jacques Fournier que l'on connaît toute cette histoire. Le bon berger fait preuve, dans son discours, d'une intelligence et d'une largeur de vue peu communes. Se reporter à Jean DUVERNOY, *le Registre..., op. cit.*, t.3, p.914-1032.

d'abord relâché. Le mouchard quant à lui n'était autre qu'Arnaud Sicre, le propre frère du Parfait Pons Baille, et le fils de la dévouée croyante Sibylle, d'Ax. S'il avait jugé bon de vendre ses services à l'Inquisition, c'était dans le but très précis de récupérer les biens de sa famille, qui avaient été confisqués lorsque son frère et sa mère avaient été brûlés pour hérésie. Il les récupéra.

En juillet 1323, Pierre Maury, à nouveau arrêté, comparaissait devant Jacques Fournier. Son témoignage, sa déposition extrêmement claire et sensée, nous renseigne un peu sur ce qu'il était advenu après la capture – et le bûcher – de Bélibaste. Raimonde avait pu s'enfuir avec son enfant, qui était encore vivant puisque le bon berger, son père putatif, avait pris soin de lui remettre une somme d'argent pour son entretien, et avec sa sœur Blanche ; elle avait gagné Péniscola, puis en était repartie avec quelqu'un « de sa langue », c'est-à-dire un réfugié occitan. Ce dernier compagnon fut peut-être Raimon Issaurat, de Larnat, qui aux dires de Pierre Maury était allé rejoindre Raimonde et Blanche aux moissons dans la montagne de Benifaxa, « pour se réconforter ». Il faut dire que les temps étaient durs pour les exilés, les compromis, interdits de séjour au nord des Pyrénées et vivant au sud dans l'angoisse perpétuelle de la délation : rencontrer deux personnes sûres, deux vieilles connaissances, des amies des Bons Hommes avec qui parler en toute confiance du pays, devait représenter un baume au cœur sans prix.

En 1323, le petit groupe de Montaillou – ou du moins ce qu'il en restait, car il y avait eu plusieurs décès –, s'était dispersé de son refuge aragonais (1). Pierre Maury, quant à lui, recevra sentence de Jacques Fournier. Mur perpétuel.

Le dernier Parfait occitan connu, Guilhem Bélibaste, n'était donc plus Parfait quand il mourut comme tel sur le bûcher catholique. Il avait transgressé l'interdit, il avait rompu l'un de ses vœux – celui de chasteté –, ce qui entraînait la nullité de son ordination, comme s'il avait tué, mangé de la viande, volé ou menti. Une fois déjà, bien conscient de sa faute et du problème, plein de bonne volonté et de bonnes intentions, il était

(1) Déposition citée, p. 919 et 992.

allé retrouver le vieux Parfait Raimon de Castelnau, et lui avait demandé de le réordonner. Puis il était retombé dans son péché, et le vieux Parfait était mort. Plus personne désormais ne pouvait lui remettre sa faute, ne pouvait le reconsoler. Il était le dernier et, quand il prêchait pour son petit troupeau de réfugiés, il savait très bien qu'il n'était plus habilité à véhiculer le message des Evangiles, qu'il n'avait plus le pouvoir de sauver les âmes. Vaille que vaille il s'accrochait à l'apparence, gardant peut-être au fond de lui l'espoir qu'un jour il rencontrerait un autre Bon Chrétien survivant, qui lui rendrait sa dignité de Bon chrétien, et qu'ensuite il saurait se garder du péché et du mal? Bélibaste, pitoyable et courageux, pensait-il que Raimonde était le mal?

23

La mort obsessionnelle

LA MILITANTE

Mère du Parfait Pons Baille comme du mouchard Arnaud Sicre, Sibylle d'En Baille, d'Ax, que nous appellerons plus simplement Sibylle Baille, s'était séparée de son mari pour des raisons d'ordre trés certainement idéologique. Ce mari, qui n'était autre que le châtelain de Tarascon, se nommait Arnaud Sicre et restait ferme pilier du parti catholique. Lors de leur divorce, une séparation des biens et des enfants dut intervenir, puisque deux de leurs fils, Pons et Bernard, sont connus sous le nom de leur mère, Baille, alors que deux autres, Arnaud et Pierre, portent le nom de leur père, Sicre. Ils avaient également au moins une fille, qui demeura bien entendu avec sa mère. Les enfants choisirent-ils eux-mêmes de se répartir en fonction de leur propre option religieuse entre leur père catholique et leur mère cathare, ou bien furent-ils élevés par l'un et par l'autre dans leur foi respective? Pons et Bernard Baille furent bien entendu de fidèles croyants de l'Eglise des Authié, alors qu'Arnaud Sicre – avec semble-t-il la complicité de son frère Pierre Sicre –, ne songea qu'à utiliser la bonne réputation de sa mère et de son frère Pons, l'une morte sur le bûcher et l'autre Parfait fugitif, pour éteindre la méfiance des réfugiés de Montaillou et faire capturer le Bon Homme Bélibaste.

En 1308 ou 1309, c'était Arnaud Sicre père lui-même, l'officier comtal, qui dirigeait la petite troupe qui arrêta toute la population adulte de Montaillou et la conduisit au château inquisitorial. On ignore à quelle date son ex-femme Sibylle fut brûlée, ni s'il contribua à son arrestation. Il faut dire que la plupart des confessions aux inquisiteurs des bons croyants de la petite Eglise, indiquaient son nom comme celui du principal agent de liaison de la vallée du Sabarthès et qu'elle ne pouvait échapper à la citation de gré ou de force, et à la condamnation.

En 1309, Raimon Vaissière, d'Ax, convoqué et cité par l'inquisiteur de Carcassonne, avouait entre autres choses que, sept ans auparavant, il avait été prié par son voisin Pierre Mathéi, malade à en mourir, de faire l'impossible pour lui trouver des Parfaits.

> « Il me demanda de tout faire pour joindre Pierre ou Guilhem Authié, les hérétiques, pour, me disait-il, qu'il puisse être sauvé par eux, ainsi qu'il le croyait. Je lui dis alors... que sa commère Sibylle d'En Baille, qui était en tout au courant du fait et du secret des hérétiques et qui s'entremettait on ne peut plus pour leur cause et leurs affaires, pourrait certainement les lui procurer. »

Et effectivement, contactée par le jeune homme, Sibylle Baille s'empressa de venir visiter son compère malade, sans doute pour bien vérifier qu'il n'y avait pas de piège et que la volonté du mourant était bien d'être reçu, puis elle conduisit auprès de lui Guilhem Authié, qui hérétiqua ce Pierre Mathéi avant qu'il ne mourut (1).

Amie des hérétiques, dévouée corps et âme à leur cause, pour laquelle elle sacrifia tout et jusqu'à sa vie, Sibylle Baille était en effet, aux yeux de toute une population de croyants, leur meilleur agent de liaison, celle par qui on savait pouvoir toujours contacter les Bons Hommes en cas d'urgence. Et les cas d'urgence représentaient, presque invariablement, des mourants réclamant la bonne fin. Souvent, les messagers en quête de Bons Hommes les trouvaient directement, au logis de Sibylle, qui était un peu leur quartier général dans la ville d'Ax. Guilhem Escaunier vit ainsi chez elle Guilhem Authié, dans une chambre, et dissimulé derrière une couverture qui était tendue sur une perche. Guillamone Garsen raconta quant à elle à l'inquisiteur comment la dame cuisinait pour eux, ce qui était une marque de confiance de leur part, car le plus souvent, de peur que quelque trace d'aliment interdit, produit laitier, œuf

(1) Déposition de Raimon Vaissière, d'Ax, devant Geoffroy d'Ablis. Ed. Annette PALES GOBILLIARD, *l'Inquisiteur Geoffroy d'Ablis et les cathares du comté de Foix, op. cit.*, p.204.

ou bouillon de viande, ne soit mêlé par négligence à leur ordinaire rituel, les Bons Hommes faisaient leur cuisine eux-mêmes, dans leurs propres récipients et ustensiles. Sibylle se chargeait même de leur procurer leur pain, lorsque ils étaient logés ou cachés en dehors de chez elle (1). Par ailleurs, elle s'occupait de centraliser pour eux les dons en vivres, et notamment en blé, qu'elle réclamait aux familles bonnes croyantes pour aider à l'entretien des clandestins (2).

Lorsqu'un malade était sur le point de recevoir le consolament des mourants, Sibylle Baille, comme Gailharde Authié, l'épouse du Parfait, se chargeaient souvent des préparatifs, veillaient à ce que personne n'ayant *l'entendement du bien* (3) ne survienne, et, lorsque il s'agissait d'une femme, l'habillaient avec soin pour la cérémonie secrète. Ainsi, toujours du témoignage de Guillamone Garsen :

> « Un jour, j'allai visiter Sibylle, la mère de Pierre Tignac, d'Ax, qui était malade, et quand je fus arrivée dans leur maison, j'y rencontrai Esclarmonde, femme de Raimon Authié, qui me dit que Sibylle avait été reçue dans la secte et dans la foi des hérétiques par Guilhem Authié et André de Prades... Sibylle Baille et Gailharde d'En Benet... me dirent que ladite Sibylle avait été reçue par lesdits hérétiques, et qu'elles-mêmes l'avaient habillée pour cette réception (4). »

Prude femme – si l'on me permet l'expression – de l'Eglise cathare à une époque où celle-ci ne comptait plus de Parfaite, Sibylle Baille se risquait même parfois à prêcher à sa manière, ou du moins tentait d'intéresser ses amies aux doctrines des Bons Hommes.

> « Me parlant du passage des âmes de corps en corps et autres erreurs des hérétiques, confessa encore Guillamone Garsen, elle me dit que j'avais peut-être une fois été reine, autre fois une pauvresse (5) ».

---

(1) Déposition de Guillelme Garsen, d'Ax. *In ibid.* p.182.

(2) *Id.* p.194.

(3) Expression discrète employée à l'époque pour désigner la foi des Bons Hommes.

(4) Déposition de Guillelme Garsen *cit.* p.198. André de Prades est le surnom de Parfait de Prades Tavernier, et Gailharde d'En Benet le nom de jeune fille de l'épouse de Guilhem Authié.

(5) *Id.*

Ce genre d'argument, utilisant habilement l'aspect égalitaire du principe des réincarnations, était particulièrement propre à toucher la curiosité et à susciter l'attention personnelle. Nul doute que de toutes les manières possibles, la militante Sibylle Baille ne se fît la dévouée prosélyte de la foi cathare.

Son commerce et sa conversation – alimentée de culture évangélique plus ou moins bien assimilée –, devaient paraître agréables et enrichissants aux femmes qui la fréquentaient. C'est en tout cas ce qu'il semble ressortir de la formulation de Guilhem Escaunier, d'Ax, qui expliqua à sa manière à l'inquisiteur comment les idées cathares entrèrent dans sa famille :

> « Il y a dix-huit ou vingt ans, ma mère Gailharde Escaunier, de Sorgeat, avait lié grande amitié avec Alazaïs d'En Baille, qui était sa commère, et la sœur de cette Sibylle d'En Baille qui par la suite fut brûlée comme hérétique. Mais cette Alazaïs quitta Ax pour prendre mari à la Seo d'Urgel. Après son départ, ma mère Gailharde noua grande familiarité avec Sibylle d'En Baille, à cause de sa sœur; et c'est ainsi, je crois, que ma mère fut instruite par cette Sibylle de la secte et de la foi des hérétiques (1). »

Toute la famille Escaunier fut en fait très vite familière et fervente du prêche secret des Bons Hommes. La vieille mère avait quitté Ax avec son jeune fils Guilhem, pour s'établir à Arques, auprès de sa fille Marquésia et de son gendre Guilhem Botolh. Là, dans l'entourage de la famille des Peire, de gros éleveurs eux aussi originaires du haut pays, l'on recevait fréquemment les Bons Hommes Authié ou Prades Tavernier. Et un jour d'été, la vieille dame, Gailharde Escaunier, tomba malade au point de n'avoir plus sa tête à elle. Ce fut donc l'ami Raimon Pèire qui conseilla au jeune Guilhem d'aller promptement quérir des Parfaits pour la bonne fin de sa mère. L'indication pratique qu'il lui donna fut, bien entendu, de s'adresser pour ce faire à Sibylle Baille, dans la ville d'Ax.

Guilhem Escaunier se souvint parfaitement de cette équipée (2). Il était parti seul et d'un bon pas. Mais il faisait chaud, et il s'arrêta boire dans une auberge de Coustaussa. Là, un

---

(1) Déposition de Guilhem Escaunier devant Jacques Fournier. Ed. Jean DUVERNOY, *le Registre...*, *op. cit.* t.2, p.555.

(2) *In ibid.* p.559-562.

jeune bon croyant, Pierre Montanié, s'offrit à l'accompagner, et ils gravirent ensemble les montagnes du pays de Sault, pour redescendre sur Ax par Belcaire et Montaillou. A Ax, les deux jeunes gens s'arrêtèrent dans la maison de Raimon Escaunier, le frère de Guilhem, puis Guilhem alla trouver la bonne Sibylle Baille en son logis, qui, d'abord méfiante, lui promit de faire le nécessaire et lui donna rendez-vous pour la nuit même dans le cimetière d'Ax. Ils y allèrent à trois, Guilhem et Raimon Escaunier ainsi que Pierre Montanié, attendre la courageuse Sibylle.

> « Nous y attendimes Sibylle longtemps, se souvint Guilhem quinze ans plus tard. Il pleuvait, la nuit était noire. Mon frère me dit : que faisons-nous ici ?... Puis Sibylle arriva avec Prades Tavernier. Comme nous ne pouvions nous voir les uns les autres à cause de l'obscurité de la nuit, elle demanda : Qui est là ? Je répondis que c'était moi. Elle me dit alors : Voilà, c'est lui, partez avec lui, ne passez pas par la rue des bains, mais par la vieille ville, qu'on ne vous voie pas... »

Ils quittèrent le cimetière et gravirent à nouveau la montagne, dans l'obscurité. Ils passèrent la nuit dans un bois, sous un arbre. L'hérétique sortit une truite, dont il donna la tête au jeune Guilhem, et ils mangèrent ainsi. Le lendemain, ils étaient à nouveau à Coustaussa, où tout le monde dormit chez les Montanié. Puis il reprirent la route au milieu de la nuit, et arrivèrent très vite à Arques, où la vieille Gailharde avait perdu toute sa raison, et ne répondait plus que par des gémissements quand on lui parlait. Le Bon Homme hésita à la consoler dans cet état. Une vieille croyante du lieu intervint, insista, et il finit pas accepter, bien que Gailharde ne soit plus en état de conscience.

MORT ET ABERRATION

Après avoir hérétiqué la vieille Gailharde, Prades Tavernier recommanda à ses enfants de ne plus lui donner désormais que de l'eau pure. S'ensuivit un quiproquo et une querelle, que Guilhem rapporte ainsi :

> « Cinq ou six jours plus tard, comme ma mère ne prenait plus que de l'eau fraîche, elle se trouva un peu mieux et se mit à demander à manger. Ma sœur Marquésia ne voulait lui donner que de l'eau, selon la prescription de l'hérétique. Là-dessus, ma mère, reprochant à sa fille de ne pas lui donner à manger, lui en

demanda la raison. Marquésia lui répondit qu'elle ne lui donnait pas à manger, parce qu'elle avait été reçue par l'hérétique dans sa secte et dans sa foi, et qu'elle ne devait prendre comme nourriture et boisson que de l'eau pure, parce que l'hérétique en avait ainsi ordonné. J'intervins à mon tour, pour dire quelque chose d'approchant. Elle nous répondit alors qu'elle ne voulait pas suivre l'ordre de l'hérétique, mais qu'elle voulait manger. »

Guilhem Escaunier ajouta encore que le Bon Homme Jacques Authié, qui était entre-temps arrivé à Arques dans la maison des Pèire, aurait appris la chose et aurait dit que sa mère était une méchante vieille d'ainsi maudire sa fille qui ne voulait que son bien. Ragot ou non, tout ceci laisse une pénible impression. En cette période noire de l'ultime catharisme, une sorte de morbidité semble s'être emparée des vouloirs et des consciences. Nous sommes, bien sûr, conditionnés par le lugubre défilement des documents de l'Inquisition qui, en réponse au questionnement très orienté des juges religieux, n'alignent que des relations de consolament aux mourants, d'apprêts funèbres, d'angoisse du Salut, sur fond de dénonciations, d'emprisonnements à vie au profond de cachots sans lumière, de lueurs de bûchers, d'exhumation de cadavres, de démolition de pauvres maisons. Destruction de la vie et de ses fragiles échafaudages d'un côté. Refuge dans la bonne mort de l'autre.

Nous avons évoqué, déjà, l'évolution qui depuis la seconde moitié du XIIIe siècle avait affecté la signification du sacrement de consolament. Par force, le consolament aux mourants devenu infiniment plus fréquent que l'ordination des Bons Chrétiens, le rôle d'extrême-onction de l'imposition des mains des Bons Hommes parut contenir en lui seul toute la réalité du Salut. Les femmes notamment, à qui la voie religieuse des Parfaites était désormais fermée, y mirent tout leur espoir et l'ultime signification de leur vie. Comme on ne pouvait plus vivre en cathare, on voulut, très simplement, mourir en cathare. Et l'on se persuada que cela suffisait au Salut. En ces temps de colère et de péril, où les agissements de l'Inquisition préfiguraient toute la morbidité et la noirceur du bas Moyen Age, avec ses danses macabres, ses pestes et ses processions de flagellants, les dernières croyantes du vieux catharisme mirent toute leur foi à rejeter ce monde du mal de la manière la plus absolue, en interprétant à la lettre le message devenu parcimonieux des Parfaits. Et qui ne les contredisait guère.

D'où le courage insensé d'une Sibylle Baille, son dévouement désespéré à une cause condamnée mais juste. Sa certitude que la lumière ne pouvait être que de l'autre côté. Son refus d'abjurer sa foi quand elle fut capturée et questionnée.

Au début du XIVe siècle, on brûlait de simples croyantes. Des femmes convaincues de relapse, quoi qu'elles en eussent, et de simples fidèles qui refusaient de reconnaître que leur foi dans les hérétiques avait été mauvaise. Ainsi de Sibylle Baille, qui ne fut apparemment jamais Parfaite, ni même hérétiquée sur son lit de mort, puisqu'elle n'eut pas droit à un lit de mort. On ne sait pas qui l'entendit, qui enregistra son refus d'abjurer, la condamna enfin au bûcher en l'abandonnant au bras séculier. On ne sait pas si elle fut brûlée à Carcassonne ou à Toulouse. On n'a pas conservé le texte de sa sentence. Mais le texte de la sentence d'une autre bonne croyante de sa trempe ou presque, Stéphana de Proaude, de Toulouse, prononcée en 1307 par l'inquisiteur Bernard Gui, peut nous donner une idée de la teneur de telles proclamations :

> « (...) Comme il appert de manière évidente et légitime par tes assertions criminelles que toi, Stéphana de Proaude, fille de Martin de Proaude, veuve de Pierre Gilbert, imbue des doctrines pestiférées des hérétiques, tu soutiens et répètes des erreurs intolérables et abominables contre la foi catholique de la sacro-sainte Eglise romaine de Notre-Seigneur Jésus-Christ, niant que Son incarnation ait pu se faire du corps profane d'une femme, refusant le principe de la résurrection des corps humains, attribuant la création visible au diable que tu assures être le prince de ce monde, et la déniant à Dieu tout puissant; que tu refuses, nies et condamnes de manière insultante, selon l'erreur de l'impiété hérétique, l'ensemble des sept sacrements de notre Salut, à savoir le baptême dans l'eau corporelle et donné aux petits enfants, le sacrement du saint corps et du saint sang à partir du pain et du vin de l'autel de Notre-Seigneur Jésus-Christ, et la confession... et que de l'extrême-onction aux malades, faite par l'huile matérielle, tu dis qu'elle ne vaut rien, lui préférant l'exécrable imposition des mains qu'ils appellent baptême spirituel, ou consolament, ou réception, et bonne fin; et que tu approuves la vie, la secte et la foi desdits hérétiques, que tu la recommandes, la défends et la soutiens, affirmant qu'il n'y a de Salut pour personne que reçu par eux dans leur secte (1)... »

---

(1) Sentences de Bernard Gui. Ed. Philippe a LIMBORCH, *Historia Inquisitionis, op. cit.*, p.5-6.

Il vaut mieux résumer la suite, qui nous entraînerait trop loin : sourde à toutes les supplications affectueuses de l'inquisiteur et de ses vicaires, à celles de nombreux Frères prêcheurs, mineurs et de tous ordres, comme à celles de Prud'hommes laïcs de la ville de Toulouse et même de sa propre famille – formulation inquisitoriale de routine –, l'accusée ne voulut pas abandonner ses erreurs et rentrer simplement dans le giron de notre sainte Mère l'Eglise, hors laquelle il n'est point de Salut... En vertu de quoi, elle fut déclarée hérétique et abandonnée à la cour séculière. Ce qui signifiait qu'elle serait brûlée vive, le bras séculier, c'est-à-dire le pouvoir judiciaire civil, voulant bien se charger des basses œuvres interdites canoniquement à des clercs chrétiens (qui eux aussi avaient lu dans les Evangiles : tu ne tueras pas...)

Telle fut, à quelques mots près, la sentence que dut entendre Sibylle Baille. Stéphana de Proaude finit par prendre peur devant les préparatifs du bûcher et accepta au dernier moment d'abjurer. Une nouvelle sentence la condamna alors à une abjuration publique et solennelle en la cathédrale Saint-Etienne de Toulouse, à laquelle elle se plia, puis elle fut mise en prison pour y faire pénitence. Sibylle Baille, quant à elle, ne plia pas, et monta sur le bûcher. Espérait-elle ainsi sacrifier sa vie à son Salut? Elle n'avait pas reçu l'imposition des mains. Que lui vaudrait sa mort, sinon une nouvelle incarnation et tout un chemin, à nouveau, à parcourir? La mort par le feu, le martyre, lui semblait-elle avoir valeur de sacrement ultime? Le sacrifice accepté de sa vie par un Parfait peut avoir un sens, dans la cohérence interne du système religieux cathare. Mais la mort assumée d'une simple croyante, non encore libérée du mal par le consolament, et n'ayant prononcé aucun vœu à ne pas rompre?

Sibylle Baille, et toutes celles qui, comme elle, purent accepter le bûcher sans assurance de Salut, manifestent plus clairement encore que les Bons Hommes une volonté de témoigner une dernière fois pour leurs convictions à la face du monde. Ce qui sembla important à cette militante, ce ne fut pas d'accepter un quelconque martyre dans le but d'assurer son Salut individuel, mais sans doute de manifester que sa foi était si bonne qu'elle ne pouvait en conscience la renier, et aussi de démontrer encore un peu plus, par l'horreur de sa mort, que ce monde était bien le monde du mal. Sibylle ne mourut pas en vaincue.

EN LA ENDURA

La formulation inquisitoriale de l'erreur précise reprochée à Stéphana de Proaude en ce qui concerne le sacrement catholique de l'extrême-onction, est extrêment significative. Elle témoigne de l'assimilation qui s'était très largement faite, dans la conscience des croyants comme dans celle de leurs juges, entre le sacrement de l'imposition des mains et le viatique catholique aux mourants, et qui confondait dans le même mépris « baptême spirituel » et « bonne fin ». La fonction de baptême et d'ordination du consolament était pourtant trés communément rappelée par les Parfaits, qui d'une même voix condamnaient la pratique catholique de baptême dans l'eau à de très jeunes enfants encore incapables de discerner l'appel du Bien de l'emprise du mal. Dans notre Eglise au contraire, était fier de rappeler un Pierre Authié, c'est l'homme adulte seulement :

> « (...) Quand il peut avoir l'intelligence du bien et du mal », qui choisit lui-même de recevoir « la bonne foi », et « après avoir reçu de lui la promesse qu'il sera bon croyant, les Parfaits lui disent de bonnes et solides paroles (1). »

Sibylle Pèire, d'Arques, l'épouse de l'éleveur, la voisine de la famille Escaunier, rapporte pourtant le pénible souvenir de bien étranges pratiques. Les premiers mots de sa déposition devant Jacques Fournier, déjà, dessinent le contexte (2). Quand vers 1306 la jeune femme entendit pour la première fois – à ce qu'elle prétendait – parler sérieusement de catharisme, elle venait de perdre un enfant, une petite fille prénommée Marquèse, et « en était toute triste et dolente » ainsi que son mari, Raimon Pèire. Sa voisine, la vieille Gailharde, venait les consoler en leur parlant des Bons Hommes et de leur foi. On sait par d'autres témoignages que les Parfaits, ou du moins certains de leurs croyants, n'hésitaient pas à tirer parti de l'intolérable, c'est-à-dire la mort si fréquente alors des enfants en bas âge,

---

(1) Déposition de Pierre Maury devant Jacques Fournier. Ed. Jean DUVERNOY, *le Registre...*, *op. cit.* t.3, p. 925.
(2) Déposition de Sibylle Pèire, d'Arques, *in ibid.* t.2, p.566-588.

pour attirer leurs mères vers le catharisme en leur faisant miroiter l'espérance d'une réincarnation des enfants morts en de nouveaux enfants bien vivants (1). C'est peut-être ce genre d'arguments faciles qu'employa Gailharde Escaunier. En tous cas, Raimon Pèire et sa femme étaient prêts à voir, recevoir, écouter les Bons Hommes, et ils devinrent, ainsi que leur jeune berger Pierre Maury, de fidèles croyants de la petite Eglise.

Quelques années plus tard, du temps de l'hérétication manquée de cette vieille Gailharde qui préféra réclamer à manger plutôt que de mourir d'inanition pour le Salut de son âme, Sibylle Pèire eut à nouveau la douleur et l'angoisse d'un bébé en péril, une petite Jacqueline de moins d'un an, malade très gravement, et dont on pensait qu'elle allait mourir. Sa mère raconta à l'inquisiteur, très simplement, ce qui se passa alors. Son mari, Raimon Pèire, lui suggéra de faire hérétiquer l'enfant, et elle se rangea à son avis. Prades Tavernier était justement à Arques, à cause de la maladie de la vieille Gailharde. On le fit venir. Par Guilhem Escaunier, qui assistait à la scène, nous savons qu'il hésita :

> « L'hérétique répondait que cela ne devait pas se faire, parce que la fillette n'avait pas le discernement (du bien et du mal). A la fin, répondant aux prières et aux instances des époux, il hérétiqua la fillette dans le solier de la maison, en ma présence, en faisant beaucoup de génuflexions et en faisant tout se qui se fait pour une hérétication. Pendant que la petite fille était ainsi hérétiquée, sa mère la tenait dans ses bras (2). »

A quel point ce baptême, auquel Prades Tavernier avait fini par consentir, était une aberration en bonne logique cathare comme simplement en logique humaine, Sibylle Pèire elle même le fait toucher du doigt en racontant la suite :

> « Après l'hérétication, il me dit de ne plus lui donner à l'avenir à manger ou à boire du lait ou quoi que ce soit qui fût né de la chair et, si elle survivait, de la nourrir avec des aliments de carême... Mon mari se réjouit beaucoup de cette hérétication de sa fille, en disant que si elle mourait dans cet état, elle serait un ange de Dieu, et que lui et moi nous ne pouvions donner à notre fille autant que ce que l'hérétique lui avait donné. Ceci fait et dit, mon mari... et l'hérétique sortirent de la maison. Moi, après leur

---

(1) Ainsi, par exemple, Guilhem Autast, bayle d'Ornolac. Cf. Jean DUVERNOY, *éd. cit.* t.1, p.236-238.

(2) Déposition de Guilhem Escaunier *cit.* p.362.

départ, j'allaitai ma fille, car je ne pouvais la voir mourir ainsi. Quand mon mari fut de retour, il me dit de bien me garder de lui donner désormais du lait, puisqu'elle avait été reçue, car cela la perdrait à cet égard si elle avalait du lait. Je lui dis que je l'avais déjà allaitée, après son hérétication, ce dont il se lamenta et troubla fort (1). »

La malheureuse mère tint tête, malgré les lamentations de son mari et les amers reproches du berger Pierre Maury qui la traitait de mauvaise mère. Cette hérétication manquée fut la cause d'une longue brouille au sein du ménage. Mais Sibylle trouva une alliée inattendue en la personne de la vieille Gailharde sa voisine qui, elle aussi, voulait manger, et dans une sorte de rébellion de la vie, elle l'aida à se procurer envers et contre tous de la viande, tandis qu'elle continuait à allaiter sa fille. La petite Jacqueline se remit, et survécut un an. Puis elle mourut, mais cette fois sans intervention du Bon Homme. Sibylle Pèire déclara quinze ans plus tard à l'inquisiteur que, depuis ce triste épisode, elle ne crut plus en l'enseignement des Parfaits, ni qu'ils étaient de bons hommes, et qu'elle ne continua à les recevoir chez elle que par amour et crainte de son mari, qui était leur ami.

Par le témoignage de Pierre Maury, qui entendit les réflexions qu'il fit à ce propos, nous savons même que Pierre Authié, mis au courant de l'hérétication du bébé par Prades Tavernier, jugea que cela n'aurait pas dû se faire : il expliqua très simplement qu'un Bon Chrétien ne devait pas imposer les mains à un enfant qui n'avait pas l'âge de raison. Le jeune berger, surpris de cette différence d'appréciation entre les Messieurs, demanda un peu plus tard à Prades Tavernier ce qu'il pensait de l'opinion de son Ancien à ce propos; le Bon Homme grommela que pour ces petits enfants-là, « le Bon Chrétien doit faire ce qu'il peut, et que Dieu fasse ce qu'il veut... » Sagesse populaire, mais non logique cathare... Prades Tavernier en profita du reste pour exhaler encore, à l'oreille de Pierre Maury, quelque rancœur envers ses trop distingués et cultivés confrères Authié (2). »

Cette hérétication du bébé avait été réclamée contre toute logique par les parents, sur un élan de caractère proprement

(1) Déposition de Sibylle Peire *cit.* p.575-576.
(2) Déposition de Pierre Maury *cit.* p. 940.

superstitieux, comme un geste sacré d'extrême-onction, une assurance du Salut de l'âme de leur enfant. Prades Tavernier, perpétuant l'ambiguïté du consolament de la bonne fin, le lui administra pourtant aussi comme un véritable baptême, marquant un engagement personnel en vie religieuse. Le fait que le malade ait été un bébé ne fait qu'ajouter un peu plus d'absurdité à la scène. Mais ce qui était exigé du tout petit enfant était du même ordre, très exactement, que ce qui l'était de la vieille Gailharde et de tous les mourants hérétiqués; c'était ce qui avait été la règle, depuis deux siècles au moins, de tous les ordonnés et baptisés cathares : un jeûne probatoire, comme s'il s'agissait réellement d'une entrée en religion. Il ne faut pas voir une autre préoccupation à l'origine de la pratique de cette *endura*, qui devint pratiquement fait de société dans le dernier catharisme.

Des pratiques mal comprises. De la part des Parfaits, qui après l'hérétication demandaient à ce que le mourant ne consomme désormais plus que de l'eau, simple souci de voir observé le jeûne rituel qui, selon la Règle, devait suivre le consolament. De la part des familles croyantes, qui comprenaient bien que la validité du sacrement reçu dépendait d'une stricte observance de la Règle des Bons Hommes, simple souci de ne pas compromettre le Salut de l'âme du mourant. Ce jeûne pouvait pourtant se prolonger, si le malade était résistant, jusqu'à ressembler à une véritable grève de la faim. D'où les diverses accusations portées contre le catharisme par certains polémistes catholiques du Moyen Age comme d'aujourd'hui, montant en épingle le phénomène de l'*endura* défini comme pratique suicidaire voire criminelle, tenant de la non-assistance à personne en danger de mort et au culte ou au goût du martyre. La réalité était à la fois infiniment plus simple, et plus complexe.

Quelques cas individuels de Parfaits ou de femme hérétiquée, souhaitant réellement ne pas survivre, semblent attestés : il s'agit de condamnés soucieux, au fond de leur cachot inquisitorial, d'en avoir vite fini avec le cauchemar de ce monde et peut-être aussi d'éviter de dénoncer trop de croyants. Ce fut sans doute le cas du Parfait Amiel de Perles, et peut-être aussi celui de Jacoba, la dernière Parfaite, dont nous reparlerons; qu'il soit bien clair en tout cas que jamais un Bon Homme cathare n'a pu souhaiter, ni ordonner, la mort de quiconque, et que jamais une prescription de jeûne à un mourant consolé, déterminant un état d'*endura*, n'a pu dans sa bouche prendre le sens d'un appel de mort : mais au contraire, et simplement, celui de respect d'une règle religieuse. Le seul but recherché était que, si le malade mourait, il le fît en Bon Chrétien, selon cette bonne fin dont on croyait de toutes ses forces qu'elle assurait le Salut individuel de l'âme ; et que, s'il survivait, il pût choisir de vivre désormais également en Bon Chrétien. Ce qui a durci, jusqu'à l'horrible et au pitoyable, les réalités de ces hérétications aux mourants, c'est simplement le danger ambiant et omniprésent, cette angoisse de ne plus trouver à nouveau un Bon Homme à temps si – par malheur – le malade survivait et commettait un péché invalidant un Salut gagné au prix de tant de peine et de tant de périls.

Sibylle Pèire raconta ainsi à Jacques Fournier, comme Pierre Authié lui-même le lui avait raconté, la bonne fin d'Huguette de Larnat, la jeune épouse du damoiseau Philippe qui venait avec sa mère et avec Esperte d'En Baby de Miglos l'écouter prêcher sous un rocher de *Prado Lonc*. Voici du moins comment Sibylle Pèire s'en souvenait quinze ans plus tard :

> « Il me dit qu'(...) après avoir été reçue, elle se mit *en la endura*. Pour l'amour des hérétiques, on la transporta dans une cave, afin qu'ils puissent y rester avec elle jusqu'à ce qu'elle meure. C'était pour que, si elle avait à nouveau besoin d'être reçue et hérétiquée par eux, elle puisse l'être... Et alors qu'elle était ainsi *en la endura*, et que (sa belle-mère) Sibylle (de Larnat) était près d'elle (...) cette Huguette lui dit : Madame, sera-ce bientôt fait ? Serai-je bientôt finie ? Sibylle lui répondit : Vous vivrez, et je vous aiderai à élever vos enfants. Et l'hérétique entendit ces mots et rit, car, à ce qu'il me dit, Sibylle voulait dire que si cette Huguette survivait, elle vivrait ensuite à la manière des hérétiques, mais que toutes les deux élèveraient ses enfants (1). »

Nul texte ne peut mieux rendre compte des réalités, à la fois sinistres et sereines, de l'*endura*, que ce discours émanant d'une femme qui n'éprouvait guère de sympathie pour les doctrines cathares, qu'elle n'avait du reste jamais très bien comprises. Aux temps du désespoir, l'*endura* ne fut en fait rien d'autre que le moyen, pour un mourant, de pratiquer en raccourci durant les quelques jours ou quelques heures qui lui res-

(1) Déposition de Sibylle Peire *cit.* p. 584.

taient, la vie évangélique du Parfait suivant sa règle de Justice et de Vérité qui, elle, aurait sauvé son âme.

LA DERNIÈRE PARFAITE

Depuis au moins deux générations, l'Occitanie avait pu oublier les Parfaites. Les périls et la traque avaient fermé les maisons et tari les vocations, et les femmes croyantes n'espéraient plus qu'en une bonne mort, en fait de bonne vie. La dernière Eglise eut pourtant une dernière Parfaite. La dernière Parfaite connue : Aude Bourrel, de Limoux, dite Jacoba. On ne sait malheureusement pas grand'chose de sa vie. Quelques croyants toulousains se souvinrent l'avoir rencontrée. De sa mort on sait un peu plus, puisque sa sentence a été conservée dans le registre de l'Inquisiteur Bernard Gui. Dans l'horreur ambiante, ce fut selon les termes qu'elle aurait employés elle-même, une bonne fin.

Aude, croyante particulièrement fervente, était partie pour l'Italie en quête de Bons Hommes et d'enseignement, dans les toutes premières années du siècle. Elle en revint Parfaite, en compagnie d'un jeune Parfait, qui était comme elle originaire de Limoux ou du Razès limouxin, Philippe d'Alairac. Recruté par les frères Authié, celui-ci avait été envoyé auprès du diacre de l'exil, en Italie, pour recevoir de lui enseignement et ordination, on ne sait trop pourquoi, alors que Pierre et Guilhem avaient ordonnés eux-mêmes Jacques Authié ou Pons Baille. Espérait-on que Philippe pourrait être promis à un avenir brillant dans la hiérarchie d'une Eglise de la reconquête ? Ses capacités et sa culture exigeaient-elles meilleur enseignement que celui des anciens notaires d'Ax ?

En 1302 ou 1303, il revint donc Parfait, en compagnie d'une Parfaite et de quelques croyants, et s'installa avec elle, avec le Bon Homme Pierre Raimon de Saint-Papoul et une servante surnommée Esclarmonde, dans une maison de la rue de l'Etoile, à Toulouse, qui fut centre actif de la dernière Eglise. Esclarmonde ne fut apparemment jamais Parfaite. Aude Bourrel, dite Jacoba pour son ministère, vécut ainsi sans compagne rituelle, sans *socia*, mais dans la proximité des Bons Hommes. Il ne semble pas du reste qu'elle ait guère quitté Toulouse. On a peu de renseignements sur ce que fut réellement son ministère : consola-t-elle comme ses compagnons? se borna-t-elle à prêcher pour les croyantes de Toulouse et à se faire l'agent des Bons Hommes?

Pierre Bernier, de Verdun-sur-Garonne, que Bernard Gui abandonna en 1309 au bras séculier pour relapse, alors que toute sa famille était condamnée à la prison perpétuelle, avait reconnu qu'il avait été l'agent et le passeur qui avait guidé Philippe d'Alairac et Jacoba jusqu'à Toulouse, puis qu'il leur avait amené, dans leur maison de la rue de l'Etoile, Pierre Authié lui-même. Ce Pierre Bernier, que l'inquisiteur lui même définissait comme un « grand croyant, guide des hérétiques, fugitif pour hérésie, qui s'était échappé deux fois des prisons inquisitoriales », était en fait le mari de Serdane Faure, dite Esclarmonde, la servante des Parfaits et de la Parfaite de la rue de l'Etoile. Si Pierre Bernier finit sur le bûcher, Esclarmonde, quant à elle, s'en tira avec une peine d'emprisonnement à vie. Elle avait avoué son errance en Italie à la recherche de Parfaits, et son quotidien de la maison toulousaine, où elle adorait rituellement Parfaits et Parfaite (1).

Elle avait raconté la mort de la dernière Parfaite, puisque l'énoncé de ses fautes en vue de sa sentence porte précisément :

> « (...) Qu'elle avait soigné ladite hérétique dans la maladie dont elle mourut, puis assisté à sa sépulture – en présence de Philippe d'Alairac et de Pierre Bernier – et qu'elle savait que celle-ci avait accéléré sa mort. »

Les volontés suicidaires étaient considérées comme péché majeur, aggravant la faute, par les inquisiteurs qui poussaient toujours à de tels aveux et dénonciations. Mais pour quelle raison, si le fait est exact, la dernière Parfaite, malade, tenta-t-elle d'accélérer sa mort? Esclarmonde n'en dit rien, mais porte le témoignage suivant sur un autre cas du même genre :

> « Elle avait su que Guillelme Marty, de Proaude, s'était mise en *endura* et avait été hérétiquée, et elle l'avait alors servie comme une Parfaite; et elle avait vu l'hérétique Bernard Audouy, debout devant le lit de ladite Guillelme, venu pour la réconcilier selon le

---

(1) Sentences de Pierre Bernier et de Serdane Faure, dans Philippe a. LIMBORCH, *Historia...*, *op. cit.* p.34-36 et 76-77.

rite des hérétiques. Et ladite Guillelme lui avait demandé instamment, à elle Esclarmonde et à d'autres personnes, que sa mort soit accélérée, car elle avait peur d'être capturée pour hérésie par l'Inquisition... »

Ce témoignage, à travers la sentence de l'inquisiteur, est extrêmement intéressant, car il montre bien que la croyante, hérétiquée sur son lit de mort et survivant en *endura*, était considérée comme une Parfaite à part entière; Bernard Audouy, rentré à son tour d'Italie, et qui seul de la petite Eglise avait rang de diacre – voire de Fils –, avait même pris soin de venir *aparelher* la nouvelle ordonnée, comme du temps des maisons de la paix cathare, ou même des cabanes de la première clandestinité. Envers et contre tout, malgré sa profonde destructuration par la persécution, l'Eglise gardait le plus fidèlement possible son organisation et son rite. La personne d'Aude Bourrel montre qu'il paraissait toujours aussi normal en logique évangélique cathare qu'une femme soit ordonnée au même titre qu'un homme; l'exemple de Guillelme Marty que les Parfaits tenaient toujours le sens profond du consolament. Nul doute qu'Aude elle aussi n'ait été *aparelhée* par le diacre toutes les fois que cela avait été possible.

Bernard Audouy profita peut-être de son séjour occitan pour conférer à Pierre Authié lui-même la qualité d'Ancien, car c'est sous ce titre qu'Amiel de Perles le désigna quelques années plus tard à l'intention de Bernard Gui (1). Nul doute, si la pression de la persécution s'était dés lors relâchée, l'Eglise cathare tout entière était contenue dans le noyau de la petite Eglise, prête à flamber à nouveau haut et clair dans les consciences : la doctrine ne s'était pas plus pervertie que le rite n'avait été oublié. En 1309, le catharisme était intact, tel qu'en lui-même, ramassé sur lui-même, certes, et un peu noirci par l'horreur au quotidien des bûchers catholiques, mais prêt encore à renaître, à refleurir, si les circonstances le permettaient. Nous savons qu'elles ne le permirent pas.

Aude Bourrel, dite Jacoba, la dernière Parfaite, mourut donc de maladie à Toulouse vers 1307, et tenta probablement d'accélérer sa mort de crainte d'être capturée par l'Inquisition dans cet état, d'être amenée peut-être à perdre son âme, et en tout

(1) Sentence d'Amiel de Perles, *in ibid.* p.37.

cas à dénoncer des croyants du fait de l'obligation de vérité que lui faisait la Règle qu'elle suivait. Après sa mort, une jeune fille, Jeanne de Sainte-Foy, et sa mère, deux bonnes croyantes de Toulouse fidèles du prêche des Authié, reçurent en dépôt des objets et ustensiles lui ayant appartenu. Au cours d'un sermon public et solennel de 1309, la jeune fille, capturée et interrogée, fut condamnée par Bernard Gui à la prison perpétuelle (1). Peu de temps auparavant, Aude Bourrel, ou plutôt ce qui restait d'elle, avait également reçu sentence du même inquisiteur. Pour être « morte comme une damnée dans l'horreur de l'hérésie et de l'erreur« , elle fut, tout comme Guillelme Marty de Proaude et le même jour qu'elle, condamnée.

« (...) A ce que ses os, si toutefois l'on parvenait à les reconnaître des autres os catholiques, fussent exhumés de la terre consacrée du cimetière et brûlés dans l'abomination d'un crime aussi impie (2). »

---

(1) Sentence de Jeanne, fille de feu Bernard de Sainte Foy, de Toulouse, *in ibid.* p.69-70.

(2) Sentence d'exhumation d'Aude Bourrel et de Guillelme Marty, *in ibid.* p.34-36.

24

Sentences

LA FOUDRE INQUISITORIALE

L'Eglise avait étonnament bien résisté à soixante-quinze années de persécution systématique. Certes, l'effectif de ses ministres s'était réduit, condensé dans une poignée de Parfaits déterminés. Mais l'essentiel du rite et de la doctrine avait été sauvegardé, et même un embryon d'organisation ecclésiale. Le feu était simplement couvert. A partir des braises bien entretenues, l'incendie était prêt à embraser à nouveau le pays des Bons Croyants. Si, du moins, l'air du temps était toujours à un évangélisme rationaliste. Et si personne ne s'avisait désormais d'écraser sous le talon les dernières braises, si claires fussent-elles.

Or, les temps étaient à la folie, au délire mystique et charnel des béguines, aux pogroms de Juifs, au vertige de la mort. Et surtout, l'outil inquisitorial s'était, dans les mains du pouvoir catholique, aiguisé et affermi. La foudre allait tomber, sans appel.

Après quelques décennies d'agissements inconsidérés, douteux mais sanglants, dans lesquels elle avait achevé de se déconsidérer aux yeux des populations locales, l'Inquisition avait fait peau neuve, et l'objet d'une vigoureuse reprise en mains. Passé le temps d'un Jean Galand ou d'un Bernard de Castanet, qui officiaient à tort et à travers, cherchant à compromettre les nantis et leurs ennemis personnels, et contre qui les Albigeois, les Carcassonnais, les Limouxins, n'hésitèrent pas à faire appel au roi de France et à ses grands officiers, la réplique catholique fut foudroyante. Une nouvelle génération d'inquisiteurs, incorruptibles et glacials, s'installa à Carcassonne et à Toulouse, tandis que les corps des révoltés des villes occitanes se balançaient au bout des cordes des gibets (1). De grands dominicains aux mains propres, et que Philippe le Bel lui-même ordonna à ses officiers de soutenir et d'épauler, prirent alors leurs fonctions : à Carcassonne, Geoffroy d'Ablis dès 1303, qui venait du couvent de Chartres de l'ordre, et, en 1307, à Toulouse, le juriste limousin Bernard Gui. Du premier, nous avons conservé un fragment de registre, d'une enquête qu'il fit mener en 1307-1308 en pays de Foix; du second, le livre de ses sentences de 1308 à 1323 ainsi que, bien sûr, l'ouvrage de praticien qu'il rédigea, sa *Practica Inquisitionis*, ou Manuel de l'inquisiteur.

Tout le reste de leurs archives a été perdu, mais ce peu suffit à laisser comprendre l'inexorabilité de leur action. Ils travaillèrent en étroite collaboration l'un avec l'autre, échangèrent registres-fichiers, informations et indicateurs, frappèrent toujours de façon coordonnée. Geoffroy d'Ablis commença par acheter la bonne conscience d'un bon croyant de Limoux qui mûrissait dans les geôles de Carcassonne, puis n'hésita pas à faire déporter vers ses prisons et ses interrogatoires des villages entiers : Verdun Lauragais, le Born, Prunet en 1305, ou Montaillou en 1308 ou 1309. En septembre 1305, Jacques Authié et Prades Tavernier étaient arrêtés à Limoux.

L'Inquisition de Carcassonne avait dans son ressort le comté de Foix et le Razès; à la différence de l'ancien comté de Toulouse et de l'ancienne vicomté Trencavel, le comté de Foix n'avait pas été mis au pli de l'ordre catholique, autoritairement, par le pouvoir français, et demeurait politiquement indépendant. Malheureusement pour la petite Eglise cathare, la mort du comte Roger Bernard III signifiait aussi l'exinction en ligne directe de cette dynastie de Foix qui avait donné au catharisme tant de Parfaites et de protecteurs. Gaston de Béarn son gendre, qui lui succéda en 1302, ne bénéficiait pas de la même tradition familiale – qui aurait pu tempérer certaines réalités politiques –, et peu à peu les officiers comtaux de

---

(1) A propos de ces tragiques événements du tournant des XIIIe et XIVe siècles, et de la *Rage carcassonnaise*, voir Jean DUVERNOY, *le Catharisme, l'Histoire*, *op. cit.*, p. 317-319.

Foix se montrèrent pour les clandestins presque aussi redoutables que les agents royaux. L'Inquisition eut partout ferme appui et sut, partout, susciter par ruse et par force la délation.

A partir de 1317 même, dans l'évêché à part entière nouvellement créé à Pamiers, l'évêque Jacques Fournier, un futur pape d'Avignon, fut chargé de mettre en œuvre le saint office d'Inquisition. Il fit construire aux Allemans, près de Pamiers, une nouvelle prison inquisitoriale, un Mur, qui assurait l'indépendance de son ressort et, entre 1318 et 1325, reprit systématiquement les enquêtes de ses prédécesseurs et particulièrement celles de Geoffroy d'Ablis. Le registre de Jacques Fournier, conservé à la Bibliothèque vaticane comme il se doit pour les œuvres d'un souverain pontife, édité et traduit par Jean Duvernoy en deux fois trois volumes, est le très précieux document du dernier catharisme, notamment en ses avatars de montagne.

Sibylle Baille fut très probablement victime de l'Inquisition de Geoffroy d'Ablis en comté de Foix, et très probablement brûlée à Carcassonne, comme Jacques et Guilhem Authié, Prades Tavernier et Arnaud Marty.

L'ÉGLISE FOUDROYÉE

L'Inquisition du XIVe siècle montre un caractère beaucoup plus déterminé que la première Inquisition, un visage totalement inexorable, une action dénuée de la moindre pitié. Désormais, il s'agit réellement d'écraser la dernière braise ; l'objectif est bien clair, la volonté des inquisiteurs sans faille, le concours des pouvoirs publics assuré, la machine bien huilée et son efficacité réglée à l'optimum. Désormais, l'on emprisonne à vie des familles entières, sur simple attestation d'un passage d'hérétique, et l'on brûle bien plus largement, les croyants relaps, les endurcis : il est désormais possible d'être brûlé sans y avoir consenti ; d'être brûlé de force, sur simple constat d'un recoupement dans les registres fichiers, sur évidence d'une persévérance, d'un retour dans la faute, comme en vertu de l'adage : *errare humanum est, sed perseverare diabolicum.*

Au XIIIe siècle, seuls étaient brûlés les Parfaits et Parfaites qui refusaient de ne pas l'être en se convertissant. Geoffroy d'Ablis,

Bernard Gui, par contre, envoient au bûcher des croyants malheureux, afin de maintenir et d'accentuer la pression de la terreur. Mais leur objectif est de capturer et de mettre hors d'état de nuire ceux par qui passe le sacrement et se répand l'enseignement, la petite équipe des Bons Hommes, sans qui il ne sera plus d'Eglise hérétique...

Jacques Authié et Prades Tavernier avaient pourtant réussi à s'enfuir du Mur de Carcassonne où ils avaient été enfermés, en attente du bûcher, aprés leur capture de septembre 1305. Guilhem Bélibaste et Philippe d'Alairac s'en échapperont encore en 1309, preuve que ces prisons n'étaient pas aussi absolues qu'on pourrait se l'imaginer, et que des complicités dans la place étaient toujours possibles. La dernière traque dura plusieurs années. Des agents, des amis, des fidèles avertissaient à temps les Bons Hommes qu'il fallait fuir : en 1308, de Montaillou cerné par les soldats, Guilhem Authié et Prades Tarvernier s'échappèrent en plein jour, sous un déguisement de bûcherons. Mais dans les premiers jours de 1309, Jacques Authié fut repris.

Le 3 mars 1309, Maître Bernard Trèves, procureur du comte de Foix, demandait au lieutenant du sénéchal de Carcassonne que l'hérétique, abandonné par son juge religieux au bras de la justice séculière pour en être exécuté, lui soit remis (1). Jacques Authié était en effet sujet du comte de Foix sur le plan séculier, et si celui-ci revendiquait si expressément le droit de le faire brûler, c'était bien sûr pour faire valoir ses droits sur ce qui restait des biens de la famille, une partie des *encours* d'hérésie revenant au bras séculier pour le dédommager du travail. En même temps que Jacques Authié, le procureur fuxéen réclamait ses droits sur le supplice d'une autre condamnée, une croyante relapse nommée Guillelme Christol, originaire du village d'Alairac qui, bien que situé en Carcassès, dépendait du comté de Foix.

Le lieutenant du sénéchal de Carcassonne répondit que les droits du roi de France étaient égaux ; et l'ont convint qu'il ne serait pas bon que, pour une raison aussi futile qu'une dispute

---

(1) L'acte de cette controverse entre les autorités politiques de Carcassonne et de Foix a été publié par Dom Vaissete, *Histoire Générale de Languedoc*, éd. Molinier, t. X, p. 484-489 (Preuves de l'Histoire de Languedoc, n° 157).

entre deux bras séculiers des *encours* d'hérésie, un crime aussi évident et aussi détestable que celui des deux condamnés demeurât plus longtemps impuni, et qu'il ne fallait pas surseoir davantage à l'exécution de leur supplice, de la main des agents du roi, souverain supérieur, mais saufs les droits du comte de Foix, immédiatement, à Carcassonne même. Ils furent très probablement brûlés dans la journée.

La dernière clandestinité de Pierre Authié se concentra sur le bas Quercy, le proche Agenais et le haut Albigeois, dans la région située entre Villemur, la montagne et la Garonne, autour de Verlhac, le Born, Montclar-de-Quercy et jusqu'à Verdun-sur-Garonne, où les fidélités étaient nombreuses. Dans les premiers mois de cette tragique année 1309, à peu près au moment où son fils Jacques était brûlé à Carcassonne, il ordonna encore un novice à Verlhac, un jeune tisserand nommé Sans Mercadier. En mai 1309, des amis le conduisirent loin vers l'ouest, dans une ferme isolée de Beaupuy-en-Lomagne, que tenaient des vaudois immigrés de Bourgogne. Il y reçut les visites de Pierre Sans et de son frère, mais l'étau se resserrait. Le 10 août, l'inquisiteur Bernard Gui faisait proclamer un monitoire en vue de sa capture et de celle des derniers Bons Hommes. A la fin du même mois, l'Ancien était capturé, au moment où il tentait de gagner une autre cachette, et était conduit au Mur de Toulouse. Deux ou trois mois plus tard, il y fut rejoint par Amiel de Perles, qui venait d'être capturé près de Verdun-sur-Garonne, à peu près en même temps que Raimon Fabre (1).

La toute jeune Grazida Bolha, une adolescente de dix-sept ans, avait été au nombre des habitants de Verdun-sur-Garonne transférés devant Bernard Gui dans l'hiver 1309-1310, comme ceux de Mirepoix-sur-Tarn. En mai 1312, elle fut condamnée à la peine relativement légère du port des croix d'infamie, pour avoir omis de dénoncer l'homme suspect que recevait sa voisine; grâce à l'énoncé de ses fautes en vue de sa sentence, nous pouvons nous faire une idée de l'atmosphère de la dernière traque :

---

(1) Quelques détails dans la sentence de Pierre Authié par Bernard Gui, *éd. cit.* Philippe a. LIMBORCH, *Historia*... p.92-93; ainsi que dans celles de Perrin Maurel, le Bourguignon de Beaupuy, *id.* p.102, ou de Grazida Bolha, de Verdun-sur-Garonne, *id.* p.115, etc.

> « Elle avait vu un homme dans la maison de Pierre Ysabe de Verdun, en compagnie de sa fille Raimonde. Et cette Raimonde, après être sortie de la maison avec cet homme, lui dit que c'était vraiment un bon homme, qui ne touchait jamais une femme, et qui sauvait les âmes, et que personne ne pouvait être sauvé sans l'avoir près de lui au moment de sa mort; alors Grazida comprit que ce devait être un hérétique. Raimonde lui dit qu'il se prénommait Raimon, mais qu'elle ignorait son nom; après qu'il eut été pris, elle apprit qu'il s'appelait Raimon Fabre. Le lendemain, dans la maison de Raimonde, elle vit à nouveau le même homme, qui sortait d'une chambre; elle le salua, ils s'asseyèrent ensemble et il se mit à lui parler de Dieu et des choses saintes, lui dit entre autres qu'il était un Bon Homme, et un Bon Chrétien, et qu'il suivait la voie du Christ et des Apôtres... Et la même année, avant la fête de la Sainte-Luce, un homme vint à la ferme où habitait Grazida et frappa à la porte, demandant si elle était là; il en sortit plusieurs hommes, qui le virent s'enfuir, le poursuivirent et le capturèrent. Et elle entendit dire que c'était Raimon Fabre... »

Le Bon Homme avait bien sûr été dénoncé, et dans la maison de Grazida l'attendaient les agents de l'inquisiteur. On ne sait pas à quelle date précise il fut brûlé à Toulouse. Amiel de Perles, quant à lui, fut devant l'inquisiteur confronté à Pierre Authié. Le texte de sa sentence fait état de la profession de foi que fit devant les dominicains « Amiel de Perles, appelé aussi d'Auterives, au diocèse de Pamiers, pris et capturé pour hérésie au diocèse de Toulouse ». Et de cette suprême provocation :

> « Il affirma tenir et croire tout ce que Pierre Authié tenait et croyait, et devant nous et tous les autres, il reconnut que Pierre Authié était son Ancien dans la secte hérétique et l'un l'autre, devant nous, s'inclinant jusqu'à terre, se firent mutuellement l'adoration selon le rite des hérétiques; et ils dirent qu'ils étaient eux-mêmes de cette secte, et reconnurent s'être bien souvent salués de cette façon là. Et il ne voulut pas abandonner cette secte, ni croire en la foi de l'Eglise romaine... »

Il y eut pire encore, aux yeux de l'inquisiteur, car Amiel de Perles ajouta à tous ses crimes celui de se laisser mourir d'inanition :

> « Il ajouta encore à sa damnation de fils de perdition et de l'enfer, et tenta de provoquer et d'accélérer la mort de son corps, en refusant de boire et de manger à partir du jour de sa capture et pour l'éternité, ce qui équivaut à un suicide... »

Bernard Gui s'empressa donc, dès le 23 octobre 1309, de rendre la sentence abandonnant Amiel de Perles au bras séculier, de manière à ce qu'on put le brûler encore vivant (1). La sentence fut proclamée dans la cathédrale Saint-Etienne, le bûcher échafaudé presque en même temps, sur la place, devant le grand portail. Peu de temps après, en décembre de la même année, Guilhem Authié fut pris à son tour, et brûlé presque immédiatement. L'Ancien, Pierre Authié, demeura au fond de son cachot toulousain jusqu'au printemps suivant. Pourquoi Bernard Gui fit-il durer aussi longtemps sa captivité sans espoir?

Pierre Authié, bien entendu, n'abjura pas, mais, comme Amiel de Perles et ses compagnons, proclama bien haut sa foi devant les inquisiteurs. Bernard Gui n'espéra certainement jamais une conversion et une abjuration publique de l'Ancien, qui était l'âme de la petite Eglise, ce qui aurait évidemment comblé ses vœux et porté un coup fatal à la crédibilité et au moral des derniers fugitifs. Manifestement, il travailla à faire parler Pierre Authié et celui-ci, lié comme ses frères par son vœu de vérité, ne put sans doute pas cacher autant d'informations qu'il l'aurait souhaité. Il est plus que probable qu'il ne chercha nullement à dénoncer dans le but d'amadouer l'inquisiteur, puisqu'il avait d'avance accepté le bûcher. Mais, à la différence d'Amiel, de la Parfaite Jacoba et peut-être même de son fils Jacques, il ne tenta pas d'abréger sa passion – et de s'éviter peut-être des paroles compromettantes pour certains de ses fidèles –, par une grève de la faim précipitant l'issue du bûcher. Peut-être le vieux Parfait fut-il simplement plus soucieux d'orthodoxie que ses amis? L'homicide représentait un péché absolu selon la règle cathare, qui interdisait même le meurtre d'un animal, et bien entendu, comme le faisait l'inquisiteur, Pierre pouvait très bien assimiler une grève de la faim à un suicide, c'est-à-dire un homicide de soi-même.

La sentence qui abandonnait au bras séculier le vieux Parfait résolu, fut enfin prononcée le 9 avril 1310 par Bernard Gui en la cathédrale de Toulouse. Elle était cossignée par Geoffroy d'Ablis, pour plus de solennité et aussi parce que l'Inquisition du Sabarthès, d'où était originaire le condamné, dépendait alors du tribunal de Carcassonne. Les deux collaborateurs avaient retenu, entre autres chefs d'erreur et de blasphème,

---

(1) Sentence d'Amiel de Perles, *in ibid.* p.36-38.

que Pierre avait déclaré ce qui suit, et qu'ils lui consignèrent en chef de sa sentence :

« Toi, Pierre, tu as soutenu (...) qu'il y a deux Eglises, l'une bénigne, ta propre secte que tu dis être l'Eglise de Jésus-Christ et détenir la vraie foi dans laquelle tout le monde, et sans laquelle personne, peut être sauvé ; et l'autre en vérité la méchante Eglise romaine, que tu dis impudemment être mère de fornication, basilique du diable et synagogue de Satan, dont tu insultes calomnieusement les grades, les ordres, l'ordonnancement et les statuts, appelant à rebours hérétiques et errants ceux qui suivent sa foi ; et tu déclares de manière aussi impie que criminelle, que personne ne peut être sauvé dans la foi de l'Eglise romaine... »

Toutes ces horreurs abominables et bien d'autres, les inquisiteurs les avaient entendues de la bouche même de l'hérétique, qui avait ensuite refusé catégoriquement « de les renier et de rentrer dans la foi catholique de la sacro-sainte Eglise romaine de Notre-Seigneur Jésus-Christ ». Il fut donc abandonné au bras séculier de son supplice, étant bien entendu que :

« S'il voulait encore se convertir et rentrer, pour le reste de sa vie, dans l'unité de l'Eglise, les inquisiteurs se réservaient le plein pouvoir de lui imposer, pour tous ses méfaits d'hérésie, une pénitence salutaire. »

Bien au contraire, au moment d'être brûlé, Pierre Authié déclara que « si on le laissait parler et prêcher au peuple, il le convertirait tout entier à sa foi ». Onze ans plus tard, le berger Pierre Maury racontait encore l'épisode au berger Guilhem Baille, de Montaillou, comme témoignage d'une foi véritable (1).

Ce que le texte des sentences de Pierre Authié ou d'Amiel de Perles ne laisse pourtant pas entendre, ce sont bien sûr les soliloques intérieurs des vieux Parfaits au fond de leur geôle, dans l'attente d'être brûlés, et qui savaient de la bouche des inquisiteurs que leur petite Eglise était peu à peu décimée, tous leurs frères l'un après l'autre capturés et éliminés par le feu. Ils savaient qu'en ce monde le mal est tout-puissant, et qu'il n'était pas étonnant que l'Eglise du Christ fût persécutée comme Lui-même l'avait été, ainsi que ses Apôtres (2). Mais pouvaient-ils

---

(1) Déposition de Guilhem Baille devant Jacques Fournier, *éd. cit.* Jean DUVERNOY, *le Registre...* t.3, p. 838.

(2) Paraphrase d'un prêche de Pierre Authié pour Pierre Maury. Cf. chap. 25.

admettre que la Parole de Dieu allait s'éteindre avec leur bouche, avec tout espoir de Salut désormais pour les âmes divines emprisonnées?

En ce printemps 1310, le jeune Parfait Arnaud Marty, de Junac, le frère de Raimonde, fut encore brûlé à Carcassonne, après Guilhem Authié et Prades Tavernier. Sans Mercadier en perdit tout courage et se laissa mourir, tandis que Pierre Sans, bien au contraire, reprenait avec le plus grand courage son ministère de péril et commençait même l'enseignement d'un novice, un jeune homme de Tarabel en Lantarès, nommé Pierre Fils. Deux ans après le supplice de Pierre Authié, Pierre Sans prêchait encore à Toulouse; l'on perd ensuite sa trace. Peut-être, avec son catéchumène, et comme Pons Baille ou Pons de Na Richa, dont on ignore la fin, réussit-il à gagner un refuge, en Catalogne, en Italie ou en Gascogne?

La dernière trace d'un Parfait occitan que nous livrent les documents est celle de Guilhem Bélibaste. Capturé comme tant d'autres au printemps de 1309, il avait pu s'échapper du Mur de Carcassonne avec Philippe d'Alairac. Puis Philippe avait malencontreusement quitté leur refuge catalan pour rentrer se faire prendre en pays de Sault (il fut très certainement brûlé à Carcassonne). Bélibaste, quant à lui, s'était d'abord associé à Granadella à un vieux Parfait de l'Agenais, Raimon de Castelnau puis, après sa mort, avait vainement espéré jusqu'en 1321 la venue d'un autre compagnon, tout en partageant charnelle vie avec la sœur d'Arnaud Marty. Lorsqu'au contraire ce fut l'envoyé de Jacques Fournier qui vint le séduire et l'amener à capture et à mort, cela faisait dix ans que les derniers croyants occitans étaient sans pasteur (1).

LA VENDANGE DE PHILIPPA

Le grand livre des Sentences de Bernard Gui nous livre le nom de vingt-cinq croyants brûlés pour relapse ou refus d'abjurer, à Toulouse, entre 1308 et 1321 : les sentences des années 1322 et 1323 ne concernant que des vaudois et des béguins.

---

(1) Pour l'histoire de la dernière Eglise et de son démantèlement, se reporter à l'ouvrage cité de Jean DUVERNOY, *le Catharisme, l'Histoire*, *op. cit.*,chap.8, p.315-333.

Comme on n'a pas conservé les sentences de Geoffroy d'Ablis ni de ses successeurs immédiats, on peut supposer, par des recoupements d'informations, que le chiffre des brûlés fut à Carcassonne au moins aussi élevé. L'une des toutes premières victimes consignées dans le livre de Bernard Gui, fut Philippa de Tounis, que nous connaissons déjà.

Nous l'avons rencontrée, rappelez-vous, trente ans plus tôt, alors qu'elle était la jeune épouse du charpentier Raimon Maurel, et que sa mère, la femme du charpentier Vidal, avait des ennuis avec sa voisine, la femme du charpentier Thomas. Vers 1272, Philippa avait une jeune vigne à Montaudran, et parfois donnait du raisin à l'intention des Parfaits qui se cachaient à Toulouse, Guilhem Prunel ou Bernard Tilhol. Citée à comparaître devant l'inquisiteur sur dénonciation de la voisine, Guillelme Thomas, elle avait réussi à le convaincre de son indifférence au catharisme; sa mère Fabrissa, par contre, avait fini par avouer de nombreux faits d'hérésie, notamment la bonne fin de sa propre mère, la vieille Raimonde, et toute une intense activité souterraine, à Toulouse, des agents des fugitifs et des Bons Hommes eux-mêmes (1).

En 1308, Philippa était désormais veuve de Raimon Maurel. Elle pouvait avoir de cinquante à soixante ans. Bernard Gui reprit méthodiquement son dossier. Il commença par rappeler qu'elle était originaire de Limoux, comme toute sa famille, et que ses inquisiteurs de 1274, Pons du Pouget et Renoud de Plassac, lui avaient infligé une peine mineure : le port de croix doubles et quelques pèlerinages. Sa peine lui avait ensuite été remise et elle avait abjuré toute hérésie en 1291. Déjà, à ce moment-là, elle avait dissimulé aux inquisiteurs qui l'avaient absoute, Jean Galand puis Pierre de Mulcéon, qu'elle prêtait une oreille complaisante aux amis des hérétiques et aux propos impies. Donc, constatait en 1308 Bernard Gui, elle avait vécu de longues années parjure, sur pardon immérité de l'Inquisition. Et nous songeons, quant à nous, que sa mère Fabrissa était certainement morte dans les prisons de cette même Inquisition, et qu'il n'était guère étonnant que Philippa pût se livrer à des « propos impies ».

---

(1) Voir au chap. 21, « Les femmes des charpentiers ».

En 1306, Philippa fut rappelée une première fois devant l'inquisiteur toulousain. L'évidence de sa relapse s'imposa vite, car elle reconnut avoir, l'année précédente, fréquenté à Toulouse, et aussi reçu chez elle, dans sa petite maison d'artisan de l'île de Tounis, Pierre Authié, son fils Jacques et Pierre Raimon de Saint-Papoul. Elle leur avait même, une fois, porté du vin blanc cuit avec une plante au goût acre, la rue : du vin de sa vigne ? Bernard Gui l'entendit à son tour, dès sa prise de fonctions. Sans doute attendait-elle, au Mur, que sa procédure fût reprise. Il la convainquit définitivement de relapse, puisqu'elle avait encore nié la vérité et qu'elle était restée deux ans sans avouer spontanément, comme elle s'y était engagée par serment, tout ce qu'elle savait et tout ce qu'elle avait fait en matière d'hérésie.

Ce qu'elle avait encore à dire n'était en fait que le souvenir de la bonne fin d'une vieille dame, entre les mains de Pierre Raimon de Saint-Papoul. Cinq jours après son ultime confession à Bernard Gui, à la fin du mois de février 1308, Philippa, la veuve du charpentier de l'île de Tounis, entendait la sentence qui l'abandonnait au bras séculier comme relapse dans l'hérésie déjà une fois abjurée. Elle fut probablement brûlée le lendemain même, en même temps qu'un autre relaps, Pons Amiel, originaire du hameau de Garde, près de Verfeil (1).

Si l'on s'en tient aux faits, du moins à ce que la concision du style des sentences peut en laisser vraiment connaître, il semble que la malheureuse Philippa avait trempé dans l'hérésie beaucoup moins profondément ou activement que bien d'autres, qui ne furent condamnées qu'au Mur perpétuel. Ce n'est pas non plus un mince paradoxe que de constater que Pierre Authié aurait pu sauver sa vie, en abjurant, et pas elle : que pour elle toutes les voies étaient désormais sans issue. Elle était relapse. Pour son malheur, elle avait déjà été entendue une fois par un inquisiteur, et ses aveux – même minimes –, avec son abjuration avaient été consignés dans ces registres-fichiers qui faisaient toute la cruelle efficacité du système. Bernard Gui, en bon fonctionnaire, consciencieux et méthodique, avait soigneusement pris connaissance des archives de ses prédécesseurs et personne ne pouvait espérer passer par maille.

---

(1) Sentence de Philippa de Tounis, relapse, *éd.* LIMBORCH *cit.* p.3-4.

Philippa, veuve de Raimon Maurel et fille de Fabrissa Vidal, ne fut que la première sur une longue liste. Les trois derniers noms de la liste en question furent ceux de trois belles-sœurs, originaires de Montclar-en-Quercy, un village de cette région aux limites du très haut Albigeois, du haut Toulousain et du Massif central qui, au moins autant que le Sabarthès et les montagnes de Foix, fut le centre vivant de la dernière Eglise. Lors du Sermon solennel du 23 avril 1312, toute leur famille, vivants et morts, hommes et bâtisses, reçut sa sentence.

A Montclar, dans le mas des Rougiés, vivait en effet une famille du nom de Lantar. Etaient-ils des immigrés, en provenance de Lantarès ? voire des descendants d'une branche de ces coseigneurs de Lanta, faydits et ruinés pour hérésie, et qui avaient rustiquement « refait leur vie » dans la campagne ? Quoi qu'il en soit, dans cette première décennie du XIVe siècle, les habitants des Rougiés ne se distinguaient en rien de leurs voisins, paysans et fidèles des Bons Hommes. La seule chose qui les distingua peut-être ce fut, dans une période pourtant sombre de manière générale, une permanence dans le malheur, toute une succession de décès de personnes jeunes au sein de la famille, dus peut-être à une épidémie. A quoi vint s'ajouter le poids de l'Inquisition qui n'épargna personne.

Les plus âgés, le père et la mère, moururent les premiers : Raimon de Lantar des Rougiés, puis sa femme Bernarde qui tous deux, l'un après l'autre, firent leur bonne fin entre les mains de Pierre Authié, la seconde ayant en outre consenti à l'hérétication du premier. Tous deux mouraient ainsi en relaps, car ils avaient déjà été entendus par un inquisiteur et avaient une fois déjà abjuré toute hérésie.

Leurs trois fils les suivirent de peu dans la tombe, trois grands fils déjà mariés, Bernard, Arnaud et Pierre. Ils avaient tous consenti au consolament de leurs père et mère, et s'étaient même entremis pour leur procurer des Parfaits. Il faut dire que cela n'avait pas dû être bien difficile, car Pierre Authié et ses amis fréquentaient régulièrement leur maison. Tous trois mouraient relaps, comme leurs parents. Et mourut encore Guilhem le jeune, fils naturel de Pierre de Lantar, qui pour sa part était trop jeune pour être relaps. Comme d'autres membres de la famille, il avait conclu avec Pierre Authié le pacte de la *conve-*

nenza, qui assure une bonne fin même hors de tout état de conscience : ce qui indique certainement que les Rougiés – ou même la région ?- étaient en proie à une épidémie et que chacun de ses habitants, quel que fût son âge, se sentait menacé de mort brutale. Le jeune Guilhem fut, en tout état de cause, consolé à temps.

Les six défunts des Rougiés, le jour de la Saint-Georges 1312, reçurent de Bernard Gui leur sentence :

> « Nous condamnons ces hommes et cette femme, par notre sentence, comme impénitents du crime d'hérésie, ou hérétiques et morts en hérésie, et ordonnons qu'en signe de leur perdition, leurs ossements – s'il est possible de les distinguer des autres ossements catholiques – soient exhumés de la terre consacrée du cimetière et brûlés dans l'abomination d'un crime si détestable (1). »

L'ANNEAU DE MONTOLIVA

Le même jour, les femmes de la famille, qui attendaient, à peu près vivantes au fond de la prison inquisitoriale de Toulouse, reçurent elles aussi leur sentence.

Raimonde, la fille de la maison, avait vu chez ses parents Raimon et Bernarde de Lantar plusieurs Parfaits clandestins, Pierre Authié et son fils Jacques, Amiel de Perles, Pierre Raimon de Saint-Papoul ; elle les avait écoutés, adorés, avait mangé de leur pain bénit, cru qu'ils étaient de Bons Hommes, qui disaient la vérité et tenaient une bonne foi, qui sauve l'âme. Elle avait même passé avec eux le pacte de la *convenenza*.

Gailharde, femme de Pierre de Lantar, l'un des trois fils, avait quant à elle vu les hérétiques en compagnie de son mari, un vieil homme appelé Pierre, et un plus jeune dont elle ignorait le nom ; elle les avait écoutés, puis avait partagé leur repas. Elle avait ensuite comparu une première fois devant l'Inquisition, et avait abjuré toute hérésie. Puis son mari, Pierre de Lantar, malade, la supplia de ne pas l'empêcher de faire ce qu'il voulait, et de ne pas le détourner de sa voie. Elle comprit qu'il parlait d'une hérétication. Elle promit. Après quoi, le lendemain

(1) Sentence des six défunts des Rougiés, *in ibid.* p.166-167.

même, elle comprit encore qu'il avait dû recevoir ce consolament des mains de Pierre Authié, car il lui demanda de ne pas s'opposer à ce que, désormais, il cesse de manger et de boire. Il mourut ainsi. Elle avait ouï dire, également, que son beau-père, sa belle-mère, et ses beaux-frères étaient eux aussi morts hérétiqués; un voisin lui avait même appris que son mari, Pierre de Lantar, avait légué dix-huit sous à Pierre Authié (1).

Gailharde et Raimonde de Lantar reçurent une peine d'emprisonnement, ce qui paraît étonnament léger, dans le cas du moins de Gailharde, qui se trouvait en fait relapse : relevées de leur excommunication, elles devaient désormais consacrer toutes leurs forces à défendre le foi de l'Eglise romaine, du moins comme elles pourraient le faire au fond d'un cachot, car elles étaient condamnées :

> « (...) à la prison perpétuelle du Mur, pour y suivre une pénitence salutaire, au pain de la douleur et à l'eau des tribulations (2) ».

Leurs trois belles-sœurs eurent moins de chance. Si l'on peut encore, en telles circonstances, parler de chance. Finas, sœur de Raimonde et des trois frères morts, autre fille de Raimon et de Bernarde de Lantar des Rougiés, était aussi la jeune épouse de Raimon Bertrix, un habitant du hameau de la Rabinié, proche de Montclar. Elle avait appris la sympathie des Bons Hommes par son père, qui cachait Pierre Authié et Amiel de Perles dans le solier du mas des Rougiés, et les appelait de Bons Hommes. Son père lui avait même expliqué qu'ils se cachaient là parce qu'ils étaient persécutés par l'Inquisition, puis Amiel lui avait enseigné les gestes du *melhorier*. Quand Finas fut citée une première fois à comparaître à Toulouse, en 1305, elle était depuis deux ans dans la croyance que ces hérétiques étaient de Bons Hommes.

Mais après s'être confessée et avoir abjuré, Finas n'hésita pas à recevoir à son tour des Parfaits dans la maison de son jeune mari; elle cacha Pierre Sans, Pierre Authié, n'ignora rien du consolament de son frère Pierre, malade, par Pierre Authié qu'elle vit du reste attendre quelques jours dans la maison, car

(1) Fautes des deux emmurées, *in ibid.* p.141-142.
(2) Sentence des deux emmurées, *in ibid.* p. 157-158.

son autre frère, Bernard, venait lui aussi de tomber malade, et il l'hérétiqua à son tour quand son état eut suffisamment empiré pour ne plus laisser d'espoir. Finas avait ensuite hébergé chez elle Pierre Sans durant sept semaines, ainsi que Sans Mercadier qui vint l'y visiter et, faute majeure, lorsque les agents de l'inquisiteur arrivèrent chez elle pour chercher et capturer ledit hérétique, elle refusa d'indiquer où il se trouvait, alors qu'elle savait fort bien qu'il se cachait chez sa belle-sœur Guillelme Bertrix (1).

Raimonde, femme de Bernard, le second frère, avait elle aussi confessé en 1305 avoir vu, avec son mari, les hérétiques qui fréquentaient les Rougiés, et notamment avoir vu et adoré Pierre Authié. Et elle avait abjuré toute hérésie. Puis, en relapse, elle avait assisté à l'hértication de son mari et, après sa mort, continué à servir et aider les clandestins, leur apportant des vivres dans les maisons amies où ils se cachaient. Pas plus que ses belles-sœurs, elle n'avait rien ignoré de toutes les bonnes fins des malades de la famille (2).

Jeanne enfin, femme du troisième frère, Arnaud de Lantar, était sans doute la plus coupable. Elle avait elle aussi été réconciliée une première fois en 1305, alors qu'elle s'était bien compromise dans l'hérésie, au contact de sa belle-mère Bernarde et d'un nommé Martin Francès. Ce Martin Francès était un fugitif, un faydit, un agent des Bons Hommes. Gros commerçant de Limoux, il avait dû prendre la fuite un peu avant 1304 avec son épouse Montoliva, et accompagnait les Bons Hommes dans leur errance. Il se cachait alors au village du Born, non loin de Montclar, dans la maison de Guilhem et de Bernard Faure, surnommés Espagnols. Et tous ces bons croyants, tous ces amis des Bons Hommes se fréquentaient. Jeanne de Lantar avait lié amitié avec ce Martin Françès et son hôtesse Guillelme Faure, tandis que Pierre Authié, son fils Jacques et Amiel de Perles venaient prêcher aux Rougiés.

Un jour, Martin Francès donna à Jeanne, un peu comme une relique, un anneau qui avait appartenu à sa femme, qui était morte hérétiquée peu de temps auparavant. Avait-elle été une

---

(1) Fautes de Finas, relapse, *in ibid.* p.173-174.
(2) Fautes de Raimonde, relapse, *in ibid.* p. 171-172.

sainte femme, cette Montoliva Francès? Nous savons par ce qui reste des confessions des frères Faure, dits Espagnols, du Born, qu'elle était restée six semaines en *endura* avant de mourir, puis qu'elle avait été enterrée au fond du jardin (1).

Dès le carême qui suivit sa confession-abjuration, au printemps 1305, Jeanne de Lantar assista chez elle, aux Rougiés, à l'hérétication de son beau-père sur son lit de mort par Pierre Authié. Puis, peu de temps après, ce fut le tour de sa belle-mère. Et deux ans plus tard, le mari de Jeanne, Arnaud de Lantar, fut le premier des trois frères à s'aliter, et Bernard lui amena à son tour Pierre Authié pour sa bonne fin; Arnaud survécut quelques jours à son consolament, mais ne prenant plus que de l'eau sucrée, et en disant soigneusement le Pater toutes les fois que Jeanne lui en faisait boire. Puis la pauvre Jeanne vit encore partir, après leur bonne fin, ses deux beaux-frères, Pierre et Bernard (2).

Toutes trois, Finas, Raimonde et Jeanne, furent en ce 23 avril 1312 condamnées comme relapses par Bernard Gui, et comme telles abandonnées par le pouvoir religieux à celui de la cour séculière. Trois jeunes femmes brûlées vives.

Leur maison, elle aussi, reçut sa sentence, ce mas des Rougiés où Jeanne, Raimonde et Finas avaient vécu, avec leurs maris, leurs frères, Pierre, Bernard, Arnaud, et les vieux Raimon et Bernarde de Lantar, dont les os n'avaient pas droit au simple repos dans la terre. Ce cammas et cette maison des Rougiés fut condamnée, le même jour que ses habitants:

> « (...) à être détruite ainsi que ses dépendances; et démolie jusqu'aux fondations; et ses matériaux brûlés ou récupérés pour de pieux usages. Qu'à l'avenir nulle habitation, reconstruction ou clotûre y soit possible, mais que le lieu demeure pour toujours inhabitable, inculte et ouvert à tous les vents; pour avoir été réceptacle de perfidie, qu'il reste désormais lieu de souillure! »

Sous peine d'excommunication pour quiconque oserait y bâtir à nouveau pierre sur pierre (3).

---

(1) Fautes de Guilhem et Bernard Faure, dits Espagnols, *in ibid.* p. 28.
(2) Fautes de Jeanne, relapse, *in ibid.* 172-173.
(3) Sentence de la maison des Rougiés, *in ibid.* p.168.

Et toutes les maisons où des mourants, des mourantes, une vieille mère, une sœur avaient reçu le consolament de la bonne fin des mains de Pierre Authié, d'Amiel de Perles, de Pierre Sans, détruites... Au Born, à Verdun-sur-Garonne, à Garde, à Verlhac, un peu partout, dans les villages, dans les hameaux, démolies, perdues, les maisons de Guillelme Bertrix, de Jeanne Gasc, de Guillelme Gilabert, de Raimon Pellicier, de Pierre Sicre, de Raimonde Bolha, détruit le cammas d'Auceline Faure. Perdus les lieux de vie. La vie, déracinée. La mort, exhumée et brûlée elle-même. Mort plus morte que la mort.

Qu'imaginait Bernard Gui ? Quel but cherchaient à atteindre les inquisiteurs ? L'exhumation et le bûcher des cadavres fut tout au long du XIIIe siècle, dans les consciences populaires, un détonateur de révolte contre l'institution inquisitoriale et l'Eglise qu'elle servait. Au XIVe siècle, les populations sous le joug après l'affaire de Carcassonne et de Limoux, ne se révoltaient plus, et les bûchers de cadavres pouvaient remplir leur fonction sociale, qui était de semer l'épouvante. Pourtant, la volonté catholique était en dogme très précisément fondée : détruire un cadavre, un corps charnel promis par l'orthodoxie romaine à la résurrection du dernier jour, c'était engager en quelque sorte le futur Jugement de Dieu : ceux-là, dont les cadavres avaient été détruits par le feu sur sentence de l'Eglise, ceux-là étaient les maudits, pour l'éternité. On voulait montrer qu'ils ne revivraient pas. Qu'ils seraient les exclus de cette grande promesse de vie éternelle *dans des corps ressuscités* qui était le fondement de l'espérance catholique.

Mais de tout cela, les principaux intéressés, ceux qui avaient quitté la vie dans l'espérance chrétienne du catharisme, se seraient bien moqués de leur vivant. Peu importait à un Bon Chrétien ce qu'il pouvait advenir de sa dépouille charnelle. Lui ne revendiquait nullement de pouvoir l'emporter, ressuscitée, au paradis de l'éternité. Il savait et croyait que « Dieu n'a rien à lui dans les corps, qui appartiennent aux vers », selon le mot de Bélibaste. Pour le chrétien cathare, l'espérance était spirituelle. La seule nature véritable et éternelle de l'être humain était pour lui sa part divine et invisible. Le geste impérieux de l'inquisiteur, condamnant les morts à sa mort éternelle, ne pouvait au fond glacer d'effroi que les catholiques, ou les tièdes, ou les mal enseignés. Bien sûr, dans l'ambiance funeste de ce début du XIVe siècle, cette suprême horreur, pratiquée depuis trois générations déjà, couronna, comme un dernier couvercle contre l'espoir, un quotidien de mort et d'angoisse.

Le 7 mars 1315, le corps de Montoliva Francès, l'amie des hérétiques, qui avait été caché dix ans plus tôt au fond d'un jardin, avait dû être repéré par les agents de l'Inquisition, car il recevait à son tour sa sentence d'exhumation et de bûcher posthume. La dame avait commis tant d'actes hérétiques de son vivant, recevant les Bons Hommes dans sa grande maison de Limoux, écoutant leur prêche avec passion et entraînant amis et connaissance dans leur amour et dans leur foi ; puis elle avait fui Limoux avec Pierre Authié et Amiel de Perles, partagé leur errance de bourg en hameau, jusqu'à la maladie dont elle devait mourir. Alors, reçue par Pierre Authié, elle se mit en *endura* et vécut encore de longs jours ainsi, six semaines précisa un de ses amis, en Bonne Chrétienne. Elle fut encore visitée par le Parfait Pierre Raimon de Saint-Papoul, vendit tout ce qui lui restait pour en donner l'argent aux Bons Hommes, et mourut ainsi, hérétique, reçue dans la secte des hérétiques, au Born, dans le cammas des Espagnols. « Que ses os soient brûlés dans l'abomination d'un crime si détestable ! (1) »

Et la pauvre Jeanne de Lantar, à qui Martin Francès avait donné par amitié l'anneau de Montoliva, avait été brûlée vive trois ans plus tôt.

(1) Sentence posthume de Montoliva Francès, *in ibid.* p.204.

25

Paroles d'hérétiques

AU FOYER DE MONTOLIVA

Par un beau matin d'été, deux jeunes femmes et un garçon d'une vingtaine d'années marchaient joyeusement sur la route qui les conduisait d'Arques à Limoux. Les jeunes femmes étaient deux voisines, dont les maris étaient tous deux éleveurs de brebis. Sibylle Pèire avait déjà plusieurs enfants; Marquésia Botolh était encore toute jeune mariée; c'était son frère Guilhem Escaunier qui les escortait; elles lui avaient demandé de les accompagner, car les routes, en ces toutes premières années du siècle, n'étaient pas sûres. Elles avaient en effet décidé, entre elles, de confectionner un bon pâté de poisson pour Pierre Authié, le Bon Homme, qui à cause de ses vœux ne pouvait pas manger de viande et devait se contenter de poisson quand il ne jeûnait pas simplement, un jour sur deux, au pain et à l'eau; et, ce pâté, de le lui porter à Limoux, où il se trouvait en ce moment, à l'abri de la belle et grande maison de Martin et Montoliva Francès, qui étaient de fidèles amis des Bons Chrétiens.

Les trois jeunes gens arrivèrent à Limoux en fin d'après-midi, se dirigèrent droit vers le logis des Francès, y reçurent bel accueil et ne tardèrent pas à se mettre à table avec leurs hôtes pour le dîner. A en croire Sibylle Pèire, Pierre Authié était tout d'abord resté invisible. Montoliva avait confirmé aux trois arrivants qu'il se trouvait bien dans la maison et, probablement, lui avait porté elle-même le bon pâté de poisson dans la chambre où il se tenait prudemment à l'écart. Mais cette chambre communiquait avec la grande salle où la table du dîner avait été servie, par une sorte de fenêtre ménagée dans la cloison et que l'on obturait au moyen d'une planche. Durant le repas, les conversations allaient bon train. Il y avait là, outre les trois visiteurs d'Arques et les maîtres de la maison, quelques amis : Philippe, de Coustaussa, qui devait l'année suivante se faire lui aussi Bon Chrétien, et un nommé Guilhem Peire. Un plat de viandes avait été servi. Et brusquement, la planche de la cloison glissa, et Pierre Authié sortit la tête par le trou.« Vous mangez de cette nourriture de sauvages! », s'exclama-t-il en riant. Et tout le monde de rire et d'échanger des plaisanteries avec lui jusqu'à la fin du repas, eux assis à table, lui la tête passée à travers le trou de la cloison.

Le repas fini et la nuit venue pourtant, de nouveaux visiteurs entrèrent dans la maison. Ils étaient six ou sept, et portaient des bonnets de toile. Les hommes présents les rejoignirent, y compris le jeune Guilhem, et descendirent avec eux dans une pièce du sous-sol de la maison, où ils tinrent un long conciliabule avec Pierre Authié. Sibylle les entrevit, par un trou de l'escalier de la grande salle, tous debout devant le Parfait, et la tête découverte. Puis tous sortirent avec lui dans Limoux nocturne. Au moment de se coucher dans la maison de leurs hôtes, Sibylle et Marquésia tentèrent d'en savoir davantage auprés de Montoliva Françès : « Ce sont de bien chers amis, chez qui il est allé », dit-elle simplement. Et Sibylle se demanda intérieurement s'il ne s'agissait pas d'un consolament à apporter à un mourant de la ville. Bien sûr, il valait mieux parler de tout cela le moins possible, et éteindre sa curiosité. On connaissait le danger, les agents de l'Inquisition partout aux aguets, le cauchemar des dénonciations possibles, et dont personne n'était à l'abri. Le lendemain, les deux jeunes femmes et le garçon reprirent le chemin d'Arques.

Cet épisode fut raconté, vingt ans plus tard, à l'inquisiteur Jacques Fournier, par Sibylle Pèire et par Guilhem Escaunier (1). Montoliva n'avait plus rien à craindre de leurs dénonciations. Elle avait fait sa bonne fin vers 1305 entre Quercy et Albigeois, et avait été condamnée au bûcher posthume en 1315 par Bernard Gui. Plus rien ne pouvait lui arriver.

---

(1) Dépositions de Guilhem Escaunier et de Sibylle Pèire devant Jacques Founier, *éd. cit.* Jean DUVERNOY, *le Registre..., op. cit.* t.2, p.558 et 573-574.

Les deux versions se recoupent suffisamment pour que l'on reconnaisse la joyeuse expédition, mais certains détails pourtant diffèrent. Sibylle Pèire affirma ainsi qu'elle avait à faire dans la ville de Limoux, que la visite au Bon Homme n'était donc pas le seul mobile de son déplacement; du reste, elle avait emporté également un gâteau au fromage à l'intention de ses amis Françès. Guilhem Escaunier, quant à lui, prétendit que Pierre Authié avait dîné avec toute la compagnie, et avait généreusement partagé son bon pâté de poisson. Il ajouta même que le lendemain matin, avant leur départ, le Bon Homme leur avait donné, à ses deux compagnes et à lui même, un morceau de *tinhol*, du pain à l'anis, mais béni par lui...

Il est un peu réconfortant, après le catalogue lugubre que représentent les deux derniers chapitres, de remonter quelques pages ou quelques années en arrière, et de se figurer par exemple Montoliva Françès, vers 1301, joyeuse et tranquille malgré le danger dans sa belle maison de Limoux, où elle offrait hospitalité et amitié aux Bons Hommes tout juste revenus d'Italie et à leurs fidèles. Martin Françès, son mari, était semble-t-il un commerçant aisé de la ville; sans doute fréquentait-il déjà les frères Authié du temps qu'ils n'étaient encore que de bons notaires d'Ax. Dès leur retour au pays en l'état de Parfaits, il apporta son aide à la petite Eglise dans le domaine d'efficacité qui était le sien : il organisa et assura le matériel, se chargea des finances, si essentielles à la vie et au ministère clandestins. Il fit un peu office de banquier de l'Eglise, et fut son agent omniprésent et dévoué, de Limoux à Toulouse, intervenant quand il fallait louer une maison, acheter une bible et, sans doute, payer des protections, des passeurs ou aider des croyants à gagner l'Italie. Pendant ce temps, à Limoux, Montoliva recevait les Bons Hommes et leurs amis. Sa maison était devenue presque aussi réputée que celle de Sibylle Baille dans la ville d'Ax. Les Françès furent vite compromis, dénoncés.

On connaît la suite. La maison et les biens abandonnés, confisqués, le saut dans la clandestinité, Martin allant et venant sur les chemins de l'Italie, Montoliva en fuite avec Pierre Authié et Amiel de Perles. Sa triste et bonne fin au Born avant 1305. Dans sa maison de Limoux pourtant, l'on riait et plaisantait avec les Bons Hommes, et on y faisait bonne chère. Le catharisme n'était pas prédestiné à la tristesse.

HUMOUR ET RATIONALITÉ

Pierre Authié, le tout premier, était sans doute bien différent de cette image de vieillard austère et sans joie, confit en dévotions et un peu rapace, qui colle on ne sait trop pourquoi à son nom. Certes, il était après 1300 un vieil homme, tous les témoignages concernant son aspect physique concordent. A son retour d'Italie, il pouvait avoir entre cinquante et soixante ans, on le voyait comme un vieillard, et particulièrement en regard de son fils Jacques qui l'accompagnait souvent. Mais un triste sire, sûrement pas. Des lambeaux de son humour sont encore bien accrochés dans les registres de l'Inquisition.

La première fois qu'il pénétra avec son fils Jacques au logis de Raimon et Sibylle Pèire, à Arques, ils reçurent de leurs hôtes un accueil un peu emprunté. Sybille, son amie Marquésia et Guilhem Botolh leur firent timidement un petit salut. Pierre se mit à rire :

> « Je crois que cela fait un certain temps que vous n'avez pas vu *aital mainada*, une compagnie de notre genre ! »

Puis de reprendre, sur un ton plus sérieux :

> « Dieu veuille que nous soyons entrés dans cette maison à point nommé pour y sauver les âmes. Nous n'avons pas peur de la tâche, nous ne cherchons rien d'autre qu'à sauver les âmes (1)... »

Quand, un peu plus tard, ils se mirent à prêcher pour la maisonnée, Sibylle Pèire se fit à soi-même la remarque que le vieux notaire ne parlait pas aussi bien que son fils qui, pour sa part, s'exprimait d'une bouche angélique.

Lorsque, vers la même époque, c'est-à-dire peu de temps après son retour, Pierre Authié entreprit de réimplanter l'Eglise à Toulouse, il tenta de renouer amical contact avec une connaissance, Pierre de Luzenac, un jeune homme de son pays de Sabarthès et un cadet de famille noble, qui était alors étudiant en droit auprès de l'université de la grand'ville ; il l'invita à manger. Et l'étudiant, qui se demandait encore quelle sorte

---

(1) Déposition de Sibylle Pèire *cit.* p.568.

d'homme le notaire était devenu, fit machinalement un signe de croix sur sa tranche de pain. Nouvel éclat de rire de Pierre Authié : « Signez-vous pour vous, mais pas pour les autres ! » et de se mettre à bénir le pain lui-même selon le rite des Bons Chrétiens (1). Pierre de Luzenac, bien entendu, eut vite compris à qui il avait affaire, d'autant que Pierre et ses amis ne tardèrent pas à essayer de le gagner à leur cause ; ce fut lui qui en profita en fait pour leur extorquer tout l'argent qu'il put, puis finit par les dénoncer ; mais c'est une autre histoire.

Les Bons Hommes, Pierre Authié le premier, ne regagnèrent pas en quelques mois tout un vaste pays à leur cause en entretenant de métaphysique dualiste les forgerons et les bergères. Ils offraient l'abord simple et rassurant de Bons Chrétiens vivant selon la Règle de l'Evangile, en successeurs du Christ et de ses Apôtres, dans la pauvreté et l'humilité, courbant l'échine avec patience sous les persécutions, et ne manquant pas d'utiliser l'argument facile – mais irréfutable autant que vérifiable au quotidien –, de la cruauté peu évangélique de l'Eglise romaine persécutrice. Ils avaient aussi, pour se moquer des superstitions catholiques, une façon de mêler traits d'humour et de bon sens qui leur gagnait bien des consciences et des sympathies. Ils étaient du côté de la raison, et ils le démontraient en riant.

Dans la maison de la famille Pèire, à Arques, Pierre Authié prêcha ainsi plusieurs soirs de suite, pour leurs hôtes, les voisins, les amis, et Pierre Maury le grand berger. Il expliqua ce qu'était réellement le baptême :

> « Le baptême de l'Eglise romaine ne vaut rien, dit-il ainsi, car il est fait dans l'eau matérielle, et parce qu'au cours de ce baptême, il se dit de grands mensonges ; on interroge en effet l'enfant : veux-tu être baptisé ? Et on répond à sa place qu'il le veut, ce qui n'est pas vrai, et lui, pendant ce temps, au contraire, il pleure. Puis on lui demande encore s'il croit ceci ou cela, et on répond pour lui qu'il croit, et pourtant il ne croit rien, car il n'a pas l'usage de la raison. On lui demande s'il renonce au diable et à ses pompes, et on répond pour lui que oui, et pourtant il ne renonce à rien du tout, car dès qu'il commence à grandir, il se met à mentir et à faire diverses œuvres du diable... Mais notre baptême à nous est bon, car il est d'Esprit saint et non d'eau, et parce que

(1) Déposition de Pierre de Luzenac devant Geoffroy d'Ablis, *éd. cit.* Annette PALES-GOBILLIARD, p. 373.

nous sommes grands et doués de raison quand nous le recevons; et par ce baptême, nous devenons Fils de Dieu (1)... »

Une autre fois, toujours dans la maison des Pèire, à Arques, et pour le même public, Pierre et Jacques Authié ne craignirent pas de risquer un calembour des plus désastreux pour expliquer l'étymologie du mot *capelan*, curé : ce sont des chiens (*cans*), et pelants, car ils pèlent et tondent les autres gens! s'esclaffèrent-ils. Un peu plus sérieux, ils déclarèrent qu'ils étaient l'Eglise de Dieu. Et que les autres églises, celles qui sont de pierre et de bois :

« (...) ce sont les maisons des idoles, expliquèrent-ils, appelant idoles les statues des saints qui sont dans les églises. Et ceux qui adorent ces idoles sont des sots, car ce sont eux-mêmes qui les ont faites, ces statues, avec une hâche et d'autres outils de fer (2)! »

Ils dirent aussi, plus religieusement, que Dieu était le créateur de ce qui est stable et éternel, mais non de ce qui se détruit et se corrompt. Et quelqu'un ayant risqué que Dieu avait cette année donné de beaux blés, ils lui rétorquèrent avec un sourire que :

« Ce n'est pas Dieu qui fait les beaux blés, il ne s'en soucie pas! ce qui fait les beaux blés, c'est le fumier qu'on met dans la terre... »

Et à Pierre Maury, leur grand ami, Pierre Maury qui, selon Sibylle Peire cherchait constamment leur compagnie « et ne semblait se trouver bien que quand il était avec eux », Pierre Authié répondit encore, un autre jour, à propos du signe de croix que l'on fait à l'entrée des églises en disant « Au nom du Père, du Fils et du Saint-Esprit, Amen » :

« C'est une bonne chose. En été, c'est même un très bon moyen pour chasser les mouches de sa figure. Pour les paroles, tu peux dire aussi bien : voici le front, voici la barbe, voici une oreille, et voici l'autre. »

Et tout le monde éclata de rire, y compris Pierre Maury... (3)

---

(1) Déposition de Sibylle Pèire *cit.* p.572.
(2) *Id.* p. 580.
(3) *Id.* p. 581.

Quant à Guilhem Authié, à en croire Bernard, le petit frère du jeune Parfait Arnaud Marty et de Raimonde, de Junac, il était capable de se livrer à d'étonnantes espiégleries; comme de rire bien fort, avec son compagnon Pierre Raimon de Saint Papoul, après avoir planté au bout d'un pieu ou d'un bâton le couvre chef du jeune Bernard, dont son frère, plein du zèle du néophyte, l'avait débarrassé en le faisant voler, car il trouvait sans doute que le garçon n'était pas assez rapide à se découvrir devant les Bons Hommes. Et l'histoire ne dit pas si le trop bon élève Arnaud rit avec eux (1)!

Les Bons Hommes avaient aussi toute une série de « bonnes histoires » destinées à détendre l'atmosphère, après un prêche un peu trop austère ou métaphysique. Ainsi de la fameuse histoire du fer à cheval, qu'à peu près tous les derniers prédicateurs utilisèrent à un moment ou à un autre, mais que Sibylle Pèire se souvint avoir entendue de la bouche même de Pierre Authié : un soir qu'il venait de prêcher, au sujet de la transmigration nécessaire des âmes, de corps en corps, pour arriver dans des corps de Bons Chrétiens et être finalement sauvées, il reprit son souffle et lança la « bonne histoire » en question, qui racontait en substance ceci, mais de façon plus circonstanciée : un Parfait se souvint un jour qu'il avait été cheval dans une existence précédente, le dit à son compagnon, et fut même capable de retrouver le fer qu'il avait alors perdu entre deux rochers. Cette histoire, aux dires de la bonne Sibylle, eut grand succès et fit beaucoup rire l'assistance (2).

HUMANISME ET BONHOMIE

Ces quelques sourires, ces quelques traits d'humour parmi bien d'autres – et qui ne sont pas toujours du meilleur goût –, n'ont été relevés et juxtaposés que pour tenter de casser enfin l'image d'une sévérité du comportement et d'une tristesse du discours qui n'eurent pas cours dans la société cathare : même, on le voit, du temps des plus définitives persécutions. (Nul

(1) Déposition de Bernard Marty de Junac, *in ibid.* p.1132.

(2) *Id.* p. 570. Il est important de bien souligner ce contexte de farce, car trop de commentateurs ont pris au sérieux cette histoire burlesque pour en conclure que les cathares croyaient en la métempsychose dans des corps d'animaux, ce qui est contraire à ce qu'on sait par ailleurs de leur doctrine, et particulièrement ce que prêchait le même Pierre Authié.

doute que, du temps où tout le monde vivait tranquille, au début du XIIIe siècle, cette société devait être bien joyeuse ; malheureusement, pour cette période, les documents font largement défaut, puisque ils émanent, justement, des persécuteurs. Les gens heureux n'ayant pas d'histoire (1)...)

Le discours des prédicateurs cathares n'avait pourtant rien de décousu, mais présentait au contraire une belle logique interne, servie par des développements cohérents et suivis. Les déposants de Geoffroy d'Ablis et Jacques Fournier se montrèrent capables d'en restituer des passages fort convaincants ; et pourtant, cela faisait souvent bien longtemps, voire, dans le second cas, près de vingt ans, qu'ils n'avaient pas entendu la parole des Bons Hommes. Il faut bien faire confiance à cette étonnante mémoire médiévale, qui put relater aux inquisiteurs d'infimes événements domestiques survenus trente ou quarante ans plus tôt. Pour ce qui est du discours des prédicateurs, l'on ne peut certes espérer que leurs croyants aient retenu par cœur autre chose que quelques formules choc ; mais sans doutes les plus cultivés d'entre eux, les mieux imprégnés d'évangélisme et de tradition cathare, Arnaud Sicre, Pierre de Gaillac, ou même les plus intelligents, comme Pierre Maury, ont-ils pu transmettre à la grande mémoire des registres inquisitoriaux une idée relativement fidèle du ton général et de la portée intellectuelle des arguments des Bons Hommes. Du charisme personnel de chacun des prédicateurs, de la transmission de la petite lueur d'une foi et d'une espérance de caractère religieux, nous ne saurons malheureusement rien, puisque le tribunal d'Inquisition ne siégeait pas précisément pour lui permettre de s'exprimer...

Sur le plan intellectuel, on pourrait presque risquer le terme « pédagogique », le discours des Bons Hommes s'articulait en plusieurs phases. Première constatation à faire partager : ils étaient les Bons Chrétiens, les vrais Chrétiens, et le démontraient Evangile à l'appui. Ils étaient les religieux chrétiens qui ne touchaient pas à une femme, qui ne jugeaient pas et ne permettaient pas la mort d'une créature, qui ne mentaient ni ne volaient personne, alors que les clercs catholiques :

---

(1) A propos de l'« humanisme heureux des cathares occitans », je ne peux que conseiller au lecteur de se reporter au beau livre d'Yves ROUQUETTE, *Cathares*, Toulouse, Loubatières, 1991.

« (...) extorquaient et prenaient au peuple les dîmes et les prémices des choses pour lesquelles ils n'avaient pas travaillé de leurs mains (1). »

Et livraient à la mort et à la souffrance tant de malheureux, comme déjà vers 1270, à Toulouse, Pons de Gomerville le bon croyant le reprochait amèrement aux catholiques inquisiteurs (2). Sibylle Pèire nous a gardé l'image de Jacques Authié lisant dans le gros livre, et de son père Pierre commentant en occitan les citations. Pierre Maury, quant à lui, a raconté de manière trés précise à Jacques Fournier sa première vraie rencontre avec les Bons Hommes, alors qu'il était jeune berger à Arques chez les Pèire, en 1301 très probablement :

« Raimon Pèire me prit par la main et me dit d'entrer avec lui dans la chambre auprès de Monsieur Pierre Authié, ce que nous fîmes. Dans la chambre étaient assis l'hérétique et Guilhem Pèire, qui se levèrent pour nous. L'hérétique me prit alors par la main et me fit asseoir auprès de lui ... Il me dit alors : Pierre, cela me fait un grand plaisir! on m'a dit que tu seras un bon croyant, si Dieu le veut. Et moi, je te mettrai dans la voie du Salut de Dieu, si tu veux me croire, comme le Christ y a mis ses apôtres qui ne mentaient ni ne trompaient. C'est nous qui tenons cette voie, et je vais te dire la raison pour laquelle on nous appelle hérétiques. C'est parce que le monde nous hait, et il n'est pas étonnant que le monde nous haïsse (1Jo,3,13), car il a haï aussi Notre-Seigneur, qu'il a persécuté ainsi que ses Apôtres. Nous sommes haïs et persécutés à cause de Sa loi, que nous gardons fermement... C'est qu'il y a deux Eglises : l'une fuit et pardonne, l'autre retient et écorche. Celle qui fuit et pardonne suit la droite voie des Apôtres, elle ne ment ni ne trompe. Et cette Eglise qui retient et écorche, c'est l'Eglise romaine. »

Pierre Authié fait alors convenir à Pierre Maury que la meilleure des deux Eglises est bien celle qui fuit et pardonne, et qui suit, donc, la voie de vérité évangélique. Et le jeune berger de le questionner :

« Si vous suivez la voie de vérité des Apôtres, pourquoi ne prêchez-vous pas, comme le font les curés, dans les églises?

---

(1) Cette réflexion »sociale« est due à Prades Tavernier, l'ancien tisserand de la montagne, qui savait ce que travail veut dire. Déposition de Guilhem Escaunier, d'Ax, devant Jacques Fournier, *éd. cit.* Jean DUVERNOY, *le Registre..., op. cit.* t.2, p.561.

(2) Voir au chap. 21, « Les femmes des charpentiers ».

> – Si nous préchions dans les églises comme les curés, nous serions aussitôt brûlés par l'Eglise romaine, qui nous tient en grande haine.
> – Et pourquoi l'Eglise romaine vous hait-elle ainsi?
> – Parce que, si nous pouvions prêcher publiquement, l'Eglise romaine perdrait toute audience : les gens préfèreraient notre foi à la sienne, car nous ne disons et prêchons que la vérité, alors que l'Eglise romaine dit de grands mensonges (1)... »

S'ensuivit, bien entendu, un catalogue de ces mensonges, c'est-à-dire de l'irréalisme bien visible des différentes « superstitions » romaines, comme la pratique du baptême à des bébés selon les arguments que nous connaissons déjà.

Il est tout à fait instructif de juxtaposer, au discours des derniers Parfaits tel qu'il nous a été retransmis par les derniers croyants, un extrait du *Livre des deux Principes*, traité de scolastique cathare de la meilleure tenue intellectuelle, et qui fut rédigé plus de deux générations plus tôt. Le style, le ton un peu ironique, l'accroche réaliste sont les mêmes; voici comment Jean de Lugio, docteur cathare italien de la première moitié du XIIIe siècle, raillait la « superstition » catholique du Jugement dernier, en dressant un tableau haut en couleurs des nations qui seraient alors rassemblées devant le Souverain Juge :

> « Il y aurait là une multitude d'enfants de toutes les races, âgés de quatre ans ou même moins, et aussi une étonnante foule de muets, de sourds, de simples d'esprit, qui n'ont jamais été à même de faire pénitence et qui n'ont jamais reçu du Seigneur le moindre pouvoir de pratiquer la vertu, ni la moindre connaissance de ce qu'est le bien. Comment et pour quelle raison le Seigneur Jésus pourrait-il leur dire : Venez, vous qui avez été bénis par mon père... (ou)... Loin de moi, maudits, au feu éternel!? (2) »

Nul doute, le prêche de Pierre Authié est bien de la même eau, l'inspiration des derniers Bons Hommes de la même veine que celle des intellectuels albanistes du XIIIe siècle, le demi-sourire de l'ironie une constante du style cathare. Il faut dire que, non seulement la doctrine professée et enseignée par la dernière Eglise était du bel et bon dualisme évangélique, mais qu'en outre Pierre Authié et ses collaborateurs montraient une

---

(1) Déposition de Pierre Maury devant Jacques Fournier, *éd. cit.* t.3, p.924-925.

(2) « Livre des deux Principes.« *Trad.* René NELLI, *Ecritures cathares, op. cit.* p.168-169.

bonne connaissance « livresque » des classiques de leur culture. Ils commentaient et argumentaient les Ecritures avec autant d'aisance que leurs prédécesseurs; avaient manifestement lu et assimilé leurs traités... même si leurs auditeurs avaient un peu de mal à les suivre :

> « Pierre me dit – ainsi témoigne Arnaud Tisseyre, médecin de Lordat, le propre gendre de Pierre Authié – : Voici, Arnaud, ce qu'on lit dans l'évangile de saint Jean : Au commencement était le Verbe ... Toutes choses ont été faites par lui et sans lui rien n'a été fait... Sais-tu ce que veut dire »Tout a été fait par lui et sans lui rien n'a été fait?«
>
> – Ces paroles veulent dire que toutes choses qui sont créées le sont par Dieu, et que rien n'a été créé sans lui.
>
> – Ces paroles ne signifient pas du tout cela, mais que tout a été fait par lui, et aussi que tout a été fait sans lui...
>
> – Comment pouvez-vous dire cela? vous ne comprenez pas le latin, puisque le sens que vous donnez est contraire aux termes de l'Evangile; et puisqu'on lit aussi ailleurs, dans l'Ecriture, que Dieu a fait le ciel, la terre, la mer et tout ce qui s'y trouve (Act.14,14)!
>
> – Le sens du passage est celui-ci : sans lui a été fait le néant, c'est-à-dire que toutes choses ont été faites sans lui, comme je viens de le dire.
>
> – Vraiment, je ne croyais pas que vous aviez une si mauvaise interprétation ! (1) »

Le lecteur averti n'aura pas manqué de reconnaître, dans l'argumentation de Pierre Authié, une référence directe au traité cathare anonyme, qui date des premières années du XIIIe siècle et du domaine occitan, et que nous a conservé miraculeusement le livre de polémique de Durand de Huesca (2). Mais Arnaud Tisseyre n'a manifestement pas compris que le « tout » qui a été fait sans Dieu, n'est que la totalité de ce qui n'est pas vraiment, autrement dit la « catégorie universelle du mal » selon les termes de l'auteur scolasticien du *Livre des deux Principes*, ce qui en revient donc à dire que c'est sans Dieu qu'a été fait le néant... Ce qui était en tout cas bien clair dans l'esprit de Pierre Authié.

---

(1) Déposition d'Arnaud Tisseyre de Lordat devant Jacques Fournier, *éd. cit.* t.2, p. 603. Sur le problème de l'interprétation du *nihil*/rien, voir Giovanni GONNET, « A propos du Nihil, une controverse... » dans *Heresis* n^e 2, 1984, p.5-14; et E.U. Grosse, « Sens et portée de l'évangile de Jean pour les cathares », *in ibid.* n^e 10, 1988, p.9-19.

(2) « Traité cathare anonyme », *trad.* René NELLI, *op. cit.* p.183-203.

Sans sombrer dans des débats intellectuels de ce type, l'enseignement des derniers Parfaits, tel qu'il apparaît dans le souvenir de leurs croyants comme dans les formules utilisées par les inquisiteurs eux-mêmes pour schématiser les fautes des condamnés, était un bon enseignement classique de l'évangélisme dualiste cathare tel qu'en lui-même. Ils contaient de manière imagée le mythe de la chute des âmes, justifiaient dans les Psaumes l'emprisonnement des anges tombés dans des tuniques de peau (« Je vous mettrai dans la terre d'oubli, où vous oublierez ce que vous disiez et aviez à Sion ! Et le diable leur fit alors des tuniques, c'est-à-dire des corps de la terre d'oubli (Ps.136,4) » ainsi prêchait un jour Jacques Authié, pour Pierre Maury) (1) ; et enseignaient le rôle et la stature du Christ :

> « Il est venu quelqu'un de la part de Dieu le Père, qui nous a rendu la mémoire et nous a montré, avec l'Ecriture qu'il a apportée, comment nous reviendrions au Salut et comment nous sortirions du pouvoir de Satan... Et il est venu par la bouche du Saint-Esprit, celui qui nous a montré la voie du Salut. Il nous a montré aussi par les Ecritures que, de même que nous sommes exilés du paradis par l'orgueil et la tromperie du diable, pour avoir cru Satan plutôt que Dieu, il fallait que nous retournions au ciel par l'humilité, la vérité et la foi (2) ».

Ainsi parlait Jacques Authié, celui qui, aux dires de Sibylle Pèire, prêchait comme un ange...

Un jeune notaire de Tarascon, Pierre de Gaillac, qui, chose rarissime, écrivit lui-même sa confession dans le grand livre de l'inquisiteur Geoffroy d'Ablis, et qui revenait dans sa famille, à peine ses études terminées, lorsque sous l'influence de sa mère dame Gailharde il rencontra les Bons Hommes, a sauvegardé pour la postérité un bel échantillon du discours chrétien de Pierre et Jacques Authié, malencontreusement interrompu hélas par une lacune du manuscrit. Il nous renseigne par exemple sur l'interprétation que les Parfaits donnaient du geste de la dernière Cène du Christ, et cette version concorde parfaitement avec l'exposé qu'en offre le Rituel cathare occitan du XIVe siècle conservé à Dublin (3) :

---

(1) Déposition de Pierre Maury *cit.* p.931.
(2) *Id.*
(3) Cf. Anne BRENON, « Syncrétisme hérétique... le Manuscrit 269 de Dublin... », dans *Heresis* ne 7, 1986, p.8-23.

« Ils disaient que le pain posé sur l'autel, et béni des mêmes mots que le Christ lui même utilisa le jour de la Cène avec ses apôtres, n'est pas le vrai corps du Christ, et qu'au contraire c'est un scandale et une supercherie de dire cela, car ce pain est un pain de corruption, produit et issu de la racine de corruption; alors que le pain dont le Christ a dit dans l'Evangile : »prenez et mangez de tout cela etc.« , c'est le Verbe de Dieu ... De tout cela ils concluaient que les Paroles de Dieu étaient le pain dont il est question dans l'Evangile, et donc que le Verbe était le corps du Christ (1) ».

Ce témoignage donne également de très intéressants éclairages sur la méthode qu'utilisaient les Parfaits pour argumenter par l'Evangile sur le baptême; sans oublier une petite pique en passant à propos des croisades en Terre sainte, et du véritable sens à donner à cette croix que d'aucuns croient porter pour le Christ :

« Du passage outre-mer, ils disaient qu'il n'avait aucune valeur, et ne remettait en rien les péchés de l'homme, bien qu'il soit dit dans l'Evangile : Quiconque veut venir à ma suite, qu'il se renie lui-même, qu'il se charge de sa croix, et qu'il me suive (Mt.16,24; Mc. 8,34; Lc.9,23). En vérité, le Christ ne voulait pas parler ainsi des croix, qui sont objets visibles et corruptibles (2), que les croisés portent pour aller outre-mer; mais de la croix qui est de bonnes œuvres, et de vraie pénitence, et de bonne observance de la Parole de Dieu; car telle est la croix du Christ, et celui qui agit ainsi suit vraiment le Christ, et s'oublie lui-même, et se charge de sa propre croix, qui n'est pas croix de corruption (3)... »

Belle leçon d'évangélisme en tout cas. De la part de clercs d'une société qui, justement, avait pu voir de près et ressentir les effets de l'action des porteurs de croix, des *croisés*... Philippe d'Alairac avait bien soupiré un jour, à Ax, devant Pierre Maury, alors que des clercs romains vendaient dans les rues des Indulgences de la part du pape pour le passage outre-mer : « Ho! Et voilà que pour tuer des hommes, des hommes auraient leur Salut! (4) »

(1) Déposition de Pierre de Gaillac devant Geoffroy d'Ablis, *éd. cit.* Annette PALES GOBILLIARD, p.334 et 336.

(2) Le texte latin porte en mot à mot : « qui ne sont qu'objet de corruption ». Il m'a semblé préférable de restituer un sens plus explicite à la formule : les croix « matérielles » sont pour le Parfait mauvaises, car elles appartiennent au monde des *visibilia* et *corruptibilia*, choses visibles et corruptibles. « Objet de corruption », en français moderne, n'a pas la même connotation.

(3) *Id.* p.338.

(4) Déposition de Pierre Maury *cit.* p. 1012.

LE DERNIER MOT DE BÉLIBASTE

Guilhem Bélibaste a bien mauvaise réputation dans la littérature actuelle. On voit en lui, tout d'abord, le Parfait raté, un Parfait fornicateur, incapable de respecter son vœu de chasteté. Et puis, il est de rigueur de rappeler aussi qu'il n'était qu'un paysan inculte, tombé un peu par hasard et sans grande vocation dans une carrière de Parfait, pour avoir voulu fuir, dans les réseaux de la clandestinité cathare, la justice séculière après le meurtre d'un berger. Parfait de fortune et d'infortune, mal enseigné, mal dégrossi, mal détaché des appétits de ce monde, Bélibaste fut certes un peu tout cela, c'est du reste ce qui a pu le rendre sympathique à certains égards (1); il n'en demeure pas moins que là où d'autres reculèrent, il osa aller jusqu'au bout : il fit une bonne fin et monta sur un bûcher qu'il aurait très probablement pu éviter en abjurant : Jacques Fournier aurait sans doute été heureux d'offrir à ses ouailles, en 1321, l'édifiant spectacle de l'abjuration solennelle à Pamiers d'un dernier Parfait cathare; il fit pourtant transférer Bélibaste devant l'inquisiteur de Carcassonne, probablement Jean de Beaune, lequel l'abandonna à son tour au bras séculier de son seigneur temporel l'archevêque de Narbonne, pour qu'il en soit brûlé, obscurément, à Villerouge-Termenès, où il n'y avait plus d'exemple à donner (2).

A en croire les souvenirs de ceux qui le fréquentèrent jusqu'au bout, du reste, Arnaud Sicre ou Pierre Maury, ce malheureux Bélibaste ne prêchait pas si mal que cela, et semblait avoir retenu le maximum de précisions de l'enseignement évangélique qu'il avait reçu de Philippe d'Alairac ou des Authié. En fait, c'est l'humour indéniable du personnage, et sa bonhomie – sans jeu de mot – qui lui donnent à nos yeux toute son épaisseur de vie, bien humaine, chaleureuse indéniablement, et finalement bien cathare. Il mérite sans conteste qu'on lui laisse ce dernier mot!

---

(1) Cf. l'excellent roman qu'a tiré de sa vie – contenue dans les registres de Jacques Fournier, édités par Jean DUVERNOY –, Henri GOUGAUD, *Bélibaste*, Le Seuil, Paris,1982.

(2) En Narbonnais, à cette époque, les seuls « hérétiques » étaient ce qui restait des Franciscains dits Spirituels et de leur turbulent tiers ordre des béguins.

Ainsi cette réflexion un jour, à Pierre Maury, après avoir observé, du pas de sa porte, un curé catholique et le saint sacrement en déplacement pour la dernière communion d'un mourant :

> « Ce corps du Christ, si le curé le porte, on peut dire que c'est parce qu'il ne peut pas marcher... Je me demande en quoi, du reste, il pourra servir au malade pour le Salut de son âme, puisque ce morceau de pain, se trouvant dans son ventre, sera enterré avec le corps et pourrira avec lui ! En tout cas, j'en mangerais bien une pleine écuelle, moi, de ce pain (1)... »

Pierre Maury se souvenait aussi du beau rationalisme des prêches du Bon Homme :

> « Bélibaste et les autres hérétiques disaient que les clercs faisaient faire au peuple de belles églises, et les faisaient peindre, mais qu'eux-mêmes ne voulaient rien payer. Et ils faisaient faire des statues, mais ces statues n'avaient aucune valeur, ce n'était que des idoles. Et j'ai entendu dire à Guilhem Bélibaste que le Fils de Dieu avait dit : « Mes petits enfants, ne croyez pas ceux qui vont avec des capes amples, et clament, et crient au milieu des rues et parmi leurs idoles : ils croient que je les exaucerai à cause de leurs cris, mais moi je m'éloigne d'eux, car ils ne sont pas dans la vérité et la justice. Mais vous autres, petits enfants, entrez dans vos chambres et là, priez-moi, et je vous entendrai (Mt.5,5) »(...) Des autels, ils ne faisaient aucun cas ; ils disaient au contraire que les miracles par l'intermédiaire des saints se faisaient par le prince de ce monde, c'est-à-dire le dieu mauvais, auquel les clercs et les prêtres faisaient des autels, des églises et des idoles pour tromper les gens (...) Mais c'est le prince de ce monde qui (...) fait toutes les maladies, car il les inflige aux gens, et ensuite il les guérit, quand il veut, et dans la mesure où il le veut (2) ».

Bien sûr, Bélibaste dit aussi quelques bêtises. Il commença ainsi, en bon paysan, à dresser une liste des animaux appartenant au diable – comme si ce n'était pas le diable qui avait créé tout ce qui bouge –, et qui correspond bien sûr aux animaux nuisibles de la campagne : le loup, le serpent ou la mouche. Et nous verrons que ce genre de distinctions était particulièrement parlant pour un auditoire précisément paysan. Mais au reste, quelle saveur dans les traits d'humour relevés par Arnaud Sicre, le délateur, qui raconta par le menu sa mission à son commanditaire :

---

(1) Déposition de Pierre Maury *cit.* p.1011.
(2) *Id.* p.11O9-1110.

Bélibaste devant une statue de la Vierge :

> « Donne une obole à cette Marinette! ... C'est le cœur de l'homme qui est la véritable église de Dieu, non l'église matérielle (1) ».

Bélibaste racontant la mort du vieux Parfait Raimon de Castelnau : Après que le mourant eut fait devant un prêtre, pour éloigner les soupcons, une fausse confession, il répondit à toutes ses interrogations rituelles qu'il croyait des articles de la foi catholique « tout ce que croit un Bon Chrétien », ce qui ne l'engageait évidemment à rien, puis communia.

> « Eh quoi! dit Bélibaste, tu peux bien croire que l'hostie n'est pas le corps du Seigneur, mais il faudrait avoir un bien petit appétit pour ne pas parvenir à manger ce petit gâteau-là! ».

Un peu plus tard, à l'enterrement, toujours pour faire le catholique en public, Bélibaste portait lui-même le goupillon et aspergeait les gens d'eau bénite.

> « Ca ne pouvait pas leur faire grand mal de recevoir quelques gouttes d'eau, commenta-t-il : quand on voyage, on en supporte bien davantage, et ce n'est pas pour cela qu'on abandonne la route (2). »

Bélibaste expliquant au même Arnaud Sicre qu'il allait parfois à l'église, toujours pour déjouer les soupçons : « Aprés tout, on peut aussi bien prier le Père céleste à l'église qu'ailleurs! (3) »

Sur un registre plus sérieux, et qui concerne au premier chef notre intérêt particulier, Guilhem Bélibaste, vers 1320, prêchant un jour pour Arnaud Sicre le principe de la transmission du Baptême spirituel par l'Eglise de Dieu, depuis le Christ, de Bon Homme en Bon Homme, précisa explicitement :

> « Et aussi de Bonne Femme en Bonne Femme : car il y a de Bonnes Femmes comme il y a de Bons Hommes, et les Bonne Femmes ont ce pouvoir, et peuvent recevoir à la mort les hommes comme les femmes, si du moins il n'y a pas de Bons

(1) Déposition d'Arnaud Sicre devant Jacques Fournier, *éd. cit.* t.3,p.776.
(2) *Id.* p.777.
(3) *Id.*

Hommes présents, et les gens qui sont reçus par de Bonnes Femmes sont sauvés comme s'ils l'avaient été par des Bons Hommes (1). »

Certes, ce paysan de Bélibaste ne peut se défaire de la misogynie foncière de ses traditions culturelles. Mais sa profession de foi est en tous points remarquable, à une époque où le souvenir des Parfaites devait être bien lointain... Sans doute, en sa jeunesse, près de Philippe d'Alairac, avait-il eu l'occasion de rencontrer l'exception que constituait Aude Bourrel, dite Jacoba?

D'Arnaud Sicre en tout cas, qui le vendit à l'inquisiteur pour récupérer la maison de sa mère Sibylle Baille d'heureuse mémoire, ce faux rustaud de Bélibaste prit sa revanche de manière éclatante et élégante. Alors que délateur et dénoncé avaient été enchaînés ensemble par les hommes d'armes, pour ménager l'apparence, au sommet de la tour de Castelbon, Bélibaste, qui avait très bien compris que c'était l'autre qui l'avait trahi, s'amusa à lui faire peur, en lui proposant de se jeter avec lui du haut de la tour. Mais en lui disant, et en l'écrasant en quelque sorte ainsi de sa hauteur spirituelle :

« Si tu pouvais revenir à de meilleurs sentiments et te repentir de ce que tu as fait contre moi, je te recevrais, puis tous deux nous nous précipiterions au bas de cette tour; et aussitôt mon âme et la tienne monteraient auprès du Père céleste, où nous avons des couronnes et des trônes tout préparés (...) Je ne me soucie pas de ma chair, car je n'ai rien à moi (de moi?) en elle; elle appartient aux vers. Le Père céleste, de même, n'a rien à lui dans ma chair, et il ne désire pas l'avoir dans son Royaume, car la chair de l'homme appartient à celui qui l'a faite, le prince de ce monde; et le Père céleste ne désire rien avoir de ce qu'à fait le dieu et le prince de ce monde (2)... »

Et pourtant, Bélibaste était le premier à savoir qu'il avait rompu ses vœux, qu'il n'avait donc pas plus le pouvoir de recevoir quelqu'un du baptême spirituel, que d'espoir d'être lui-même sauvé en l'état présent. Mais on peut très bien lire en filigrane, entre les lignes de la déposition d'Arnaud Sicre, que le Parfait manqué, qui connaissait parfaitement le message d'espérance du catharisme, se payait le luxe de ne pas mourir vaincu.

---

(1) *Id.* p.774.
(2) *Id.* p.779-780.

LE DERNIER MOT DU CATHARISME

En disparaissant de la main de ses bourreaux religieux, la petite Eglise tout entière, comme Sibylle Baille, comme Guilhem Bélibaste, manifesta par sa mort que son message d'espérance était meilleur et plus élevé que celui des persécuteurs. Et plus les inquisiteurs s'acharnèrent à faire disparaître les derniers pasteurs et à jeter sur ceux qu'elle considérait comme de criminels déviants l'anathème absolu de sa condamnation éternelle, plus elle confortait en réalité le poids de leur évangélisme à visage humain. Malheureusement, elle leur ôtait en même temps tout moyen d'exprimer cette vérité toute simple, puisqu'elle leur closait la bouche au sens propre comme au figuré.

Au cœur le plus serré des persécutions et des tribulations, que prêchaient en effet les Bons Hommes ? Certes, ils n'hésitaient pas à railler et insulter les prêtres et prélats catholiques, à les traiter de loups dévorants, et leur Eglise de « méchante Eglise romaine ». Certes, ils surent exploiter de manière imagée les énormes manquements évangéliques de leurs adversaires, l'argument final se résumant en la fameuse parabole du bon et du mauvais arbre, des bons et des mauvais fruits, qu'ils utilisaient à bon escient pour montrer que ni Dieu ni l'Eglise du Christ ne pouvaient avoir de mal à opposer au mal, et qu'aux moyens du mal, souffrance, violence, l'on reconnaît immanquablement l'inspirateur mauvais. Ces arguments seront du reste résumés un siècle plus tard dans la formule suivante, due à une plume vaudoise, mais que les prédicateurs cathares ne purent eux-mêmes manquer d'employer : « Entre persécuteurs et persécutés, les (vrais) Chrétiens sont toujours les persécutés (1). »

Pourtant, alors que leurs adversaires ne trouvaient pas de mots assez emphatiques pour les abominer, et condamnaient au feu même leurs cadavres afin de forcer un peu la main à Dieu en son Jugement dernier, et de leur interdire par là cette vie éternelle qu'ils n'imaginaient que dans le bonheur de corps de chair ressuscités, les Bons Hommes ne leur opposèrent

---

(1) Traité vaudois *de las Tribulacions*, Ms.260 de la Bibliothèque de Trinity College, Dublin. Texte A, paragr.14, *Ed.* Anne BRENON, dans *Heresis* n° 1, 1983, p.29.

aucune condamnation métaphysique : le Dieu de l'Evangile était, à leurs yeux, incapable de juger et de punir : c'était là les diaboliques attributs du prince de ce monde. Le Dieu des Evangiles ne pouvait tenir rigueur à ses créatures d'être tombées au pouvoir du mal, ni les punir pour une éternité dont le mal, et donc le malheur, la souffrance et la violence, ne participeraient pas. Les Bons Hommes étaient les chrétiens qui prêchaient que toutes les âmes étaient bonnes et égales entre elles, et que toutes seraient sauvées. Y compris celles de leurs persécuteurs, qui un jour comprendraient qu'ils avaient fait fausse route.

Même Sibylle Pèire, qui pourtant n'eut pour le catharisme ni vraie sympathie ni intelligence profonde, fut capable de comprendre cela :

> « Pierre Authié disait qu'après la fin du monde, tout ce monde visible serait plein de feu, de soufre et de poix et serait consumé ; c'est ce qu'il appelait l'enfer. Mais toutes les âmes des hommes seraient alors en paradis, et il y aurait au ciel autant de bonheur pour une âme que pour une autre ; toutes seront un, et chaque âme aimera toute autre âme autant que celle de son père, de sa mère ou de ses enfants » (1).

On est loin de l'atmosphère enfumée de la damnation éternelle catholique et des anathèmes inquisitoriaux. D'autant que, humblement et lucidement, les Bons Hommes se gardaient de tout triomphalisme :

> « Ils disaient qu'ils ne savaient pas s'ils seraient sauvés eux-mêmes, car s'ils se convertissaient en la foi que suit l'Eglise romaine et abandonnaient celle qui était la leur maintenant, ils ne seraient pas sauvés dans ces corps ou tuniques présents (2). »

Des clercs romains, ils disaient simplement :

> « Qu'ils étaient aveugles et sourds, car ils ne voyaient ni n'entendaient la voix de Dieu pour le moment. Mais finalement, même à grand'peine, ils viendraient à l'intelligence et à la connaissance de leur Eglise, dans d'autres corps où ils reconnaîtraient la vérité (3). »

Et eux aussi, comme toutes les âmes de Dieu, seraient sauvés.

Qui sont les vrais chrétiens ?

---

(1) Déposition de Sibylle Pèire *cit.* p.573.
(2) *Id.* p.580.
(3) *Id.* p.579.

CONCLUSION

Les brouillards de Montaillou

FEMME CATHARE. HISTOIRE DE GUILLELME MAURY

Avant de refermer définitivement la page sur le catharisme et les femmes qui l'ont vécu, une petite paysanne de Montaillou peut encore nous apporter un dernier témoignage : celui de sa vie modeste, de sa fidélité exemplaire et de son engagement têtu. Aujourd'hui, les brouillards sont tombés sur Montaillou, et je ne dis pas cela pour la simple raison que j'ai eu, un jour de septembre, le bonheur de m'y noyer affectivement au cours d'une aventure photographique : le climat rude de la montagne n'est pas seul en cause. Depuis le bon succès littéraire de l'ouvrage *Montaillou, village occitan,* d'Emmanuel Le Roy Ladurie, et quoi que son auteur en eût naturellement, Montaillou est devenu un peu le symbole d'un monde de bergères légères, de châtelaines hérétiques et de catharisme folklorisé. Il faudra dire un mot, bien sûr, de cette espèce de star pathétique qu'est devenue Béatrice de Planissoles, et de ses aventures avec le peu recommandable curé du village, ce Pierre Clergue qui trahit tout son monde. Mais à Montaillou aussi, du temps de la dernière Eglise, les engagements purent être fidèles et réfléchis, même chez les simples paysans.

Guillelme était la jeune sœur de Pierre Maury, le bon berger qu'avait engagé Raimon Pèire d'Arques, surnommé Sabarthès car lui aussi venait du comté de Foix et de la montagne. Raimon et Alazaïs Maury, de Montaillou, leurs parents, avaient du reste abondante progéniture. Famille de paysans des montagnes, pauvre maison. Dans les toutes premières années du XIVe siècle, sept enfants se pressaient sous leur toit : cinq garçons, Pierre, Jean, Arnaud, Bernard et Guilhem, et au moins deux filles, Raimonde et Guillelme. Raimonde, qui était peut-être l'aînée, se maria assez tôt, avec un garçon du village, Guilhem Marty. Nous connaissons bien Jean et surtout Pierre, qui tous deux ont déposé vingt ans plus tard devant Jacques Fournier, le second ayant même été mêlé de très près à la vie du Bon Homme Guilhem Bélibaste, et jusqu'à ses amours.

Jean et Pierre, tous deux, parlent de leur petite sœur Guillelme. Elle était présente à la maison bien sûr quand – ils étaient alors tous très jeunes, mais Pierre avait déjà quitté Montaillou pour se louer comme berger dans la plaine – le petit Jean vit pour la première fois deux Parfaits clandestins introduits par leur père Raimon Maury auprès de leur feu, et qui y prêchèrent. Il s'agissait de Philippe d'Alairac et de Raimon Fabre, tous deux de Coustaussa. Jean Maury, qui n'avait alors que douze ans, se rappelait que sa mère avait bien pris garde de ne pas s'asseoir sur le même banc que les deux religieux, et qu'au repas, composé de pain, de choux cuits à l'huile et de vin, son père et l'aîné de ses frères, Guilhem, partagèrent seuls leur table. Le garçonnet ne vit pas quand les deux Bons Hommes quittèrent la maison, puisque le soir même il alla se coucher trés tôt et, le matin suivant, partit avant le jour avec ses moutons dans les pâturages.

Au cours de l'hiver suivant, un soir qu'il rentrait du pâturage dans la neige abondante, il trouva encore Philippe d'Alairac devant le feu de ses parents, et toute la maisonnée autour de lui (1). Et Guillelme, adolescente, écoutait parler le Bon Homme.

Son frère Pierre était un peu plus âgé. Il ne dit rien de la double visite de Philippe d'Alairac chez son père à Montaillou, mais expliqua à l'inquisiteur qu'il avait quitté très tôt la demeure familiale pour se louer comme berger dans la vallée d'Arques, où il avait été attiré, semble-t-il, par l'amour d'une jeune fille prénommée Bernarde; il resta ainsi deux ans au service de son cousin Raimon Maulen, puis fut embauché pour deux autres années par Raimon et Sibylle Pèire. Ce fut par ce Raimon Pèire qu'il eut enfin l'occasion de rencontrer sérieuse-

(1) Déposition de Jean Maury devant Jacques Fournier, *éd. cit.* Jean DUVERNOY, *le Registre..., op. cit.*, t.3, p.871-872.

ment les Bons Chrétiens, Pierre et Jacques Authié. Il noua particulière amitié avec le fils d'un gros paysan du village de Cubières, Bernard Bélibaste, dont toute la famille était très attachée au catharisme, et dont le frère, Guilhem, n'allait pas tarder à se faire Parfait pour d'obscures raisons.

En décembre 1305, le jeune berger, devenu le plus fidèle des bons croyants, rentra passer Noël chez son père, à Montaillou. Les événements s'étaient précipités. Jacques Authié et Prades Tavernier avaient été arrêtés à Limoux par l'inquisiteur de Carcassonne. Cela avait été la panique à Arques; les plus compromis dans l'hérésie, les Pèire, les Maulen, les Escaunier et les Botolh, affolés, s'étaient même mis en tête d'aller trouver le pape en Avignon, pour se confesser à lui et lui demander son indulgence; ce qu'ils firent, et pendant ce temps Pierre Maury garda leurs moutons. Quand ils furent rentrès en l'état d'absolution, Raimon Peire mit proprement son berger à la porte en lui laissant entendre que désormais il ne voulait plus se commettre ni se compromettre avec un croyant d'hérétique impénitent comme lui. Il refusa même de lui payer ses gages. Et Pierre Maury regagna le haut pays, passa par Quillan et par Roquefeuil en pays de Sault avec son frère Guilhem, et s'en vint, comme on l'a dit, passer la Noël en famille à Montaillou (1).

Guillelme n'était plus dans la maison de leur père. Elle avait été mariée à un tonnelier du nom de Bertrand Piquier, qui habitait Laroque-d'Olmes. Noël se fêta cette année-là entre Raimon et Alazaïs Maury et leurs cinq fils, de l'aîné Guilhem, au plus jeune, Arnaud. Mais la fête passée, Pierre dut quitter Montaillou, dont le climat était malsain pour les amis des hérétiques – on lui avait très vite fait comprendre qu'il était remarqué. Il se loua donc comme berger chez Barthélemy Bourrel, d'Ax, et gagna l'estive cette année-là – on était vraisemblablement en 1306 – dans les montagnes du Sabarthès. Le 16 juin, pour la fête des saints Cyrice et Julitte, il laissa ses moutons à la garde de leur propriétaire et s'en fut acheter des béliers à la foire de Laroque-d'Olmes. Bien entendu, il en profita pour visiter sa sœur Guillelme, et demanda à dormir chez son beau-frère le tonnelier.

---

(1) Déposition de Pierre Maury, *in ibid.* p. 942-948.

Guillelme avait alors environ dix-huit ans. Et elle était mal mariée. Durant la nuit que Pierre Maury passa à leur logis, il entendit que Bertrand Piquier, son mari, la battait. Lorsque, le lendemain, il gagna enfin le champ de foire, il tomba sur son vieil ami Bernard Bélibaste accompagné du Parfait Philippe d'Alairac. Philippe l'invita aussitôt à déjeuner avec eux.

– Volontiers, répondit Pierre. Mon beau-frère m'a bien mal reçu !

– Alors, dit Philippe, il nous recevrait encore bien plus mal si nous y allions tous ensemble !

Et ils mangèrent tous les trois, dans une taverne de la ville, des poissons qu'ils avaient achetés et fait frire.

« Au début du repas, Philippe, tournant le dos aux autres clients de la taverne, se leva à demi et, tenant entre les mains le pain avec une serviette, mais sans jeter sur son épaule un angle de cette serviette comme le font d'habitude les Parfaits quand ils bénissent le pain au milieu des croyants, il bénit pourtant le pain selon le rite ; puis, le coupant avec un couteau, il m'en donna ainsi qu'à Bernard Bélibaste ; et nous, en recevant ce pain, nous disions à voix basse : *Benedicite, senher* ! et il nous répondait : Dieu vous bénisse. »

« Après le déjeuner, raconta encore Pierre Maury, nous sortîmes de la ville, seuls tous les trois, en remontant le cours de la rivière, comme si nous nous promenions, et nous arrêtant parfois debout, parfois nous asseyant ; et Bernard dit que c'était grand dommage que ma sœur Guillelme eût été donnée en mariage à ce Bertrand, qui la maltraitait. »

Le père Maury aurait bien mieux fait de la donner, effectivement, à un gentil garçon, qui ait été « de la entendensa », c'est-à-dire des amis des Bons Chrétiens ! Bernard raconta même à Pierre et à Philippe qu'il avait vu peu de temps auparavant la pauvre Guillelme chez son père, à Montaillou, alors qu'elle s'était enfuie une première fois de chez son mari.

« Elle me dit alors, ajouta-t-il, que si je ne l'emmenais pas dans un endroit où elle pourrait servir de Bons Chrétiens, elle se mettrait à vagabonder par le monde, car elle ne voulait demeurer avec son mari ni morte ni vive ! »

Philippe d'Alairac prit alors la parole et déclara que puisque Guillelme ne pouvait pas vivre avec son mari, il valait mieux trouver le moyen de l'empêcher de faire des bêtises, et la mettre en contact avec les Bons Chrétiens, comme elle en avait manifesté le désir. Il ajouta, un peu sentencieusement, à cette évidence, en citant l'évangile selon saint Matthieu (Mt.12,49-50) :

> « Vous autres, croyants, vous êtes tenus de garder du mal toute croyante ou tout croyant comme vous-mêmes, car c'est ce qu'a ordonné le Fils de Dieu, en disant qu'il n'y avait pas d'autre parenté qu'entre bons chrétiens et bons croyants, et que c'étaient ceux-là qui étaient frères et sœurs entre eux... »

Ils étaient tous trois en train de discuter des liens de la famille charnelle et du mariage selon l'Eglise romaine, quand Guillelme, justement, passa par là, allant faire de l'herbe. Ils lui emboîtèrent le pas. Là-dessus, ils croisèrent encore Bernard Maury, l'oncle de Pierre, qui les héla joyeusement et les invita tous les trois à goûter. Philippe et Bernard refusèrent et continuèrent à suivre la jeune femme, tandis que Pierre, alléché ou simplement désireux de laisser ses moralistes amis se débrouiller avec les problèmes de sa sœur, accepta et le suivit en ville. Ce fut un substantiel goûter, avec de la viande, servi dans la maison de l'oncle, sur la place de Laroque-d'Olmes, par la petite cousine. Puis Pierre, repus, repartit vers le chemin par où il avait vu disparaître sa sœur et ses deux amis. Il trouva Guillelme dans un pré qui était à elle, au bord de la rivière, et elle lui dit simplement :

– « Frère, faites ce que le Monsieur vous dira! »

Pierre rejoignit alors ses amis en bordure du chemin, et, comme le lieu était fréquenté, ils laissèrent Guillelme dans son pré. En remontant, ils firent le point sur la situation, et Philippe se fit solennel :

> « Votre sœur est au pouvoir d'un méchant homme. C'est pourquoi, si vous l'aidez à s'en sortir, vous aurez grand mérite. C'est votre devoir de l'aider à quitter la mauvaise voie pour la bonne. Heureux celui qui peut amener beaucoup de monde à notre bonne voie, et agrandir ainsi l'Eglise de Dieu! Ne me faites pas défaut en cela : je vous en prie et je vous l'impose, sur votre âme, et je vous l'ordonne de la part de l'Eglise, et je vous absous, de la part de Dieu, de tout péché qui pourrait vous arriver de ce fait!
> – Que voulez vous que je fasse de ma sœur?
> – Enlevez-la de chez son mari, emmenez-la à Rabastens.
> – Et si des parents du mari nous poursuivent?

– Vous direz que vous l'emmenez en pèlerinage, ou à Constantinople.

– Je ne connais pas même le chemin de Rabastens, et je n'y connais personne !

– Passez par Mirepoix, Bauville et Caraman, et là demandez la route de Rabastens. Vous pourrez y être un jour ou deux avant la Saint-Jean, au pire le jour même. Et ce jour-là, au moment de la grand'messe, vous laisserez quelque part votre sœur et vous irez dans la plus grande des églises du lieu. J'y serai, ou Bernard, ou son frère Guilhem Bélibaste. En tout cas quelqu'un de sûr, qui y sera de ma part, pour accueillir votre sœur. Attendez-moi, ou cette personne, dans l'église ou juste à côté, et jusqu'à midi.

– Mais je commettrai un péché en enlevant ma sœur à son mari !

– De ce péché je vous absous de la part de Dieu, et je le prends sur moi. Mais ce n'est pas un péché ! c'est au contraire une œuvre méritoire de mettre quelqu'un dans la bonne voie...

J'eus beau chercher toutes les excuses possibles, conclut Pierre Maury, il fallut bien que je lui obéisse et que je fasse ce qu'il m'ordonnait... »

Puis tous trois retournèrent à la foire, achetèrent du congre et regagnèrent leur taverne, où ils mangèrent et dormirent, non sans avoir entendu encore quelques prêches du docte Philippe.

Le lendemain matin, Pierre Maury prit congé de ses compagnons, acheta enfin six béliers, les confia à des gens de Montaillou pour qu'ils les emmènent, et retourna chez sa sœur. Le mari brutal était absent. Pierre déjeuna avec Guillelme, sa belle-mère et le petit frère du mari, et on parla de la pluie et du beau temps. En prenant congé, le jeune berger chuchota à sa sœur qu'il reviendrait la chercher dans trois jours, et qu'elle se prépare à partir. Elle répondit sur le même ton qu'elle était déjà prête, et qu'il n'oublie surtout pas de venir !

Pierre monta alors à Montaillou. Avant de traverser les gorges de La Frau ou de gravir le col de la Pèire pour redescendre par la forêt du Basqui, il passa probablement au pied du pog de Montségur, où devaient s'activer les bâtisseurs... mais hélas il ne nous en dit rien. Puis le lendemain redescendit à Laroque-d'Olmes, sans doute par le même chemin. Il retrouva Guillelme dans son pré au bord de la rivière ; il lui donna un peu d'argent pour qu'elle achète du pain, du vin et du fromage, car il avait faim, et ils mangèrent ensemble dans le pré. Puis il lui donna rendez-vous pour le soir même, près de la croix du cimetière. Au début de la nuit, elle vint l'y retrouver, chargée de tout ce qu'elle possédait en propre : ses habits de mariage et un drap. En quatre jours ils furent à Rabastens, où ils arrivèrent comme prévu la veille de la Saint-Jean d'été.

Et c'est ainsi que, le 24 juin de l'an 1306, la jeune Guillelme Maury, ex-épouse Piquier, âgée de dix-huit ans, entra dans sa bonne voie, celle qu'elle avait choisie elle-même. Et commença en plaçant sans le savoir ses pas, à Rabastens, dans la trace des pas d'Arnaude et Peironne de Lamothe, jeunes Parfaites fuyant la croisade un siècle plus tôt. Pierre alla flâner devant la grande église Notre-Dame-du-Bourg, considéra son porche roman bellement arrondi au cœur de la brique rose et, à l'intérieur de la nef, rencontra comme convenu son ami Bernard Bélibaste; ce dernier emmena les deux jeunes voyageurs dans une maison située en dessous de l'église où les attendait son frère Guilhem. Guilhem Bélibaste, en effet, qui avait quelque temps auparavant tué un berger au cours d'une rixe, avait pris la fuite par les voies de la clandestinité cathare, et s'était engagé dans un noviciat qui n'allait pas tarder à faire de lui un Bon Homme. L'Inquisition ayant commencé à labourer le Razès et le pays de Sault, Bernard avait pris peur et s'était enfui à son tour pour rejoindre son frère dans la maison de Rabastens, qui était une maison de l'Eglise.

Bernard et Pierre se rendirent ensemble à la grand'messe, pour faire les catholiques, tandis que Guilhem restait dans la maison avec Guillelme et se chargeait de la cuisine; puis les quatre jeunes gens déjeunèrent ensemble de ce que Guilhem avait préparé. Après le repas, Bernard et Guilhem promirent qu'ils s'occuperaient de Guillelme comme d'eux-mêmes, et qu'ils espéraient bien qu'elle se montrerait digne d'estime et d'affection. Elle promit à son tour qu'elle ferait pour le mieux ce qu'elle aurait à faire; puis Pierre se leva pour partir, car, disait-il, il s'inquiétait de ses moutons, de ce que dirait son maître de son retard, et des fromages que le temps était venu de faire. Guillelme lui demanda de venir la voir de temps en temps. Il lui répondit qu'il ne le pourrait guère, à cause de son métier de berger. Il la quitta ainsi et, dit-il à l'inquisiteur, ne la revit plus jamais.

Guilhem Bélibaste lui dira par la suite qu'elle avait été bonne pour lui et pour son frère, et bonne croyante, mais qu'elle avait assez mauvais caractère et la langue bien pendue. Pierre quant à lui, de retour à son estive, reçut son congé de son maître, qui l'avait déjà remplacé.

De 1306 à 1309, c'est en fait la dernière traque que Guillelme va vivre, dans la maison de Rabastens tout d'abord, qu'elle tiendra quelque temps comme base de repli et de respiration pour Philippe d'Alairac et Guilhem Bélibaste, puis au hasard des chemins de l'errance et de la fuite, avec les Bons Hommes et leurs derniers amis. La toute jeune femme vécut sa passion avant d'avoir vingt ans : bonne croyante, ayant tout abandonné pour la voie de Dieu, elle ne fut probablement jamais Parfaite, et ne put même pas faire une bonne fin selon sa foi. Le gros registre des Sentences de Bernard Gui nous permet de la retrouver, dans le souvenir de Perrin Maurel, cet immigré bourguigon qui hébergea Pierre Authié, au terme de son sacerdoce de la dernière chance, aux confins de la Lomagne (1). A la fin du mois de juin 1309, Pierre Authié, à bout de souffle, avait été amené par des fidèles dans ce mas du village de Beaupuy, non loin de l'abbaye de Grandselves, que tenaient Perrin et son frère Arnaud, probables vaudois, mais liés aux clandestins cathares par des attaches affectives – la femme d'Arnaud était bonne croyante –, et de solidarité hérétique (2).

Il y resta cinq ou six semaines. Très vite, dès le début du mois de juillet, ses hôtes avaient vu arriver un autre Parfait, jeune et

---

(1) Sentence de Perrin Maurel, Bourguignon, par Bernard Gui. *Ed. cit.* Philippe a. LIMBORCH, p. 1O2. Il avait comparu en janvier 1310, donc avant le bûcher de Pierre Authié, qu'il retrouva dans les prisons de l'Inquisition toulousaine. Ce fut même Pierre Authié qui lui conseilla d'avouer le peu qu'il savait. Il ne fut condamné qu'au port des croix, ainsi que sa femme Jeanne, dont la sentence est contenue à la p.43.

(2) Sentence de Raimonde, femme d'Arnaud Maurel, *in ibid.* p. 67-68. Elle était, quant à elle, du pays, et avait reconnu avoir déjà, auparavant, vu Pierre et Jacques Authié, avoir ensuite adoré le vieux Parfait au cours de son séjour à Beaupuy, et cru que les hérétiques étaient de Bons Hommes, tenant une bonne foi. Elle fut condamnée au Mur. Elle avait tout d'abord refusé d'avouer quoi que ce soit, bien qu'étant retenue en prison, bien que son mari et son beau-frère aient été eux aussi capturés, et bien qu'elle eût déjà trois frères au Mur pour hérésie. L'Inquisiteur indique qu'elle n'a du reste pas encore tout avoué, car beaucoup plus de présomptions pèsent sur elle, du témoignage de Pierre et Jacques Authié ainsi que de nombreux croyants interrogés.

à la chevelure d'un beau roux : c'était Pierre Sans (1). Il demeura jusqu'à la fin du mois auprès de l'Ancien, et parfois donnait de l'argent à Perrin Maurel pour qu'il leur achète des provisions et notamment du poisson. Vers la fin juillet, alors qu'ils restaient prudemment cachés dans la ferme, le frère de Pierre Sans vint les retrouver à son tour, très probablement porteur de mauvaises nouvelles. Et Pierre Sans repartit avec lui. Au début du mois d'août, arriva enfin une jeune femme, qui se prénommait Guillelme, et se disait la fille de Pierre Authié. C'était bien entendu Guillelme Maury, qui était restée au nœud des réseaux de l'Eglise en perdition – elle avait dû avoir des informations alarmantes par le contact de Pierre Sans ou de son frère –, et qui venait pour tenter de sauver le vieux Parfait.

Dés le lendemain, ou le soir même peut-être, elle l'emmena. Elle essayait de le conduire vers un autre lieu plus sûr, peut-être vers la Gascogne toute proche. Mais ils furent presque immédiatement arrêtés ensemble, le vieil homme et la jeune croyante, et tous deux transférés dans les prisons de Toulouse.

Août 1309. On ne sait rien d'autre de Guillelme. Son frère Jean, lors de son interrogatoire devant l'inquisiteur Fournier, en 1323, ne la compte plus au nombre de ses sœurs vivantes. En 1324, son frère Pierre ajouta laconiquement à ce que nous savons, qu'elle avait ensuite été transférée devant l'Inquisition de Carcassonne. Comme nous n'avons pas conservé, de Geoffroy d'Ablis, sentences ni dépositions autres que le fragment de son enquête de 1308-1309 en comté de Foix, le sort de Guillelme nous restera donc inconnu. Elle put s'en sortir, puisqu'elle n'était pas relapse, avec une peine d'emprisonnement à vie, à condition toutefois qu'elle ait accepté de reconnaître que la foi qui avait été la sienne était mauvaise, d'abjurer toute hérésie. Ce n'était pas forcément dans son caractère, ni la conclusion qu'elle pouvait préférer au terme d'une vie qu'elle avait essayé de choisir elle-même envers et contre tout.

---

(1) Ou peut-être Sans Mercadier, le jeune Parfait que Pierre Authié venait tout juste d'ordonner et qui se montra si affecté par la prise et la mort de l'Ancien qu'il s'en suicida en 1310. La déposition de Perrin Maurel indique seulement le nom *Sancius ou Sancetus*, transcrit en latin par le scribe.

Jean Maury devait du reste rappeler à l'inquisiteur Fournier que ses frères Bernard et Guilhem avaient été frappés de pénitence par l'Inquisition de Carcassonne, et que le plus jeune, Arnaud, était mort au Mur des Allemans, la propre prison de l'inquisiteur de Pamiers (1). Mais Jean et Pierre Maury, les grands bergers, furent à leur tour condamnés en août 1324 par Jacques Fournier au Mur strict, et finirent vraisemblablement leur vie dans la même prison des Allemans (2).

LA CHÂTELAINE ET LA BERGÈRE

Guillelme Maury, vingt ans, à peine plus, dans la grande chaleur étouffante du mois d'août, tombée sur ce plat pays perdu à l'intérieur des terres, de l'autre côté de la Garonne, aux limites de la Gascogne déjà. Guillelme toute seule sur les chemins, sur les routes poussiéreuses, entre les champs moissonnés, les prés où les bêtes fuient la chaleur en dormant écrasées contre les haies. Guillelme seule et qui se hâte, sous la chaleur qui tambourine, Guillelme qui marche à contre-courant du destin, qui veut tenter l'impossible, protéger la vie de l'Ancien. Guillelme courant sous le soleil sur le chemin de Beaupuy. Et puis, dans la grande lumière de l'été, vit-elle peu à peu l'horizon des collines se dessiner devant elle, et le pech, le puy, la douce colline ronde surmontée d'un clocher, d'un village haut et de fortifications, s'élever à l'autre extrémité de son chemin?

Le site de Beaupuy étonne. Il est harmonieux et vaste. Si loin de leurs montagnes, le vieux notaire d'Ax, la petite paysanne de Montaillou, y portèrent leur dernier regard de liberté. Pierre Authié était resté caché près de deux mois dans l'ombre d'une ferme, de torchis et de bois; Guillelme s'y essoufla. Le village dort encore au soleil, sous ses murs de terre crue qui fondent peu à peu, parmi les fleurs et les ronces.

Il faut bien conclure. Au terme des pas de Guillelme Maury. Dans l'image de cette dernière figure toute simple, toute droite, de femme cathare volontaire et engagée, placée là en fin de parcours pour constituer le pendant de la triste histoire

(1) Déposition de Jean Maury *cit.* p.871.
(2) Sentence de Pierre et de Jean Maury, Vol. Doat 28, f° 71a-75b.

d'Arnaude de Lamothe, la Parfaite ordinaire des premiers temps noirs. Certes, le registre tardif de Jacques Fournier contient mille détails pittoresques sur l'humour et la duplicité de quelques paysannes de Montaillou et d'ailleurs, qui avaient transcrit à leur manière, dix ans après que la voix des Bons Hommes s'était tue, le souvenir de leur discours logique et sympathique. Sont-elles encore des femmes cathares, comme Guillelme Maury le fut indéniablement et de toute sa force?

Ce fut passion cathare que vécut de 1306 à 1309 la jeune Guillelme, et dont elle mourut. Grazida Liziers, qui fut interrogée en 1321 par Jacques Fournier et condamnée simplement au port des croix l'année suivante, ne lui parla guère que libertinage et pragmatisme dualiste à la façon rurale (1). Provocatrice un brin, et sans se démonter, elle lui asséna que Dieu avait fait bien évidemment tous les animaux utiles à l'homme, la brebis, la vache et le cheval, mais qu'aussi évidemment les animaux nuisibles, le loup, la mouche ou le crapaud étaient l'œuvre du diable; cela, d'autres paysans l'expliquèrent aussi à l'inquisiteur. Mais Grazida était aussi l'une des bergères de Montaillou que le curé du lieu, Pierre Clergue, avait eu le privilège de déflorer du consentement de sa mère, puis de fréquenter du consentement de son mari, enfin de la déniaiser intellectuellement aussi bien que physiquement. Elle soutint donc que l'union charnelle n'était un péché que si elle s'accomplissait sans plaisir, et qu'elle n'avait donc pas éprouvé le sentiment de pécher quand elle s'était donnée à ce prêtre, puisque cela leur plaisait à tous deux.

La plus fameuse des conquêtes du curé de Montaillou avait été pourtant la veuve de l'ancien châtelain du lieu, Béatrice de Planissoles, une femme noble, de vieille lignée attachée au catharisme. Béatrice elle-même n'en avait rien retenu, et le peu qu'elle en apprit, ce fut par son ecclésiastique amant lui-même, qui sembla s'être réellement intéressé au caractère intellectuel et logique de l'évangélisme hérétique. Elle ne fut pas du reste très bonne élève, et si Jacques Fournier la condamna, elle aussi, au port des croix, ce fut davantage pour avoir été la maîtresse d'un ou deux curés que pour hérésie

(1) Se reporter à la déposition de Grazida Liziers devant Jacques Fournier, *éd. cit.* t.1, p.299 ss.

caractérisée (1). Pierre Clergue, de son côté, mettait à profit l'enseignement des Bons Chrétiens principalement en ce qu'il servait son activité de Don Juan de village par désacralisation de l'institution du mariage.

Indépendamment des frasques amoureuses d'un curé qui termina tragiquement sa vie au Mur, le dualisme pragmatique des montagnes conjuguait relents de traditions populaires et vague christianisme un peu superstitieux, sur quotidien de vie précaire, à gagner chaque jour sur la misère et contre les éléments. Il serait imprudent de n'y voir que le dernier avatar du catharisme (2).

L'AIR DU TEMPS

J'ai longtemps cru que le catharisme n'avait vraiment été déraciné de l'histoire, malgré bien sûr le fer, le feu et les procédures de l'ordre royal et catholique, que par l'intervention d'un nouveau paramètre dans l'histoire des mentalités, un renouveau insufflé à l'intérieur de la spiritualité chrétienne médiévale par l'aventure de François d'Assise et des siens, par la redécouverte – ou même découverte – en quelque sorte du personnage humain, souffrant, sanglant du Christ. Il est vrai que la neuve mystique franciscaine, fondée sur l'amour du Fils en sa tragique Incarnation, et dont François, le premier stigmatisé, symbolisa bientôt lui-même comme un vivant rappel, contribua grandement, aux temps gothiques, à réorienter le christianisme médiéval que les temps romans, dans l'orthodoxie comme dans l'hérésie, soumettaient à un Père lointain, à un Esprit saint qui était colombe, paraclet, illumination intellectuelle plus qu'affective.

Après le tournant du XIIIe siècle et malgré le Thomisme, la spiritualité médiévale se fit charnelle ; on déshabilla sur la croix le corps torturé du Christ, on se mit à souffrir avec lui et à adorer ses plaies, on chercha des lépreux à embrasser, on écrivit

---

(1) Déposition de Bétrice de Planissoles, *in ibid.* t.1, p.26O ss.

(2) Se reporter ici à l'ouvrage d'Emmanuel LE ROY LADURIE, *Montaillou, village occitan, op. cit.*, qui est l'œuvre d'un ethnologue plus que d'un historien. Cf. également Anne BRENON, « le Catharisme des montagnes », dans *Heresis* ne 11, 1988, p.53-74.

des romans de pieuse édification autour du saint vase ayant recueilli le sang du Fils, le Graal, et l'on commença à visualiser, en des extases d'illumination, le Sacré Cœur du divin corps. Certes, cette fixation sur le second personnage de la Trinité, le Fils, Dieu et homme, devait donner au catholicisme toute sa grandeur de religion chrétienne prenant en compte la douleur de la condition humaine et la compassion d'un Dieu ayant accepté de la partager.

Mais était-ce suffisant pour faire oublier le message d'espoir chrétien que portait le catharisme? J'avoue qu'aujourd'hui, j'en doute. Il est vrai que bien des femmes occitanes, à la fin du XIIIe siècle, au début du XIVe, alors que les Bons Hommes s'étaient faits rares, se lancèrent à corps perdu dans l'aventure du béguinage; que les derniers registres d'Inquisition de Carcassonne nous livrent les noms et les expériences inouïes de béguines, qui avaient pris le relai des Parfaites, qui se faisaient brûler et emprisonner à leur tour, mais qui clamaient leurs mystiques émois et leur déraison. Etait-ce là l'air du temps?

Loin de moi l'idée de relativiser la valeur profonde de la réflexion des Franciscains spirituels méridionaux, de Pierre Déjean-Olieu par exemple, qui écrivit de beaux textes de réflexion pieuse en occitan pour les occitans, et sur la tombe duquel se produisaient des miracles. Les excès mystiques de certains membres de leur tiers ordre, comme du reste tout ce caractère de noirceur du second versant du Moyen Age, que j'ai déjà évoqué ici, ne sont-ils pas plutôt comme une retombée de cette horreur au quotidien que l'institution de l'Inquisition installa sur tout un vaste pays; horreur à laquelle n'allait pas tarder à s'ajouter celle des grandes pestes du XIVe siècle, puis le long calvaire de la Guerre de Cent Ans? Peut-être convient-il, tout simplement, de ne pas confondre les causes et les conséquences.

Dans les toutes premières années du XIVe siècle, malgré près d'un siècle de guerre et de persécution systématique, le catharisme était-il dogme en désuétude, doctrine dégénérée, religion abâtardie, idée dépassée? Nous l'avons au contraire reconnu intact et ramassé en lui-même. La petite allumette de l'apostolat des frères Authié avait suffit à propager un rapide incendie, à regagner tout un pays, entre Quercy et Pyrénées. Simplement, il était infiniment plus fragile, plus vulnérable qu'un siècle plus tôt, et quel que fût le nombre de ses croyants, du fait de la raréfaction de ses ministres. Il suffisait de capturer la poignée des prédicateurs clandestins et l'incendie s'éteignait, comme on souffle une chandelle. L'évangélisme cathare n'était pas religion populaire, capable de se propager sur illumination spontanée de ses croyants. Il n'était pas révolte, il était Eglise. Il était religion de catéchèse, d'école, de noviciat, de prédication évangélique précise, de tradition d'un sacrement. Qui brisait la chaîne des baptêmes par imposition des mains, qui interrompait l'enseignement, condamnait le catharisme à mort et sans appel. Quand bien même il s'appuyait sur un nombre tout à fait considérable de croyants. C'est ce que fit l'Inquisition.

Certes, au cours de leur brève aventure de reconquête, les frères Authié et leurs amis multiplièrent autant qu'ils le purent les noviciats et les ordinations, incitèrent et suscitèrent les vocations malgré l'intensité des périls, car là était le seul avenir possible de leur entreprise. L'extraordinaire résultat de leur travail, en quelques années, montre qu'il aurait pu réussir. Si, simplement, l'Inquisition les avait laissés respirer un peu. Je ne crois plus que le catharisme était forcément condamné à disparaître du rang des christianismes tolérés par l'Histoire. Il disparut tout simplement parce que des hommes, qui en avaient le pouvoir, et qui en un mot avaient *le pouvoir*, prirent les moyens de le faire disparaître.

Je ne crois plus qu'il survivait à contre-Histoire, parce que l'intense fréquentation des sources inquisitoriales à laquelle je me suis livrée au cours de ces quelques mois m'a peu à peu amenée à vérifier et réviser les idées auxquelles j'étais parvenue, et surtout à colorer de manière plus vive et plus vraie les images du catharisme que j'avais intériorisées. J'ai été impressionnée par la qualité de la reconquête de la dernière Eglise, sur un monde de croyants demeuré encore intact, entre Massif central et Pyrénées. Et puis, ce qui n'est pas le moindre, tant de personnages sont sortis des gros livres, tant de destins de femmes un instant croisés, tant de noms, de silhouettes, que je ne pourrai plus oublier et qui, dans quelque temps, m'apparaîtront peut-être – m'apparaîssent déjà –, comme les souvenirs de vieux amis, de vieilles connaissances, nimbés d'une sorte de lumière d'enfance.

Et qui disent quoi, dans le mode d'expression qui est le leur, et si on veut tenter une traduction toute simple? Que ce n'était pas plus difficile, pas plus dérangeant, pas plus absurde, ni même anachronique, d'être croyant cathare au début du XIVe siècle, qu'aujourd'hui pratiquant catholique ou fidèle protestant. Que ce n'était pas parce que les religieux de son Eglise prêchaient que le monde de Dieu était l'autre, le monde invisible, que l'on en appréciait moins les joies d'ici-bas : après tout, toutes les religions chrétiennes, la catholique, la protestante et l'orthodoxe, placent elles aussi tout l'avenir de l'homme au paradis. Ou dans l'enfer. Là est la seule différence. Le chrétien, la chrétienne cathare, avaient simplement cela en plus qu'ils croyaient, en plein Moyen Age, que l'enfer éternel était une invention des curés, destinée à les aider à faire tenir tranquilles leurs ouailles. Un instrument de régulation sociale fondé sur une supercherie théologique.

La croyante cathare fut simplement la femme chrétienne médiévale qui n'éprouva pas l'envie, et qui n'eut aucune raison, de maudire Dieu au spectacle des horreurs de ce monde, devant le triomphe de l'injustice et de la bêtise, au moment de la mort d'un petit enfant; qui put consider la voie religieuse comme voie normale au terme d'une vie bien remplie; qui savait que Dieu ne se souciait pas d'une hiérarchie quelconque des sexes ou de la naissance; et qui ne vit jamais les religieux de son Eglise comme des êtres différents ou privilégiés, mais comme des guides sur le chemin.

Etait-ce un leurre que de tenter un travail à propos des femmes cathares? Ce livre a abouti en fait à une histoire du catharisme dans son ensemble, vue et menée de l'intérieur. Comment aurait-on pu exclure et même seulement négliger la part masculine de son enracinement humain? Mais il est indéniable que d'un bout à l'autre du parcours, et jusqu'à la mort de la dernière Eglise, les femmes offrirent tout leur dévouement et toute leur ferveur à sa cause; qu'elles lui donnèrent toujours la clef de son domaine cordial, le profond de son existence et de son exigence; le catharisme, il est vrai, qui voyait en elles des âmes divines à part entière, encloses en de provisoires corps matériels – sans autre signification ni valeur –, leur rendait en retour toute la dérisoire et imprescriptible dignité de l'être humain.

Nuit et brouillard

Aprés des siècles d'oubli tombés sur la dernière croyante brûlée, qui s'appelait Guillelme Tournier, et qui fut en 1325 la victime de l'inquisiteur de Carcassonne, et depuis la fin du XIXe siècle, de folles silhouettes d'Esclarmondes, mi-blanches colombes, mi-fiancées des ténèbres, ont proliféré en planant au-dessus des burlesques reconstructions d'un catharisme mythifié, dévoyé, récupéré, commercialisé. Certaines eurent bien sûr densité et intensité poétiques. D'autres restèrent secs plagiats, caricatures un peu bêlantes dans leurs robes blanches, prêtresses de carton-pâte malgré leurs robes noires (1), gardiennes de Graals de quincaillerie.

Puissent la moindre Guillelme, la plus humble Raimonde, la plus timide Philippa, mal endormies entre les pages des registres de l'Inquisition, rendre ces vaines constructions au monde de l'illusoire. Et vous adresser simplement un petit sourire têtu.

Villegly, le 13 juin 1991.

(1) Ce fut bien sûr Napoléon PEYRAT qui ouvrit la lignée, avec son personnage d'Esclarmonde de Foix, princesse et diaconesse cathare, la « grande Esclarmonde » à qui il attribuait l'idée et la grandeur de Montségur, et dont il imaginait l'impressionnant sarcophage au cœur de la crypte souterraine et au terme des trois mille marches qui creusaient les entrailles du pog... Toutes les Esclarmondes qui suivirent n'eurent pas la dignité de celle-ci. Il y aurait là le thème d'une intéressante étude de sociologie littéraire.

Remerciements

A Jean DUVERNOY au premier chef, qui a gentiment mis à ma disposition sa transcription du manuscrit 609 de Toulouse, m'évitant ainsi de longues séances aveuglantes devant un méchant microfilm. Et qui a tout compris, et tout dit, du catharisme et des cathares...

A Michel ROQUEBERT, pour ce dialogue à propos d'Arnaude de Lamothe et de Guilhem Garnier, le brave bouvier de Lantarès. Dialogue dont j'attends maintenant sa conclusion avec impatience...

A Jean Jacques BEDU, le chevalier Bayard du Logiciel Word 5, pour son assistance informatique sans peur, sans faille et sans reproche,

A Nicolas, Brigitte et Marie-Paule, et à toute l'« équipe » du Centre d'Etudes cathares/René Nelli, qui a supporté avec patience et amitié la période éprouvante de la rédaction de ce travail,

A ma mère, qui pendant tout ce temps-là a beaucoup gardé le bébé,

Et bien-sûr à Jean-Louis.

Répertoire des noms de lieux

A

Agassol. Lieu-dit non identifié, en Lantarès.
Agen. Auj. préfecture du Lot-et-Garonne.
Aillou (pays d'). Ancienne seigneurie d'Alion, autour de Montaillou.
Airoux. Localité de l'Aude, en Lauragais.
Alaigne. Chef lieu de canton de l'Aude, en bas Razès..
Alairac. Localité de l'Aude, en Carcassès (Malepère).
Alaman. Lieu-dit du Mas-Saintes-Puelles, Aude.
Albi. Auj. préfecture du Tarn.
Alborens. Lieu-dit, commune de Génerville, Aude.
Allemans (les). Auj. La Tour du Crieu, près de Pamiers (Ariège).
Aragon. Localité de l'Aude, en Carcassès.
Arques. Localité de l'Aude, canton de Couiza.
Auriac. localité de Haute-Garonne, en Lauragais, canton de Caraman.
Aurin. Localité de Haute-Garonne, en Lantarès.
Auterives. Chef-lieu de canton de Haute-Garonne, sur l'Ariège.
Avelanet (l'). Bois non identifié, en Lantarès.
Avignonnet. Localité de Haute-Garonne, canton de Villefranche-de-Lauragais.
Ax-les-Thermes. Chef-lieu de canton de l'Ariège, sur l'Ariège (Sabarthès).

B

Balaguier. Lieu dit non identif. en Lantarès (il existe d'autres Balaguier, dont un en Chercorb).
Bauville. Auj. Beauville, localité de Haute-Garonne, près de Caraman.
Beaupuy. Localité du Tarn-et-Garonne, entre Verdun-sur-Garonne et Beaumont-de-Lomagne.
Belcaire. Chef-lieu de canton de l'Aude, en pays de Sault.
Belpech. Chef-lieu de canton de l'Aude, aux limites du Lauragais.

Berlan. Lieu-dit de Montredon-Labessonié, Tarn.
Béziers. Chef-lieu d'arrondissement de l'Hérault, sur l'Orb.
Bordes (les). Voir Lasbordes.
Bouillac. Localité du Tarn-et-Garonne, canton de Verdun-sur-Garonne.
Boulbonne. Abbaye cistercienne disparue, Ariège.
Bourdarié (la). Lieux-dits du Tarn, sur les communes de Lombers et de Poulan.
Bram. Localité de l'Aude, canton de Fanjeaux.
Brugairolles. Localité de l'Aude, en bas Razès.
Bunag. Lieu-dit non identifié de Tarabel, Lantarès.

C

Cabardès. Ancien pays de la seigneurie de Cabaret, Montagne Noire audoise et son piémont.
Cabaret. Siège de la seigneurie de Cabardès, voir Rivière et Lastours (châteaux).
Cadenac. Lieu-dit de Saint-Félix-Lauragais, Haute-Garonne.
Cailhavel. Localité de l'Aude, canton de Fanjeaux.
Cambiac. Localité de Haute-Garonne, canton de Caraman.
Camon. Localité de l'Ariège, près de Mirepoix.
Camplong. Lieu-dit disparu de Saint-Martin-Lalande, Aude, en Lauragais (il existe de nombreux autres Camplong).
Caragoude. Localité de Haute-Garonne, près de Caraman.
Caraman. Chef-lieu de canton de Haute-Garonne, en Lauragais.
Carcassonne. Auj. préfecture de l'Aude.
Carcassès. Ancien pays de Carcassonne.
Casseneuil-en-Quercy. Localité du Lot-et-Garonne.
Castelbon. Auj. en Espagne, Castelbo.
Castelnaudary. Chef-lieu d'arrondissement de l'Aude, en Lauragais.
Castelsarrasin. Chef-lieu d'arrondissement du Tarn-et-Garonne.
Castres. Chef-lieu d'arrondissement du Tarn, sur l'Agout.
Caussade. Chef-lieu de canton du Tarn-et-Garonne.
Cavanac. Localité de l'Aude, en Carcassès.
Cessales. Localité de Haute-Garonne, près de Villefranche-de-Lauragais.
Cestayrols. Localité du Tarn, près de Marssac-sur-Tarn.
Châteauverdun. Localité de l'Ariège, au débouché du pays de Sault (château).
Chercorb ou Kercorb. Pays de Chalabre et de la rive orientale de l'Hers, Aude.
Cornèze. Hameau de Couffoulens, en Carcassès (Aude).
Coronde. Lieu-dit non identifié, région de Montauban.
Couffinal. Hameau de Revel, Haute-Garonne.
Couffoulens. Localité de l'Aude, en Carcassès, au bord de l'Aude.
Coustaussa. Localité de l'Aude, entre Arques et Couiza (Razès).
Cubières. Localité de l'Aude, canton de Couiza (haut Razès).
Cucuroux. lieu-dit de Laurac (Aude).
Cumiès. Localité de l'Aude, près de Salles-sur-l'Hers.

Répertoire des noms de lieux

D

Deime. Auj.Deyme, localité de Haute-Garonne, près de Montgiscard.

F

Falgairac. Lieu-dit de Caragoude, Haute-Garonne.
Fanjeaux. Chef-lieu de canton de l'Aude, entre Lauragais et bas Razès.
Feste. Lieu-dit d'Arzens, canton de Montréal, Aude.
Fleury-sur-Loire. Ancien nom de l'abbaye de Saint-Benoît sur Loire.
Foix. Auj. préfecture de l'Ariège (Château).
Fontfroide. Abbaye cistercienne de l'Aude, près de Narbonne.
Fraixenède (la). Bois non identifié près de Saint-Germier.

G

Gaillac. Chef-lieu de canton du Tarn, sur le Tarn.
Gaja-la-Selve. Localité de l'Aude (canton de Fanjeaux).
Garde. Hameau près de Verfeil (Haute Garonne.)
Giroussens. Localité du Tarn, au-dessus de Lavaur.
Gomerville. Lieu-dit disparu de Montgaillard-Lauragais, en Haute-Garonne.
Gouzens. Localité de Haute-Garonne, près de Montesquieu-Volvestre.
Guiraude (la). Lieu-dit non identifié en Lantarès.
Guizole (la). Bois non identifié près des Cassès.

H

Hautpoul. Localité du Tarn, au-dessus de Mazamet.

J K

Junac. Localité de l'Ariège, aujourd'hui Capoulet-et-Junac, dans la vallée de Vicdessos.
Kercorb. voir Chercorb.

L

La Garde. Lieu dit de Lantarès, sous Lanta.
La Garrigue. Bois de Lantarès non identifié.
Labécède-Lauragais. Localité de l'Aude, arrondissement de Castelnaudary.
Lagarde. Localité de l'Ariège, près de Mirepoix. Ancien château des Lévis.
Lagarde. Localité de Haute-Garonne, près de Villefranche-de-Lauragais.

Lagrasse (Sainte Marie de). Abbaye bénédictine de l'Aude.
Lagrifoul. Lieu-dit de Montredon-Labessonnié, Tarn.
Lahille. Lieu-dit sous Fanjeaux (Aude).
Lahille. Lieu-dit disparu de Laurac (Aude)?
Lamothe. Probablement lieu-dit sur la commune de Lamothe-Capdeville, près de Montauban (il existe de nombreux autres Lamothe).
Lanta. Chef-lieu de canton de Haute-Garonne, ancienne seigneurie de Lantarès.
Lantarès. Pays de Lanta (Haute-Garonne).
Larnat. Localité de l'Ariège, au-dessus de Tarascon et du Sabarthès.
Laroque-d'Olmes. Ville de l'Ariège, près de Lavelanet.
Lasbordes. Localité de l'Aude, près de Castelnaudary.
Lastours – Village moderne, sous les tours de Cabaret (Aude).
Laurac. Ancienne seigneurie de Lauragais. Auj. commune de l'Aude, près de Castelnaudary.
Lauragais. Pays de Laurac (Aude et Haute-Garonne).
Laure. Localité de l'Aude, en Minervois.
Lautrec. Chef-lieu de canton du Tarn.
Laval. Lieu-dit non identifié en Lauragais.
Lavaur. Chef-lieu de canton du Tarn, sur l'Agout.
Le Born. Localité de Haute-Garonne, au-dessus de Villemur-sur-Tarn.
Les Cassès. Localité de l'Aude, en Lauragais.
Lespinasse. Prieuré de Fontevrault en Haute-Garonne, près de Fenouillet.
Leuc. Localité de l'Aude, en Carcassès.
Limoux. Chef-lieu d'arrondissement de l'Aude.
Linars. Localité du bas Quercy non identifiée.
Lomagne. Ancien comté, région au sud de l'actuel Tarn-et-Garonne.
Lombers. Localité du Tarn, prés de Réalmont.
Longages. Prieuré de Fontevrault en Haute Garonne, près de Noé.
Lordat. Localité de l'Ariège en Sabarthès, près de Luzenac (château).
Loubens. Localité de Haute-Garonne, près de Caraman (château).
Luzenac. Localité de l'Ariège, en Sabarthès.

M

Marceille. Lieu-dit de l'Aude, près de Limoux (prieuré).
Marmorières. Hameau de bas Cabardès, commune de Sallèles, Aude.
Mas Cabardès (le). Chef-lieu de canton de l'Aude.
Mas del Pech. Lieu-dit de Montredon-Labessonié, Tarn.
Mas-Saintes-Puelles (le). Localité de l'Aude, en Lauragais.
Mascarville. Localité de Haute-Garonne, près de Caraman.
Massabrac. Localité disparue, près de Bénaïx, Ariège.
Maurens. Localité de Haute-Garonne, prés de Saint-Félix-Lauragais.
Mazerolles. Actuellement, commune de l'Aude, canton d'Alaigne; ou mieux : Mazerollette, lieu-dit près de Gaja-la-Selve, Aude.
Miglos. Localité de l'Ariège, au-dessus de la vallée du Vicdessos.
Minerve. Ancienne seigneurie de Minervois (vicomté). Aujourd'hui, beau village de l'Hérault, canton d'Olonzac.
Minervois. Pays de Minerve (Aude et Hérault).

Miraval. Localité de l'Aude, en haut Cabardès (château).
Mirepoix. Chef-lieu de canton de l'Ariège, sur l'Hers.
Mirepoix-sur-Tarn. Localité de Haute-Garonne, près de Villemur.
Mireval. Localité de l'Aude, près de Laurac.
Mondoumerc. Localité du Lot, près de Lalbenque.
Montaillou. « Village occitan », dans l'Ariège, arrondissement d'Ax. Ancienne seigneurie d'Alion (pays d'Aillou).
Montalzat. Localité du Tarn-et-Garonne, près de Montpezat.
Montauban. Actuelle préfecture du Tarn-et-Garonne.
Montclar-en-Quercy. Localité du Tarn-et-Garonne.
Montesquieu-en-Lauragais. Localité de Haute-Garonne, près de Montgiscard.
Montferrier. Localité de l'Ariège en pays d'Olmes, près de Montségur.
Montgaillard. Localité de l'Ariège, dans la vallée de l'Ariège, près de Foix.
Montgey. Localité du Tarn, près de Puylaurens (château).
Montgiscard. Chef-lieu de canton de Haute- Garonne, à la limite du Lauragais.
Montgradail. Lieu-dit de bas Razès, canton de Belvèze, Aude.
Montlaur. Localité de l'Aude, près de Lagrasse.
Montmaur. Localité de l'Aude, en Lauragais (château).
Montpezat. Chef-lieu de canton du Tarn-et-Garonne.
Montréal. Chef-lieu de canton de l'Aude, à la limite du Carcassès.
Montségur. Actuellement village d'Ariège, canton de Lavelanet (château).
Montserver. Lieu-dit non identifié (Fanjeaux?)
Muret. Chef-lieu de canton de Haute-Garonne, au sud de Toulouse.

N

Narbonne. Chef-lieu d'arrondissement de l'Aude.
Niort de Sault. Ancienne seigneurie d'Aniort, au débouché du pays de Sault. Localité de l'Aude, arrondissement d'Axat.
Noguié (le). Lieu-dit non identifié en Lantarès.

O

Odars. Localité de Haute-Garonne, en Lantarès, canton de Montgiscard.

P

Palaja. Localité de l'Aude, près de Carcassonne.
Pamiers. Chef-lieu d'arrondissement de l'Ariège.
Paris. Village médiéval déserté du Chercorb, sur la commune de Rivel (Sainte-Colombe-sur-l'Hers), Aude.
Paulhac. Localité de Haute-Garonne, près de Montastruc-la-Conseillère.
Pechagut. Lieu-dit non identifié en Lantarès (près de Tarabel?).

Pèira (la). lieu-dit non identifié près de Belpech, Aude.
Péreille. Auj. Péreille d'en Bas, localité d'Ariège, près de Lavelanet (château très ruiné).
Perles. Auj. Perles-et-Castelet, près d'Ax (Ariège).
Plaigne. Localité de l'Aude, entre Fanjeaux et Belpech.
Pradelles-Cabardès. Localité de l'Aude, en haut Cabardès (sous le Pic de Nore).
Prado lonc (a). Lieu-dit de la commune de Larnat.
Préserville. Localité de Haute-Garonne, en Lantarès.
Prouille. Couvent de Dominicaines, sous Fanjeaux (Aude).
Prunet. Localité de Haute-Garonne, près de Caraman.
Puivert. Localité de l'Aude, en Chercorb (château).
Puylaurens. Chef-lieu de canton du Tarn.

Q

Queille. Hameau de la localité de Saint-Quentin-la-Tour, près de Mirepoix (Ariège).
Quéribus. Forteresse médiévale, canton de Tuchan, Aude.
Quillan. Chef-lieu de canton de l'Aude, au pied du plateau de Sault.

R

Rabastens. Chef-lieu de canton du Tarn, sur le Tarn.
Rabat. Auj. Rabat-les-trois-Seigneurs, localité de l'Ariège, près de Tarascon.
Rabinié (la). Lieu-dit perdu de Montclar-en-Quercy.
Razès. Ancien pays de Rhedae, dans l'Aude (entre Arques, Limoux et Fanjeaux).
Rieunette. Abbaye cistercienne de femmes, dans la vallée du Lauquet (Aude).
Rivière-de-Cabaret. Village médiéval déserté, sous les tours de Cabaret, près de Lastours (Aude).
Roquefeuil. Localité du pays de Sault (Aude).
Roquefère. Localité de l'Aude, en Cabardès.
Roquefixade. Localité de l'Ariège, entre Foix et Montségur (château).
Roquefort. Castrum déserté, près de Sorèze (Tarn).
Roquemaure. Localité du Tarn, près de Rabastens.
Roquevidal. Localité du Tarn, arrondissement de Lavaur.
Roqueville. lieu-dit non identifié, commune de Montgiscard, Haute-Garonne.
Roumégoux. Localité du Tarn, près de Réalmont.
Rougiés (les). Lieu-dit disparu de Montclar-en-Quercy.

S

Sabarthès. Haute vallée de l'Ariège, entre Tarascon et Ax.
Saint-Benoît. Localité de l'Aude, en Chercorb (abbatiale).
Saint-Félix-Lauragais. Localité de Haute-Garonne (château).

Saint-Germain. Lieu-dit de Fanjeaux (Aude).
Saint-Germier. Localité de Haute-Garonne, arrondissement de Villefranche-de-Lauragais.
Saint-Hilaire. Chef-lieu de canton de l'Aude, près de Limoux (Abbaye bénédictine).
Saint-Martin-Lalande. Localité de l'Aude, en Lauragais.
Saint-Menna. Lieu-dit non identifié, près de Verfeil.
Saint-Papoul. Localité de l'Aude, près de Castelnaudary (Abbaye).
Saint-Paul-Cap-de-Joux. Localité du Tarn.
Saint-Paulet. Localité du Lauragais audois, près des Cassés (Château).
Sainte-Croix-Volvestre. Localité de l'Ariège (Prieuré de Fontevrault).
Sainte-Foy-d'Aigrefeuille. Localité de Haute-Garonne, en Lantarès.
Saissac. Chef-lieu de canton de l'Aude, sur les pentes de la Montagne Noire (château).
Salabosc. Bois non identifié en Lantarès.
Salsigne. Localité de l'Aude, en Cabardès (mines d'or).
Sault (pays de). Ancienne seigneurie de So (Usson). Haut plateau des Pyrénées audoises.
Ségreville. Localité de Haute-Garonne, près de Caraman.
Seignadou (le). Lieu-dit dans le village de Fanjeaux, Aude.
Seo d'Urgel (la). Ville de l'Andorre.
Serre (la). Lieu-dit non identifié en Lantarès.
Servian. Localité du Biterrois, Hérault.
Sorèze. Localité du Tarn, au pied de la Montagne Noire.
Sorgeat. Localité de l'Ariège, au-dessus d'Ax, en Sabarthès.

T

Tarabel. Localité de Haute-Garonne, en Lantarès.
Tarascon-sur-Ariège – Chef-lieu de canton de l'Ariège, à l'entrée du Sabarthès.
Tauriac. Localité du Tarn, près de Rabastens.
Termenès. Ancien pays de Termes, Aude.
Termes. Localité de l'Aude, entre Lagrasse et les Corbières. Ancienne seigneurie de Termenès (château).
Testet (le). Lieu-dit de Lisle-sur-Tarn, Tarn.
Tonneins. Lieu-dit de Villeneuve-les-Montréal, Aude.
Tounis. Ancienne île dans la Garonne, à Toulouse. (Aujourd'hui : quai de Tounis.)
Tourette (la). Localité de l'Aude, en Cabardès.

U

Ussat. Localité de l'Ariège, en Sabarthès.
Usson. Ancienne seigneurie de So, château ruiné, au débouché du pays de Sault, côté Ariège.
Vaudreuilhe. Localité de Haute-Garonne, près de Revel.
Vénerque. Localité de Haute-Garonne, entre Montgiscard et Muret.
Verdun-en-Lauragais. Localité de l'Aude, entre Labécède et Castelnaudary.

Index des noms de personnes

Par souci de clarté, cet index se limite aux noms : des personnages historiques connus; des déposants; des personnes citées au moins deux fois, sauf exception; ainsi que de la totalité des Parfaits et Parfaites mentionnés dans l'ouvrage.

Index

M

Q

R

S

Cet ouvrage a été réalisé par la
SOCIÉTÉ NOUVELLE FIRMIN-DIDOT
Mesnil-sur-l'Estrée
pour le compte des Éditions Perrin
le 28 août 1992

Imprimé en France
Dépôt légal : janvier 1992
N° d'édition : 1030 – N° d'impression : 21712